D1188208

Brigitte Kronauer

Teufelsbrück

Roman

Klett-Cotta

EEZ

1. Abend

Im EEZ, unmittelbar vor dem Zusammenstoß mit einem fremden Paar, muß ich in merkwürdiger Stimmung gewesen sein. Momentan keine Ahnung, wieviel Zeit inzwischen vergangen ist. Ich hatte auf meine Uhr gesehen. Genau sechs! Und dann auf eine männliche Schaufensterpuppe, die einen dreifarbigen Slip trug. Das lebensecht gewölbte Mittelstück grün, die gelben Seitenteile durch rote Abnäher fröhlich separiert, und mir war so traurig zumute. Ich wußte nicht, warum.

»Mein Vöglein mit dem Ringlein rot
singt Leide, Leide, Leide,
es singt dem Täublein seinen Tod,
singt Leide, Lei –«

ging mir noch durch den Kopf. Da lag ich schon auf den Knien, spürte einen eindeutig körperlichen Schmerz und hörte wie von fern:

»Zuküth, ziküth, ziküth.«

»Wie blöd, wie blöd«, wurde gleichzeitig oder in Wirklichkeit ganz in meiner Nähe geflüstert. Aber der Mann, der umständehalber mit mir auf dem Boden kniete und mich versehentlich umschlang, hatte es nicht gesagt. Er lächelte ja, ohne den Mund zu öffnen, ohne die Lider zu heben, was mich sofort aufreizte. Noch bevor ich feststellen konnte, daß wir in unseren gegenwärtigen Positionen gleich groß waren, genoß ich den Eindruck, blitzschnell, ehe er vorüber war, in den Armen eines eleganten Verbrechers gelandet zu sein. Hatte ich mir das etwa mein Leben lang gewünscht?

Mit der Größe täuschte ich mich sehr. Das zeigte sich einige Augenblicke später. Aber noch war es nicht soweit. Zeit allerdings, sich voneinander zu lösen! So sehen sie aus, die mondänen mittelamerikanischen Kriminellen, dachte ich: das Haar aus der Stirn nach hinten gekämmt, die Gesichtshaut straff über den Knochen, gefährlich, so hell die Krawatte, so schwarz das Hemd, gefährlich, und so angenehm riechen sie, die Messerhelden. »Steht endlich auf!« trompetete das Vöglein von schräg oben. Unbekannte Hände auf meinem Rücken drängten mich sacht in Aufwärtsrichtung. Die kühlen Augen mir gegenüber sahen mich direkt an, ein Blick, auf den ich schon gewartet hatte, der jedoch einfach durch meinen Kopf stieß und durch die hintere Schädelwand wieder raus.

»Wie blöd, zu blöd!« flötete es über uns, hoch über uns. Also wandte ich aus der Tiefe mein Gesicht zu der kerzengerade in Schlangenlederpumps stehenden Person, zu ihrem Mund vor allem, am braunen Mantel entlang hoch wie an einem Stamm zu ihrem Mund, weiter kam ich zunächst nicht. Ich gelangte gar nicht hinaus über diesen dunkelroten, prallen Querbalken. »Na los!« pfiff er uns an. Es war ein schönes, geschwollenes, strenges Fischmaul, aus dem uns befohlen wurde, und die Augen, schließlich nun doch, mußten wohl die eines amüsierten, insgeheim verärgerten Frosches sein – es war noch etwas Drittes, ich verstand es nur noch nicht –, vor dem ich also kniete. Ohne Schuhe, begriff ich erst jetzt, als ich mit Hilfe des wieder stehenden Mannes die Fußsohlen auf die kalten Passagenkacheln setzte. Das aber erzeugte in mir, ich wußte nicht warum, ein Schuldgefühl. Man verwechselte es offenbar in mir mit dem hier angebrachten Schamgefühl. Der plötzlich sehr große Mann trug einen dunkelgestreiften Anzug. Natürlich, das überraschte mich nicht, auch nicht, daß er, schon wieder heruntergebeugt, mit gezielt vertraulichem Murmeln fragte, ob ich verletzt sei. Die Frau, der ich ihn kurzzeitig entrissen hatte, trieb mir meine davongesegelten Schuhe mit der Spitze ihrer Pumps zu, eins, zwei, sie schossen herbei. Es dauerte nicht mehr lange, und ich konnte mich, mit gar nicht unangenehm schmerzenden Kniescheiben, vertikal zu ihnen gesellen, mich unauffällig neu unter die Menschen mischen. Nur interessierten die mich nicht, ich hatte allein mit diesen beiden zu tun.

Aus Höflichkeit, auch um mich nicht zu verraten, sah ich einzig die Frau an. Mir wurde stumm von vornherein die Schuld an dem Unfall zugeschoben, ein Unfall, von dem ich nicht wußte, wie er zustande gekommen war. Ich sagte aber nicht: »Verzeihung«, sondern, es rutschte mir so über die Lippen ohne mein Zutun, was fuhr in mich, zwei folgenreiche Wörter: »Schöne Schuhe!« Ihre Brauen griffen gebieterisch in zwei flachen Halbkreisen über die Augen hinweg. Später stellte ich mir diese starren Bögen manchmal vor als die schematischen Münder von pessimistischen Zwillingen, aber auch, würde man ihr den Kopf andersrum aufsetzen, als die zweier optimistischer Zwillingsbrüder, so wie sie mich ja freundlich und böse zugleich hypnotisierte. Ich will nicht schon übertreiben: fixierte. Sie sagte mit ihrem ungewöhnlichen und, klar, extra ungewöhnlich geschminkten Mund: »So was!« Das hörte sich nach einem Vorwurf, nach einer kurzen Strafpredigt an, klang aber auch obenhin, überdrüssig. War es doch der versteckte Wunsch nach Vergebung, der mich zu wiederholen zwang: »Schöne Schuhe!«? Ich hatte ja inzwischen etwas auskundschaftet: Sie mußte wesentlich älter sein als der Mann. Bat ich wegen dieser voreiligen Entdeckung, den Schlangenpumps schmeichelnd, um Entschuldigung?

Sie machte mit dem rechten Fuß eine geringschätzige Schleuderbewegung nach vorn. Es sah so aus, als wollte sie mir mit Schwung gegen das Schienbein treten, sagte jedoch, freundlich gelassener Abschluß, immer freundlicher, diese Schuhe, die seien doch gar nichts. Ob ich mich interessiere für das Zeugs. Da besitze sie ganz andere, die sie kaum trage und die auch kein anderer tragen dürfe. Ich horchte auf das Lockende, auf das Gurrende in ihrer Stimme, das wohl weniger mir galt als dem Mann, der da war, den ich nicht ansah. Vielleicht verständigten sie sich so über mich, die zwei Belustigten?

Dabei hatte niemand anders als ich, wenn auch zufällig, das Losungswort gefunden. Eine Schuhsammlung mit einer Reihe aparter Stücke? Es handele sich gewiß um rare Exemplare, vermutete ich höflich und sollte das wohl auch. Wenn ich Derartiges zu würdigen wisse, müsse ich sie einmal besuchen. Sie zog die Brauen zu hohen, nicht mehr flachen Halbkreisen. Das Vöglein befahl aus der Tiefe ihrer Pupillen. Ich zauderte, ich schwankte, verblüfft und mit pochenden Kniescheiben. Keiner sagte etwas. Damit drängte man mich zur Entscheidung ohne ausweichende Floskeln. »Es lohnt sich«, sprang mir da lächelnd und ausschlaggebend der Verbrecher bei. Jetzt konnte ich sie ansehen, die breite, bleiche Stirn über dem knochigen Unterbau. Ich nickte ihm zu. Er schloß kurz die Augen in vieldeutiger Zärtlichkeit, eine gewiß nur gespielte und als das von mir durchschaute Liebkosung, die mir trotzdem Widerstand und Willen nahm. Währenddessen, in Wahrheit vorher und nachher, blickte er unverändert gleichgültig. Die Gleichgültigkeit war nur eine Sekunde verdeckt worden. Seine Begleiterin griff in die Manteltasche und gab mir ein Kärtchen. Ich müsse allerdings – sie sah auf die Fliesen, biß sich auf die Lippen – über die Elbe und ich solle – wieder die Pause – unbedingt mit dem Schiff kommen. Normaler HVV-Betrieb. Wir nannten unsere Namen, niemand achtete darauf, ein dreifaches Räuspern, nichts weiter, reichten uns nicht die Hände, verbeugten uns leicht. Schon waren sie fort. Im Entfernen hörte ich zum ersten Mal ihr exaltiertes Lachen, hohe Pfeiftöne. Ich sollte das wohl durchaus hören und hatte versprochen, sie drüben, im Alten Land, aufzusuchen.

Aber wann? Aber wann?

Die Verabredung beschwingte mich keineswegs. Ich blieb nur zurück, vom Donner gerührt. Wo, in welchem Abschnitt der Passage steckte ich fest? Die Uhrzeit! Genau 18 Uhr 20. Da ich weder auf einer Rolltreppe, noch auf einem Fließband, einem Floß oder einer trudelnden Eisscholle stand, mußte ich noch dort sein, wo ich eben ein alles in allem zuvorkommendes Paar angerempelt hatte. In dieser Form eine Neuigkeit für mich. Üblicherweise beschränke ich mich darauf, Entgegenkommenden durch mehrfaches ungeschicktes Abschwenken nach rechts oder links, zu meinem eigenen Ärger für ein Weilchen den Weg zu versperren.

Eine Grauhaarige schnauzte mich hinterrücks an, eine Frau in langer Hose, über die sie einen Schlüpfer gezogen hatte. Ihr Gesicht war ganz verwachsen. Es mußte ja über Augen, Nase, Mund verfügen, nur entdeckte ich auf Anhieb nichts dergleichen, erschrak darüber aber nicht. Sie spiegelte sich in der Schaufensterscheibe, vor der ich stand, noch immer ohne mich zu rühren. Mich allein meinte sie nicht, grölte mehr allgemein vor sich hin. Da probierte ich es, bewegte mich, es gelang. Mein Kopf, ich weiß, ganz hübsch, zeigte sich. Auch die kurzen, rötlichen Locken taten mitsamt der – oft gehört – schnippisch kleinen Nase: Ich war's.

Prompt rief jemand meinen Namen. Ach, nur Wolfgang Specht, der sich von hinten meldete! Ich brauchte mich gar nicht umzudrehen. Da sei ich ja! Wolf Specht, ehemaliger Beleuchter bei einem winzigen Theater, verantwortlich für die Lichtführung, die »Stimmung«, jetzt aus finanzieller Not Küster geworden. Beinahe hätte ich es ihm ins Gesicht gesagt. Dabei wußte er das zweifellos selbst, aber mir nutzte es, das innerlich runterzuleiern: der also!

Im Schaufenster beobachtete ich, wie er sich läppisch mühte, irgendwas von sich zwischen mich und die Scheibe zu drängen. Ein Treffen, hier in der Nähe wohl, vielleicht 17 Uhr 45, war mit ihm abgesprochen, fiel mir ein. Ich half ihm nicht bei seinen Anstrengungen. Was ich mir eigentlich ansehe? Das mußte ich erst selbst feststellen. Lauter Schuhe! Ein Schuhgeschäft führte seine besten Modelle vor. Wahrscheinlich hielt man mich drinnen für einen Fisch an der Angel. Mein Standort befremdete mich. Ich hatte gar nicht durch die Scheibe hindurchgeblickt, einfach nur dagegengestarrt. Und nun präsentierten sich, wie eben aufgetaucht, Schuhe, einzeln, in Paaren, hingelümmelt, raffiniert hingefläzt, eine stillhaltende Gesellschaft zu unterschiedlichen Preisen, ohne Ausnahme käuflich.

Vermutlich waren die Schlangenschuhe hier eben ausprobiert und bezahlt worden. Ein Wunder sei das nicht, beruhigte oder ernüchterte ich mich sofort. Specht merkte nichts, antwortete nur leise protestierend, wir seien woanders verabredet gewesen. Er habe mich suchen müssen.

Das hätte er lassen sollen. Angesichts seiner zusammengepreßten Lippen und des kümmerlichen, geerbten Mantels wurde ich jedoch weich und dachte etwas Anhängliches: Kauz! Komischer Heiliger! Altbackener Sonderling! Aus welchem Grund er sich mit mir traf, ahnte ich längst. Ich wollte es nicht noch ausdrücklicher wissen. Bei entstehenden Gesprächslücken würde er unverzüglich mit einem in die Länge gezogenen, ins Blaue mit dunklem Vokal sich vortastenden »uuund« einspringen, um zu verhindern, daß ich mich schnell, die Pause nutzend, verabschieden könnte. Ich selbst, damit er gewisse Worte nicht ausspräche, mußte ebenfalls jegliche Stummheit vermeiden. Trotzdem rührte mich das pedantisch Männliche, mit dem er die Führung an sich riß: »Weg aus dem Gedränge!« Was für ein Unterschied zum festlichen Latino-Mann.

Das Gedränge! Auf einmal spürte ich es wieder. Ohne Benommenheit erinnerte ich mich endlich an die Zeit vor dem Doppelsturz, an meinen Jammer in der Menschenmenge, der sich erst zum Schluß in die Waldestraurigkeit des singenden Vögleins verwandelt hatte, im fatalen Einkaufszentrum unter hell strahlendem Gewölbe.

»Wir, die Menschenmasse: Mühselige und Beladene? Eben nicht. Es gibt weder Gute noch Böse, die sind abgeschafft, und alles ist gleich wenig wert. Was existiert im schnellen Gehen und besoffenen Trudeln? Die Wichtigtuerei des Überlebenstriebs. Überall natürlich die Vorschriften, die gewaltigen Glücksgesetzestafeln mit männlichen und weiblichen Ärschen drauf, vergrößerte Salate mit Speckschröbchen und verkleinerte Atolle. Großsprecherischer, abgedroschener Glanz allenthalben. Wer sieht schon hin? Wir Zeitgenossen kennen diese Anblicke. Unsere pauschale Kost, unser täglich Brot, lachhafte Freudenblitze, kurzatmige Hoffnungsanwehungen. Die wir benötigen, die uns reichen,

Reize, die uns acht oder vierundzwanzig Stunden lang generalisieren und zurechtzerren. Von weiterem sind wir abgeschnitten. Größere Entwürfe interessieren uns nicht. Die Erinnerung an andersartige Herrlichkeiten hat uns verlassen. Wir vermissen sie nicht. Kein Platz dafür.« Specht pumpte im Gehen und Sprechen den Brustkorb auf:»Wir riechen nach diversen Verpackungen, nicht nach Inhalt, nehmen die Haltungen der üblichen Altersstufen und Schicksale ein, eine begrenzte Palette, aber wir parieren der Spielregel: ›Es lebe der Unterschied!‹ Insgeheim längst zum verblödenden Gemeinschafts-Du übergegangen, siezen wir uns, denn es wird gewünscht, Persönlichkeit zu betonen, ein Humbug, den wir gern mitmachen angesichts unserer vollkommenen Abgeschnittenheit von jedem brausenden Entzücken. Wir, ein stattliches Heer von köstlichen, göttlichen, verunglückt individuellen Kartons und Kretins, die sich, eilig trottend, in bestimmten Mustern wiederholen. Man fragt sich allerdings, wenn man zum Grübeln neigt: Müssen so viele sein von diesen fad-lakonischen Schreckensgestalten, schnell umrissen in ihrem überschaubaren Dasein, gruppenweise angeliefert und abtransportiert? Damit hat sich's schon, eine Tages- und Nachtschicht nach der anderen, abgewickelte, stupid bedruckte Stoffbahnen, die Tagesvertreter wie die der Nacht, auch wenn die zweiten sich ein bißchen verwegener vorkommen. Abends stieren sie selbstvergessen das eine, illustre Schicksal an, dreimal hintereinander in verschiedenen Abläufen. Dazwischen die echten Schrecken, bunt und platt zur unterhaltenden Einübung, bis Krebs, Kugel, dreidimensionale Katastrophen sie selbst erreichen, dreidimensional. Sticht man in diese entkernten Figuren mit einem Messer rein, werden sie brav bluten und schreien. Das beweist nichts Großartiges, nur noch ein bekräftigendes Mal die Wichtigtuerei der Überlebenssucht. Unsere Genügsamkeit beim Wünschen, Erwerben, ungeduldigen Ansichtigwerden von Würsten, Wüsten, berühmten Bauwerken steht uns auf die Stirn geschrieben. Wer zum Vergleich an die bescheidene Pracht einer Schafherde, einer Baßtölpelkolonie, sogar eines Maisfeldes denkt, erkennt aber, ohne Rebellion, daß wir die Galamannschaft einer unendlich gleichmütigen, nicht diabolischen, zur Alleinherrschaft aufgestiegenen Unterwelt sind und damit die Wirklichkeit schlechthin. Kein Unrat, weil nichts übrig blieb, um davon abzustechen. Ein Fortrennen also stellt sich als unangebracht und unmöglich heraus, was uns als dasselbe erscheint. Was sollen wir bedauern? Wir vermissen nichts, von dem wir den Namen wissen. Ich liebe uns nicht! Unvorstellbar, daß wir kreisen in der hautlosen Leere und lautlosen Sternensuppe. Vorstellbar schon, aber wurscht wie das Fließen der Gesteine und Erze unter uns. Wir müssen noch schnell zu Arko, Hertie und Schlemmermeier. Wir wollen nicht hoch hinaus. Wir traben, Chefs, Obdachlose, Banker, Asylanten, Kleinkinder, sogenannte Verliebte hin und her, ob debil, aufgekratzt, am Ende mit den Nerven, den pekuniären oder körperlichen Kräften oder absehbar vorübergehend in ratloser Knutschtranigkeit. Nein, ich liebe uns nicht. Demokratisch vorwärtstappende Massen, von Propaganda und Informationsenthaltung zuverlässig gelenkt.«

Herr, laß Abend werden! Ich hörte das damals oft und memoriere, extemporiere das spielend. »Ziküth« hatte ja aber erlösend mahnend das traurige Vöglein aus seinem sanft moosig düsteren, grüngolden blinkenden Waldesgrund zu mir her gesungen, das Ahnen eines Waldluftwerbens, Luftliebelns, stracks in mein verdutztes Herz hinein.

Seine Augen hinter der Brille fanden keinen festen Platz. Es schienen vier zu sein, die alle zugleich wachsam, auch versuchsweise ironisch – Versuch gescheitert – blinzelten. Ich mußte auf das kastenförmige schwarze Bärtchen sehen, ein wunderlicher Fremdkörper zwischen Nase und Mund, ein lose aufsitzendes Kennzeichen, sicher als Gebüsch geplant, hinter das sich im Notfall der ganze Mann ducken konnte.

Da spürte ich, für mich allein, preßte auch unterstützend schnell die Lider zusammen, wieder die Hände, die mich vorhin kräftig umfaßt hatten. Specht ahnte so was. Er packte flugs Bestechungsgeschenke aus, in Gestalt derer er zugleich, prahlerisch angesichts der vollgestopften Schaufenster, seine Mittellosigkeit vorführte. Schweinshaxen rochen stark zum Cappuccino herüber. Mir war so, aber es gab hier gar keine in der Nähe. Unentwegt schwankten Leute vorbei, manche erkannte man schon zum zweiten Mal an einer Besonderheit. Ein schwarzhäutiger Mann, er selbst in hochglänzendem Sportdreß, finsterte die Konsumenten höhnisch an. Beabsichtigte er, das Auge feucht und bengalisch, uns demnächst zu schlachten? Niemand fragte nach seiner Anwandlung.

Ginge es gerecht zu, hätte mich Wolf Specht mit dem Foto, das er jetzt auf dem Tisch als Präsent Nr. 1 entfaltete, günstig stimmen müssen. Ein Mähnenwolf stand flammengleich – Anspielung auf Spechts Vornamen? – auf den verzierten Fliesen einer mit Flechten überzogenen Palastterrasse am Rand des zwangsläufig ja wohl südamerikanischen Urwalds, während in der Ferne, hinter den Blätterwogen und Zusammenballungen unzähliger grün-blauer Pflanzen, der Himmel noch hell war vom Sonnenuntergang. Branstig rot, das einzig nicht pflanzliche Lebewesen, stand der Mähnenwolf vor dem diesigen Grün, herausgehoben aus der gewaltigen Baumherde, die an Schönheit gewann durch die Erstreckung. Anders als die Menschen, die durch Massierung verlieren, ruhten sie, dem Tier gegenüber, in Erwartung der Nacht voll wuchtiger Lebendigkeit. Alles war dem Tier überlassen, es stand auf den hohen schwarzen Beinen am oberen Ende einer Freitreppe, die hinab zur Urwalderde führte. Alles schien auf ihn abgetönt, bereit für seinen feurigen Auftritt, in lautloser Spannung rätselnd, was sich als nächstes ereignen würde.

Etwas Spitzfindiges mußte zum Dank von mir gesagt werden. Ich sollte bestimmt eine Beziehung auftüfteln zu Specht, womöglich auch zu mir. Ihn mochte das Foto wegen der Beleuchtung und des Bühnenmäßigen an seine frühere Arbeit erinnert haben. So hätte ich beginnen können. Statt dessen sagte ich: »Was soll das?« »Was?« »Deine Hand. Sie zittert ja!« Daraufhin steckte er sie in die Tasche.

Holte dann aber einen Zettel hervor, von dem er einen Spruch ablas. Ein zweites Präsent, zum Renommieren diesmal. Er las so laut, als wünschte er, die Passanten würden stehen bleiben, um ihm zu lauschen: »Verzehrte da vor dem Stand eines Wurstbrätlers in Paris ein Packträger sein Vesperbrot, ließ sich dazu den Bratenduft in die Nase ziehen und fand das überaus erfreulich. Der Brätler ließ ihn ruhig gewähren, packt' ihn aber, als er sein ganzes Brot verschnabuliert hätt', unverweilt am Kragen und verlangte Bezahlung für sein Bratengedüft'. – Rabelais.« »Paßt gut hierher«, sagte ich vorsichtig. »Es ist die Poesie«, unterwies er mich, »die Poesie, die wie ein Bratenduft das Vesperbrot unseres alltäglichen Lebens würzt. Die Kosten tragen die Hersteller.« Ich hatte auf einen Schlag keine Lust mehr zu sprechen, beobachtete aber eine alte Frau, so krumm, daß sie nur noch den Boden ansehen konnte. Sie ist wahrscheinlich von der Last der gesamten und immer noch anwachsenden Literatur so elend verbogen, dachte ich spaßeshalber. Könnte man ihr die Last abnehmen, all diese Tonnen von Romanen und Geschichten: Wie eine junge Palme würde sie in die Senkrechte schnellen.

Das dritte Geschenk sollte mich offenbar rühren. In diesem Geschürfe und Getrappel sei es gut, sich an solchen Kleinigkeiten zu stärken. Es war ein hübsch gemusterter Stein. Das gab ich gern zu. Natürlich nicht lediglich hübsch, sondern wunderbar, erfuhr ich sofort. Ein Blick aus dem Weltenraum auf das südliche Nordamerika: Los Angeles unter einer Wolkendecke, das Meer größtenteils blau bis auf einen Sturmwirbel. »In Los Angeles ereignet sich gerade, während wir auf die kleine Stelle sehen, ein Mord oder ein schweres Unglück. Man müßte den Punkt nur sehr vergrößern«, gab ich eifrig zu bedenken, um ihm etwas Gutes zu tun, und ließ einen Tropfen Kaffee auf Los Angeles träufeln. »Unglück?« rief Specht, ich glaube, wirklich erfreut. Er konnte eine Weisheit loswerden: »Immer dann, wenn man sich zu früh, zu ungeduldig einen Reim auf einen Sachverhalt macht, redet man von Glück oder Unglück!«

Plötzlich, angeregt durch das bunte, fein gezeichnete Steinchen, das zufällig einen so großen Teil der Welt abbildete, für den sehr entfernten Blick jedenfalls, vielleicht auch noch als Nachwehen meines Kniefalls und durch das Wort »Unglück« an das Wort »Unfall« erinnert, das vor vielen Jahren in meinem Leben eine große Rolle gespielt hatte, kam mir eine Idee, hier, im Elbeeinkaufszentrum – ein Kinderlaufstall übrigens im Vergleich zur wüsten Mundsburgpassage –, die uns alle, die wir laut Specht nichts anderes waren als Schachteln, Tüten, Röhren in Menschenform, in die Luft erhob. Unter uns allen hatte jemand ruckartig ein Tischtuch weggezogen, ein Dilettant, so daß wir schwungvoll wie Trampolinspringer durch die Luft flogen, mit allen Vieren ruderten, kopfüber, kopfunter, die Haare zu Berge, die Gesichter falsch herum, die Röcke über der Stirn, die Hosen in den Kniekehlen, die lachenden Münder verzweiflungsvoll, die erschreckten schmunzelnd, mit den Schädeln auf den Boden schlagend, durch die Scheiben der Schaufenster mitten im Spreizsprung und unwillkürlichen Radschlagen, in die Zierbäumchen greifend und mit den Straßenregalen ein Stück den Gang entlangrollend, kollernd die Wachmänner mit den angeklemmten Ausweisen, angerempelt von Koffern und Geschirrtürmen, in den zum Schreien geöffneten Mäulern Kiwi zu 40 Pfennig und Mandarinen zu 50. Aber niemand wies Verletzungen auf, kein Blut floß, denn wer unten zur Ruhe kam, war zu Stein geworden. Ein uraltes Menschenpaar hatte seine Würfe rückgängig gemacht. Wir waren schöne, glatte, getüpfelte Kiesel, ein Geprassel, das immer leichter, rieselnder wurde, bis schließlich die verehrungswürdige Stille eines einsamen Meeresstrandes oder einer Schneewüste herrschte.

Jemand schlug mit derbem Hieb auf mein eben noch zu Boden gegangenes Knie. Ich sah Spechts Hand, die wahrhaftig sich erdreistete, auf meinem Oberschenkel zu liegen, und jetzt dort scheinheilig emsig über den Stoff rieb. Angeblich, weil etwas Kaffee dorthin abgestürzt sei von der überschwemmten Untertasse. Ich hörte gar nicht hin, ich starrte auf das unerhörte Bild. Wollte er sich durch die Berührung, durch diese scheinbar gut motivierte Frechheit ungeniert entschädigen per Annäherung, die er bisher nicht gewagt hatte? Hoffte er, mir ginge die deplazierte Attacke durch und durch? Er hatte seine vier Augen niedergeschlagen, wohl um sich, vergeblich auf eine freundliche Reaktion von mir wartend wegen seiner Geistesgegenwart, noch einen letzten Moment am Anblick seiner Hand auf dem Hosenstoff zu weiden.

Ach was, warum auf der Hut sein vor diesem Harmlosen, Flehentlichen! Ich spürte deutlich, daß ich gar nicht ärgerlich war. Ich dachte ja an ganz anderes, an etwas, was sich sehr willkommen eingeprägt hatte, versuchte schnöde zu sein, es glückte nicht aus Gründen der Freude. Wolf Trauerspecht sah es mir an, konnte nichts wissen. Bestußte Seele! Ich wollte den in jeder Hinsicht Unbefugten ablenken. Es schmerzte mich, ihn so trostlos zusammengesunken bei seinen Schätzen sitzen zu lassen. »Da!« rief er noch, »Da drüben! Ein Freund, 20 Jahre auf See als Maschinist, momentan Hausmeister in einer Schule!« Specht rieb wieder, jetzt aber seine Stirn, er nahm ein Schalende dazu. Und es empörte mich, wie er sich erlaubte, durch seine Betrübnis bereits einen Schatten auf meine herrliche neue Empfindung zu werfen. Empfindung? Was? Wie? Egal, egal! Träumte unser jeweiliges Herz nicht fort und liebete seinen Traum? Jeder den seinen?

Ein Schlaumeier könnte schon jetzt behaupten, ich wolle zwar lieben, aber nicht geliebt werden. Das ist nicht unrichtig. Wird man geliebt, verdeutlicht sich die lärmende, endliche, zugemalte Seite der Angelegenheit. Liebt man statt dessen selbst, ah, dann leuchtet und glüht deren durchsichtiges Wesen verschwiegen sengend auf. Liebt man überhaupt nicht, sinkt die Welt ein, die sich doch grundlos, die sich aus bestem Grund ihres Lebens freute, magert ab und mergelt aus, eine alte Beere im Frost, eine verhungernde Kuh, wird ein pures Nein unter nichts als Haut und Knochen. Ich wußte es schon damals und weiß es heute besser denn je.

Draußen, zwischen der Rückseite der Geschäfte und den dunklen Garagenhallen, lief mir ein Mädchen mit Zipfelmütze entgegen, quer durch gefrorene Pfützen. Es lief auf Socken und wimmerte vor sich hin. Ein Kind noch. Eine Räuberin habe ihm ein Messer an den Hals gesetzt und es gezwungen, die schönen teuren Stiefel auszuziehen, ganz neue Buffalo-Stiefel. Auszuziehen, ihr abzuliefern. Auch nach ihm getreten habe sie noch. »Alt oder jung?« fragte ich in Gedanken. »Sechzehn oder sicher fünfzehn, vielleicht schon siebzehn, die Augen funkelnd.«

Oft sind Leute aus Gegenden, die Straßen ausschließlich mit Dichter-, Musiker-, Malernamen aufweisen, besonders stolz auf ihre Adresse. Was wird man sich aber vorstellen unter einem Gebiet, wo auf engstem Raum das Straßennetz allein Flora in bürokratischer Beschwörung huldigt: Stiefmütterchenweg, Geranienweg, Akeleiweg, Wiesenrautenstieg, Löwenzahnweg, Kamillen-, Kornraden-, Kornblumen-, Schaumnelken-, Lupinen-, Rittersporn-, Johanniskraut-, Taubnessel-, Pelargonien-, Eisenkrautweg und Mohnstieg? Ein Stellvertreter des himmlischen Mille-fleurs-Gartens, allerdings mit penetrantem Kleingartenaroma? Es liegt nördlich des Elbeeinkaufszentrums und ist in die Zange genommen von der General-Schwartzkopff-Kaserne im Westen und dem Deutschen Elektronen Synchroton, handlicher: Desy im Osten. Im Norden mischt es sich tentakelartig mit einem Schafgarben- und Hagebuttenweg allmählich unter die Fauna, gesellt sich zum Eidechsen-, Schnecken-, Raupen-, Käfersteig und wird fortgesetzt mit Küken-, Hennen-, warten Sie, Gockelsteig, Entenweg, Gänsestieg, Puterweg, Ziegenpfad. Natürlich kommt dann noch ein Vogel- und Baumviertel. Ich zähle Ihnen das gern auf. Auch gehört es zu meinem Charakter, daß ich wenigstens einmal im Jahr folgende Blumen riechen muß: Weißdorn, Jasmin, Holunder, Linden und den stinkenden Liguster und außerdem im Spätsommer ein Sträußchen mit blühendem Pfefferkraut und Rukola, beides sehr schön duftend, in eine Vase stelle.

Was die reine Blumenecke betrifft, kann man sich fragen, wie viele Bewohner wohl auf Anhieb alle Sorten in der freien Natur erkennen würden. Ich selbst zeichne sie auf Wunsch ohne zu zögern allesamt. Da ich dort wohne, lasse ich mich bei der Schmuckherstellung – eine Beschäftigung, mit der ich mir neben einer kleinen monatlichen Versorgung einen bescheidenen Lebensunterhalt verdiene – nämlich von den verschiedenen, bei uns erwähnten Blüten anregen. Ein beliebtes Geschenk in dieser Kleinregion sind meine winzigen Kamillen aus Silber, farbig bemalte Stiefmütterchenohrringe, Mohnbroschen, Fingerreifen, bei denen sich Löwenzahn und Schaumnelken möglichst zierlich abwechseln, Ketten mit allen Sorten hintereinander in einer Litanei. Ich entwerfe das als dezente Wappen, ein gespielter und halb ernst gemeinter Lokalpatriotismus für die Eingeweihten.

Als ich die mir im Prinzip logischerweise nicht unbekannte Strecke einmal probeweise (ein Fußmarsch, der weniger als eine Stunde dauerte) von meinem Taubnesselweg, in dem die Häuser leider wie eine Kolonie schlichter Krankenhäuser aussehen, jedenfalls im Winter, immer geradeaus Richtung Elbe gegangen bin, dabei jedoch sacht mit der Straße pendelnd, bis zur Anlegestelle Teufelsbrück, einige Tage nach dem Zusammenstoß, freute, ja erregte mich freudig, daß sich ziemlich genau auf der Hälfte des Weges rechterhand der Botanische Garten befindet, wo jetzt zwischen gefrorenen Teichen die Namensschilder vor kahlen Beeten standen, Grabes- und Gesetzestafeln, aber auch demutsvolle Notenständer. Daß er so die Mitte der Distanz von meiner Wohnung zur Elbe bildete, gefiel mir. Ein günstiger Wink der Maße und Zahlen? In dieser Anlage stapfte einmal im Miniaturhochgebirge ein erwachsener Mann mit wüsten Bergsteigerschuhen umher, wohl um sie einzulaufen vor dem echten Gipfelsturm.

Am 21. Januar, um halb sechs, entdeckte ich links den Vollmond, sehr tückisch und überraschend, ähnlich darin, finde ich, den alljährlich so ruckhaften Schneeglöckchen, die plötzlich aus dem Boden springen. Im scharf kreisrunden Mond aber steckte eine unbeweisbare Bosheit, etwas Aggressions-, wenn nicht gar Mordlustiges. Dann verschwand er, dann stand er, vor dem endgültigen Wegtauchen, hinter Wolken, als wäre nichts gewesen, eine Weile wie aus der Pistole geschossen wieder da, eine sanft entfaltete Feuerwerksbutterblume.

An der Elbe wandte ich mich zuerst ein Stück stadteinwärts, an der jetzt kaum sichtbaren Figur des schallend lachenden Teufels vorbei, schwarz wie der schwarze Ritter Ivanhoe, dem Hans-Leip-Ufer zu. Eine dunkle Welt erstreckte sich von da aus, wo ich herkam, über Himmel und Elbe zu den eifrigen Zwergenlichtern des jenseitigen Ufers, Flämmchen nur, aber da hinten so munter, als sollte es die ganze Nacht durchgehen, als hätte man die Schicht, das eigentliche Tagwerk, erst gerade begonnen. Gelegentlich sprangen sie auch, gelb, grün, rot, auf die Schiffe über und turnten übers Wasser. Niemand saß auf den Bänken. Warum nur fiel es mir auf? Dämmerfiguren mit Hunden, Läufer, Radfahrer bewegten sich stumm, leise, schon beinahe betulich auftretend, um das Geräusch des elbabwärts flüsternden Treibeises nicht zu übertönen, in der Schattenwelt.

Manchmal wurden die Schollen von auslaufenden Bugwellen behutsam gehoben und gesenkt. Bloß nichts zerklirren lassen! Größere Stücke trugen kleinere auf dem Rücken. Die Lichter spiegelten sich, von blinden Flecken unterbrochen. Man meinte, sie fielen auf eine Fläche aus reflektierenden und stumpfen Teilen, aus glattem und rauhem Glas, eine rissige Oberfläche mit glanzschluckenden Tiefen, sehr unregelmäßig, nie berechenbar die lichtfressenden Spalten. Ich versuchte, die markanten Orte des anderen Ufers zu erraten. Sachlich, in unterschiedlicher Dichte, die Lampen von Finkenwerder, vom Köhlfleet- und Petroleumhafen, hier massiert und fast grell, dann die Anlage der Dasa, Daimler Chrysler Aerospace Airbus Zungenbrecher AG, die dort, am Mühlenberger Loch, wegen Erweiterungsarbeiten Zu- und Aufschichtungen erwägt. Ich verfluchte kurz die willige Stadt und die fordernde Dasa. Das Mühlenberger Loch: Süßwasserwatt, einzigartiges Überflutungsareal bei Hochwasserfluten, unersetzbarer Rastplatz für Tausende von Zugvögeln. Weiter weg, stadteinwärts, vielleicht noch der Container Terminal Waltershof und elbabwärts die Cranzer Werft? Ich ging zurück zum Hafen von Teufelsbrück, in dem sich, wie zwischen den Brücken der Schiffsanlegestelle, Packeis aufgestapelt hatte. Aus der Nähe war auch das, was aus einiger Entfernung starr wirkte, in schwappender oder sogar zügiger Bewegung. Sah man von der Brücke hinunter, geriet man in einen Schwindel, denn es trieb unter den Füßen raspelnd auf Reisen, auf Reisen davon, nichts blieb an seinem Fleck, zog davon. Die Brücke bebte, sobald man nicht still stand. Aus dem haltenden Bus stiegen wieder dunkle, aber diesmal lebhafte Leute, die erleichtert von der Arbeit kamen, froh auch, welche zu haben. Sie gingen dem Reibekuchengeruch des schwimmenden Restaurants entgegen.

Hinten im Alten Land war ein Schein am Himmel, ein Widerschein. Aber das Treibeis hatte man als Barriere eingesetzt. Ich fuhr mit dem Taxi nach Hause.

Ein paar Tage später, Ende des Monats, erkannte ich um die gleiche Tageszeit noch die Körper der Enten. Eisstücke, auf der Steinböschung ausgesetzt. Die Lichter des Petroleumhafens schwebten, eine bedenkliche und beachtliche Verstellung, in rosige Geisterchen verwandelt, umgeben von blau-dunstigem Gespinst. Es war, als sähe man von einem alten Sylvester in ein rätselhaftes neues Jahr. Und wirklich, früher hatte ich hier einmal am 31. Dezember gestanden! Am anderen Ufer gab es die Orte »Liedenkummer im Norden« und »Liedenkummer im Süden«, Lied und Kummer beim Morden, Lieb und Kummer beim Sündigen, Leid und Kummer, Liebesklammer, Leibeskammer, Liderschlummer. Bei diesem zweiten Mal stürmten die Schiffe gegen den Sonnenuntergang, wollten wohl einen dahinterliegenden Raum offenhalten und hochstemmen oder doch jedenfalls in der Glut für immer verschollen bleiben.

Sie verwitterten, zehn Minuten später, in eine leuchtende, Konturen zersetzende Wolkenfront, gesunkene Baumstämme, in den Waldboden hinein, anstatt darauf zu hoffen, ihnen würden an verabredeten Stellen Hafenstädte zum raschen Warenumschlag präsentiert.

Ich hatte zu lange dagestanden, ohne mich zu rühren, und meine eigentlich ganz nett geschnittene Nase bekam durch eine Erkältung im Verlauf des Abends etwas derb Karnevalistisches oder auch inbrünstig Parodistisches. Um aber den Schein aufrechtzuerhalten, mußte ich ohnehin auf unverfängliches Ausflugswetter warten.

Ich kündigte mich an bei Vorfrühlingswind. Früher, mit achtzehn oder zwanzig, habe ich dann immer Angst gehabt, bei dieser ersten, trüb heranwogenden Wärme, ich könnte das Leben versäumen, seine Exzellenz, das Leben. Was ich jedoch auch anstellte, hundertprozentig war es nirgendwo zu erwischen. Dazu hatte ich aufwieglerische, großsprecherische Melodien im Kopf. Hinter dem groben Getöne hörte ich eine einzige, mir zugedachte Tonfolge.

»Daß Sie sich die Mühe gemacht haben!« Es war Samstagnachmittag, später Mittag eigentlich noch. Sie trug einen pinkfarbenen Schlafanzug unter offenem, schreiend grünem Morgenrock. Ich hatte mich vorher artig telefonisch angemeldet, aber sie tat verdutzt, ungläubig, lächelnd zwar, jedoch aus einem uralten, nicht geschminkten Gesicht. Die Haare standen in verstreuten Gruppen beieinander. Ja, sie lächelte, eine lächelnde Stangenbohne in ihrem Etui. Ich hatte es im Sommer im Botanischen Garten gesehen, wo die Pflanzen an Holzgestellen rankten, auch eins der Futterale abgepflückt und mir tatsächlich vorgestellt, ich sähe eine rosa Person in einer Mantelschote oder in einem Sportauto. Besser noch: eine Reihe von rosa Kanufahrern hintereinander in ihrem schmalen grünen Boot.

Sie lachte über meine Verblüffung. Ich erkannte sie ja nur an den schematischen schwarzen Brauenbögen. »... die Mühe gemacht haben. Aus der Stadt aufs Land. Die Faustregel heißt: Die Stadtbevölkerung ist nervös wie der Verkehr, die Landbevölkerung launisch wie das Wetter. Ich verhalte mich entsprechend.« Ihre Froschaugen waren vor lauter Lachen kaum sichtbar. Sie beobachtete mich trotzdem, zeigte nicht die geringsten Bedenken wegen ihres Aufzugs, stand noch immer mit mir in der Tür und tat sich gütlich an meiner Befangenheit. »Ich hoffe«, sagte ich. »Unsinn. Sie stören nicht. Außerdem haben Sie ja einen wichtigen Grund herzukommen!« Und lachte zweideutig mit dem heute bleichen, etwas ausgefransten Fischmaul, was das Zeug hielt.

Wir standen jetzt im dunkel getäfelten, langen Flur. Das Licht angrenzender Räume fiel von beiden Seiten in regelmäßigen Abständen in ihn herein. Weit hinten ein heiterer Horizont nach der Dämmerzone, die Erweiterung in einen hellen, offenbar quer und abschließend gebauten Salon. Man konnte es von meinem Platz aus nur ahnen, und ich hätte es nach dem Äußeren des Hauses, eine der letzten ländlichen Villen dieser Gegend, nie vermutet. Hier drinnen zeigte sich eine großbürgerliche Gediegenheit und etwas herrschaftlich Festliches, das ins Alte Land mit den Obstplantagen, den nagelneuen und der Handvoll Originalbauernhäuser gar nicht paßte, sich nach außen auch nicht verriet. Aber schon fühlte ich mich verwöhnt, während ich die Blicke wandern ließ, ansonsten arretiert von ihren freundlichen Grimassen, unter denen sie mich seelenruhig musterte. Ich machte es nicht anders. Wie sie da nachlässig posierte, schlampig im Glanz der Wohlhabenheit, der polierten Fliesen, ihres schönen Schweifs aus Lichtbahnen, die den Flur hinter ihrem Rücken gliederten!

Diese Begrüßung, mein Gott, sie fand kein Ende. Kein Vergleich zur Fahrt in einem Hui hierher, auf deren spezieller Ausführung die komische Frau bestanden hatte. Ich wäre auch allein drauf gekommen.

Wie im Fluge war ich vom Bus nach Teufelsbrück in das Schiff nach Finkenwerder umgestiegen. Bei der Überfahrt auf der wieder flüssigen Elbe im warmen Passagierraum über uns ein Flugzeug, unter uns, ein kleines Stück elbaufwärts nur, die Autos im Elbtunnel. Folgendes hatte ich mir aufgezählt: Cuxhaven und Fährmannssand, Lauenburg, Tangermünde, Dresden, Elbsandsteingebirge, Einmündung der Moldau. Alles Schauplätze zwischen der Elbe und mir. Schon sah ich den Gorch-Fock-Park, schon landeten wir, schon saß ich im Bus und fuhr auf der Deichstraße über das Sperrwerk Estemündung hinaus, stieg am Cranzer Fährhaus aus, es waren nur noch ein paar Schritte.

Sie schüttelte noch einmal, zum eigentlich unhöflichen Zeichen ihrer Verwunderung über meinen Besuch, den Kopf, eine ausdrucksvolle Geste, aber auch eine der Sanftmut, was an den sichtbar gewordenen Falten liegen mochte. Dann änderte sich etwas in ihren Augen, sie sprangen deutlicher hervor. Alles rutschte in ihrem Gesicht nach unten, stand kurz in Starre und sackte ab. Die Brauenbögen krümmten und verengten sich wie das Fischmaul. Noch hoffte ich kurz, sie würde nur spotten, aber schon, »die Augen funkelnd« fiel mir ein, hatte sich das letzte Restchen einer Gewogenheit entfernt. Sie sah mich finster an mit Menschenfressermiene: Krähenschwarm, aufbrechend zu den Müllhalden. Die Lichtbahnen des Flurs schnurrten zurück in die Räume, auf Kommando in ihr Gehäuse gezuckt. Da tat sie den Mund auf: »Noch nicht, noch ist er nicht da!« Sie sagte es auskostend, jede Silbe sollte mich zu ihrem Vergnügen tief enttäuschen. Geistesgegenwärtig tat ich arglos: »Die Schuhe, ich bin doch bloß wegen der Schuhe hier.« Das »bloß« war ein geringfügiger Patzer. Was trug sie an den Füßen? Schwarze, zehenfreie Lackpantöffelchen mit kleinem Absatz. Nichts Ungewöhnliches, klassisch kokett. Sie registrierte meinen Blick, streckte leicht das Bein zur Besichtigung. Da lächelten wir, als wäre nichts geschehen. Krähenschwärme, heimkehrend zum Märzenwald (wo ein Vöglein singt, daß mir mein Herz im Leib zerspringt, in tausend Stücke zersprang, sich jedoch notdürftig wieder zusammensetzte).

Der Zwischenfall war vergessen, annulliert. Wir gingen in eines der Zimmer, es schien egal zu sein und pure Laune, wo sie abbog. Ich konnte in drei hineinsehen. In allen stand ein mächtiger Tisch, Antiquität und Kostbarkeit sicherlich, mit hochlehnigen Stühlen für eine gravitätische Konferenz und ein schließlich ausuferndes Bankett, sagte meine kindische Phantasie, ein Büffet mit riesigem Spiegel, Blumensträuße für Primadonnen, ob künstlich oder echt. Ich reckte hinter ihr den Hals, aber dann: ein häßlicher aschgrauer Fernsehapparat, in einem anderen Zimmer ein demolierter Kühlschrank, im dritten ein angeschmuddelter Campingstuhl. Später sah ich, daß ich mich in der Ähnlichkeit der Gemächer voreilig getäuscht hatte. Doch auch das, in dem ich ihr – der Teppich wies einen beträchtlichen Brandflecken auf – eine winzige Brosche in Form eines Frauenschuhs, einer Orchidee also, überreichte, glich zunächst den übrigen. Sie würdigte die Schuhanspielung sogleich, glaubte mir aber nicht und wiederholte: »Sie müssen sich mit mir behelfen.« Ihre Stichelei mahnte mich, wachsam zu bleiben. Was ich noch nicht wußte: Liebte sie diesen Mann so fanatisch, daß selbst eine fremde Frau, wenn es sich um ihr eigenes Äußeres drehte, nicht zählte, sondern einzig und allein seine Anwesenheit, mit der sie jetzt also gar nicht rechnete? Dann hätte sie mich bei der Einladung absichtlich zum Narren gehalten. Oder galt die Aufmachung im EEZ der Öffentlichkeit, einem Beruf und eventuell gar nicht ihm? Gefiel ihm – etwas Drittes – das Verwilderte im Kontrast besonders?

Sie hatte den Frauenschuh an den Schlafanzug gesteckt. Er wirkte dort wie eine Vereinsbrosche, deren man sich ein bißchen geniert. Zur Überleitung und wegen der funkelnden Augen erzählte ich von der Stiefelräuberin. Das gefiel ihr. Sie holte aus der Morgenrocktasche einen Zeitungsausschnitt und las vor. Länger als zwei Stunden würde ich mich hier nicht aufhalten können, um nicht alles für die Zukunft zu verderben. Kurzfristig irrte ich mich, aufhorchend, in einem Geräusch an der Haustür (›Zara Johanna Zoern – Leo Ribbat‹ stand dort auf dem Klingelschild. Im letzten Moment angenagelt für mich, weil sie gar nicht hier wohnen, hatte ich eben noch zum Spaß gedacht, um mich zu beruhigen). Sie konnte mich beim Lauschen nicht ertappt haben, da sie die Stelle auf dem Zettel suchte.

Ich freute mich, nun ihre leicht überdrehte, etwas heisere Stimme länger zu hören. »Sie brauchen«, sagte sie, »nicht auf die Haustür zu achten. Das ist nur der Wind. Frau Fraulob, lassen Sie mich Maria sagen. Ich habe sonst das Gefühl, zu stottern.« »Ts, ts« ahmte ich, um nicht allzu lahm zu erscheinen, ihre eigenen Anfangsbuchstaben nach. Ihre Brauen gerieten einen Moment aus dem Gleichgewicht, wogen meinen Kommentar. »Man hat ein Fahndungsfoto veröffentlicht. Es stammt von der Überwachungskamera einer Haspa-Filiale. Das Mädchen, es muß Ihre Räuberin sein, hat fünfmal zugeschlagen und immer Buffalo-Stiefel erbeutet und dabei die Opfer erheblich durch Tritte verletzt. Einer jungen Frau hat sie auch die Scheckkarte abgenommen.« Sie las, warten Sie, sie las vor: »Einen Tag später hat sich die Täterin in der Sparkasse 700 Mark auszahlen lassen. Nachdem die Geschädigte dies auf ihrem Kontoauszug festgestellt hatte, schaltete sie die Polizei ein. Die überprüfte die Videobänder, die von der Kamera aufgezeichnet wurden, die während der Geschäftszeiten in der Zweigstelle auf Dauerbetrieb geschaltet ist. Darauf wurde die Räuberin von der Frau erkannt.« Sie sei aber durchaus nicht gefaßt worden. Eine Woche später habe sie einer Dreizehnjährigen beinahe den Hinterkopf eingeschlagen und sie in ein Gebüsch gestoßen. Nun endlich zeigte sie mir das Gesicht des Mädchens, das hell-dunkel gepunktete Gesicht der jungen Verbrecherin, verschwommen, als läge es unter einer Wasseroberfläche, ein blasses, noch ziemlich rundliches, ohne Lächeln, eingeschlossen von schwarzem Haar und Rollkragen. In der Binnenzeichnung dunkle Augenschlitze, die Nasenlöcher als Schatten, die Lippen etwas verschoben, das Kinn dadurch scheinbar vorragend, was besonders abgebrüht wirkte. Alles nichts Individuelles eigentlich, unheimlich durch das Allgemeine, über das jugendlich und brutal Kriminelle hinaus, eine alte, starre Konstellation, die unbestechliche Maske, ohne Rührung gegenüber dem Jammer des Opfers, mitleidfern das vage Signal eines Gesichts. Ich konnte die Augen nicht wenden davon.

Ich solle mir keine Mühe geben, die Person zu erkennen. Das war die hell-brüchige Stimme der Gastgeberin. Die unbeteiligten Sehschlitze aber ließen mich nicht aus ihrer Gewalt. Einlullend der dünne Kinderhals, dessen Ansatz sichtbar wurde zwischen Kinn und Kragen, das täuschende Hälschen, das den Statuenkopf trug mit den pupillenlosen Augen, Nasenstrich und Mundstreifen in der glatt gespannten Abstraktion, Löcher in der Außenwand, durch die ein gefühlloser Inhalt sich verriet.

Zara Johanna Zoern riß mir das Fahndungsfoto weg und zerknüllte es. »Schluß jetzt!« Aber ich sah doch, wie sie es gleich in der Morgenrocktasche wieder zu glätten versuchte und unter der Hand dabei eine Weile gegen die Hüfte preßte. »Macht solche Geschichten!« Sie zwinkerte mir zu, gab das Bildchen nicht mehr her. »Wasser?« Flasche und Gläser standen schon bereit. Dann sagte sie etwas Seltsames, so endgültig abschließend, daß ich aus Stilgründen nicht nachzufragen wagte. Ich solle das »schlimme Kind« nicht für ihre Tochter halten, trotz unleugbarer Ähnlichkeit, die mich ja wohl perplex gemacht habe.

Tatsächlich aber hatte ich Zara über dem Foto vergessen. Nun war sie wieder ins Spiel gebracht. Aber da, das Telefon! Erst beim dritten Klingeln kam, und das anscheinend geistesabwesend: »Wer kann das sein?« Dann jedoch, aufwachend, wiederholte sie, ihre Chance für eine Anzüglichkeit erkennend: »Wer wird's sein?« Da war sie dann endlich unterwegs, mit saumseligen Schritten, während ich dachte: Renn, renn! Gleich hat er aufgelegt. Wäre uns hier gesprächsweise der tollste Höhenflug gelungen, er hätte es doch nicht aufnehmen können mit meinem Glück, sie das Zimmer verlassen zu sehen.

Zum ersten Mal nämlich befand ich mich allein in einem Raum dieses Hauses, konnte wagen, an den draußen angekündigten Bewohner zu denken und ihn mir hier auszumalen. Bisher hatte ich nicht mal seinen Vornamen gewußt, auf der Visitenkarte war nur ein spartanisches »Zoern/Ribbat« zu lesen. Ich suchte mit den Augen alle vier Ecken nach

Spuren ab. Einen Geruch, den von damals, hatte er nicht hinterlassen. Kein Foto, keine männliche Unordnung, kein eindeutiges Bekleidungsstück, nicht mal ein Klappmesser oder eine Pistole! Warum hätten wir auch ausgerechnet in eins der ihm zugedachten Zimmer gehen sollen? Nichts Sofa-, Diwan-, Bettähnliches. Ich wollte einen einzigen indiskreten Blick tun auf einen privaten Gegenstand, einen Rasierpinsel, was noch?

»Glauben Sie an Gott?« Sie stand in der Tür. Ihre Absätze waren in der Zwischenzeit höher geworden. Sie sah gerader und vor allem jünger aus. Eine Sache des Lichts wahrscheinlich. Jemand habe sie am Telefon danach aushorchen wollen. Specht? War mir der Sektierer mit seinen Scherzen schon auf den Fersen? Sie warf mir ohne Ankündigung scharf eine Birne zu: »Abate. In hervorragendem Zustand«. Ich mußte aufpassen. Sie begann mit mir zu spielen. An Leo Ribbat durfte ich vorerst nicht denken. Ich sei wahrhaftig wegen der Schuhsammlung gekommen? »Was sonst? Ich stelle Schmuck her, berufliches, sehr berufliches Interesse«, verteidigte ich mich stammelnd. »Aber da, das haben Sie nicht bemerkt?« Sie trat auf mich zu und zog an meinen Haaren, tat mir wohl absichtlich harmlos weh dabei, unter der Hand.

Nein, auf der hastigen Jagd nach lasziven Möbelstücken hatten meine Augen die lebensgroße Chinesin im Winkel, halb hinter einer Plastikpalme, übersehen. Das einzig zwielichtige Objekt in diesem Raum.

Ich ging auf sie zu. Ich ging auf ein nacktes Bein zu, das zunächst in der Luft frei zu schweben schien, gar nicht in Verbindung mit der Frau, die einen hochgeschlossenen Seidenkittel oder Kaftan trug, jedenfalls an ihrem zweiten Bein. Sie saß in einem geschnitzten asiatischen Stuhl und hatte dieses zweite gegen eine dazugehörende Fußbank gestützt. Sie sollte circa 30 Jahre alt sein, aus Wachs oder Kunststoff, mit kahler Stirn, straff zurückgekämmtem Haar, an den freien Ohren hing ziselierter Schmuck, vielleicht Drachen mit Jadeschuppen, Jadehöckern. Die Wangenknochen hoch, breit, fast grob. Sie beobachtete mich lauernd, ein abschätziger Blick, letzten Endes. Das Interesse jedes weiblichen oder männlichen Betrachters würde dem entblößten Bein gelten. Wie eine affektierte Frucht oder Skulptur hatte sie den Fuß zur Begutachtung auf ein Tischchen gestemmt. Dieser kleine, zur Schau gestellte Ziergegenstand steckte in einem kupferfarbenen Seidenpantoffel, mit Faltern und Spiegelplättchen bestickt: eine liegende Zipfelmütze mit niedrigem goldenen Absatz.

Zara stand dicht hinter mir. Ich wisse, daß der nackte weibliche Fuß in China stärker tabuisiert gewesen sei als das Geschlechtsorgan der Frauen? Mit dem sehr schmerzhaften Einbinden der Füße Vier- bis Sechsjähriger habe man die Libido und vor allem den Vaginalmuskel der Prinzessinnen, Lieblingsfrauen und Konkubinen, kurz aller, die nicht stehend und gehend arbeiten mußten, kräftigen wollen, zur größeren Lust des Mannes. Je kindlicher das Trippelfüßchen, desto schärfer der Unterleib. Sie griff auch der Chinesin ans eng anliegende Haar und gab ihr eine leichte Kopfnuß: »Bis 1911«. Versonnen, zärtlich, abfällig: »Vögelfüßchen«.

Mich beschäftigten weder der Schuh noch der in ihm steckende Fuß. Mich fesselte das eine nackte Bein, das uns entgegenragte wie aus einem Gynäkologenstuhl, aber auch, als wäre beim Schaukeln ein Rock hochgeflogen und seine Besitzerin holte schon wieder aus zum desavouierenden Schwung. Auch erinnerte es natürlich an die Anprobe in einem Schuhgeschäft, abgesehen von der unzüchtigen Asymmetrie. Aus welchem Grund blieb das zweite Bein so hochanständig bedeckt, zeigte unten nur zimperlich einen schmalen Streifen des schwarzen Strumpfs? Die Frau hatte ihre nackte Kniekehle über die Seitenlehne gehängt. Beim flüchtigen Hinsehen eine bequeme, müßiggängerische Position, ein sorgloses Sichgehenlassen. Nein, das eben keinesfalls, dazu war das Bein zu ostentativ und geschäftsmäßig abgespreizt, etwas zu hoch abgewinkelt, etwas zu ordinär der Oberschenkel, nach oben zu vermutlich fetter werdend, nach außen gekippt, so daß sich die Stuhllehne mit einer

Delle ins weiche Fleisch drückte. Man ergänzte unwillkürlich das behoste Bein und versetzte es in die gleiche Haltung, warf es also über die andere Lehne, wobei verzwickterweise ja gerade die Keuschheit dieses Damen- oder Hausfrauenbeins die Schamlosigkeit des anderen erhöhte durch Bloßstellung. Während man also einerseits wie bei einem Klecksbild die biedere oder unanständige Symmetrie herzustellen suchte, blieb das nackte, ohne Hemmung nach außen wegrutschende Bein in beischlafmäßiger, beischlafanbietender Öffnung der Schere eine Art Wappenzeichen koitaler Erwartung. Fragen stellte ich keine. Das ärgerte mich erst später.

Zara klatschte in die Hände, scheuchte aber weder Hühner noch Tauben, sondern mich auf ... eine in Millimetern zu messende, unerhebliche Abknickung des Oberschenkels aus der Hüfte, die zu passive Wendung oder das genießende Wegsacken infolge einer Erschlaffung der Wade, vom Knie eingeleitet, was eine doppelte Lenkung und Stützung des Beins erforderte, vielleicht nur ein Trick, eine Panne des Lichteinfalls, der die arrogante Blässe, die halb wächserne, halb pudrige Weiße in die eines sehr biegsamen Tieres verwandelte, dem strengen Gesicht der Chinesin untertan und es sogleich in allem Lügen strafend?

»Schluß jetzt! Da besitze ich ganz andere.« Auch diesen Nachsatz hatte ich schon einmal gehört und beide Male waren Schuhe gemeint. Ihre Wiederholungen betörten. Was war mit dem Raum, in dem wir standen? Er verschwand allmählich, stürzte in seinen Fluchtpunkt zwischen den einander unähnlichen Kniescheiben, widerstandslos in die halbseitige, jedem anonymen Verehrer gegenüber provozierend willige Grätsche. Erst da überlegte ich, ob die Chinesin auch unter der Jacke halbiert bekleidet und entblößt war, bis die Aufteilung nicht mehr weiterginge. Es war, als hätte jemand die Direktion über meine Sinneswahrnehmungen ergriffen. Erst nach dem Glas Wasser?

Zara schob die Figur, die samt Stuhl und Tischchen auf Rollen befestigt war, zur Seite: »Die Wächterin meiner

Schuhsammlung!« Eine Tür wurde dahinter sichtbar. Nun kehrte die Puppe uns den Rücken zu und konnte mit ihren schrägen Augen die Wand belauern. Das Zimmer ordnete sich in Horizontale und Vertikale. Sie müsse es leider sagen: Männerschuhe fehlten in der Sammlung. Ich solle das nicht schwer nehmen. – Was für kränkende Unterstellungen! Sie mache einen Ulk, einen Scherz doch nur, beschwichtigte sie mich wie erschrocken, legte in ironisch bittender Geste den Kopf schief, konnte es aber nicht lassen, und hielt mich sicherheitshalber an der Schulter fest, zu bemerken, im übrigen sei das männliche Element durch Schnabelschuhe – die Kirche habe deren phallische Anspielung nicht gern gesehen damals und sie teilweise sogar verboten – für Frauen vertreten. Hörte ich sie in Wirklichkeit nicht in mein Ohr flüstern, sie durchschaue mich, dulde mich aber trotzdem hier? Ihr großes Herz solle mir gefälligst imponieren? Hinzu kam ein dompfaff-feines Tuten. Wer weiß, woher? F.-F., Fischmaul-Froschauge konnte die Töne doch wohl nicht fabriziert haben? Von klein auf sei sie den Schuhen verfallen, seit Aschenputtel, nie den Hüten, immer den Schuhen.

Da lagen sie schlagartig wieder vor mir, blaue, hochhackige Riemchenschuhe in einem Schaufenster. Ich sah nur sie an. Den Mann, für den ich sie unbedingt haben wollte, sah ich nicht mehr, nur den teuflischen Schwung der Sohlen, drei Tage lang. Eine schwüle Märzwoche, in der Tasche das mühselig in einer Druckerei verdiente Geld. Verschwendung? Sünde? Heldentat! Der Frühling steckte in diesem blauen Leder, nur aus ihm würde er für mich, wie die Liebe, ausschlüpfen. Sie waren zu eng und weiteten sich nicht. Ich konnte sie nie draußen tragen. Ein Fingerchen hätte ich mir dafür abhacken lassen, war aber nicht auserwählt. Sie standen auf dem Tisch mit jungfräulichen Sohlen, ließen sich anbeten, nicht benutzen.

Plötzlich also wieder das Undeutliche, Schummrige von damals. Als ich jetzt die noch längst nicht verheiratete Maria Scholvin, später so rasch verwitwete Fraulob ins Auge faßte, wußte ich alles über sie und jene Phase ihres Lebens.

Ich hatte sie ja hinter mir. Die Schuhe aber, die blauen, fast unerschwinglichen, gewährten mir nachträglich eine Art Vergütung: hin- und herzugleiten nämlich in den Frühlingszustand und aus ihm in den jetzigen und wieder zurück. Ein Moment des Zwillingsgenusses, das Gefühl von Erkenntnis durchleuchtet, aber dann, wenn zu viel Begriff und Namensnennung die Stimmungskraft zerstörte und nur ihre Konturen stehenließ, konnte ich zurück. Ich krümmte mich ohne Mühe in die mich sogleich umschließenden Schuhe in Liebe und Leide.

Zaras Sammlung begann mit Schuhen als Trinkgefäß, besonders beliebt bei polnischen Hochzeiten. Da standen sie übermütig in Glasvitrinen, Schuhe aus Leder, Glas, Porzellan, auch sie nie getragen, gelegentlich gefüllt mit rauscherzeugendem Geist.

»Maria«, flüsterte Zara hinter mir, »lassen Sie sich nicht täuschen, Schuhe sind etwas anderes, als sie scheinen.« Der dunkelrot tapezierte Raum hatte keine Fenster, nur in den Schaukästen brannte Licht, um die Stücke, exaltierte Juwelen, zur Geltung zu bringen. Zara richtete es die ganze Zeit über so ein, daß sie nicht in mein Gesichtsfeld geriet.

Ob das Läuten des Telefons, ob Geräusche an der Haustür bis hierher dringen würden, wo die Minuten ohne Sonnenlicht verrannen? fragte ich mich bang und übertönte eilig die Bänglichkeit mit einem der gebräuchlichen Entzückenslaute.

Ich stand vor einer über 30 Zentimeter hohen, mit Leder bezogenen Stelze. Oben drauf befand sich eine Art Pantöffelchen, das geschlitzte Oberleder rot unterlegt. Es sei eine Nachbildung der venezianischen Zoccoli aus dem 16. Jahrhundert. Damals habe es noch viel höhere gegeben. In einem anderen Glasschrein, aus braunem, weiß unterlegten, durchbrochenen Leder ein Stöckelschuh mit rötlichem, nach vorn gezogenem Absatz, weit ausgeschnitten, eine Spitzenkette aus Leder umschloß das Fußgelenk, eine zweite führte über den Grat des Fußes von den Zehen zu dieser hin. Ein schöner, alhambra-artiger Schuh, ich weiß noch, daß ich ihn anstarrte, und je länger ich es tat, desto herrischer trat er an die Stelle des ehemaligen blauen, und ich hätte gern Zara beraubt und die Vitrine zerstört, um ihn an mich zu reißen – »Voran, voran!« kommandierte sie –, ihn an mich zu bringen und ihr wegzunehmen. Eine kriminelle Handlung seelenruhig begehen, dachte ich stammelnd und hörte den Dompfaff tuten und noch andere Vögel. Ihre Laute schienen aus den Dur- und Moll-Schuhen zu steigen, aus diesen unterschiedlich geöffneten Schlünden, aus den goldenen und samtigen Schuhkehlen zu zwitschern und mir mit süßen Stimmen zuzuwinken, in diesem dämmrigen Wald mit leuchtenden Schuhnestern, Sandalen und Schlupfschuhen, Pumps, geknöpften, geschnürten Stiefelchen, Escarpins, Ballschuhen, als Satintücher um den Fuß gebauscht und mit Agraffen vorn gehalten, Schuhe für die Nacht und nur eine Nacht, mit Kreuzbändern aus Seide und Brokat, aus Leder von Eidechsen und Schlangen, aus Pelz, Gummi und aus Metallnetzen gewirkt, die Absätze geschwungen und tailliert, die Sohlen frei schwebend, nur von der Kraft ihrer Konstruktion gehalten, Stilettos, die dem Körper einen stichelnden Rhythmus beibrachten, tack, tack, tack, je härter der Boden, desto besser, anfeuernder, Treppen rauf, Treppen runter, nur des Klapperns wegen, die Straßen auf und ab, nur des Stakkatos wegen. Mit Schnallen und Schließen, Pailletten, Federn, Straß, Perlen überhäuft und verwöhnt. Unwahrscheinlich war auch die kürzeste Haltbarkeit beim Tragen, herrliche Runzeln vergoldeten Leders, atmende, grimassierende Haut, freche Einzelwesen, jede Nützlichkeit abstreitend, reine Anblicke, dem Fuß drohend mit entstellender Fesselung. Aufforderung, sie zuzurichten wie kleine Doppelpferde? Pfui Teufel! Lieber würde man barfuß laufen und sie auf Händen tragen dabei. Ich schwitzte und fröstelte, ich starrte gierig und wünschte mir eine große Leere.

Ach, wie sie sich bäumten, bösartig vorstießen und weich schmiegend anboten, die schlichten und die überbordenden, die dekadenten in Taubengrau mit schmalem Schnitt und solche, die kurz und kräftig waren wie die Waden ihrer mutmaßlichen Trägerinnen, Frauen, über die Zara später behauptete, für sie sei Glück identisch mit Besitz, und im Ernstfall würde der durchschnittliche Mann immer ihnen den Zuschlag geben. Eine tief biologische Richtigkeit habe das. Man konnte die Schuhe nur betrachten mit einem bestimmten Gang dabei vor Augen, Trippeln und Schlendern, Schreiten oder Stapfen. Aber sie benötigten das nicht, führten ja selbst heimliche Bewegungen aus, waren Blumendüfte und tierischer Geruch, glückliche, begehrliche, sehnsüchtige Verfassungen, Tageszeiten, Jahreszeiten, erotische Hauptalter. Kleine Konditoreien waren darunter und Liebestempel, sehr kleine Bankgebäude und Schwimmbäder mit Sprungbrett (die an der Hacke kühn in die Luft ragende, absatzlose Sohle). Wie gut, daß man sie in Glaskäfige gesperrt hatte, jeder ein Herrscher zwischen Rivalen, verzauberte Gefäße, die einen Dämon einschlossen unter Laschen und Ristschnallen und jadegrünen Blattapplikationen, der plötzlich aus ihnen zu steigen begann: Trennungsszenen, hämmerndes Wegrennen. Die Absätze brachten den Mund auf kußfördernde Höhe. Mordsekunden: Stöckel wie Dolche. Leidenschaftsmomente: Schuhe für das Abstreifen, ruckartig oder elegisch, vom Fuß und für nichts anderes. Das Bild stieg auf und duckte sich in seinen Ursprung, den silbrigen, den lackschwarzen, rosig gefütterten Schuhschoß zurück. Dann wieder ein Schnütchen aus rotem Wildleder, eine Miniaturliegestatt aus Satin für Verschwiegenes, eine im Schrei zurückgeworfene Kehle, die den Namenszug ihres Schöpfers trug. Aber ich selbst war es, die leise aufstöhnte.

Zara dabei immer hinter mir, unsichtbar. Was da aus der dreckigen Erde dem Himmel entgegenflackerte, Engel und Teufel, in Federblüten und Federflammen, schnippte sie nach Belieben in die Behälter zurück. Sie schien zufrieden, alle betrugen sich nach Wunsch, die Schuhe und ich. Erregungen und Verbiegungen um mich her, wie berauscht und gequält, wenn sie es wollte. Ein Minimum an Material für gewaltige Ausdruckskraft, ein Abstemmen evozierend, nicht gemacht für das Voranbewegen in der Waagerechten, vielmehr Gewichtlosigkeit des zu tragenden Körpers vorspiegelnd, ein Streben in die Höhe, Sockel für das Abschnellen in eine andere Wirklichkeit, ein langgezogener dramatischer Kraftakt, mit jedem Schritt neu, mit jedem Schritt etwas besser gelingend, bis der Schwung ausreiche zum Entschweben auf goldenem, nadelspitzen Huf? Ich sah nichts mehr, ich suchte aufgelöst nach einem Halt.

»Okay, Schluß!« rief sie da, klatschte in die Hände, wechselte selbstgefällig die Beleuchtung, damit alles zusammenbräche. Aus der Tanz! Aus der Traum! Hopp! Da standen und lagen die Schuhe, zurückgelassene Spuren gefledderter Engel, des steilen Lebensfunkens beraubt, verstorben, Schutt, Schrott. »Los jetzt!«

Ich horchte. »Noch niemand gekommen!« Sie beobachtete mich, im vollen Licht, sofort. »Mein Besuch hat sich gelohnt«, versuchte ich ungeschickt zu spotten, in aufrichtiger Bewunderung. »Machen Sie mir nichts vor!« Dazu schob sie mich freundschaftlich, damit sie ihre Unverschämtheiten – der nachkassierte Eintrittspreis – ruhig loswerden konnte, aus dem Raum. »Haben Sie noch etwas Geduld.« Aber nein, alle meine Erwartungen seien übertroffen. Ich bemühte mich, die Betäubung abzuschütteln. Wir standen bereits in einem neuen Raum. Ich erinnere mich nicht, wie wir dort hingekommen waren.

In der Mitte des kleinen gläsernen Anbaus, eine Art Wintergarten, in dem tief heruntergezogene Stoffjalousien die Aussicht auf einen umlaufenden gekachelten Hofweg beschränkten, prangte ein Tisch in Hochgebirgsweiß, nur die Bestecke und Kannen glänzten silbern, das Laub des dicken Märzenbecherstraußes grün, alles unberührt oder nur von Geisterhand und nur die Speisen getönt, ein eben erst beendeter Schneefall kam einem in den Sinn, ein zweifellos kalkulierter Kontrast zum Schuhkabinett. Wieder staunte ich lärmend, um meine Verwirrung zu verbergen, nicht nur über die Winterlandschaft auf dem Tisch, das gar nicht so sehr, das kannte ich aus Zeitschriften, auch daß man Tafeltuch und Servietten mit dem Extra-Schnee weißer Stickerei bedachte. Das Rätsel, das man mir aufgab, lautete: Wer hat gerade eben, ohne sich zu zeigen und unhörbar, die hohen Gläser mit Eiskugeln, den Kaffee und den heißen Auflauf mit golden gespritzter Baiserüberdachung hier hingestellt? Vor allem: Warum war nur für zwei gedeckt? Das hatte ich ja doch als erstes bemerkt, ach, und gewußt, daß ich dazu nicht fragen durfte, mich nur lauthals über das Aufgebot wundern. Zara lächelte. Wie sehr sie mich durchschaute! Ich wollte sie wenigstens zu Respekt vor meiner Beherrschung zwingen, aber während sie ohne Kommentar zu dem leeren dritten Stuhl – ein vierter, der alles unauffälliger gemacht hätte, war ausdrücklich nicht vorhanden – meine Komplimente in Empfang nahm, die Brauen noch höher als sonst gewölbt, die Augen in gemütlichem Hohn auf mich gerichtet, fürchtete ich, innerlich zusammenzusacken, ausgeräumt und enttäuscht. Die Erwartung mußte ein auspolsterndes Futter gewesen sein und kam mir nun abhanden. Alles umsonst. Fischauge-Froschmaul, Effeff, hatte recht gehabt. »Sie strahlen ja gar nicht mehr!« Ein deutlicher, prompter Rippenstoß.

Was mir zu tun blieb, war, in großer Geschwindigkeit zu essen, ohne Appetit das Zeug runterzuschlingen, die Zeit lief, sie brauste an meinen Ohren, sauste an meiner Haut. Ich hatte keine Ahnung von diesem Mann Leo Ribbat, nur das zähe Festklammern an einer fixen Idee, die mich über Wasser halten sollte. Ich hoffte, während Eis und Champagner, Kaffee und ein süß-säuerlicher Grießauflauf in meinem Mund verschwanden, mit jedem Bissen würde ein Verspätungsgrund weggeräumt, würde vielleicht ein mächtiger Breiberg abgetragen, der zwischen uns lag. Ich aß um die Wette mit meinem Widerwillen und meinem Unglück. Daß man mich so zum Narren hielt!

Ich sollte einmal im Anschnitt die gebirgige Baisertorte und die schaumige Masse darunter ansehen, das Gold auf den Hängen und den scharfen Schatten, wo die Oberfläche geborsten war. Sie kenne einen Maler, dessen Lieblingsspeise es sei. Ein Effekt wie in den Bergen unter Schnee, meine er, bei Sonnenaufgang. Und dann sei es dort für ihn das Strahlen Gottes, der strahlende Gott höchstpersönlich. Ich aber äugle statt dessen nur dauernd zur Tür.

Das tat ich natürlich nicht! Unter meinen Augen rückten die geschliffenen Gläser, die spiegelnden Kannen auseinander und standen als wuchtige Monumente auf der unbeschrifteten, ich meine, unbefleckten Tischebene. Ich hielt mich verstohlen an den Stuhlecken fest. Aber Zara wußte auch das, wußte, was mir widerfuhr, und fügte leise hinzu: »Stellen Sie sich einen Sterbenden vor. Als Letztes, als Abschied von der Erde sieht er die schönen Dinge der Werbung von seinem Bett aus, man hat ihm als Sterbehilfe das Fernsehen angemacht.« Die Äpfel mit den Tautropfen, die behauchten Pflaumen und Trauben, die Märzenbecher, funkelnd im alten Laub?

Es war eine beschwingte, entrückt schwebende Welt, alle Schönheiten vereinzelt, ein saftiges Diesseits in seinem letzten Lebensmoment. Seine Kindheit lachte ihm wieder entgegen in der Waldesdämmerung, in der Apfelrundung, zu der es steigernde Musik gab, die Gegenstände in Tiefe und Leuchtkraft, sein ausgeatmetes Leben schoß in die Dinge, sie saugten es aus ihm und fesselten es an sich, auch die zufällig anwesenden, bannten die müden Augen noch dieses eine Mal, und die Augen gaben den Dingen allen bleibenden Verehrungswillen ohne Rest. Aber hingen nicht auch umgekehrt sie, die Gegenstände, ängstlich an seinen Blikken? Wenn diese erloschen, welkten auch sie.

Der Tisch im Wintergarten bevölkerte sich mit Pokalen und Schautellern, die Nüsse und Makronen trugen, Feigen und Aprikosen, glasierte Gebäckteilchen und allerlei Stillebenschnickschnack, wurde dunkler, schattiger, farbiger. »Haben Sie die Buffalos in der Sammlung bemerkt? Meine neueste Errungenschaft!« Zara holte mich zurück, wollte Aufsicht führen. Der rote Saft der Waldbeeren hatte sich auf meinem Teller mit Flocken der Baiserschicht vermischt. In unterschiedlicher Größe hoben sie sich trudelnd von dem Sirup ab. Ich saß und sah in das Fernrohr meines Tellergrundes, starrte in die rötlich leuchtende Masse des Nordamerikanebels im Sternbild Schwan. Der Golf von Mexiko ... Specht! dachte ich plötzlich. »So spät, so spät schon!« Sie fuhr hoch und zog im Gehen die Bohnenschote aus, winkte mir auch, ihr zu folgen. Ob ich denn gar nicht auf die Uhr sehe? Höchste Zeit, sich schön zu machen! Aber klar, ich habe es ja schon hinter mir, wenn auch, was den Zeitpunkt angehe, sie sage es mit Bedauern, ohne Glück.

Zara schob mich in ein geräumiges Badezimmer und entzog sich durch eine Seitentür, vermutlich, vermutlich, dachte ich, in ein Ankleidezimmer oder gar Schlafzimmer? Die Wanne war blau, auch Klo und Waschbecken, alles tief blau. Da, auf einem Regal Rasierpinsel, eine Flasche After Shave! Ich setzte mich auf den Wannenrand, betrachtete beides andächtig. Zwei hellblaue Handtücher, zwei dunkelblaue! Ich berührte schnell die dunklen – ganz trocken –, bevor sie zurückkam, in einem glänzenden, hautfarbenen Unterrock: einwandfreie Figur. Ob sie die Schuhe früher gewechselt hatte? Sie war mir ja schon zwischendurch wie von Zauberhand gestrafft und in die Länge gezogen erschienen, ging nun auf sehr hohen Absätzen, schwarz bezogene Schuhe, auf den Zehenkappen mit winzigsten bunten Blumen bestickt und auch hinten, die Absätze, waren von der Sohle bis zum Fersenanfang mit einer Ranke verziert. Ich hatte kaum je Schöneres gesehen. Ein Riemchen sicherte den Schuh am Fußgelenk. »Chinesisch, und zwar original chinesisch, schon etwa sechzig Jahre alt. Ich trage sie nur im Haus und nur zu besonderen Anlässen. Handarbeit. Die sind schon in Pekings Straßen getragen worden, aber wohl nur für Minuten. Eher in den Salons. Es ist noch die erste Sohle, vorn und hinten.«

Während sie sprach, entdeckte ich noch etwas anderes: zwei Zahnbürsten. Sie ließen sich nicht in männlich und weiblich unterscheiden, aber der einzige Bademantel, der an der Tür hing, mußte der von Leo Ribbat sein, mit roten und braunen Streifen, altmodisch. Er würde bestimmt ein bißchen nach ihm riechen.

»Offen gestanden mache ich mir Sorgen, es könnte langweilig für Sie werden. Ich meine das Warten«, lästerte Zara vor sich hin. Sie beobachtete mich im Spiegel. »In der Schweiz hat vor kurzem – vielleicht interessiert Sie das, bringt Sie auf andere Gedanken – der Chefmanager und Teilhaber eines Rüstungskonzerns eine traditionsreiche, für ihre tolle Verarbeitung berühmte Schuhfirma übernommen und aus den roten Zahlen geführt. Aber diejenigen, die seine teuren Schuhe tragen, werden mit Sicherheit nicht auf seine Bodenminen treten.« Sie zwinkerte mir im Spiegel zu.

Nur dreimal fuhr sie mit einer Bürste durch die armen, einsamen Lockeninseln, schon schwappte das Haar elastisch, ein geschlossener, animalischer Körper. Ich sah ihrer rasend schnellen, mühelosen Verjüngung zu, setzte mich aber anders, in die Nähe des Bademantels, als wäre er ein Garant für Sinn und Sicherheit. Das hatte ich nötig. Das brauchte ich wohl sehr.

Ihren Beine waren dick an den Fesseln. Trotz der Stöckelschuhe sah ich das noch, es störte jedoch nicht. Sie massierte eine Essenz ein und lächelte durchblutet und atmend, hob die Arme, parfümierte die Achselhöhlen, puderte lässig, wie scherzhaft den Ansatz der Brüste, ging in kleinen klimpernden Schritten auf den Kacheln umher, begann mit der Formung ihrer Brauenbögen – Maskerade der Froschaugen –, ich bestaunte jeden Griff. Die schöne Künstlichkeit! Ich ließ mich zurücksinken in eine andere Zeit, sah meiner eigenen Mutter zu. Stück für Stück baute sie das Bild einer verlockenden Gestalt vor mir auf. So blieb Zara selbst ungestört, als wäre ich in einen Traum versenkt, bei ihren Umwandlungstricks. Wie konnte sie nur jetzt so triumphierend vor mir stehen, noch immer im Unterrock, beugte sich gegen den Spiegel, prüfte die Augenmalerei. »Denn das Naturell der Frauen/Ist so nah mit Kunst verwandt«, murmelte sie vor sich hin. »Maria, der Satz ist Ihnen ja richtig auf den Leib geschneidert!« Ich aber hörte eine Tonfolge, die ein Vogel in der Nähe flötete, nein, ich täuschte mich nicht, einige Laute, die mein Herz so sehr rührten, wie damals, als ich zum ersten Mal das Männerduett »Au fond du temple« aus den »Perlenfischern« im Radio hörte. Es war das Kreisen großer Vögel bei Sonnenaufgang, und ein weiterer Laut war mein Schmerz, daß die Töne verstrichen, daß sie mir entflohen und ich sie nicht festhalten konnte, nicht anketten, nicht einmal in meinem Gedächtnis.

Wie ich es als Kind so oft gesehen hatte, zog sie nun, auf einem Bein balancierend, ohne die Schuhe abzustreifen, einen schwarzen, engen Rock an und rüttelte ihn leicht, damit er gut über die Hüften rutschte. Hier, im Beobachten, kam es mir vor, als hätte ich das nicht selbst schon hunderte Male in meinem Leben getan. Ich staunte wie früher, daß es schließlich gelang, den Rock in die richtige Position zu schütteln. Er schmiegte sich an den Körper, bedeckte präzise die Hälfte der Waden und sprang korrekt über dem linken Oberschenkel, wenn sie einen Schritt machte, auseinander.

»Die Männer!« sagte Zara und drehte sich einen Augenblick seidig ganz zu mir herum, ließ mich also rätseln, was sie für ein Oberteil wählen würde zum Direktricenrock. Sie lachte und ich, sie alle einen Moment verratend, lachte mit ihr. »Die Frauenkenner!« Zara bog sich vor Lachen, ich mit. »Sie, Maria, Sie halten wohl viel von ihnen?« Sie ging wieder in den geheimnisvollen Nebenraum und rief mir von dort aus zu: »Ich auch! Schon immer. Wie von Schuhen. Genauso, so auch immer schon viel von Männern. Und von Schuhen jedenfalls verstehe ich was, habe auch mehr von ihnen besessen, als ich Männer hatte. Einleuchtend, daß Ihnen Leo gefällt. Ein, wie könnte man sagen, rares Exemplar.«

Zara nun in einem schwarzen Spinnennetzjäckchen, auf das ab und zu, als Tautropfen oder kleine Beutetiere, Perlen aufgenäht waren. Durch das zierliche schwarze Hindernis sah man auf das Licht ihrer Haut. Sie hatte das Oberteil vorn noch nicht zugeknöpft, scheinbar aus Achtlosigkeit, schloß es vor dem Spiegel mit einem, mit zwei, mit drei Knöpfen, entschied sich dann nur für den mittleren, damit das Jäckchen nicht gleich von Anfang an auseinanderstände. Ich hatte mich also überzeugen können: So und nicht anders wollte sie dem, für den Rasierpinsel, Handtuch, Bademantel bestimmt waren, entgegentreten. Vielleicht wußte ich die ganze Zeit über, was sie bezweckte, und nur aus Feigheit, im Wunsch, hier noch ausharren zu können, ohne vor mir selbst das Gesicht zu verlieren, wollte ich es nicht wahrhaben.

Wie schön sie war! Innerhalb weniger Minuten hatte sie sich verwandelt und mich ausdrücklich bei jedem Handgriff zusehen lassen wie eine jahrelang Vertraute! »Die Männer!«: Das hatte sie nur so geplänkelt, um zu unterstreichen: Das eigentliche Hauptwunder und Mysterium bin natürlich ich, Zara! Ihre Ausstaffierung galt allein ihm, Leo, die schrittweise Inszenierung aber war mir gewidmet. Sie zupfte und strich noch ein wenig an sich herum, bestrich blutrot das Fischmaul, das aufquellend dennoch von seinen herrischen Konturen gebändigt blieb, breitete schließlich die Arme aus, Zara, das Geschenk, sagte: »Gut so?« Das Rockfutter raschelte und knisterte, eine Machtdemonstration, ich zählte überhaupt nicht, eine Demütigung und Belehrung. Wie man in hochmütigeren Zeiten keine Scheu bei Intimitäten vor den Dienstboten kannte, so hier. Wirksamer als eine zornige Predigt der selbstverständliche Besitzanspruch auf den, der ihr ohnehin gehörte, an dem es nichts zu teilen, nichts Unbenötigtes gab. »Gut so?« Sie klopfte sacht meine Schulter und drehte sich, ein wohlriechendes Kreiseln, einmal langsam vor mir.

»Sehr gut so, nicht wiederzuerkennen!« Ich sprang auf. Die letzte Möglichkeit zur Rettung meiner Würde war die, unverzüglich aufzubrechen, ja, jetzt so nah an meinem Ziel den Ort zu verlassen, an dem ich nur beschämt würde, und sie immerhin um das Auskosten ihres vollkommenen Sieges zu bringen. Ich müsse sie sofort verlassen, die Zeit sei um, kein Aufschub möglich. »Wie trüb, wie trüb!« flötete Zara heiter über mir, die Schuhe erlaubten es ihr. Ich ging, um ihr meine Gleichgültigkeit vorzumachen. Aber hatte nicht in Wirklichkeit sie diesen Abschied provoziert? Geschah

nicht alles nach Zaras Plan? »Leben Sie wohl. Ein unvergeß-
licher Nachmittag«, sagte ich sehr unabhängig. Sie wußte
ja doch, daß ich mir, mit ihrem verführerischen Bild vor Augen, nun ihre Liebesstunde ausmalen mußte. Zara wiegte
den Kopf, nickte: »Sie werden wiederkommen!« Was für ein
starrer Blick!

Ich war fest entschlossen, das nicht zu tun, als ich mich
losriß und zwischen den bleichen Säulenbeinen, die durch
das sie umwindende Glyziniengeflecht schimmerten, fast
im Laufschritt aus Zaras schwülem Haus flüchtete, ich stolperte auf der Treppe, sie lachte verhohlen freudig auf.

Der Bus nach Finkenwerder, das zumindest hatte ich gut
abgepaßt, kam schon nach wenigen Minuten. Auf der
Fahrt hatte ich das Gefühl, noch immer wegzulaufen, in etwas Konkaves hinein, ausgehöhlt wie ich selbst und ausge-
nüchtert. Auch schien es mir, durch das Busfenster nach
draußen sehend, unmöglich, in diese Welt wieder einzu-
schlüpfen, so daß ich am Ende genau meine Wohnung treffen würde. Nichts als das war momentan mein Haupt-
lebensziel. Oder, ich machte mir – Ablenkungsversuch –
Vorschläge: die Umgebung als Innenwand einer Röhre, die
mich tunnelartig umschloß? Andererseits stob es in hellen,
trockenen Spänen davon, einer Auflösung zu, ohne Tiefe,
die Landschaft, die Häuser am Straßenrand, ein simples
Muster, aber pulsierend. War ich erst jetzt, nach dem Zusammenstoß im EEZ, zum ersten Mal wieder aufgewacht?
Ich spürte eine solche Bangigkeit, Zerbrechlichkeit aller Gegenstände, daß ich dachte, ich könnte sie mit einem einzigen kräftigen Durchatmen zum Einsturz bringen, wie ja
auch mich selbst, meine eigene, hinten in die äußerste Ecke
des Busses gedrückte Person.

An der Anlegestelle für das Schiff nach Teufelsbrück mußte ich eine Weile warten. Ich setzte mich in das nach vorn
offene Haltestellenhäuschen, las dort türkische Sprüche,
deutsche Vornamen, »fuck«, unverdrossen »fuck«, ein gewis-
senhaftes Satzzeichen, ein Taktstrich: »fuck«. Voller Wehleidigkeit stellte ich fest, daß in der Zwischenzeit Frühling ge-

worden war, so, wie man es nur abends merkt, im Dämmern. Wenn wenigstens die Vögel geschwiegen hätten! Ihr gewohntes Meckern und Mäkeln aber schmolz dahin in süß schaurigen Gesang. Trotz meiner Hohlheit wurde mir in diesem Zwielicht eng. Ich hatte keinen Platz für mich selbst in mir drinnen, wurde beinahe weggeatmet. Ach nein, nur die Oberfläche ließ sich bluffen. Innen herrschte überhaupt nichts.

Dabei war im Westen, direkt über dem Fluß, ja noch immer riesenhaft und rot die Sonne zu sehen. Ich hatte nur in die falsche Richtung Ausschau gehalten. Es blitzten auch noch Fenster im Widerschein stärker als die stockend gegen die Tageshelligkeit sich durchsetzenden Lampen. Auf dem Schiff, an einem der langen Holztische, saß mir ein verkrüppelter Mann gegenüber und sprach lallend auf mich ein, ich konnte nicht unterscheiden, ob wegen eines Sprachfehlers oder wegen eines auch geistigen Defekts. Immer gab er den gleichen Satz von sich, hielt die Laute wohl für Bestandteile eines sinnvollen Satzes, für Inhalt, Frage, Information. Ich sagte, ratlos distinguiert: »Bitte, was wollen Sie?« Und stets, schon zornig, wiederholte er seine paar Wörter: »Lababa« oder »Babala« mit viel zu langer Zunge wahrscheinlich. Es saß sonst niemand am Tisch, der mir raten oder für mich einspringen konnte.

Einmal stieg eine einzelne hohe Welle an der Außenwand hoch, über das Fenster hinaus, ohne Ankündigung. Ich jedenfalls hatte kein großes oder besonders schnell fahrendes Schiff draußen beobachtet. Deshalb erschrak ich mit einem Schrei, der den Behinderten wie irrsinnig freute. Er ließ mir keine freie Sekunde! Plötzlich ergriff er meine Hand, als wollte er sich verabschieden, daher entzog ich sie ihm nicht gleich, auch nicht, als er seine Lippen darauf preßte, ich meine, nicht sofort nahm ich ihm die Hand weg. Das legte er als Zustimmung aus. Ich wollte ihn aber doch nur nicht kränken. Geschwind versuchte er, alle meine Finger in seinen saugenden Mund zu stecken, so daß ich ihm meine nasse Hand entriß und noch einmal, während man das Ufer von Teufelsbrück bereits erkannte in allen Einzelheiten, innerhalb kurzer Zeit flüchtete.

Oben konnte ich, über den dunkelbraunen Elbstrom hinweg, jenseits schon, entrückt in der Kühle, das Alte Land liegen sehen, in duftiger Gräue. Blütenartig schwebten Lichter darin, an die Samenstände von Löwenzahn erinnernd, soeben aufgegangen. »Sie werden wiederkommen!« Der Satz schallte von dort drüben zu mir her, und nun hörte ich genau, daß es sich nicht um Bitte, Vermutung, Prophezeiung handelte, vielmehr, klipp und klar, exakt und schneidend, um einen Befehl, und alles, was Zara gesagt hatte an diesem Nachmittag, ihre Behauptungen und Unterstellungen, erwiesen sich als Kommandos in ihrem jetzt dröhnenden Nachhall. Ich hielt mich an der Reling fest und strengte mich an, den Kopf hinzuwenden zu der Anlegestelle, der wir entgegenfuhren. Ja, aber unbestreitbar existierten in meinem Gedächtnis zur Zeit nur Zaras Anordnungen. Das kannte ich, in anderer Weise, so nur von einem alten Mann, der nichts als die liebsten Gedichte seines Lebens im Gedächtnis behalten hatte, sonst nicht mal die Namen seiner eigenen Kinder.

Warum die Wasserfahrt? Hier die Lösung: Zara hatte darauf bestanden, weil sie das Pathos der Rückreise auf den Elbwellen voraussah und wünschte als fruchtbaren, nämlich die Physis in Schwanken versetzenden Boden für ihre Worte.

»Ein, wie könnte man sagen, rares Exemplar.« Und »Sie sind tatsächlich wegen der Schuhe gekommen?« Dazu sah ich Zara beständig in ihrem Netzjäckchen, das feine, beperlte Gitter über dem sanften Scheinen ihrer Haut. Ich sah, wie ihm gefiel, daß sie einen Knopf geschlossen hatte zur Begrüßung. Dann ging sie vor ihm her, wiegte sich im engen, bei jedem Schritt auf den umrankten Stöckelabsätzen mit leichtem Aufreißen nachgebenden Rock, in ein mir unbekanntes Zimmer. Ich erschrak, ich hatte in Wahrheit das Wort »noch« zwischen »mir« und »unbekannt« geschoben. In das querliegende Finalzimmer am Ende des Flurs?

»Lababa«, »Babala«, rief der Lallende dicht hinter mir beim Aussteigen. In der letzten Helligkeit ging ich eine Weile am Ufer auf und ab. Es war ja nun gesichert und absehbar, daß ich zu Hause ankommen würde. Die Bänke am Hans-Leip-Ufer benutzte noch immer keiner, kein Einsamer, kein Liebespaar hatte in der Abendfeuchte dazu den Mut. Kalte und warme Luftstreifen lagen über dem Weg, eine moderate Berg- und Talfahrt, das Kalte ließ mich absinken, das Warme hob mich an, gelinde, es war fast lustig und heilte als komische Sensation fast vom Gespenstersehen. Schließlich standen die Sterne am Himmel, Schmuckstücke, meine Spezialität, in bedeutungsvollem, großspurigem Abstand. Den lichten Horizont aber mieden sie noch. Der Mond? Umgedrehte Augenbraue. Dann flammten südlich große Sterne wie Fackeln zur Markierung eines Festplatzes für eine rauschende nächtliche Zerstreuung, zu der ich nicht eingeladen war. Man setzte sie schon mittels geheimer Signale in Szene, dort oben. Der Orion jedoch trug, gerade und zuverlässig wie stets, sein Schwert, oder was es sein sollte. Genau so starr die Zacken, die Lichtschwerter, lotrecht in den Fluß ragend, der gespiegelten Lampenreihen und Laternen vom jenseitigen Ufer, das ich hinter mir gelassen hatte.

Vor ein paar Wochen waren Veränderungen eingetreten. Eine Bekannte, mit der ich gelegentlich auf Schmuckwarenmessen den Stand geteilt hatte, gab mir, durch Verheiratung plötzlich zu Wohlstand gekommen, großzügig, ja mildtätig dotierte Aufträge für Entwürfe. Das Florale ging mir gut und leicht von der Hand, ich durfte unbesorgter leben. Auf der anderen Seite entwickelte sich mein Verhältnis zu Wolf Specht zu etwas Quälendem. Ich hatte ihn, bis zu unserem Treffen im Einkaufszentrum, als scheuen, etwas gehemmten Elektriker und Küster und meinetwegen auch halbkünstlerischen – was war denn ich? – Menschen gekannt, mit einer kleinen Schwäche für mich, auf die ich nicht stolz war, die ich aber als hilfreich und selten als lästig empfand. Von jenem Reiben meines Oberschenkels an aber nahm er sich drängelnde Anrufe heraus, begegnete mir aus heiterem Himmel und wollte mich in eine Umzingelung von symbolischen Zeichen zwingen, in eine Unentrinnbarkeit, die uns erotisch verbinden sollte. Statt dessen sah ich in seinem Bärtchen immer mehr eine haarige Schuppe.

Ich dachte an meine Lebensverhältnisse bei den paar Schritten von der Haltestelle zum Taubnesselweg, wohl um mich zu erinnern, in welchen Stock ich eigentlich mußte. Aus Spaß klingelte ich beim Namensschild »Maria Fraulob«, als wäre ich jemand anderes, der vielleicht ein Päckchen brachte, im Dunkeln. Es war nicht Spaß, sondern Versehen, ich redete mir nur schnell ein, es sei ein Scherz gewesen, fragte mich auch, ob ich was zu essen vorfinden würde. Verwelkte Blumen? Sperrte den Briefkasten auf. Du bist doch bloß ein paar Stunden weggewesen, sagte ich mir, als geschähe das alles extra. Ausgerechnet da kam mir mein Wohnungsnachbar entgegen. Ohne aufzublicken, ohne zu grüßen. »Kennen Sie mich nicht mehr?« rief ich ihm sofort nach, offenbar so fassungslos, daß er lachend die Arme hob. Doch, natürlich, nur habe er seine Brille nicht aufgesetzt.

Wenn ich nur erst die Wohnungstür hinter mir zugemacht hatte, abgeschlossen, Vorhänge zu, Radio und Fernsehen aufeinandergehetzt, Dusche! Das Hausbesitzerehepaar im Parterre brüllte sich an, nichts Besonderes. Manchmal gibt's dort auch Prügel. Das konnte mir nicht passieren. Als ich die Tür aufschloß, trat ich auf einen Zettel. Hingekritzelt wie in höchster Not stand dort: »Der nächste Samstag gehört mir!« Keine Unterschrift. Ihr Fehlen sollte ich so deuten: Versteht sich von selbst, daß ich, Specht, es bin.

Schon wieder ein Befehl. Da ich nicht flüchten konnte, warf ich den Wisch in den Papierkorb. Im Bett liegend, hörte ich einen Hund bellen, ein Flugzeug gewittern, einen Säugling schreien. Womöglich würde ich weder von Leo noch von Zara träumen, sondern von der Chinesin, die mir zwischen den Zehen ein Stück Papier mit der Botschaft »Lalabu« hinhielte. Der Name von Zaras Schuhräuberin? Diese Vorstellung hinderte mich an irgendwelchen Tränen. Am

Morgen holte ich die Zeitung wie immer aus dem Kasten. Ein treuer Anblick, der mich von Mal zu Mal stärker rührte, denn ich wußte ja, so geordnet unkriegerisch und wie geschmiert menschenfreundlich würde es nicht für alle Zeit weitergehen. Auch nicht in Europa und erst recht nicht für meinesgleichen.

Überlegte ich das nach jener Nacht? Wohl nicht, nicht im Traum! Das Hausbesitzerpaar pflanzte mit geschwollenen Gesichtern gemeinsam draußen Stiefmütterchen, überall, wo sich Platz dafür bot, wie besessen, kesselte sogar einen Straßenbaum, das war neu, mit so einem Hexenring ein. Die Stiefmütterchen sahen mich stirnrunzelnd an, so lieblich, so arglistig. »Tz, tz«, machte ich zu ihnen hin und entdeckte in meiner Jacke den Artikel mit dem Foto der Räuberin.

Spechts Hände zitterten beim Vortrag, ich konnte leider nicht davon absehen:

Das Schwein

Zu Hilf, zu Hilfe, schöne Frau,
ich bin ein Schwein,
das arme Schwein von Drosendorf,
von Drosendorf, das ist nicht weit
vom dunklen Böhmerwald.

Sie treiben mich zur Morgenstund
mit einem Küchenstuhl,
mit einem Stuhl, mich schönes Schwein,
zwei Männer, die mich morden wolln,
in ein gar schwarzes Haus.

Wenn Ihr mir nicht freikaufen tut
die zarte helle Haut
mit Eurem wunderschönen Fleisch
aus Schlächterhand, quält Euch mein Schrein
bis an Euer Lebens dunkles End.

Der Hummer

Tu's nicht, tu's nicht,
junger Koch,
englischer Koch,
tu's nicht!

Mein Panzer ist dick,
das Wasser heiß,
hör meiner flehenden Augen Ruf:
Mein Sterben dauert zu lang!

Und jagt man Dich aus der Küche fort,
Du unfolgsamer Koch,
so folge mir ins tiefste Meer,
in meines Vaters nasses Reich!
Dort sind wir vogelfrei.

Lied des Löwenjungen

Gute Nacht! Jede Nacht
schlafen wir eng,
schlafen wir schnaufend eng
umarmt,
ich und der Säugling,
der Säugling und ich, ich
und des Zoochefs Töchterlein.
Gleich groß wir beide,
immerdar.
Für alle Zeit.
Gleich groß, jede Nacht.
Gute Nacht!

Übers Haar konnte ich ihm nicht streichen. Er hätte sofort
den ganzen Kopf in meine Hände geschmiegt. »Was soll
das?« fragte ich bloß, mürrischer, als ich in Wirklichkeit

war, damit alles nur einigermaßen im Gleichgewicht bliebe und er nicht, sehr störend, Hoffnung schöpfte. Ich wisse genau, was das solle. Er versuchte, mir durch seine Brille hindurch gründlich in die ertappten Augen zu sehen. Was für ein künstlerischer Mensch! Wollte noch im Erwachsenenalter mit sogenannten selbstverfertigten Gedichten was durch die Blume sagen! Schon wieder so eine bodenlos vielsagende Dreiergabe! Da fiel mir meine Frauenschuh-Brosche ein, und ich sah lieber still aus dem Fenster. Wir stellten schon ein perfekt elendes Paar dar!

Mein gesamtes Weltbild, ein beschönigender Ausdruck, sei zerrüttet, zerschnitten in nichts als Einzelstücke. Man brauche aber eine organisierende Idee. – Schafskopf! Meine Idee, die mir alles bis ins Kleinste ordnete, war gerade jetzt eine besonders kräftige, kaum zu bändigende, nämlich eine fixe. Jedoch wie alle, die weder über scharfe Sinneswahrnehmungen noch über durchschlagende Ideen verfügen, zog er selbstgefällig die gebrauchten Schutzklamotten an. Kriegte gar nicht mit, wie muffig die Fähnchen rochen.

Er liebe mich. Ich solle auf jedes der Wörter achten. Er – liebe – mich. Was ein Esprit! Von Strom hatte mein unglückseliger Elektriker a. D. nichts begriffen. Statt auf zwei verschiedene Pole zu setzen, glaubte er an die eine, alles niederwalzende Strömung. Ich überhörte seinen Dreiwörtereinfall. Bei Wolf Specht konnte man das machen. Obschon! Hätte sich in seinem Körper die Idee der Männlichkeit etwas vollendeter ausgedrückt, würde ich ihm, zu einem anderen Zeitpunkt, nachsichtigere Beachtung geschenkt haben. Liebe, Dein Wittern! Man hielt die an allen Gliedern lebhaft zuckende Welt in Gestalt eines Gesichts, einer einzigen Person umschlossen. Nichts als dem war ich auf der Spur. Durch seine Annäherungen veranlaßte mich Specht nun schon mindestens zum zweiten Mal, stumm grundsätzlich zu werden. Laut zählte ich ungefähr folgendes auf:

Sinn zürnt
Licht kühlt

Witz wünscht
Sünd winkt

Die Wörter kamen von selbst aus mir heraus. Nein, stimmt
nicht. Ich sagte sie gar nicht. Erst jetzt drängeln sie sich ins
Freie. Fiepen so aus mir raus.

Sein Sohn habe die Röteln gekriegt. Mit fünfzehn Jahren.
Eine diffus erpresserische Information! Ob ich seine Gedichte ablehne? Gekränkte Frage. Ich mußte mich hüten, in
Spechts Augen reinzukippen. Es hätte mir in der Modrigkeit
nicht gefallen. Mein bevorzugter Anblick im Frühling, vielleicht mit einer milden Liebeshoffnung in Reserve: helle
Schauer, wie hochzeitlicher Reisregen am Kirchenportal, der
die Luft perlmuttern schimmern läßt. Dann wachsen die
Narzissen beim Zusehen. Wie sie entschlossen aus dem noch
fadfarbigen Gras schießen, sich unaufhaltsam hinausschie-
ben, bis das krause Licht der Blüten angeht! Triller, als wären sie nicht von den Vögeln hervorgebracht. Auf mir, seinem Instrument, pfiff und trällerte der März nach Lust und
Laune sein herzzerreißendes Liedchen. Statt dessen saß ich
mit dem Küster Specht in einer Gaststätte ganz in der Nähe
von Zaras Haus, genau eine Woche nach dem ersten Besuch
bei ihr.

»Ziküth, ziküth«. Die Antwort gefiel ihm, dem Ahnungslosen. Wir lebten, hörte ich, heute in Verhältnissen wie im
Märchen. Die Reichen, nach einer kurzen Zeit der Demokratie, plünderten wie eh und je das Volk aus. Das Herdenvieh,
die Rinder, aber mache man wie Max und Moritz zu Gra-
nulat.

Es wirkte fast auf mich selbst so, als wäre ich seiner
schroffen Parole »Der nächste Samstag ...« gefolgt. Er mußte sich das erst recht einbilden und trat entsprechend auf,
nicht so sehr überzeugt von seiner maskulinen Autorität als
von dem Walten bedeutungsvoller Mächte. Geheime Zeichen, versteckte Signale! Spechts Element. Ein kleiner Haß-
rausch fuhr durch mich hindurch, Haarwurzel, Magen,
Kniekehle, Fuß, und war vorbei. Also gut, oberflächlich ge-

horchte ich seinem Papierbefehl, rächte mich aber im selben Atemzug dadurch, daß er, alles falsch deutend, im Alten Land an einer Stelle hockte, die sich frontal, das war es, was mich reizte und entschädigte, gegen seine Absichten, mir näher zu treten, richtete.

Kaum waren wir aus dem Bus gestiegen, hatte ich das Haus, bleich, mit seinen umrankten Säulen, ich wußte es ja im Schlaf, auf der anderen Straßenseite entdeckt, ja, noch bevor ich es wirklich sah, spürte ich seine summend sich steigernde Nähe, eine Art Wärmequelle, etwas, dem ich mich ängstlich mit jedem Schritt ergab, das mich längst erspäht haben mußte und mein Herz klopfen hörte. Es ließ sich nicht hintergehen wie Wolf Specht, dessen Aufmerksamkeit auf die Wirtschaft zur Linken ich mühelos richtete. Ich marschierte in seinem Sichtschatten und hoffte, er würde mich bei einem versehentlichen, höchst peinlichen Auftauchen der beiden Hausbewohner abschirmen. Auch wenn Zara, die Prophetin und Siegerin, in diesem Moment aus dem Fenster zwinkerte? Auf einer Höhe mit dem Haus hielt ich ruckhaft den Atem an, so daß mir schwindlig wurde. Rief etwa jemand: »Maria!«? Ich reagierte nicht, machte alles ungeschehen, den eventuellen Schrei, das Erwischtwerden.

Nach einem längeren Marsch, getreulich den Windungen der Straße folgend, mit allmählich beruhigtem Pulsschlag, wenn auch übermäßig gefaßt darauf, Zara oder Leo – wußte ich noch, wie er aussah? – zu begegnen – wie ich es fürchtete, wie es mich aufstachelte! Hatte ich in der vergangenen Woche überhaupt gelebt? –, steckten wir die Köpfe in ein zur Hälfte altes, zur anderen Hälfte nagelneues Gasthaus. Und so war es auch drinnen beschaffen, nur viel größer als geschätzt, das erinnerte an Zaras Haus. Niemals hätte man von außen solche Erstreckungen vermutet, ein riesiger Saal schließlich mit Bühne und seitlichen Tischen im Dämmern. Es schien mir hier, im typischen Geruch nach altem Kaffee und Putzmitteln, fast neblig vor Trübnis zu sein. Eine schüttere, pastellfarbene Gruppe alter Menschen, die murmelten, nicht genug, um die Räumlichkeit zu beleben, ein Tag, zu dunkel von Anbeginn, um die vielen Busse aus der Umgebung, mit denen man hier rechnete, deren Bewirtung man hier vollauf gewachsen war, herzulocken.

Das war nicht nach Spechts Geschmack und obskuren Plänen. Unter den dicken Regenwolken trauten wir uns aber keine Verlängerung unseres Weges durch die Obstplantagen zu und kehrten zu einem eben nicht beachteten Wirtshaus um. Es war mir lieb, das hatte ich im Sinn gehabt und zu vermeiden gesucht. Jetzt hielten wir uns dicht in der Nachbarschaft des Hauses auf. Man würde hier seine Insassen kennen, in dieser brenzlig kleinen Entfernung, und wenn wir mit den Beinen unter dem Tisch saßen, konnten Leo und Zara, falls sie einträten, trotzdem nicht Spechts lächerliche Galoschen sehen. Eine Feigheit, der ich mich sogleich herzlich schämte, ohne daß sie aufhörte.

Wir hatten ganz allein in einer Glasveranda Platz gefunden, an der Hinterseite des Hauses in die Obstwiese gebaut, mit Blick auf die sacht strömende Este, unter Aufsicht einer erschöpften, statiösen Altländerin, die Besitzerin oder deren Anverwandte. Sie war beleidigt, offenbar sollten wir uns genieren, zu so wenigen gekommen zu sein, an einem Samstag, wo sie alles so sehr gesäubert hatte und Sahne geschlagen für viele.

Aber da ging ja, wie gerufen, offenbar schon wieder die Eingangstür auf, ein paar Schritte, Männerstimme, Frauenstimme – gerade stellte Specht mir eine Frage, aber ich kriegte sie nicht mit, da mich die Möglichkeit eines Fluchtwegs beschäftigte. Schon traten sie ein in das gläserne Sonderkabinettchen. Specht sagte: »Ich warte.« Unbekannte! Die schöne Umgebung, die er für mich ausgesucht habe, lenke mich ab, antwortete ich erleichtert, enttäuscht. Er, sagte Specht, warte noch immer. War mir etwa ein Heiratsantrag entgangen, hier, angesichts einer einzigen Plastiknelke? Wie er mich anspiegelte mit seinen Brillengläsern, dann die Brille kurz absetzte, um mich mit redlichen Teichaugen zu verschlucken!

Ich legte locker meine Hand auf seine zur Begütigung und zog sie in Windeseile zurück. Mein Gott, er hatte es gleich als verräterisches Zeichen verbucht. Ich hörte es seinem salbungsvoll vielsagenden, fürs erste zufriedenen Schweigen an.

Er blieb nicht allzu lange stumm: »Ein schönes Haus, das weiße zwischen den meist roten. Geheimnisumwittert.« Was war das? Ein Wunder? Der reine Zufall? Schlimmste Version: Gedankenübertragung? Er habe Augen im Kopf. Es sei mir, er lächelte und riß ein Tütchen Assugrin auf, doch bestimmt aufgefallen, ein Relikt, etwas düster. Etwas schlampig. Ob ich eine Vorstellung habe, wer darin wohne, wohnen könne, meine er natürlich. Die schadenfrohe Linie seines Mundes mußte nichts bedeuten. Was studierte er jetzt an mir, was legte er sich zu seinen Gunsten – in jedem Fall ein Irrtum – aus?

Ihm gefiel meine Sprachlosigkeit. Er glaubte, Terrain zu gewinnen, und ließ also das Haus nicht aus seinen Krallen. Krallen? Schweinepfoten, Hummerscheren, aber Krallen: nie! Er denke sich gerade verschiedene Bewohner aus, alle alt, hätten in jedem Fall das Leben zum größten Teil hinter sich. Ob ich ihm bis dahin folge? Schon ging es mir besser, schon begann ich mich zu amüsieren und nickte eifrig, und doch wie nachdenklich, zögernd, zur falschen Fährte. Jetzt wisse er, wer am besten reinpasse, man male sich ja auch sofort melodramatische Vorfälle dazu aus: Zwei hysterische alte Schwestern, die einander hassen und nicht ohne einander leben können. »Was geschah wirklich mit Baby Jane?« sagte ich, »Hauptrollen Bette Davis, Joan Crawford.« Er setzte zu einem gönnerhaften Lob an, mich aber traf ein kleiner, ein nicht unerheblicher kleiner Schlag. Ich sah in dieser Sekunde Zara vor mir, das rote Fischmaul, die starren Brauenbögen: Die Ähnlichkeit mit Crawford war unleugbar. Wurde sie dadurch, Zara, zum Hirngespinst, nicht so sehr Zara, das war egal, als vielmehr Leo Ribbat?

Ich biß mir auf die Lippen, damit sie vor Schreck nicht offenstanden. Behaglich grunzte Specht: »Uns beiden, dir und mir, sollte man es dedizieren, wir nämlich ...«. »... hätten das Leben noch vor uns«, ergänzte ich angewidert. Ob es nicht, fragte er behende, keineswegs auf den Fuß getreten, verdächtig sei, wie einer des anderen Gedanken lese. Zum Glück kam die Bedienung mit dem Kuchen. Specht selbst hatte mir durch seine Hauserwähnung bei meinen Spionageabsichten großartig in die Hände gearbeitet. Ich konnte elegant und unbekümmert touristische Erkundigungen einziehen nach dem weißen Haus dort drüben. »Steht leer«, lachte die Frau trocken auf, »Bolz haben endlich verkauft.«

Mir war ein regelrechter Schrei entfahren, fast ein Schluchzer wohl. Die Serviererin strich sich durch das gerötete Hausfrauengesicht, wie noch ganz benommen von stundenlangem Bügeln. Specht betrachtete mich überrascht: »Es eilt also, wir sollten schleunigst einziehen.« »Nein, behaupte ich.« Die Frau, auf einen Schlag grob vertraulich geworden, stützte sich beidhändig, zum Duell gerüstet, auf den Tisch, besann sich aber noch und erwog, in die Ferne, auf den Fluß blickend: »Es sei denn, Sie dächten an das andere Haus, das andere weiße, sieht doch ganz anders aus. Sollten Sie das meinen? Dann ist meine Antwort: Dort lebt eine ganz Besondere.« Sie legte rasch den Zeigefinger auf den Mund und entfernte sich geradezu auf Zehenspitzen zu den später eingetretenen Gästen. Ich hatte aber kaum Zeit, Specht wegen seines blöden Kommentars zurechtzuweisen, tat es sowieso nur, um ohne weitere Fragen seinerseits über die Runden zu kommen, da trat sie schon wieder zu uns, den Bauch über die Tischkante gelegt, griff sich mit den Fingern an den Mund und wiederholte: »Eine ganz Besondere, falls Sie die im Sinn haben. Das Haus ist nicht so auffällig, aber sie, das kann man wohl sagen.«

Ich interessiere mich nur für das Haus, widersprach ich schnell. Doch mit verblüffendem Eigensinn beharrte sie: »Wenn Sie die nur kennen würden, dann wäre das anders, das garantiere ich.« Specht schob sein Bärtchen vergnügt oder nervös auf und ab, es schien locker aufzuliegen. Ich fand es, im Moment größter Anspannung, abscheulicher als je und hätte ihm am liebsten ins Gesicht geschlagen oder ihn zumindest weggeschickt, brauchte aber den Begleiter, um vor der Frau, die, wie Specht, keinesfalls mißtrauisch werden durfte, möglichst objektiv, gewissermaßen neutral, als Paar zu erscheinen.

Die Besitzerin habe eine berühmte Hutsammlung, Verzeihung, Schuhsammlung. Von ihr aus, der Schwester der Wirtin hier, aus Stade sei sie gebürtig, und helfe aus, wenn Not am Mann sei, von ihr aus könne es auch eine Perückensammlung sein. Vögel halte die Dame ebenfalls. Das sei ja klar! »Ziküth«, flüsterte ich mir selber zu. »Ihr Name! Allein ihr Name! So heißt man bei uns einfach nicht. Zara Jojanna Z-o-e-r-n-. Paßt allerdings zu ihr. Kein Mensch weiß, wie alt sie eigentlich ist. Über ihr Aussehen, über diese ganze Aufmachung kann man sich streiten. Ui!« Ich sah extrem gleichgültig auf die graue Este, die der Elbe zueilte: »Wir haben die Frau nie gesehen und werden sie nie kennenlernen. Nur das Haus . . .«. »Sie ist aber«, fuhr diese Schwester einer Wirtin erbost dazwischen, »nun mal was sehr Ungewöhnliches, ein Unikum, diese hiesige Frau Zara. Das, liebe Dame, findet sich auch in Hamburg nicht an jeder Ecke.«

Sie habe ein gewisses Etwas, ob gut oder schlecht. Sie beschäftige die Leute. Ihr, einer einfachen Frau, stehe nicht zu, vor Ortsfremden über Frau Zoern zu sprechen, aber schon wegen der Gerechtigkeit: Sie sei ziemlich reich, manche sagten, unermeßlich wohlhabend. Grundstücke in Stadt und Land. Wohltätig sei sie, wie es sich gehöre für Millionäre, aber nicht gebräuchlich sei, ihres Wissens. Wenn auch unberechenbar. Hartherzig schlage sie manchem die Tür vor der Nase zu. Die könne sich ganz andere Häuser zum Aufenthalt leisten, drüben in Blankenese, als diese baufällige Villa. Ein schöner Zug, diese Anhänglichkeit an den Ort.

»Jojanna heißt sie?« fragte ich sanft. Die Frau aus Stade stutzte, beharrte dann aber, nachdem sie ihre Version mit »Johanna« verglichen hatte im stillen, auf der aparteren Form. Es könne ja klug sein, dachte ich da, durch einen Blickwechsel Specht zu meinem Verbündeten zu machen und unserer Informantin, auf deren Auskünfte wir, wie er glaubte, gar nicht scharf waren, eine eben erwachte Neugier vorzuheucheln. Ihr würde das schmeicheln, uns unterhalten und mir auf diskrete Weise, das vor allem, nützen. Lebhaft fragte ich also, Specht mit einem Blinzeln verständigend: »Und eine solche Frau lebt völlig allein?«

»Irgendwie schafft sie es, die Leute nicht in ihr Haus zu lassen. Kaum jemand kennt es von innen wirklich. Selbst die hiesigen Handwerker dringen nicht vor«, sagte die Frau wie träumend oder nur abwehrend, weil sie sich an ihre Wirtinnenpflicht zur Verschwiegenheit erinnerte. »Eine solche Frau lebt doch nicht ohne . . . ohne Begleitung?« wiederholte ich, ebenso verstockt wie sie. »Manchmal«, setzte die Staderin ungerührt fort, »kommt sie toll aufgemacht aus dem Haus, Pelzmantel, Schuhe mit zehn Zentimeter hohen Absätzen aus Raubtierfell, kaum zu glauben, mit einem Gesicht, als wäre sie eben aus dem Bett gesprungen, Haare wirr um den Kopf rum. Dann wieder, am hellen Vormittag, geschminkt wie eine Königin oder wie eine . . . mit Schürzenkittel, Laufmaschen.«

Mich ärgerte, nein zermürbte, was sie da redete. Ich ahnte, daß Leo Ribbat das alles genießen würde, so lässig kapriziös, kalkuliert, verlockend erschiene es ihm. Andernfalls würde sie sich ja hüten. »Und sie lebt ganz allein?« Es war ordinär, zu insistieren, aber diesmal hatte Specht gefragt, wohl um mir eine Freude zu machen. Die Frau biß in ihren kleinen Finger, als wollte sie dort, auf einen plötzlichen Schmerz oder Juckreiz hin, einen Gegenschmerz erzwingen. »Vielleicht haben Sie ja Glück. Sie kommt manchmal hierher, etwa um diese Zeit.« Scherzte sie? Ich versteckte mein Gesicht hinter der Hand, tat aber so, als sähe ich ungeduldig auf die Uhr, voller Erwartung wegen eines Treffens, aber doch auch mit großstädtischer Zeitknappheit. Ich hatte vermutet, am schönsten wäre, Leo bei dem Gespräch auszusparen, aber einmal, ein einziges Mal vor unserem hoffentlich noch rechtzeitigen Aufbruch, sollte der Name fallen. Ich ertrug es nicht länger. Oder ging etwas anderes in mir vor? »Also keine Männer?« Diesmal schrie die Frau, wie endlich kapierend, jovial-giftig auf, wobei der große Busen lange bebte. Dann wurde sie ernst: »Der erwachsene Sohn?«

Hatte sie das gebrüllt? Es dröhnte mir in den Ohren, dabei war es geistesabwesend geflüstert worden. Die Serviererin hatte in die Ferne gesehen, die Brille abgenommen, etwas war ihr ins Auge geflogen, und sie begann, das sehr Störende reibend neben der Nasenwurzel zu beseitigen. Das Auge rötete sich und tränte. »Ein Sohn nur!« schmetterte Specht, um mir zu Diensten zu sein. Bahn frei, dachte ich schwerfällig, ohne Gefühl, der Sohn nur. Bahn frei, mußte ich jetzt doch denken, mußte mir gut zureden, es zu denken. Wie dieser Sohn beschaffen sei, forschte Specht zügellos weiter. Aber die Frau besann sich nun endlich, bohrte in einem Ohr, rieb wieder die Nase, schüttelte eine Sinnestäuschung ab. »Was?« fragte sie. »Nichts«, sagte Specht und trat mir auf den Fuß. Die Frau setzte die Brille auf und verlor Gott sei Dank den mitleiderregenden Ausdruck rosig dampfender Hilflosigkeit. »Ich werfe die Männer durcheinander«, murmelte sie langsam, erstaunt. Ohne daß wir darum bitten mußten, stellte sie uns handschriftlich auf einem Block die Rechnung aus und hieb mit den Fingerkuppen zurechtweisend auf die Tischplatte. Beinahe war das schon ein Rausschmiß. Wir hätten ihn verdient gehabt.

Noch auf dem Weg ins Freie – den kräftigen Regen hatten wir drinnen kaum beachtet, jetzt war er vorüber, wir gingen durchs Lokal auf eine muntere Tageshelligkeit zu – rief ich mir Zara in ihrem Badezimmer ins Gedächtnis. Für wen denn hatte sie sich damals, erst vor einer Woche, dermaßen dekoriert? Etwa inzestuös aufgeputzt? Oder sollte mit dem Theater nur meine Eifersucht geweckt werden, ihr zur Zerstreuung? Für einen Sohn das Netzjäckchen, die Perlentautropfen auf dem durchschimmernden Fleisch? Ein Adoptivsohn, ein scheinheiliger Adoptivsohn namens Leo? Die Frau kam uns, zusätzlich errötet, nachgelaufen. Sie habe mit ihrer Schwester gesprochen, schnell telefoniert, die sei bei einer dritten Schwester zur Krankenpflege. Kürzlich sei Polizei da gewesen, aber schon bald wieder weggefahren, gestern abend, habe sie verstanden, und sich freundlich von Frau Zoern verabschiedet. Derjenige, der jetzt bei ihr wohne, sei ihr Freund, heiße Ribbat, Irrtum ausgeschlossen, Leo Ribbat, ihr Sekretär, Finanzberater, wie man es nennen wolle. Alle Mädchen hier schwärmten für ihn.

Wie gut es tat, den Namen zu hören! Ich gönnte mir die kleine Entgleisung, ihn, in leichtem Frageton zu wiederholen. »Leo Ribbat«, sagte nun auch Wolf Specht, als wollte er ihn sich für alle Zeit einprägen. Nicht nötig, eher schädlich. Er phantasierte auch: Die Serviererin habe natürlich nicht mit der Schwester, sondern mit der offenbar mächtigen Jojanna selbst telefoniert, ob sie was ausplaudern dürfe. Er sagte es gleich noch einmal: »Leo Ribbat, Zara Jojanna Zoern«, um mit mir ein weißes Haus anzusehen: »Da wohnen sie also!« Das sei ein Irrtum, er bringe ja wieder alles durcheinander. Das hier sei nicht das gemeinte Haus. Zoern und Ribbat lebten da drüben, dort, gleich hinter der Biegung, sei der Blick frei auf die Säulen mit dem Schlinggewächs und den geschnitzten, grau gestrichenen Fensterläden. Was? Aber er habe die ganze Zeit – unsere Zukunft! – von diesem gesprochen. »Die Frau anfangs ja auch«, sagte ich unnötig eifrig, »hier, in diesem, wohnt keiner, es ist ja leer, man sieht es an den Fenstern.« »Also noch Hoffnung für uns beide.« Mir war die malerische Villa vorhin nicht aufgefallen. Bei meinem ersten Besuch hatte ich ja auch gar nicht bis hierher gehen müssen. Jetzt gelang es mir kaum, Specht daran zu hindern, vor Zaras schon auftauchendem Anwesen breitbeinig staunend stehenzubleiben. »Ist das verboten?« maulte er störrisch, »Wir sind doch bloß Stadttouristen, die dürfen so blöde starren. Da sind die Insassen, falls sie uns beobachten, sogar stolz drauf«, und er zog mit Verbeugung eine vorgestellte Mütze vom Kopf: »Meine Verehrung, Frau Jojanna!« Für ihn waren sie ja nichts anderes als das Holzpärchen einer Kuckucksuhr. Vor Ärger bekam ich nicht mal das Herzklopfen, auf das ich mich seit Verlassen des Gasthofs gefreut hatte. Plötzlich schien mir der Name Leos viel zu oft genannt, ja, in aller Munde.

Nach der lang dauernden Bewölkung entstanden am Himmel von großzügiger Hand hingeworfene Unterschriften, Streifen nur aus hingefegtem Blau in einer Schnelligkeit, daß man die Zugluft zu spüren meinte, aber ich glaube, ich sah auch einen kleinen Garten im Schatten, eine samtige Schatulle schon, aus dem ein unwiderstehlicher Ruf drang. In der befellten Dämmerung wuchsen ihm lauter Hasenohren, eine scherzhafte Drohung, ein zarter Anflug von Modrigkeit. An der Elbe dann auf einen Schlag rasend geschäftig das Ausflugswesen, aus purer Bewegungslust vorwärtsschießende Schiffe, Flugzeuge, Möwen, ein Krachen um die Wette. Bei Teufelsbrück stiegen wir in Spechts Auto, und mir zuliebe fuhr er ein Stück auf der Elbchaussee stadteinwärts, wendete dann und, als hätten wir extra dafür Schwung geholt, glitten wir aus der Niederung bei der Anlegestelle hoch in die Kurve. Ein Aufsteigen in die Weite, den Himmel, auf einer Rutsche und dann Sprungschanze, auf Öl, auf einer regennassen, silbrigen Gleitspur. Ich bildete mir ein, wir würden in vollem Flug über die Elbe hinwegkatapultiert, dorthin, wo wir herkamen, in die bereits klein und zierlich grau dastehende Ferne des Alten Landes, wo es viel, viel besser war als hier.

Als ich Specht vor meiner Haustür verabschieden wollte, behauptete er, ich hätte ihm den Nachmittag über mancherlei Winke gegeben, auch auf eine Frage, diesbezüglich, immerhin hinhaltend, nicht abweisend reagiert. Ob er nicht wenigstens einen einzigen Blick in meine Wohnung werfen dürfe? Diesen abrupten Abschied verdiene er nicht, heute zumindest nicht. Er griff nach meinem Arm, ich dachte an das Fliegen auf der nassen Chaussee und gab nach: Ein Blick von der Tür aus, wörtlich, basta, das zur Bedingung. Natürlich kannte ich Specht, schon jetzt ließ er ja meinen Arm nicht mehr los. Kaum war die Tür aufgeschlossen, drängte er uns beide in den kleinen Flur und wollte, mit gespieltem Heißhunger, in meinen Hals, gerade da, wo er in die Schulter übergeht, reinbeißen. Ich spürte seine Zunge und das Bärtchen, den erstaunlich drahtigen Körper, trainiert für solche Attacken, und sagte hastig, in zum größten Teil unechtem, seelenruhigem Erschrecken: »Weißt du nicht, daß ich insgeheim wieder verheiratet bin?« Die erste Sekunde von Spechts Verblüffung nutzte ich, wie jeden Tag darin erprobt, ihn nach draußen zu schieben. Sicher, gut, es war nicht richtig von mir, ihn so herzlos getäuscht, schwer atmend vor der Tür stehenzulassen. Ich hatte das Ganze ja vorausgesehen, eventuell sogar beabsichtigt. Mir fehlte nach diesem Tag eine Umarmung, es mußte nicht mehr sein, vor Spechts feuchten Lippen hätte mir bei einer Fortsetzung viel zu sehr gegraut. Bei einer anderen Person hätte ich mich vielleicht ein bißchen heftiger trösten lassen, ich weiß es nicht. Nein, eine Umarmung brauchte ich nicht, nur die Geste, die Erinnerung daran. Mit geschlossenen Augen sagte ich zwei, dreimal: »Leo, Leo Ribbat«, während Specht durch die Tür »Maria, Maria« flüsterte. Trotz dieses albernen Duetts hatte ich wieder Vertrauen in meine Affäre mit Leo gefaßt. Deshalb nahm ich etwas später vom Anrufbeantworter zufrieden einen Auftrag für neue Entwürfe entgegen und machte mich, mit einer Kanne Tee, gleich ans Werk.

Sekretär? Finanzberater? Schwarm der jungen Ortsmädchen? Ohne Betonung der Einzelheiten ging Leo mit ahnbar schmaler Hüfte unter der Anzugjacke, die an dieser Stelle, meinem Wunsch zuvorkommend, den Körper eng umschloß. Lächelnd drehte er sich um, indifferent an mir vorbeilächelnd, und erbittert wollte ich diesen Blick auf mich zwingen und nicht mehr loslassen. Da hörte ich an der Wohnungstür ein Geräusch, eine Art flehentliches Schürfen. Ich wartete ein Weilchen, um Peinlichkeiten für die Partei vor und hinter der Tür zu vermeiden, und irrte mich nicht: Specht hatte einen Zettel unter dem Spalt hindurchgeschoben. Darauf stand:«Verzeihung!!!« Mit welcher Sorgfalt V und h gemalt waren! Statt der üblichen gehetzten Schrift, die sein leidenschaftliches Gefühlsleben ausdrücken sollte, hatte er diesmal die gemächliche Zierschrift gewählt.

Ich warf den schmerzlichen Zettel zum Abfall. Eine kleine Abscheulichkeit? Eine Methode, mir Leo günstig zu stimmen? Der Raum füllte sich mit Schwelgereien, für drei Sekunden fast vollkommenes Glück, wobei ich meine alte runde Teekanne ansah. Als es um war, ging ich zum Straßenfenster. Unten wartete noch immer Spechts Auto auf ein Zeichen und wußte, daß es selbst eins war. In unbequemer Haltung lauerte dort Specht auf einen Ablaß erteilenden Wink. Es sollte mir das Herz brechen, sagen wir: rühren. Das genügte. Ich arbeitete zornig beschwingt bis tief in die Nacht. Fünf Skizzen zu Ohrringen lagen schließlich auf meinem Tisch, bei denen jeweils ein blütenentsteigender Amor seiner zukünftigen Trägerin stilisiert und befestigend ins Ohrläppchen beißen würde.

Auch Zara ließ sich nicht nehmen, mir in der Nacht nach meinem Besuch im Alten Land – wieder ohne Leo, aber diesmal auch ohne sie – einen allerdings willkommenen Gruß zu schicken. Zwiespältig, versteht sich. Eine Halluzination, schön und halb unanständig. Als ich noch vor dem Frühstück die neuen Entwürfe begutachtete und einsah, daß sie alle nichts taugten und die beschwingte Erzürnung sich nicht gelohnt hatte, blieb die angenehme Empfindung der Nacht mit ihrer Nachricht unverrückbar.

Ich lag auf einem silbrig grauen, kalten Fischleib, sah dann aber, es war ein Doppelbett mit elbwassergrauer Steppdecke. Ein solches Ehebett hatte ich einmal verwundert in einem österreichischen Nonnenkloster bei einer Besichtigung betrachtet, ohne zu fragen. Es füllte den ganzen Raum, und ich lag ruhig ausgestreckt und fror nicht. Dabei stellte ich mich schlafend, so lautete die Vereinbarung. Ich spürte ja, in meinem stillen Liegen, die Bewegungen des Untergrunds, das unverkennbar kreiselnde und auch schroffe Gewoge, hier ohne irgendeinen Laut des Gestells und der beiden Menschen, Zara und Leo, der ineinander verklammerten, wobei ich mit ihrer Lust verschwamm. Ich beobachtete sie nicht, ich ließ mich von ihnen schaukeln. Sie waren der Motor, der sich mühte zu meinem Wohlbefinden. Fern aller Eifersucht wurde ich Nutznießerin ihrer Anstrengung und Teilhaberin eines langen Verströmens. Sie mußten die Arbeit leisten, ich widmete mich ohne Ablenkung dem Gefühlsstrom. Keinen Blick auf sie zu werfen, das war die Bedingung, meine Rolle, Aufgabe, Pflicht. Ich ließ mich, getreu dem Verbot, heben und senken und ins Schlingern versetzen und durfte mich, wie zu Stein verzaubert, nicht rühren, nicht selbständig nach außen hin. Und doch, unerklärlicherweise, rauchte ich eine Zigarette dabei! Adieu.

2. Abend

Am Sonntag arbeitete ich von morgens bis abends, reumütig, bescheiden zurückgekehrt zu den Inspirationen durch mein altes Vorbild, den unerreichbaren Großmeister Lalique. Telefon und Klingel blieben unbeachtet. Gegen Mitternacht aber trank ich am offenen Fenster ein großes Glas Rotwein in feierlichen Schlücken. Montagmorgen erhielt ich einen unfrankierten Brief, die Adresse nicht in Spechts Schrift, weder in der einen noch der anderen, kein Absender. Nur ein Zeitungsausschnitt lag im Kuvert, ein Ausschnitt von diesem Tag. Am Rand stand: »Z. J. Z. Bis bald!« Die kleine Räuberin war gefaßt. Beim Verhör hatte sich ergeben, daß sie einmal die unter Kennern berühmte Schuhsammlung Z. in der Nähe Hamburgs gesehen und in ihrer Begeisterung daraufhin, wann immer möglich, die Nähe der Besitzerin gesucht, ihr regelrecht aufgelauert habe, auch begonnen, sich durch brutalen Raub eine eigene, dilettantische Sammlung anzulegen. Frau Z. habe erklärt, nichts von ihrer irregeleiteten jungen Verehrerin, die vor längerer Zeit unbemerkt in einer geladenen Besuchergruppe bei ihr aufgetaucht sein müsse, zu wissen, aber scherzhaft gemeint, sie werde die Versicherungsprämie erhöhen und die Fenster vergittern lassen. – Der Raum hatte doch gar keine Fenster!

War der Brief von ihr höchstpersönlich eingeworfen worden und sie noch in der Nähe? Wohlig dachte ich, ich werde den Kopf in die Schlinge stecken und mich wieder ins Einkaufszentrum wagen, in die schauerliche Halbherzigkeit dort. Ausschau halten würde ich nicht nach Leo und Zara, mich nur als Opfer anbieten, mit gesenkten Lidern gewissermaßen, hingehen und hergehen bloß, als Köder zur freien Wahl, ob man mich ansprechen wollte oder nicht, an diesem Ort, den ich eigentlich haßte, der die kleinen Läden der Umgebung zur Geschäftsschließung trieb. Die Leute vom EEZ, hatte mir ein Schreibwarenhändler erzählt, verkleideten sich als Kunden und testeten die Verkäuferqualitäten von Ladeneigentümern, die vor der Aufgabe standen. Fiel das Ergebnis positiv aus, forderten sie die Prüflinge auf, ins EEZ zu übersiedeln, eine neue, zukunftsträchtige Existenz aufzubauen, nachdem die jetzige nun mal ruiniert sei. Nur der Rohbau ohne Decke werde geliefert. Habe man dann, so der Schreibwarenhändler fast schluchzend mit roter Nase, verweint oder erkältet, das viele Geld in die Ausstattung investiert, sei man den EEZlern auf Gedeih und Verderb ausgeliefert. »Dann schnappt die Falle zu!« Er schlug unterstreichend mit einem Knall die hohl gemachten Hände zusammen. Das mußte der rechte Platz für mich und meine Hoffnungen sein. Wie oft hatte der arme Mann wohl schon seinen restlichen Klienten den gelungenen Knall seines Elends vorgeführt, zu seinem kindlichen Trost?

Die Leute, die an diesem Vormittag in frühlingshaftem Leichtsinn die Gänge betraten, auf ein käufliches Abenteuer gefaßt, ein Paar Jeans, Schuhe, eine Pizza, verloren in der toten Luft etwas weniger schnell als sonst ihre Lebendigkeit. Zuerst dachte ich versehentlich: Lendigkeit, doch, ich habe es behalten. Es gefiel mir. Oder Gelenkigkeit? Es fehlte nur noch, daß man meine nahe Wohngegend nachäffend, die Verkaufsstraßen hier Farnkrauttreff, Salamanderstage, Nightingalecorner nannte. Aber nein, das hatte man sicher nicht mal mehr in Kindergärten als Lockmittel und Beschwichtigung nötig.

Horchte ich nicht aber doch auf ein »Ziküth, ziküth« von irgendwoher? Den geschnitzten und polierten Turm eines Schachspiels markierend, stand ein Mann vor Schlemmermeier, ein Brunnenneptun in kraftvoll reifem Alter, rotglühend, strotzend, eine aus dem gekachelten EEZ-Boden geschossene Sagenfigur. Ein Mann, erkannte man auf den ersten Blick, der die Frauen durch seine bloße Erscheinung zu sich beorderte, gewohnt, sich alle Wünsche zu befriedigen, mit Freude und Geringschätzung, weil sie nichts als Genüsse waren. Kein dauerhaftes Verlieren, an sie alle nicht. Er hielt eine brennende Zigarre in der Hand, hob sie über den Kopf, ein Kamin, in dem das Leben loderte. Oben stieg feiner Rauch empor. Er winkte jemandem, der unmittelbar hinter mir stehen mußte, den ich nicht sah. Von einem Telefonapparat wandte sich ein junges Mädchen, offenbar nach sehr privatem Gespräch noch ein bißchen aufgelöst, dem Publikum zu. Ein etwas fettes Kind fütterte sich mit einer Eisstange. In den Mundwinkeln bildeten sich, wie bei Vogelschnäbeln die Haut, weiße Cremeablagerungen. Hingerissen ließ es den Eiszapfen vor- und zurückschießen.

Diesmal würde es gut gehen, alles sprach dafür, auch dieser Zigarrenneptun. Signalisierte er nicht seine Zustimmung? Und doch durfte er nur der Herold sein! Ich brauchte gar nicht durch die Gänge zu schleichen. Ich konnte mich vor ein Schaufenster stellen. Nur Geduld galt es zu haben. Durch nicht nachlassendes Warten hätte ich mir am Ende etwas Gewisses verdient.

»Die beiden Kämmchen«, Leo sprach mich von der Seite an, »die Sie da studieren, sehen aus, als ob Sie die schon getragen hätten.« Ich fuhr herum und wäre um ein Haar schon wieder mit ihm zusammengestoßen. Er war allein.

Er stand vor mir, blickte an mir vorbei noch immer ins Schaufenster und sah ganz anders aus.

Ich wunderte mich nicht, ihn hier zu sehen, aber doch über sein Gesicht. Die Haut spannte sich nicht über den Knochen, es wirkte faltiger, überdrüssiger, es erschreckte mich. Denn zwar gefiel er mir ja noch besser als beim ersten Mal, mein Geschmack änderte sich automatisch mit seinem veränderten Aussehen, aber rührte dieses andere nicht daher, daß er mich nun bereits kannte? Ich war keine Überraschung mehr wie damals, schon eine vertraute Figur für ihn. Er sah lieber nicht so genau hin, um es nicht noch deutlicher zu merken. Niemand, der diesem gereizt verschlafenen Lächeln nicht ausgesetzt war, kann meine Ängstlichkeit begreifen. Wie sollte ich denn angesichts dieser verbindlich kaschierten Verdrossenheit in seinen Zügen, denjenigen immer noch eines verwöhnten Kriminellen, der interessante Untaten beging zur Zerstreuung, nicht so übertrieben reagieren!

Aber er berührte ja meinen Arm, berührte endlich wieder ein Stückchen von mir, eine Andeutung nur. Es schien sich um eine Verabredung zu handeln. Wir wußten nur nicht mehr, wann wir sie getroffen hatten. Es ging alles still vor sich, dadurch fiel nicht auf, daß ich nicht sprechen konnte. Ich glaube, ich atmete nach dem schrulligen Sturz vor vielen Wochen zum ersten Mal tief auf. Was fehlte mir noch? Nichts. Alles war anwesend.

Ich wollte nicht sehen, daß er mich nicht ansah, suchte also beiläufig in meiner Tasche. Um so aufmerksamer horchte ich: Es sei ja egal, worüber wir uns unterhielten! Eine denkwürdige Doppeldeutigkeit, nicht wahr? Immerhin hatte endlich ein Tag ins Schwarze getroffen, und ohne Ausflüchte sollte auch Leo einmal zur Konzentration gezwungen werden, wenn nicht das Wort Liebe galt, dann zum Blick namens Interesse.

Er verweigerte mir das, zuvorkommend, schon jetzt nicht. Er sah durch meine Pupillen hindurch. Sie fingen ihn nicht ein. Kein Touchieren, kein Widerstand. Er fürchtete sie nicht, er nahm sie gar nicht wahr. Vielleicht hatte er einen Moment gehofft, aufgehalten zu werden für ein schnelles Klingenkreuzen, war aber schon, da sich kein nennenswertes Hindernis in seinen Weg stellte, hindurchgeeilt. Nicht zu verblüffen, nicht zu rühren. Vielleicht müßte man angesichts solcher Augen in eisiger Frechheit zurückstarren, anstatt unsinnig um eine Erwärmung zu kämpfen, um ein Zittern, Aufschrecken, Zusammenziehen, Flattern, Erweitern, Verfärben, um den Hauch einer vergänglichen Änderung.

Warum ging ich nicht weg? Es war ja dieser, gerade dieser Blick ohne Ausdruck, der mich hier, wo ich mit Specht gesessen hatte, ohne Umstände anzog, so sehr, daß ich mich hineinstürzte in einen – ich gestattete mir heimlich derartige Wörter zu meiner Lust – notwendigen, wohltuenden, nur mir bestimmten Untergang.

Allerdings war es schon wieder vorbei. Seine Augen sahen woandershin. Um uns her die Jugendlichen, zaubrische Markennamen, neue Sportarten, kleine Diebereien im Sinn. Ich wußte es, ich beobachtete es nicht. Wohin ich seitlich Ausschau hielt, teilte sich mir Leo mit, in einem mit Nieten beschlagenen Gürtel, in einem dicken Säugling, der sich ins Gesicht haute.

»Wie hat Zara sich Ihnen beruflich vorgestellt?« fragte Leo. »Immobilien«, log ich, um nicht von meinem letzten Ausflug ins Alte Land und meiner Informantin sprechen zu müssen. »Immobilien! Unterschätzen Sie Zara nicht!« Unterhalb der beweglichen Wellenlinie seines Mundes – durch meine Wimpern hindurch bemerkte ich die aggressiv aufgeworfene Unterlippe – betrachtete ich andächtig seinen außerordentlich kraftvollen, säulenartigen Hals, ein Sockel, ein Postament. Er erweckte sogleich das Bedürfnis, sich daran zu hängen, ob er sich durch das Gewicht beugen ließe, ihn spielerisch zu würgen, es konnte ja nicht schaden bei so viel an dieser Stelle versammelter Stärke. Etwas lernte ich schnell: Um das, was zur Sprache kam, sollten sich dramatische Strudel bilden, ohne in tiefem Ernst zu verharren, keine Katastrophe sollte den Ausschlag geben, sie wurde relativiert durch Schaffen von Nebenschauplätzen, Abbruch des Themas im äußersten Fall. Ob ich die reichsten Familien Deutschlands kannte? Er sagte sie auf, offenbar als Gedächtnisleistung, mehr zu sich als zu mir: Quandt, Albrecht, Engelhorn, Haniel, Langmann, Woeste, Henkel, Haub, Beisheim, Boehringer, Flick, Otto, Gerling, Schickedanz, Herz, Hopp, Schmidt-Ruthenbeck, Piech, Merckle, Kirch, Oetker. Bei fast 12 Milliarden gehe es los und höre auf bei annähernd 3 Milliarden. »Und rückwärts?« Gottlob war mir diese Frage eingefallen. Er bewies sofort, was er konnte, und landete, diesmal auf einen Zettel schreibend, den er mir schenkte zu meiner Weiterbildung in Nationalökonomie oder Wirtschaft im Kapitalismus, ohne Stocken oben bei Quandt. Natürlich war ich damals gar nicht in der Lage, die Zwischenstationen zu kontrollieren. Aber wenigstens hatte ich die Konversationsprüfung bestanden. Egal, worüber wir uns unterhielten? Ich hätte alle Straßennamen um den Taubnesselweg herum aufzählen können. Einzig ausschlaggebend war seine Stimme, deshalb schwieg ich, wie es nur ging. Ich hörte das leise Rumoren und achtete kaum auf den Inhalt. Ich lag in Wahrheit, er wußte es nicht, im Dämmern ausgestreckt. Es mochte das übliche Galanterierepertoire sein oder auch nicht, ich hörte ein nächtliches Rascheln, raunendes Laub der Bäume, er konnte Milliardensummen erwähnen, und es wurde eine nur uns betreffende Verhandlung daraus, ein Verlangsamen, schwere Berauschung. Egal, worüber wir uns unterhielten, das tiefe Flüstern galt nur mir in diesem nach allen Seiten offenen Café, in der Zugigkeit ohne Geheimnisse. Murmeln und Ersterben der Welt. Eine Befangenheit des Sprechenden im erwünschtesten Fall, der ich entzückt nachspionierte.

Diese Stimme war es, die mich von Anfang an eingesponnen und mit Siegesgewißheit erfüllt hatte. Deshalb, nur deshalb hatte ich nicht gezweifelt, hatte gleich nach dem Zusammenstoß das beweiskräftig Verschwörerische verstanden. Es konnte ja nicht täuschen, wie ein Erröten nicht täuscht.

Unter dem Tisch stießen unsere Knie zusammen. Willentlich? Ich rührte mich nicht, ich rührte mich weder über noch unter der Platte, ich hätte zurückzucken müssen, hoffte aber zu inständig, er würde die kurze diskrete Verbindung nicht lösen oder jedenfalls nach dem ersten Reflex des Ausweichens noch einmal die Gegend erkunden. Während ich aber, um der bedeutungsvollen Sekunde nichts von ihrer eventuell glänzenden Zukunft zu nehmen, erstarrt dasaß, glitt er schon darüber hinweg. War seine Stimme nicht eine Spur kühler geworden? Er sagte einen unpersönlichen Satz. Dann eine Pause, dann: Ausschluß der Welt, Dunkelheit, zwei Silben in mein Ohr geträufelt, durchschauernd. Das

Wort: Grundstück? Bürgschaft? Rügen? Lügen? Ich verfiel dem sacht raspelnden, an mir feilenden, sägenden Sirenengesang, dessen wachsender, mit mir scherzender Macht ich mich ohne Gegenwehr ergab.

Es war ja eben nicht diese Stimme allein. Das Entgegengesetzte, der kühl mich durchwandernde Blick kam hinzu, der die Stimme jederzeit widerrief, der widerlegte, was sie so fächelnd verriet und bloßstellte, verlangte, bestimmte, aufdeckte und nahm und, ach, dehnte für meine riesigen Ohrmuscheln.

Meist verfolgte er das Vorüberlaufen langer, bereits nackter Beine, auch das eines gefleckten jungen Hundes. Der gelegentliche Blick, den ich schon nicht mehr forderte, bestätigte nur, was ich längst begriff. Die Stimme war das Irreführende und wurde von den Augen annulliert. Ich suchte nach dem Zusammenhang und konnte deshalb nicht weg.

»Da ist Zara«, sagte die Stimme fast wispernd, warnend fast, die Augen aber gaben ironisch aufleuchtend zu verstehen, daß die Störung vermutlich mir, nicht jedoch ihm ungelegen käme. Idiot, dachte ich, warum freust du dich? Tat aber mit dem nächsten Gedanken blitzschnell Abbitte. Alles also abgekartet, ich meine: verabredet! Das Schlimmste allerdings: Er begrüßte auch Zara, die auftrat in aller städtischen Glorie – ich weigerte mich, sie ausgiebig zu mustern, sie war nicht an der Reihe –, als wäre unser Treffen allein ihre Inszenierung, mit derselben Stimme, und sie gefiel ihr. Die Stimme gefiel ihr, weil sie so privat, nur für sie, Zara, reserviert war! Sie fuhr mit dem Fingernagel zweimal fix an der Naht seiner Hose am Oberschenkel entlang. Ich konnte den Blick von der besitzanzeigenden Geste nicht rasch genug wenden. Sie ertappte mich noch dabei. Ihre Hand ruhte leicht auf seinem Knie, amüsiert las sie in meinem Gesicht. Aber hinter diesem mit sich zufriedenen Lächeln tauchte etwas zweites auf, ein Stirnrunzeln, fern jeder Drohung, eine von mir schon wieder absehende Nachdenklichkeit, die ich, unangebracht eitel, an dieser Stelle leider falsch deutete.

»Jetzt habe ich es kaputt gemacht«, sagte Leo und zeigte auf Zaras Eisschirmchen, das er genommen und beim Aufspannen zerrissen hatte. Zara zog die Brauenbögen hoch, die roten, geschwollenen Lippen kommentierten: »Hüten Sie sich vor Leo. Er zerstört, und trotzdem soll alles heil geblieben sein, damit er es wieder tun kann. Gilt ganz allgemein!« Der Erfolg? Leo fixierte sie mit einem Echsenblick. Sie konnte nicht ahnen, das ja wohl immerhin nicht, wie sie beide durch ihre Bemerkung noch enger zusammenrückten. Beide hatten mich in kurzem Abstand voreinander gewarnt.

Gerade da ging eine circa Dreizehnjährige in hohen Plateauabsätzen schleppend an uns vorüber. Wir beäugten sie alle drei. Hob die Kleine nicht ein bißchen unverschämt die Mundwinkel zu Leo hin? Die wild entschlossenen Mädchen in den zu großen Stöckelabsätzen ihrer Mütter! Ein reizend rührendes Schauspiel in aktueller Präsentation. Sie selbst weiß nicht, was sie ausdrückt, dachte ich. Das sehen nur die, die ihre eigene unbeholfene Jugend verlassen haben. Ist jetzt der Zeitpunkt gekommen, wo ich hin- und herschlüpfen kann von der auskostenden Betrachtung in das blinde Verpackte und zurück? Erschrocken stutzte ich. War ich denn nicht verliebt? Aber natürlich, nur in den älteren Romanen, und das ist ihre Tugend, schweift die Welt mitsamt ihren Gedanken und Figuren nicht ab von ihrer Bestimmung. Die Liebe andererseits müßte mit ähnlicher Formstrenge auch heute noch allein die jeweils einzig erlaubte Wahrnehmung zu- und vorlassen. Das hätte ich doch vermutet. Faßte man in solchem Zustand nicht noch einmal nur das Wichtigste, wie ein Säugling nur die massigen Einzelheiten der ersten Heimat, auf?

Mit der Frage an Zara nach der Stiefelräuberin und dem Weg des Artikels in meinen Briefkasten wollte ich mich selbst zur Besinnung bringen, plötzlich aber schien es mir klüger, wenn ich hier nicht als Verliererin zurückbleiben wollte, meinen Abschied im Alten Land zu kopieren. Ohne Ankündigung riß ich mich los, sprang auf, zum Zeichen der

Unwiderruflichkeit. Zara lud mich ein mit fester Datumsangabe. Beschlossen wurde der vierte Mai, aber sie rief: »Nicht vergessen, vier fünf, vier fünf.« Die Dringlichkeit meines Aufbruchs veranlaßte sie, konkret zu werden. Ein unverhoffter Sieg. Eine Niederlage bei Leo: Da ich von seinen Augen nichts zu erwarten hatte, legte ich alle Aufmerksamkeit in den Händedruck. Kein Hinweis. Jedoch dann die Entschädigung: »Kommen Sie bestimmt?« Ich lief ihnen mit dieser Stimme und den drei Wörtern davon, ging in einen Laden, kaufte irgendwas, in ihrer Nähe. Sie sollten noch sehen, wie meine Zeit sehr wohl dafür reichte.

Zu Hause war Leo in alle vier Winde verweht. Nein, das nicht, nur die Details wirbelten durcheinander. An meinem Arbeitstisch wartete ich, daß sich alles beruhigte. Wangenknochen, Kehlkopf, zerrissenes Papierschirmchen, scheinheilig bekümmertes »Jetzt habe ich es kaputt gemacht«, zum Abschied drei Wörter von größter Erlesenheit. Stundenlanges Meeresgeknurre und Meeresgesäusel über Kiesel hinweg beim Rücklauf.

Meine Entwürfe wurden akzeptiert, über den Ideendiebstahl beklagte sich niemand, er war schlecht genug. I ü, i ü, vier fünf, vier fünf. Am Morgen des nächsten Tages kaufte ich mir ein »Hamburger Abendblatt« und eine »Morgenpost«. Zu spät. Von der jungen Räuberin wurde nichts mehr berichtet. Ich erinnerte mich an ihr vereinfachtes, veröffentlichtes Gesicht. Ja, nur weil es schematisiert war, gerade deshalb nur. Abends hörte ich das Hausbesitzerpaar unter meinem Balkon.

Christen ist Mist. (der Mann)

Die Probleme, die sie bringt, sind gut. (die Frau)

Die blöde alte Schachtel, Trulla, Scharteke, hau ab, Ilona!

Was treibt eigentlich die über uns?

Die, die nach Christen an der Reihe ist, ist besser. Hübsches Ding.

Lebt die oben ganz ohne Männer?

Noch zu jung für solo.

So jung auch nicht.

Ist Witwe.

Was ist das für eine geborene?

Immer mehr Sex überall.

Mutter kuckt nichts anderes mehr. Kennt alle Namen.

Sagt, die meisten hätten jetzt Krebs im Fernsehen. Ob die Fraulob nie einen im Bett hat?

(Seltsamerweise war ich gerade dabei, die Namen von Leos Milliardären auswendig zu lernen. Bei »Herz, Hopp« legte ich eine Pause ein.)

Ist ja nicht verboten.

Tut so sittsam. Wovon lebt die wohl? Mit so roten Haaren!

Sind scharf. Bezahlt die Miete pünktlich.

Schrei nicht. Die lauscht sicher. (laut:) Ich habe nichts gegen sie.

»Sie« groß oder klein geschrieben? Jetzt wurde ich wohl oder übel in eine Liebschaft gedrängt. Ob sie mir Wolf Specht glauben würden? Ich schrieb sofort ein Kärtchen an ihn. Verheiratet sei ich nicht, müsse aber eine Weile verreisen, schon morgen. Am Abend des übernächsten Tages wurde ein Zettel unter der Tür hergeschoben: »Melde Dich. Sobald Du zurück bist, melde Dich!« Die Schrift wie vom Teufel gejagt. Hatte man Specht im Haus gesehen, ihn begutachtet und für schwer genug befunden?

Es gab nichts zu tun für mich, außer meiner Routinearbeit, dem Erhoffen neuer Aufträge und bis zum 4. 5. darüber nachzudenken, ob der dunkle Fleck an Leos linkem Ohrläppchen – er war mir erst bei unserem zweiten Treffen ausdrücklich zu Bewußtsein gelangt – gleich zu Anfang den Eindruck des Abenteuerlichen, ohrringhaft Freibeuterischen in mir geweckt und sogar die Skizzen, die mißlungenen, für den beißenden Amor angeregt hatte.

Specht versuchte anscheinend nicht, meine vorgetäuschte Abreise per Telefon zu kontrollieren. Nur erledigte er drei Tage darauf mit der infantilen Botschaft: »Melde Dich nicht!« seine erste Anordnung. Ich maß dem keine Bedeutung bei, verließ kaum die Wohnung. Damit sich nachträglich die Erinnerungsstücke, die Leo mir hinterlassen hatte, mit Kindheitsprägekraft einstanzten? Was war sonst? Was fällt mir noch ein? Bei einer Geburtstagsfeier traf ich ein paar Leute. Der lange dünne Bankkaufmann hatte sich ein Motorrad gewünscht, es selbst bezahlt. Nun stand das herrliche Monstrum da und starrte ihn höhnisch an, er blinzelte sorgenvoll zurück. Seine Freundin, eine arbeitslose Sekretärin mit Vorliebe für die häßlichsten Exemplare meiner mir gelegentlich fragwürdigen Kollektion, kicherte im stillen: »Wird bald wieder verkauft, das tolle Stück!« Ich unterhielt mich auch mit einer Studentin, die für die kostenlose EEZ-Zeitung einen Bericht über meine Schmuckproduktion schreiben wollte.

Die Tage Ende April waren unnatürlich heiß. Abends kam das zügige Meeresrauschen der Autos aus der Ferne, auf dem Weg ins Nachtleben, altvertraut, durch die offene Balkontür. Falsches Meeresrauschen und schon echtes, erstes Blättersäuseln. Darüber die Gleitspiralen einer vorgestellten Möwe als noch unbekannter, hoch fliegender Gedanke. Weder von Leo noch von Zara erhielt ich eine Nachricht. Nichts anderes hatte ich erwartet. Nachts schwamm ich zwischen den Felswänden meiner Wohnung und zwar, was ich mir kaum einzugestehen wagte, wunschlos! Die Möbel waren zu schwarzen Hügelkörpern gekrümmt und aufgeschwemmt, aber nicht durch ihr Gewicht auf dem Untergrund fest ruhend. Sie verschoben sich in leisem Wiegen. Ich traute bedenkenlos dem Irren meiner beschränkten Sinneswahrnehmungen und wußte ja: In Wirklichkeit war ich, vom EEZ-Unfall an, vielleicht ein Sekundenviertel vorher schon, in eine träge Strömung geraten. Zwischendurch machte ich meine Steuererklärung, diesmal mit einem angedeuteten Herzklopfen. Galt Leo nicht als eine Art privater Finanzfahnder, ich meine natürlich: Steuerberater?

Der Anrufbeantworter meldete, daß in den vergangenen zwei Tagen jemand ein paar Mal nach dem Signal, ohne sich zu verraten, aufgelegt hatte. Nichts Ungewöhnliches, nur war dann nach dem entscheidenden Ton Stille eingetreten, und man hörte ein kurzes Schnaufen. Es sollte sicher wie ein Seufzen aus Herzensgrund, wie ein mühsam bekämpftes Stöhnen klingen. Ich aber würde Leo in jenem Haus sehen, sehr bald nun schon, nicht mehr dort in einem Zimmer nach dem anderen lauschen müssen, und wenn ich doch horchte, dann in seiner Anwesenheit auf seine aus der normalen Lautstärke sich senkende Stimme, die aus dem Hals aufstiege, den ich unbezweifelbar eines Tages, als wollte ich ihn töten, umklammern würde.

Nur einmal sah ich länger in den hohen Himmel. Weiße Wolken beschrieben seine außerordentliche Wölbung. Kurzfristig war ich außer mir. Wieder ging ein Tag – von mir selbst geraubter Tag meines Lebens – für immer dahin. Dann war der Schrecken schon wieder verweht, auch als unzulässig bezeichnet.

In der Nacht vor dem 4. Mai rief eine junge weibliche Stimme in einiger Entfernung »Hilfe!«. Ich horchte dem katzenartigen Schrei, der sich nicht wiederholte, aufgeregt nach. Ein keifendes Aufstöhnen auch, ein kreischendes Lachen unter Tränen, ja, das hätte es auch sein können. Die einzig glaubhaften Geräusche, die wir mit unserer Stimme produzieren. Alles andere ist schon Heuchelei, und wenn man sich vor angeblicher Aufrichtigkeit auf den Kopf stellt, etwa nicht?

Um so schändlicher Spechts gaunerisches Ächzen am Telefon!

Vier fünf. Erinnern Sie sich? Sie hatte es zweimal gesagt. Mußte ich das eine als Datum und das andere als Zeitangabe begreifen? Vier Uhr und fünf Minuten? Vier Minuten nach fünf? Zwischen vier und fünf? Ich erwog das nur zum Schein, hatte die Nachmittagsmitte ins Auge gefaßt, wollte aber weder sehr pünktlich noch sehr unpünktlich sein. Vier fünf. Im Finkenwerder Bus saß eine einzige Person außer dem Fahrer und mir. Weil sie älter war als ich, lächelte sie zuerst. Der Fahrer beäugte uns frech im Spiegel. Die beiden einsamen Damen verständigten sich über seine Gedanken: »Einsame Damen bei unglücklich gewähltem Ausflugswetter.« Winzige Motorboote auf der Elbe hatten wie Maden im Speck gewirkt. Doch! Genau so! Im grauen Elbspeck ohne Aufsicht tobend!

Welcher Teufel schickte mir aber diese freundliche, redselige, weiß Gott sympathische Frau zur Ablenkung? Hätte es in ihrer, Zaras, Macht gestanden, müßte man auf einen ihrer neckischen Einfälle tippen. Ich wollte mich doch eigentlich ganz und komplett, nun schon auf der richtigen, der guten Seite des Flusses, meiner Erregung wegen Leo widmen. Es wurde nichts draus, der Regen hörte auf, die Frau, zart grün, zart blau vom Lidschatten bis zum Schuh, begann, schüchtern zunächst und angenehm leise, zu klagen. Siebzehn Jahre sei sie in ihrem Beruf, jetzt siebenundfünfzig, auch wenn man ihr das nicht anmerke. Drei Jahre müsse sie noch, immer jünger würden die Chefs. Wie alt? Ab dreiundzwanzig! Nicht kompetent, arrogant. Entlassen werde niemand, aber es werde auch keiner, der gehe, ersetzt. Und dann die zehn Augenpaare! Es lohne sich nicht mehr zu wechseln, jetzt nicht mehr, das schaffe sie nicht. Sie schaffe es aber auch so nicht mehr. Über vierhundert Filialen habe ihr oberster Chef aufgebaut, Optiker. Nun entgleite ihm alles, er wisse es nicht, habe die Übersicht verloren, wie es da zugehe, auch wenn alles über seinen Schreibtisch wandere. Ihm schreiben, damit er es erfahre, um alles zu retten? Ach, hinterher bekäme man doch die Strafe dafür. Nein, sie könne nicht länger. Die Menschen, die Kunden, das Beraten! Es sei zu viel. Zu sehr verschlechtert alles. Ein Jammer, ein Kummer für sie. Gestern sei sie explodiert, habe ihre eigene hysterische Stimme entsetzt angehört. Sie alle, alle Verkäuferinnen würden aggressiv zum Schaden von allen. Es kümmere niemanden. Die Kräfte reichten nicht mehr aus. Die jungen Chefs begriffen das nicht, sähen nicht den Verfall. Kunden gingen und sagten: »Saftladen«. Das seien sie aber doch nicht. Kein »Scheißladen«. Eine Weltfirma, ein Begriff überall seien sie. Und nun das!

»Leo«, dachte ich kurz. »Leo!« rief ich stumm vor mich hin.

Krank feiern? Nicht möglich. Dann hätten die anderen es ja noch schlechter, müßten auch noch die fehlende Kraft ersetzen. Von Beraten könne keine Rede mehr sein. Wie in einer Fabrik solle es zugehen. Weg mit dem alten Arbeitsethos, egal, was in der Reklame versprochen werde. Weshalb aber seien die Kunden so lange treu geblieben? Doch nicht bloß wegen der niedrigen Preise! Das sei es nicht. Das sei das Furchtbarste, sie könne es kaum ausdrücken, eine bestimmte, schreckliche Situation, die ihr die letzte Kraft raube, so daß sie nur noch wegrennen wolle. Zwanzig einzelne Augen!

Die Frau lächelte beschämt, denn die helle Haut verfärbte sich, sie griff sich an die Kehle, wie um den Ton zu lockern, das Geständnis in Gang zu bringen, das dort sich nicht traute, weiter emporzusteigen. Sie sagte erst nur: »Entschuldigung«. Die Zeit drängte ja auch, wir waren bald am Ziel, und ich wollte diesmal aus gutem Grund früher aussteigen. Aber gut, dann nicht.

Es sei eben diese Situation, die entsetzliche, aber das dürfe sie sich selbstverständlich nie, niemals anmerken lassen. Sie müsse sich verstellen, aber hinterher, unbeschreiblich sei es. Sie könne es mir gar nicht schildern. Es sei so, daß manchmal wegen der immer geringeren Anzahl der Kolleginnen … manchmal warteten zehn Kunden. Zehn Kunden in einer Reihe, alle ungeduldig, alle gereizt, und vor ihr der eine, mit dem sie gerade zu tun habe, der gut beraten sein wolle mit seiner Brille, mit seinen Augen. Sein Recht! Sie seien dafür ja auch ausgebildet. Die zehn Leute aber, das, eben das sei es, die starrten sie ununterbrochen an, jede Bewegung der Hände, der Lippen, der Pupillen. Starrten sie an fast schon mit Wut, jedenfalls Grimm. Zehn Leute! Und dabei aufmerksam den einen bedienen! Zehn Augenpaare, zwanzig Augen seien das, mit denen des Kunden zweiundzwanzig, minutenlang ohne Gnade und pausenlos. Unmenschlich, niemand ertrage das auf Dauer. Sie starrten, sie starrten, damit es schneller gehe. Diese stechenden Augen, dieses Fordern, auf sie gerichtet, man spüre es ununterbrochen. Sie könne sich dann kaum noch bewegen, fast gelähmt sei sie dann davon. Nur dürfe es ja nicht auffallen.

Der Sohn, zu dem fahre sie hier ins Alte Land, ob der helfen könne? Hoffentlich nicht Leo, dachte ich plötzlich ausgelassen und zur Abwechslung. »Verzeihen Sie«, sagte die Frau, »vielleicht sehen wir uns wieder.« Ein wehes, jungfräulich verlegenes Lächeln. »Ich bin aus Versehen zu weit gefahren. Das kommt davon. Auch das noch. Nicht schlimm, nicht schlimm.«

Unmöglich war es nicht, daß wir uns hier noch einmal treffen würden, keineswegs unausdenkbar, hoffte ich sogleich aus Motiven, die ihr unbekannt waren. Wir, die Angestarrte und ich, die ein Bestimmter zu wenig anstarrte. Jetzt aber schnell wieder dieser: »Leo Ribbat«, flüsterte ich. Das feuchte Pflaster antwortete nicht. Richtig ausgestiegen war ich jedenfalls. Durch die Obstplantagen wollte ich in weitem Bogen zunächst das eine, bewußte Haus, das ich im Traum erkennen würde, umkreisen und zur Vorbereitung die Apfelbaumblüte ansehen. Kein Mensch ließ sich blicken, um mir zu sagen, wo ich von der Straße hinter dem Cranzer Hauptdeich nach links abbiegen mußte.

Ich machte ein paar Versuche, immer endeten sie schnell in einer Sackgasse. Dann, an einem Gehöft vorbei, ging es im Winkel von neunzig Grad los: schnurgerade Wege ins Blütenweiße hinein, Weiß der Blüten an einfältig stramm stehendem Holz. Eine Katze war dabei, ein viel zu großes Pelztier zu fressen, und balgte sich mit dem schlotternden Kadaver. An diesem grauen, warmen Maitag, als die Sonne durchkam, schwitzte man schnell im Dunst. Weiße ringsum, wollige Weiße, nicht in Schneebergen, in der Ebene. Die Wege zwischen den Baumreihen waren grasig, schlammig, eine sture Unendlichkeit nach der anderen. Wo waren die Ausflügler? Vom Boden verschluckt. Man sah in den Kanal oder Tunnel oder Korridor aus den ins Zweidimensionale gezwungenen Bäumchen, in diese Flure, die sich alle in stummer, nebliger Ferne verloren. Nach vorn und hinten kein Ziel, keine Vogelstimmen, nur ein schwacher Duft, beinahe wie ein leichtes Geräusch oder schmetterlingshaftes Flattern. Ich kannte es nur vom Friedhof, diese nach hinten sich auflösenden Straßen, bei denen man sich einbildet, etwas riefe, lockte oder umgekehrt: käme aus dem Vagen auf mich zu, würde eine Figur, hier zweifellos etwas Weißhaariges. Aber stärker war der Sog, sich hineinzustürzen in die lichte Waagerechte, in eine milchige Künstlichkeit und Totenstille, eine Geometrie, ja sicher, aber auch zusammenbrechende Räumlichkeit, keine solide Klarheit der Abstände mehr, eine zwiespältige Lieblichkeit auch, mit jedem Schritt ins Weiß-Rosige. Man wurde in Mull eingesponnen, Weiß-Rosiges, das nicht nur freundlich war und in offensichtlicher Ordnung labyrinthisch. Wie frostig bereift und kristallen standen die drolligen Baumzwerge, häßlich verwunschen unter der närrischen Blütenpracht. Ein kurioses florales Schauspiel, aber leider auch erstickend, das Licht erstickte im Wattigen und Stammelnden der Baumlinien. Nichts hielt dem Blick redlich stand. Es verkümmerte in den Einzelheiten der Gesamtmonotonie. Die Lautlosigkeit wurde ja zur Lichtarmut trotz unangenehmer Helle. Nach der Fahrt über die Elbe ging hier das Schwanken weiter. Ich schwamm in mathematischen Zügen an den Bäumchen vorbei, in der eben noch nassen, sich erhitzenden, pudrig durchstäubten Luft.

Verzeihen Sie mein Echauffiertsein! Dieses nachträgliche und daher doppelt lachhafte. Wo blieben nur die Besucher und Besichtiger aus den Bussen, um alles wieder geradezurücken? Um mich aus dieser duftenden Bosheit, die mir Weg und Ausblick versperrte, zu retten?

Man meinte es hier nicht gut mit mir, durchaus nicht nur gut mit mir, indem man mich an der Nase herumführte, als wäre das alles harmlos. Die unselig exerzierenden Baumtrolle als witzige Irrwegweiser, Furche um Furche in größter Gesetzmäßigkeit. Nirgendwo eine Höhe zum Ausschauhalten, alles gleichermaßen platt und schematisch geplustert, flüchtig mit Blüten ausgestattet.

Bis ich das auf einmal wieder hingestellte Gehöft des Anfangs entdeckte und ein Mann, der vor sich hinsingend auf Bretter klopfte, mir Auskunft gab, so lustig. War wohl an dem gelungenen Streich beteiligt? Ich fand also heraus aus dem Schlamm und dem Blütenmeer, konnte losmarschieren auf asphaltierter Straße an den nun gezügelten Plantagen vorbei. Mittendrin, einfach im rechten Winkel abbiegend schließlich, ich, am Gasthof mit den langen Tischbahnen, aus dem ich, Wochen vorher, vor den Scharen murmelnder, ungeduldig scharrend die Apfelblüte erwartender Weißhaariger Reißaus genommen hatte, bog in Leos Straße ab. Ich dachte absichtlich »Leos« nicht »Zaras«. Estedeich. Ich wurde froh und froher, gleich würde ich jemanden sehen, den ich so gern sehen wollte, hütete mich aber, zu rennen, sah statt dessen, auch hier keine Menschenseele, in einen kleinen Spiegel, mit dem ich mein eigenes Gesicht nur in kleinen Rechtecken nacheinander prüfen konnte.

Hier ließ sich viel freier atmen als zwischen den Apfelbäumen, und die Absätze erhielten leise die gewohnte Antwort, tak, tak. Ob ich eben auf der festen Schneise durch die Plantagen unwillkürlich klippspringerartig auf Zehenspitzen gegangen war? Als das falsche weiße Haus linkerhand auftauchte mit seinen leeren Fenstern, konnte ich nicht widerstehen. Warum sollte ich nicht einen Blick darauf werfen und mir vorstellen, ich wohnte dort, allerdings ohne Specht. Ein verwilderter Garten reichte bis zur Straße mit schönen blauen Kornblumen und Akelei. Wie früh!

Da stand sie, ohne Warnung herbeigeschlichen, eine schwarze Frau so plötzlich dicht neben mir, so aus dem Boden geschossen ohne alles Feingefühl, daß ich aufschrie. Hatte ich mich in der letzten Nacht etwa selbst, im voraus, rufen gehört? Herrgott, was für Phantastereien an jenem Nachmittag! Als schwarzer, aber plastisch ausladender Schatten mit waberndem Umriß hob sie sich ab von der weißen Hauswand und legte beschwörend, bei aufgerissenen Augen, den Finger auf den Mund. Von oben bis unten, vom Haar bis zu den Schuhen war diese Person, anders als die Frau im Bus, schwarz umwölkt, die Gesichtshaut braun, stark glänzend. Sie schlug pumpend mit warnend schwarzen Blusenflügeln. Meine dritte Prüfung an diesem Nachmittag. Ich will es Ihnen jetzt schon verraten: Die Angestarrte, die habe ich bis heute nicht wieder getroffen, zur Apfelblüte bin ich nie mehr im Alten Land gewesen, aber diese mit Fett eingeriebene Frau, kostümiert, als wollte sie das Fatum höchstpersönlich geben, es finster poliert zur Darstellung bringen, glitt unerwünscht in mein Leben und sorgte dafür, Sie werden sehen, auf welche Weise, daß ich sie nie werde vergessen können. Ich spreche jetzt so ruhig darüber und begreife kaum, weshalb ich dazu in der Lage bin.

Sie winkte mir, mit ihr um das Haus herumzugehen, hinten seine halb zerstörte Veranda zu besichtigen, durch die vergitterten Kellerfenster ins Innere zu sehen, redete dabei wenig, nur Halbsätze, die sie durch Gesten abrundete, die schlangengleich ihrem Körper entwuchsen. Es handelte sich ja um eine Art Parallelhaus zu dem anderen, um seine Ouvertüre, darum folgte ich ihr. Hier konnte ich mich schamlos über den blinden Zwilling hermachen, auch wenn dieses Exemplar wesentlich kleiner ausfiel. Ich vermutete in ihr eine Kaufinteressierte, dann, als sie mich mit lockendem Fingerzeigen zum Dableiben überredete und, weil sie zwischendurch immer auf die Uhr sah – was ich auch hätte tun sollen –, gebannt vom Unwesen, das sie trieb, eine gespenstische Maklerin, die sich mit einem Kunden treffen wollte und mich womöglich taktisch einsetzen würde als angeblich konkurrierenden Mitbewerber. Mit ihrer Pantomime um das Gebäude herum legte sie mir solche abstrusen Vermutungen nahe. Auch hatte ich nicht die geringsten Erfahrungen im Immobiliengeschäft. Was sie am Haus interessierte, sagte sie mir später, etwas später, als es mich nicht mehr überraschte. Bis sie dann plötzlich, knapp und wohlartikuliert, nach dem Zeitvertreib mit mir, von sich gab: »Fünf vor fünf«, ein Seufzer, »Es ist soweit!«

So spät schon! Verblüfft Sie noch, daß wir denselben Weg hatten? Sie ging neben mir, schwingend, wenn nicht gar schlingernd, auf flachen Sohlen, eine große Frau, mit einem Mal schwer atmend. Balladengleich wogte der umdämmerte Busen, der durch die hochfahrend kerzengerade Haltung doppelt kenntliche.

Tatsächlich bog sie mit mir bei der speziellen, einzigartigen Adresse vom Estedeich ab auf die bleichen Eingangssäulen zu, an denen schon erste Glyzinientrauben hingen. Wir sahen uns an, jede wollte der anderen zu verstehen geben, sie könne nicht mit, sei ja nicht eingeladen. Dann aber, da wir das Walten eines grandiosen Zufalls begriffen, packte eine eisige Hand nach meinem Arm – auf in die Schlacht? Zur Schlachtbank? Fahnen schienen ihren Einzug zu umwehen, Posaunen zu blasen –, und obschon ich doch selbst meine ganze Kraft benötigte, suchte sie, das Haupt hoch erhoben, bei mir, aus welchem Grund auch immer, Unterstützung.

Wie albern! Jede wollte der anderen beim Läuten den Vortritt lassen. Bevor wir uns geeinigt hatten, öffnete Zara und brachte es fertig, jede von uns, ein Arm für jede, mit spezifischem Ausdruck zu begrüßen. Ihr Lächeln, gelinde gesagt, von allergrößter Zufriedenheit, eigentlich, hätte es irgendeinen Sinn ergeben, blitzten ihre Augen vor triumphierendem Einverständnis mit unserem Eintreffen als Pärchen. Sie hielt uns, noch wortlos, fest, nicht aus übergroßer Herzlichkeit. Sie besiegelte einen Einfall mit kräftigem Pressen, teilte uns aber nichts darüber mit. Wohlgemerkt, ich spreche von meinem damaligen Eindruck. Besser: zagen Ahnen. Kurz zeigte sie zwischen den geschwollenen Lippen die Zähne. Ich wußte nicht, um was es hier ging.

Hinter ihr tauchte Leo auf, blaß, mit gesenkten Lidern. Aber gerade weil ich auf der Stelle die Frauen vergaß und den sich verkürzenden Abstand zwischen uns als rasend schnelles Einsaugen der Luft oder Zeit, Welt, des Lebens, was Sie wollen, fühlte – ich hörte ein schwaches Pfeifgeräusch und empfand es als zusammenschnellende Distanz, es wird aber ein Vogel gewesen sein –, gerade deshalb schlug ich, um den Lärm des Aufpralls zu mindern, die Augen nieder und zeigte Zara noch rasch vorher das Interview in der EEZ-Zeitung. Den Einstieg bildete mein Erlebnis mit dem Opfer der Stiefel-Räuberin. Sie hatten die Passage sicher deshalb nicht gestrichen, weil das Mädchen längst gefaßt war. »Kenne ich schon«, sagte Zara und warf keinen Blick drauf.

Währenddessen begrüßten sich Leo und die schwarze Frau. Mir entging, in welcher Weise sie es taten, durch meine eigene Schuld. Aber dann, im Gedränge, denn auf dem Flur erschien ein weiterer Mann, wurden Leo und ich gegeneinander gestoßen. Dazu stellte man mir offenbar die Frau vor. »Sophie Korf«, wurde gesagt. Schon war die Konfrontation mit Leo, auf die ich so lange gewartet hatte, abgeschlossen. Beklommen folgte ich den anderen, ergriff die Hand des unbekannten, unerheblichen Besuchers, ließ sie los in meiner Entmutigung. Da hörte ich hinter mir Leos nur für mich mit der ersehnten Stimme gesprochenes »Da sind Sie ja!«

Was sollte mich jetzt noch bekümmern? Ich, ich war gemeint. Ich antwortete nicht mal. Doch, tat ich doch, und mir fiel nichts Gescheiteres ein als ein einfältiges »Ja«! Federleicht nahm ich Platz im Wintergarten. Leo gab uns zu trinken, was wir wollten, und der Unbekannte, ein Ingenieur, erzählte von Ägypten und Saudi-Arabien, von tödlichen Skorpionstichen und Stierhodenessen. Er hatte mit berühmten Hollywoodstars Nächte in Bars und an Swimmingpools verbracht. Im Plaudern, gegen das sich niemand wehrte, das alle erfreute, begann er zu glühen und wurde dämmerungsbraun. Was mochte hier seine Aufgabe sein? Wozu solch folgenloses Kennenlernen? Ist es vom Leben als gerafftes Abbild der ausgedehnteren Bekanntschaften gedacht mit dem gleichen spurlosen Ende? Oder sollen sich diese nur um so kostbarer und effektvoller abheben von jenen? Frau Korf aber, noch nicht zur Ruhe gekommen, beziehungsweise frisch erregt, verfolgte die Schnurren des Ingenieurs mit den heftigsten Gesten der Bewunderung, des Staunens, Entsetzens. Daraufhin sprach der treffliche Weltreisende nur noch feuriger. Leo musterte sie unter schläfrigen Lidern.

Auf Zara achtete diese Sophie Korf überhaupt nicht, was nicht leicht war, denn Zara trug zu ihrem streng geschminkten Gesicht ein weiches, goldbraunes Satinkleid. Man hätte sie seitlich immer ansehen mögen, wie sie so dasaß, die Beine an den dicken Fesseln übereinandergeschlagen, die Pumps mit dem Stoff des Kleides überzogen, den Kopf in den Nacken gelegt, die Lippen nur manchmal, als Gnade oder Begnadigung, bewegt, manchmal auch die Brauen, die pessimistischen, auf den Kopf gestellt lachenden Geschwister. Zara in schimmernd weicher Goldhülle wohnend.

Leo wagte ich jetzt, so öffentlich, nur versteckt zu beobachten. Aber einmal, als ich nach Umwegen zu ihm hinsah, war sein Blick direkt auf mich gerichtet, lange ungeniert gegen mich ansehend und durch mich hindurch, bis ich die Wimpern senkte. Ich tat es so auffällig für ihn, um ihm die Unbefangenheit zu nehmen, daß ich sie beinahe klappen hörte! Das Telefon läutete, Leo verließ deshalb den Raum. Und sofort spürte ich bösartig seine Abwesenheit, die Temperatur sank, das Licht ging verdrossen weg. Und etwas fiel mir trotzdem auf: Frau Korf, die Zara und Leo länger als ich zu kennen schien (und also auch die Chinesin vermutlich), beendete im selben Moment alle Darbietungen ihrer Gefühle, obschon der Ingenieur doch unentwegt berichtete. Kaum kehrte Leo zurück, blaß, breitknochig die Stirn, belebten wir uns augenblicklich. Bevor er sich setzte, legte er die Hand auf Zaras Schulter. Es konnte als Signal wegen des eventuell geschäftlichen Telefonats aufgefaßt werden. Jedoch mir, mir verbarg sich nicht das ausgedehnte Streicheln der Fingerkuppen auf dem willfährigen Stoff. Eine Schwäche für Zara oder für das Material? Zara bot Chips an. Zu essen gab es sonst nichts. Sie hielt uns bloß die schlecht aufgerissene Tüte hin. Beabsichtigter Kontrast zur heutigen Eleganz? Sollte vielleicht Leos knappes Zärtlichkeitszeichen für alle Fälle ihren möglichen Argwohn beschwichtigen? Sogleich wurde mir zittrig flackernd ums Herz. Mochten die anderen dem kapitalen Ingenieur wirklich angespannt zuhören, ich aber löste mich auf und schmeichelte mich um Leos Gestalt herum, so daß mich auch die kleinste seiner Regungen mit verhaltenem Wellenschlag durchlief.

Die Türklingel! Schon wieder würde man mir Leo entziehen. Niemand rührte sich, man schien sich geeinigt zu haben, das Geräusch, auch bei Wiederholung, zu ignorieren. Dann kam es ein paar Mal schnell und moduliert. »Gleich, gleich«, rief Zara ins Nebenzimmer und schnalzte mit den aufgeplusterten Lippen. Da wurde das Klingeln aufgeregter und zugleich lieblich, tuschelnd und kichernd und schließlich ungestüm zeternd. Jetzt lauschten alle. Wie unterschiedlich sie dabei aussahen! Frau Korf, die eingecremte Person, öffnete sogar, eine Allegorie des Staunens, den Mund und schlabberte mit der Zunge gegen den Gaumen, als äße sie einen entzückenden kleinen Kuchen. Aber zu essen gab es nichts. Sehr bekömmlich! Tief lachte der Ingenieur: »Die Wichte. Wir kommen ja! Vor drei Jahren, Urwald, Brasilien ...« Er sei ein echter Abenteurer, Satz für Satz, rief Zara dazwischen, ich glaube, sie betonte das Wort »echt« ein bißchen zu sehr, es belustigte sie irgendwas, verdächtig auch, wie sie die Blicke abwechselnd auf dieser Sophie und mir ungewohnt andauernd freundlich ruhen ließ. Sie versank dann aber wieder in Gedanken, fühlte sich durch die anwesende Gesellschaft entlastet in ihrem warm lodernden Schein. »Ziküth!« rief die Klingel. Nun wußte ich ja, wer die Wichte waren, und ahnte auch schon, daß sie, die Kleinen, den Part eines Menüs zu übernehmen hatten. Wir würden sie besichtigen und dabei eine Art Vogelfutter, Chips, Nüsse, getrocknete Bananenscheiben schlucken.

Natürlich hütete ich mich, ihr auf den Leim zu gehen. Bei Zara war Wachsamkeit rund um die Uhr geboten. Es gelang mir nicht, so ausdrücklich, wie ich mir ausgemalt hatte, den Einbruch in Leos Privatleben zu feiern. Die Leute lenkten mich ab. Zara mußte es so geplant haben. Aber sie unterschätzte mich! Im Vertrauen: Wer sich hier insgesamt verhob und täuschte, war vor allem ich. Dazu die brummende Amazonasmusik des Ingenieurs, das ungeduldige Tuckern der Vögel ganz in der Nähe. Ich roch sie nun auch. Ein tropischer Geruch, etwas faulig, ein zarter Hauch von Gestank, nicht abstoßend allerdings, war darunter. Seitlich nahm ich Leo wahr als angenehme Temperatur und kühles Vibrieren, das von dem Rumoren des Ingenieurs abstach. Es gab zwischen den beiden noch einen Unterschied. Leo schwieg und rührte sich auch nicht, genau wie ich, es war eine geheime Verabredung, nur für uns beide geltend. Sophie Korf, die immer mehr Fleisch ihrer Brüste, scharf in der Mitte getrennt, durch die Klammer ihrer Oberarme in den Ausschnitt hochpreßte und sich schlängelnd wand in schon ziemlich orgiastischem Wundern über die Anekdoten des Ingenieurs, aus Schwäche fürs Verblüfftsein, aus Treue gegenüber den alten Zeichen für große Gefühlsbewegung vielleicht – aber man konnte es auch für eine raffinierte Verhöhnung des arglos plaudernden Mannes halten, als Parteinahme für den anderen –, sah zwischendurch immer den zweiten an und sagte zu ihm: »Da sehen Sie mal!« und »O Gott!«. Was hier passierte, unter den Augen viel zu vieler Leute, jedoch auch in ihrem Windschatten, änderte sich mit wenigen Unterbrechungen nie. Ich durfte Leos Gesicht nicht bis zur Sättigung betrachten, in mich reinfressen, trotzdem schwand das, was mich ausmachte, in seiner Gegenwart dahin.

Eine Schläfrigkeit, mit den Leidenschaften wohlbekannt und von ihnen etwas ermüdet: Alle Abenteuer, die der Ingenieur sympathisch prahlend ausbreitete, mußte Leo schon als Kind erlebt haben. Er erinnerte sich daran mit dem Lächeln eines Neunjährigen, aber es überraschte ihn nichts. Und dieses zerstreute, verwöhnte Ganovengesicht, das zu mir sagte: Man muß mich schon sehr reizen, damit ich aufwache! das gerade zog mich gegen meinen Willen an. Ich versuchte, als wir uns nun erhoben, um den klimpernden Stimmchen zu folgen, ihn mit einem Augenruck zu überrumpeln. Es gab nichts zu erwischen. Er beugte den Kopf Sophie Korf entgegen und sagte zu mir, es klang wie ein Stottern, so einzeln kamen die Wörter: »Zara hat außerdem eine riesige Bibliothek. Frau Korf hilft ihr dabei.«

Wir brachen auf in den parallel zur Straßenfront liegenden Salon, der mir beim ersten Besuch als geheimnisvolle Lichtquelle aufgefallen war. Nachtigallen (»Mund der Nacht«, »Wald-Ton«), Finken, Lerchen tirilierten und flöteten aus Waldinnerem und Moosgrund. »Wir kommen, wir kommen!« Die Sophie preßte beide Hände auf ihr Herz und schloß die Augen. An so viel Vorfreude kam keiner heran. Wie schwarz, wie weich, wie sie glänzte an der Oberfläche. Statt des Mahls im Wintergarten spendierte Zara mir diesmal Leo, statt der Schuhsammlung die Vögel! Und wirklich: Ähnlich den tollen Pumps und Sandaletten in Velours und Seide, mit Schuppen beklebt, funkengleich, stoben sie, als wir den beinahe leeren Raum betraten, davon, in das Grün ihrer Gebüsche und das Wurzelwerk hinter der gläsernen Außenwand. Nein, dort waren sie die ganze Zeit über, die Glasbarriere hielt sie ja auf. Sie sahen von draußen in den Raum, aus ihren Verstecken hervor, in diesen Salon, in dem wir uns zusammen mit einer Kollektion von Samtsesselchen in den Farben von Kapuzinerkressen, befanden. Zwischen uns und dem Garten also die Vögel in ihrem durchsichtigen Tunnel. Es mußte irgendwo aber Öffnungen geben, weil ihre Stimmen so quinkilierend um uns herum waren. Auch ein Zischen und Plustern, es dröhnte ja wie vergrößert durch einen Trick an mein Ohr, wohl nur, weil es so viele waren.

»Rote Tangare«, sagte der Ingenieur, griff meinen Arm und zog mich vor ein rot-schwarzes Feuergeschöpfchen mit weißem Fleck rechts und links vom Schnabel. »Ich habe ihn im Südosten von Brasilien in freier Natur gesehen. Da flatterte er plötzlich. Das ist, mit Verlaub, noch aufregender als hier, zwischen, na, was wird es sein, Ginster, Birke, Hagebutte usw.« Das Tierchen ruckte mit dem Kopf, die Iris umrundete so rot wie das Gefieder seine große Pupille. Es sah mich mit dem einen Auge an, dann mit dem anderen, öffnete den Schnabel zu einer blanken Silbe, blieb jedoch lautlos. »Dort, die gelben, die Webervögel, die gibts in Tansania in Massen, machten immer viel Lärm.« Der Ingenieur verströmte warm brummend in gemäßigter Eitelkeit sein Wissen. Zara aber, vom Braun und Gold ihres Satinkleides umschlossen, lehnte an der Volierenwand und wurde auf einmal selbst ein schlanker Webervogel mit schimmernden Rundungen. Beim ersten Besuch war sie, für ein paar Stunden, in der Mauser, dachte ich, aber offengestanden dachte ich nicht viel, sah auch das meiste nicht richtig an. Ich hörte zwar: »Ach, der rote Kardinal, ein Edel-, ein Karfunkelstein, ein Juwel, ah, ah, ein wunderbarer Sänger, die virginische Nachtigall!« Das war Frau Korf. »Ehemalige Tierpflegerin. Auch in diesem Punkt assistiert sie Zara«, sagte Leo leise hinter mir, und ohne das kostbare Exemplar mit dem wütend zu Berge stehenden Schopf zu beachten und ohne zu erkennen, ob er in dem Stimmengewirr jubilierend oder lamentierend einen piependen Beitrag leistete, herrjeh, lehnte ich um zwei Zentimeter höchstens heimlich den Kopf nach hinten und horchte der mir zugesenkten Stimme nach, dieser verhaltenen, zögernden, ihre Kraft nicht verausgabenden, die jetzt schwieg. Der Mund aber blieb atmend in meiner Nähe, ich schloß die Augen, schwirr, für mich, für mich, mehr war nicht erlaubt: zwei weitere Frauen im Raum!

»Im Dschungel, in den Urwäldern Südamerikas«, strömte und rollte der Ingenieur gegen die zuckenden, wispernden Laute an. »Ah, der Indigofink!« Sophie ging vor der Glaswand in die Knie und reckte sich dann wieder bis zum Äußersten, weil sie um jeden Preis die sein wollte, die mit den Vögeln zu sprechen verstand, stieß unentwegt Töne aus und ließ dabei ihre Zunge sehen. »Animalische Schauer«, bemerkte Leo mit leisem Lachen an meinem Nacken, ein sehr kleines Stolpern in seiner Stimme, ein Hüpfer, ein Schnauben, kaum hörbarer Seufzer, kein vorgeschriebenes Wort. Vielleicht wurde es so nur von ihm hervorgebracht, auf der gesamten restlichen Welt nie wieder, es kam mir vor, als sähe ich bei diesem kurzen Geräusch aus seiner Kehle zwischen zwei bekannten, von allen benutzten Wörtern einen Schnitt in seiner bleichen Haut, als eine Art Vertrauensbeweis einen messerschmalen blutigen Riß.

Im Braun mit goldenen Glanzlichtern saß Zara auf dunkelrotem Samt. Sie hatte uns alle im Blick, besonders die auf- und niederwogende Sophie, die schnäbelte und schnalzte, jedes einzelne der grün-gelben, gold-violetten, grün aufflatternden Vögelchen anrief und beschwor, mit Kosenamen pries und sich zwischendurch die eigenen Brüste drückte in hohem Entzücken. Tief hinunter war ihre Haut ohne Absätze gebräunt. Wie ein Federtierchen hielt Zara jetzt einen ihrer Pumps in der Hand, streichelte darüber, bevor sie ihn zurück an den wippenden Fuß steckte. Wollte sie mit diesem Intermezzo das Geturtel der fanatischen Gehilfin äffen? Zara: »Die Vögel haben häßliche Füße, die Schuhe können nicht fliegen.« Der Ingenieur machte unterdessen Vorschläge zur Steigerung der Urwaldillusion, eine Sache auch der raffinierten Beleuchtung! Den Vögeln würde es behagen und zugute kommen. Er schleppte einen Sessel für Sophie heran, der Wichtige, in zimtfarbenem Überzug. Verblüfft nahm sie in ihrer Schwärze darauf Platz. Nun war sie zusammen mit dem Möbelstück ein einziger Riesentukan oder weiß der Teufel was. Damit hatte ich für eine Weile der Gesellschaft und Gemeinschaft der schwätzenden, pfeifenden Vögel – Töne wie gefärbt, wie gelbe, grüne Inselgruppen im Zimmer stehend und zerberstend, wir alle wurden kaleidoskopartig durcheinandergewirbelt, standen, Muster bildend, still und trennten uns als bunte Partikel – genug Aufmerksamkeit gewidmet. Ich sah noch, daß der Abenteurer sich beim Erklären recht tief über Sophies Ausschnitt beugte und die den Oberkörper aufbäumend zurückwarf in empörter oder begeisterter Erwiderung. Die Zeichen: nicht eindeutig, aber großartig.

»Ich will Ihnen«, murmelte Leo hinter mir, niemand konnte mir vorwerfen, ich würde den Blick nicht von ihm wenden, ich bewegte mich nicht, blickte geradeaus in die Volieren mit den zuckenden Federleibchen, den Farbtupfern und Gesangsmeistern, »ich will Ihnen, auch wenn ich diese Tierhalterei eigentlich verabscheue, warum bleibt sie nicht bei ihren Schuhen und Büchern« – ich gab vor, animiert in die Käfige zu schauen – »Ich will Ihnen« fing Leo wieder an, machte eine Pause, ich stellte mir vor, diese Stimme eine Nacht lang neben mir zu hören, durchtupft von zierlichem Vogellärm, im Dunkeln, und ich wollte zufrieden sein, neben dieser Stimme ausgestreckt zu liegen, mit ein wenig Licht auf dem Bett, nur schwach, nichts weiter, »zwei wunderbare Imitatoren zeigen, jedenfalls lernen sie schnell, wenn sie bei Laune sind.«

Er führte mich zu einem Vogel, grün glänzend, als läge Abendsonne auf seinen Federn, und dort, wo sein Gesicht gegen den Körper abgegrenzt war, lief ein goldener Schein herum, stand dort wie zwischen dem grünen Gartenabend und schwarzer Nacht, denn Gesicht, Augen, Schnabel prangten in Sophienschwarz. Nur unterhalb des Schnabels rahmten ihn zwei Indigoflecken, am Flügelansatz blitzte Türkis, als trüge er unter den Flügeln ein noch imposanteres Kleid. Den langen spitzen Schnabel preßte er zusammen. »Himalaja. Ein Goldstirnblattvogel.« Zwei kleine braune Kollegen einer anderen Sorte flitzten vorbei. »Singt sehr schön.« – »Ziküth, ziküth«, flüsterte ich ihm vor, »idudidu«. Der Vogel drehte so abrupt den Kopf von mir weg, daß ich mich vor Leo schämte wegen meiner Ungeschicklichkeit. »Der andere Nachsprecher ist der Hirtenstar, Trauermainastar.« Dunkelbraunrosig saß er auf einem Ast und hielt ebenfalls das gelbe Schnäbelchen eisern geschlossen. Alle Vögel lärmten, nur diese beiden blieben feindselig stumm. Die anderen flogen auf und nieder, was das Zeug hielt. Dabei entstand eine Partitur aus den runden Notenkörperchen im Auf und Ab der Diagonalen.

»Ah, unser roter Tropfenastrild!« Das war Sophie mit tränenerstickter Stimme. Es mußte sich um ihren Liebling handeln. Sie formte die Lippen schnabelförmig nach vorn, zum Kuß gespitzt. Das fragliche Vögelchen saß da mit rotem Kopf und schwarz-weiß, sehr schelmisch getupftem Unterkleid. »Kenia«, brummte beruhigend der Ingenieur. »Nicht nur«, ergänzte Sophie, schon wieder sachlicher gestimmt, legte aber zur Beteuerung eine Hand auf ihre Brüste. Der Ingenieur betrachtete die Hand in Seelenruhe. Sophie ließ sie dort. Knabbernd steckte der Astrild den Kopf unter sein matt goldenes Flügelchen.

»Frau Engelwurz«, rief da Leo laut. Hatte er die ganze Zeit nicht im geringsten an mich gedacht? Ich verlor einen Moment das Gleichgewicht. Herein kam die erschöpfte Hausfrau und Aushilfswirtin, die ich mit Specht hier in der Nähe ausgefragt hatte. Konzentriert auf das, was sie mit beiden Händen anschleppte und vor Zara deponierte, achtete sie nicht auf mich, verließ vielmehr, linkisch aber fidel vor sich hinkichernd, den Raum ohne ein Wort.

Zara hielt wieder ihren schön geschwungenen Satinschuh in der Hand. Wie der Tropfenastrild Sophies Favorit war, so ihrer der Schuh. Leo nahm ihn ihr weg und zog die Decke von dem Gegenstand, der vor Zara auf seine Enthüllung wartete. Ja, nun wußte ich Bescheid. Das hier war der Anlaß für unsere Zusammenkunft, und mich wunderte nur, daß Leo, der angeblich Vögel hinter Gittern nicht liebte, Zara ein solches Geschenk machte. In einem großen Messingkäfig saß ein Papagei in edlem Grau. Nur der Schwanz stach herrlich rot davon ab. »Ein verteufelt schönes Exemplar. Graupapageien sind ausgezeichnete Imitatoren«, erklärte Sophie, bevor ihr ein anderer zuvorkam. »Der allseits beliebte Graupapagei«, bestätigte der Ingenieur angesichts des intelligent dreinblickenden Tieres. Delikat kontrastierte die Farbe des Vogels mit der von Zaras Webervogelkleid. In meiner Angst, wir alle könnten nach diesem Höhepunkt gleich entlassen werden, tat ich absichtlich einen ungeschickten Schritt nach hinten und ließ mich, wie ausrutschend, fallen. Ein Risiko. Entweder Leo fing mich auf oder ich würde wirklich zu Boden gehen. Leo war zur Stelle. Ich spürte seine Arme wachsam und nachdrücklich, unverkennbar, unleugbar mich umfassend und an sich ziehend. Es dauerte lange, bis ich wieder selbständig stand. Ich weiß nicht, wieviel Zeit ich benötigte, fühlte nur dasjenige Glück in mir sich wälzen, für das man ohne Umstände sterben kann. Dann sah ich, wie Zara sich erhob und mich an den Ellenbogen von den anderen wegzog.

Wir ließen die drei Menschen, den Papagei und die Vögel in ihrer Volierenreihe zurück und betraten ein kleines Seitenkabinett. Die anderen redeten in großer Ferne unbefangen über den grauen Neuankömmling. »Bevor Sie uns gleich wieder allein lassen«, begann Zara. Der Papagei rief: »Zara!« Sie lief, mit nur einem Schuh humpelnd, zu den anderen. Leo hatte es ihm beigebracht.

Ich befand mich in einem zunächst fast schwarzen Zimmerchen. Durch die Türöffnung fiel kein Licht mehr. Noch einmal hörte ich: »Zara!« Sie hatte einen Vorhang hinter sich zugezogen und mich abgesondert.

Bis heute weiß ich nicht, warum ich mir das alles gefallen ließ, ich meine, ich weiß nicht, ob ich es weiß. Wüßten Sie es denn, könnten denn Sie es vermuten? Noch eben hatte ich Leos Körper dicht und absichtlich wie noch nie und endlich an meinem gehabt, und schnurstracks, offenbar zur Strafe, wurde ich hier abgestellt. Warum aber kehrte ich nicht einfach um und sagte, ich zöge ihrer aller höchst angenehme Gesellschaft vor, wenn ich schon nicht die Frechheit besaß – und das lediglich aus vorsorgender Gerissenheit –, nur den halb treulosen Leo anzusprechen?

Ganz duster war es nicht. Auf der dem Eingang gegenüberliegenden Wand hob sich dämmrig Braunes mit dumpfen Glanzlichtern ab. Das war die Antwort. Mich bannte eine Komprimierung mit Druck und grollender Befehlsgewalt. Zwischen hellen Teilen wurde ein großes Loch sichtbar, ein Schlund, etwas Klaffendes, dem Moderhauch und Grabesluft entstiegen, auch ein aus der Tiefe kommendes Ächzen, ein Seufzen. Man hörte wohl nichts, aber doch hatte ich das Gefühl, es würde sich dieser Öffnung entwinden, diesem Ungeheuerlichen, das in Wahrheit eine Anhäufung war von braunen und goldenen Knochenplatten, Schuppen, Hornschilden. Runzliges, Ackerfurchen, Gebirgszüge. Ich unterschied dann eine zweite, kleinere Grotte darunter, eine Grotte oder ein Maul unter der oberen, Kettenglieder, senkrecht übereinander und dazwischen die Lücke in schauriger Dunkelheit, ein Blick in nächtliche Tunnel und lichtlose Schächte oder doch nur in den Hohlraum zwischen zwei Körpern, und der kleinere Fleck war der Abstand nur wiederum zwischen dem Kopf des unteren Körpers und dem Boden, auf den ihn der obere stieß bei sturer Vollstreckung?

Die Enge des Kabinetts zwang mich, diesen Anblick ohne Ausweichen und Abirren der Pupillen zu ertragen. Ein Zimmer? Ein etwas groß geratener Kopf, die beiden seitlichen, leeren Wände stellten sich als die Schläfen dar oder heraus. Die Stirn aber war angefüllt zum Bersten von dem Anblick des mörderischen Ernstes, mit dem sich etwas Mächtiges hermachte über Schmächtiges – hier scherze ich einmal reimend, an völlig unpassender Stelle, aber ich kann nicht anders – und es plattstempelte unter seiner Riesenglocke.

Ein urtümlicher Herrscher, der geltendes Recht übte, einen Auftrag, viel älter als er selbst, als diese alte Masse, die sich türmte über der unterlegenen, ein matt erhelltes Reich, dessen Ausmaße durch keinen Anhaltspunkt zu begreifen waren. Mit plumpen Armen, im Schmuck goldbeschienener Metallplatten, ein wohlgeschmiedetes Kettenhemd in tierischen, ungeschwungen nebeneinandergesetzten Nägeln endend, nach innen gebogen, so daß der Abstand zwischen seiner Brust und dem Rücken des anderen Körpers sich zum Kreis rundete, zwischen gepanzertem Leib des männlichen und Panzer des weiblichen Wesens, getreu einem ungeschlachten Ritual. Der Kopf des männlichen Tieres mit seitlichen Augen, in der Mitte davon der kahle Schädel, nach vorn sich verjüngend, ohne Ausdruck, ein Klöppel, der aus grauen Runzeln ragte, aus schuppig ledrigen Rüschen unterhalb des Panzerüberwurfs, ihm in großartiger Geste über die Schultern geworfen. Das königliche Meßgewand eines Erzpriesters beim kreatürlich automatischen Hochamt, die obere Kante wie im Sturm, in rauschender Gestik zurückgebogen, ein erstarrtes Bauschen. Da die Linie gezackt war, bildete der Panzerrand oberhalb des Kopfes und der gefältelten Schultern eine Körperkrone oder einen Blätterkelch über der sehr häßlichen, glatzenartigen Knospe.

Ich dachte nicht an die Zeit, nicht mehr an die anderen,

hörte keine Vogelstimmen mehr, Farben und Tirilieren, alles längst entschwunden vor dem übermenschengroßen Bild. Das untere Tier ergab sich der ihm ähnlichen, wogenartig aufgebäumten Übermacht. Das Keuchen, der stumme klagende Schrei, der sich aus den braunen Körperschollen zu quälen schien, fuhr er etwa aus dem Dunkel zwischen ihnen? Das Weibchen, seinem Geschick unterworfen, lag da, die Vorderbeine nach außen gekehrt, als wollte es eventuell wegrobben bei Gelegenheit, wurde aber durch das Gewicht des Männchens an Ort und Stelle geheftet. Es hatte den Kopf angehoben und sah in großer, in ungeheuerlicher Gleichgültigkeit geradeaus. Nicht anders das obere Tier, wie sein Opfer in einer seelenlosen, ehrwürdig röchelnden Verrichtung, niederstampfend und teilnahmslos.

Ich konnte den Blick nicht wenden. Die Düsternis wurde leuchtender, eine hinter dem Glas oder Schaukasten angebrachte Lichtquelle machte paradoxerweise die dunkle Zone, das lichtfeindliche Reich noch beherrschender. Die Panzerplatten mit hellen, ja goldenen Reflexen im allgemeinen Dämmern umschlossen das sich kaum regende Leben, das spürbar wurde in den Falten zwischen den starren Köpfen und Armen wie das eherne Gesetz ihrer Betätigung. Der nackte Schädel des Männchens saß steinartig auf der unteren Schale seines Panzers, so schien es, die Nasenlöcher des Weibchens befanden sich, hoch angesetzt, fast auf einer Linie mit den Augenlöchern, die Mundrinne war geöffnet, vielleicht nach Fressen gierend, ein lippenloser Spalt, nichts als eine breite Querrinne zur Aufnahme der Nahrung, während es befruchtet wurde, unberührt vom männlichen Pathos über ihm, ein vegetativer Koitus. Aus dem Unterleib des männlichen Tieres, so sah es aus, qualmte als prahlerischer Potenzweihrauch das Lückenschwarz und kümmerte das Weibchen überhaupt nicht, und doch, die Leibesstummel, waren sie nicht mühsam aus den harten Körperbewaffnungen herausgestülpte Kennzeichen individuellen Lebens?

Viel konnte damit nicht sein. Formelhaft vollzog die Natur ihren Stoffaustausch und mischte die Materialien. Bittere Exekution einer steifen Feier. Es war das Grauen der schieren Erfüllung, ein Ritus ohne das Feuer des Triebes, ein Trieb vielmehr ohne Emphase. Ein Räderwerk, eine in den Untergrund, ins unterirdische Schattenreich verbannte Prozedur der Sexualerledigung. Eine schaufelnde Landmaschine, die das Erdreich beackerte. Beide Wesen, zwischen die Panzerplatten gequetscht, zusätzlich das Weibchen unter den kriegerischen Säulenarm der männlichen Schildkröte. Ein Tod in der Figur des Lebens, der verbissenen Umklammerung, freudlos, ohne Widerspruch der eine wie die andere, als wären es die Panzerschalen selbst, die sich wechselseitig befriedigten. Lautlos rasselnd der obere in seiner Rüstung, geistesabwesend alle beide, ohne Wahl oben und unten, unumstößlich wie Ende und Zerfall, die Anordnung zur Kopulation.

Ich fing wieder von vorn an, ich konnte nicht durch den Vorhang entwischen. Ich sah das unendlich wiederholte stumpfsinnig rotierende Muster der Begattung, eine Fabrik, in der geschuftet wurde ohne eine Menschenseele, sprachlos in hechelndem Gehorsam. Plötzlich bemerkte ich meine geballten Hände, und doch schaffte ich es nicht, die Augen wenigstens zu schließen vor dieser lächerlich erhabenen Plastik, von den beiden monströsen Tieren erbaut.

Was erfuhr ich Neues in meinem entgeisterten Dastehen aus dem für alle Zeit gemeißelten Anblick? Nichts! Es kam nicht auf das Neue an. Leidenschaftslos machte sich die röhrende Straßenbaumaschine ihrer Bestimmung gemäß über die Beute her, die es mit stierem Blick – und würde sie getötet, ständen ihr keine anders blickenden Augenpunkte zur Verfügung – ertrug.

Es gab kein Fenster in dem Kabinett. Mich hatte wohl nur die Größe der Tiere irritiert. Ich ging jetzt einfach rückwärts, war am Vorhang, aber da packte es mich wieder, der Schlund in der Mitte, die rauhen Glanzlichter auf den beiden Schädeldecken, das Muster, ein Symbol oder Schriftzeichen, das ich nicht verstand, das sich herandrängte, als schöbe sich die Doppelwalze aus der Fläche auf mich zu.

Auf einmal erlosch sie.

Aber schon erschien ein mild blauer, viereckiger See oder ein Himmel, eine milchige Fläche, weißliches Schimmern auf ungestörter Wasseroberfläche an still lächelndem, rechteckigem Morgen. Ich fühlte das Luftige und Duftige, Flaumleichte in mir selbst, zögernd noch, eine Stimmung, zu der ich spielerisch verführt wurde. Schon schwebte ich in der gleichen Schwerelosigkeit, so wolkenzart im Schneemorgenhauch und erfrischt. Alle Gewichte waren vergessen, zerstäubt von dieser gestaltlosen Durchsichtigkeit. »Unberührt«, dachte ich, fern, unerreichbar entrückt, und es ist gut so, so soll es in dieser Fremde bleiben und gar nicht näherkommen. Es näherte sich jedoch schon als Alabastergesicht mit hellen Brauen, die strahlende Lider beschatteten.

Nein, ein Gesicht war es nicht, zwei kräftige schwarze Linien hätten es ja sonst zerschnitten. Vor dem lind blauen Untergrund, der weiterhin ein verschwommen spiegelndes Wasser oder von unsichtbaren Blättern gedämpfte Luft sein konnte, hob sich, mit zu Brauen gebogenen Schwingen, ein Vogel ab, eine weiße Schwertlilie auf dunklem Ast. Die Flügelspitzen zu beiden Seiten des ovalen, etwas festeren, weniger lichtdurchlässigen Körpers mußten außerhalb des Bildrahmens enden, aber man sah den schönen Schwung der gewölbten Flügel, wie sie gleich rechts und links vom kleinen, vollkommen runden Kopf des Tieres aufstiegen.

Am besten gefiel mir der Lichtstreif, der den oberen Teil des Vogelkopfes dicht umschloß und sich auf den Schwingen fortsetzte, aber dort, wo sie, nach unten zu, sich in einzelnen Federn spreizten, drang die Sonne wie durch einen Gazeschleier hindurch, so daß hier noch einmal, und viel breiter und wunderbar aufgefächert, das glanzvollste Weiß in Stufungen die edle Biegung von Kopf und Flügeloberrand nachahmte oder eigentlich vollendete. Das Schwanzende des sitzenden Wesens nahm ein letztes Mal und abschließend andeutungsweise die kühl elfenblasse Färbung auf.

Die Augen unter der Aureole blickten geradeaus, mich aber nicht an, da es runde schwarze Steine waren und auch nicht zwei, sondern vier, zwei mal zwei übereinander. Da erkannte ich auch, daß der schmale, abgetönte Leib, eine senkrecht stehende Mandelkontur, gar nicht der des Tieres mit den Schwingen war. Er gehörte einem zweiten, das seine Flügel als Mantel eng anlegte, damit der hinter ihm sitzende oder stehende Vogel ihm seine lichtdurchfluteten Schwingen im Austausch leihen konnte, oder dieser hatte seinen Rumpf versteckt hinter dem Rücken des vorderen, um dessen Körper sich visuell zu borgen. So kam es, daß über dem gesenkten Häuptchen des zweiten Tieres das dämonisch leere des anderen thronte, ein sakrales Schneeantlitz, wobei das vordere, was das erste nicht zeigte und was dessen Rätselhaftigkeit natürlich erhöhte, einen langen, spitz zulaufenden Schnabel, schwarz wie die Augen, vorwies, zu seiner Kenntlichkeit als Vogel, da ja der andere schon die Flügel breitete. Es hatte den Schnabel gesenkt, so wie es ohnehin den Kopf demütig neigte, um sich, am Licht allenfalls mit der Schwanzspitze teilnehmend, gering zu machen in großer Anmut, in sich gekehrt, nach innen blickend, in rundlich schlanker Grazie, weit offen dabei aber die Augen wie der, der die andere Hälfte des Doppelkörpers darstellte mit den geteilten Merkmalen und für die Verfestigung der flaumigen Materie an dieser Stelle, der aufrechten Ellipse in der Mitte, sorgte.

Als sein Wächterengel erhob sich der Kopf des geflügelten Tieres hinter dem zusammengefalteten, und beide blühten als eben sich rührende Knospen, unverwelklich in einem sanften, arktischen Tauen.

Eine Kopulation also auch hier, unter dem lichtverklärten Flügelschirm eine Bemächtigung. Der, den man für einen Abgesandten des Todes halten konnte oder eine kindliche Vorstellung der Seele, ein Wesen, das die Seele nicht als Zentrum besaß, weil es davon überall angefüllt war, hatte sein Bräutchen aufgesucht, die kleine Magd, Königin der Elfen, Morgenstern, jungfräuliches Gefäß und Pforte des Himmels.

Nie hatte ich ein schöneres Verkündigungsbild gesehen. Der weibliche Vogel schien statt befruchtet, ergriffen und in leuchtende Höhen davongetragen zu werden. Hinter dem Männchen brach jetzt ein noch gleißenderes Weiß hervor, eine Besamung durch Licht, eine immaterielle Bestäubung ereignete sich und konnte der Gewalt der verdeckten Sonne nicht länger Widerstand und Hindernis sein, und sie würden sich gleich als ein einziges Wesen nun doch wohl erheben, blütengleich herbeigeweht und niedergelassen für eine kurze Rast, in einer kristallen beschwipst seligen Seelenhaftigkeit, die ihre Flügelspitzen durchbebte, sirrend ... Es verschwand mit einem Schlag, in der Art eines harten Händeklatschens.

Die Fläche hatte sich verdüstert. Was ich sogleich identifizierte, waren zwei gelbe Augen in riesigem Kopf, in dem sie weit unten saßen, der Kopf aber trug dicke Ohren und Ohrenschützer oder etwas hellere Schwellungen rechts und links. Unmittelbar unter ihm begannen die Beine in cremefarbenen Strümpfen, und sie kamen auf mich zu, so wie ja auch die fürchterlichen Augen, die mich bedrohten aus diesem geduckten, verwachsenen Geschöpf heraus, das gleich zum Angriff übergehen würde, zweifellos, so haßerfüllt glomm das Feuer der Iris, so wild der Schritt auf mich zu.

Zwischen den brennenden Augenpunkten ein gebogener Schnabel. Man machte ihn nur aus an der leuchtenden Kantensichel, da ich ihn direkt von vorn sah, so umweglos war ich konfrontiert mit dem durchbohrenden Blick des Vogelmenschen. Der Schatten, der von weit vorragenden Jochbeinbögen in die Augenöffnungen fiel, raubte ihm fast die Pupillen, deshalb schien der Körper angefüllt mit einer aggressiven Glut, die ein grimmiges Federkleid umhüllte.

Es war eine dräuende Gewitterwolke, die mich fixierte mit schwerfälligem Zwillingsblick, unheilvoll, gereizt, die starken Flügel angelegt zugunsten der klobigen, keulenartigen Gesamtkontur, der Rumpf geschoßähnlich in die Waagerechte gekippt, um in mir die plötzlich aufsteigende Erinnerung an ein zurückliegendes Entsetzen aufzurufen, aber ich wußte nicht, wo ich suchen mußte, in welcher Tiefe. Ein Schacht war in aller Eile zu finden, um genau und sicher zu ermitteln, daß etwas Alptraumhaftes, ein träumerischer Schrecken nur, kindisch furchterregend heranschritt zu bösartigem Picken und Zuschlagen auf muskulösen Beinen sehr energisch maschinenstur, und nicht aber die Wirklichkeit. Woher kannte mich der unmenschliche Vogelmann, woher, in meiner Not, dachte ich schnell, oder Vogelfrau, so schnell ich konnte, warum solche tödlich vorschießende Wut?

»Schluß jetzt!« Zara rettete mich. Das Bild – wissen Sie, eigentlich nichts anderes als die Reklameschaufenster in den ICE-Zügen, die für Geldanlagen und Verdauungsdragees werben – erlosch. Es war auch hell geworden. Zara hatte den Vorhang zur Seite gezogen und stand mit den anderen hinter mir. Wieviel Zeit war vergangen? Es roch nach Kaffee, sie alle aßen kleine Kuchenstücke. Erklärungen hielt Zara nicht für nötig, führte jedoch den Dreien noch einmal schnell die Fotos vor. Riesenschildkröte, Feenseeschwalbe, Adler, »ein Bellicosus«, sagte sie, glaube ich. Mir hatte sie ja ausdrücklich alle Bilder gezeigt, hier redete sie, es sprang mir geradezu ins Auge, beim ersten nur den Ingenieur, beim zweiten Leo, beim dritten Sophie an. »Ein anderes Mal vielleicht die Fortsetzung«, sagte sie zu mir, spöttisch tröstend. Ich begriff gar nicht mehr, als ich jetzt Leo wiedersah, wie ich ihn hatte vergessen können – die Strafe folgte auf dem Fuße –, Leo, mit seiner scheinbar ein persönliches Geheimnis verratenden Stimme. Wie hatten sich andererseits diese Bilder als Köder in mich eingesenkt, doch nicht bloß einfache Fotos! Etwa Zauberzeichen, die aber die anderen kaum beeindruckten? Zwei Bereiche des Sichtbaren brachen hier auseinander, trieben voneinander weg, wie auf dem Meer, wo man manchmal ein Stück vor und hinter dem Horizont zu sehen meint und doch nur genau die Linie bestußt anglotzt. Mit dieser Stimme, die mich mit solcher Macht regierte (wer weiß, ob damit eine andere Person so sehr), teilte er mir mit, daß er für eine Weile verreisen müsse, morgen schon!

Schickte ihn Zara aus meiner Nähe weg? Riß er aus? War

seine Reise der eigentliche Grund für das Treffen hier und der Graupapagei also nur das Abschiedsgeschenk an Zara? Wer stand aber mir bei? Leo sah mir in die Augen, wie noch kein einziges Mal, zur Stärkung. Geschwind wuchs mir ein Federkleid vor Glück. Schon rief der Papagei:»Addio!«, und Leo sagte, ich solle nur genau hinhören, nachträglich. Ach, da merkte ich es. Das Wort lautete:»Maria!« Schon ging man auf die Haustür zu. Ach, die knochige Stirn, blaß und breit, das müde, kriminelle Gesicht, das ich bis ans Ende meines Lebens nicht würde ausreichend ansehen können. Leo schien immer mit gekreuzten Beinen etwas verlegen, das Hemd leicht verrutscht, an einer Türeinfassung zu lehnen, höflich, ein bißchen enttäuscht. Was für schmale Hüften! Alles eingeprägt? Alles eingeprägt! Mein Gott, wie konnten nur schmale Hüften und ein kräftiger Hals, so ein großmütiger Säulenhals, ein Argument für seine prinzipielle Großartigkeit sein! Aber so verhielt es sich, daran ließ sich nicht rütteln. Nach Leos Rückkehr gebe es dann, sagte Zara, ein Sommerfest, fügte merkwürdig versonnen hinzu:»In zwei Monaten wahrscheinlich.« Sicher nur, um mich zu quälen. Ein Vierteljahr könne auch draus werden. Niemand fragte, wohin die Reise gehen solle.»Maria!« rief der Papagei. Nur Leo und ich wußten es, er rief es in dem Augenblick, als Leo mir lächelnd die Hand gab.»Zara! Habt ihr es alle gehört?« sagte Zara.

Eigentlich sei sie, brummte gemütlich der Ingenieur, der mich und Sophie Korf, die wie ich über die Elbe mußte, zur Schiffsanlegestelle Finkenwerder fuhr, selbst ein altersloser Graupapagei. Ihr Alter wisse niemand. In ein paar Tagen müsse auch er Deutschland für längere Zeit verlassen. Vorher wolle er mir, Leo habe ihm von mir erzählt, zur Inspiration noch eine besondere Vogelfeder aus dem Amazonasgebiet vorbeibringen.

Ich hatte auf Sophie nicht geachtet. Ich meine, nach der Mitteilung von Leos Abreise. Mir war keine exaltierte Reaktion an ihr aufgefallen. Kein Wunder, sie wußte es ja längst. Das erfuhr ich jetzt.»Umwerfend«, sagte sie. Wir saßen uns an einem der langen Tische des Schiffs gegenüber. Sie machte große Augen, vielsagende Augen und lauschte. Ich antwortete aber nicht. »Umwerfend«, wiederholte sie. »Um-wer-fend«. Ihre Wangen glänzten nicht mehr, das Fett war inzwischen eingezogen. Ich wäre gern allein zurückgefahren, und doch gefiel mir, daß ich noch nicht über Leos Entschwinden nachdenken mußte, auch vielleicht manches hören würde von dieser aufgeregten Frau. Sie hatte dunkle Teichaugen, die Augen von Wolf Specht! Eine gefräßige tote Schwärze, hier jedoch nicht hinter Brillengläsern, keine ablenkenden Reflexe. »Zara. Ich beziehe das auf Zara, den Graupapagei. Unverschämt, dieser Ingenieur, wenn auch von ihm wohl lieb gedacht.« Sie zündete sich eine Zigarette an und blies sogleich den Rauch von sich, wie endlich befreit nach langer Drangsal, bewegte sich nicht wie vorhin, aber die Art, wie sie den Rauch geringschätzig von sich schleuderte, sprach Bände. »Ja, sind Sie denn anderer Meinung?« »Umwerfend?« fragte ich, wie nachdenklich, suchend und prüfend, während ich aber an eine winzige Schweißperle auf Leos unterem Halsabschnitt dachte, den ich so gern mit meiner Zungenspitze berührt hätte, aber mir war ja alles, alles verboten. »Umwerfend! Es gibt kein anderes Wort.« Sie riß die Augen noch weiter auf und starrte mich erpresserisch an, in tiefem Ernst, brach dann in lautes Lachen aus, rauh, beinahe krächzend: »Ja! Ja! Umwerfend! Dabei bleibt's!« Schnell dämpfte sie die hier nicht erlaubte Zigarette aus, zuckte dabei mit den Schultern auftrumpfend, als hätte sie den Untergang des Schiffs riskiert, wegen dieser kurzen Schwelgerei. Dann aber, den Kopf mit den hundertprozentig schwarzen Haaren gesenkt, in der Haltung einer Beichtenden, begann sie stockend ihr Bekenntnis.

Sie sei Zara bei verschiedenen Arbeiten behilflich. In der großen Bibliothek im Keller und bei der Wartung der Vögel. (Aber wieso dann die höllische Erregung vor dem Besuch? Spielte sie sich das alles bloß vor?) »Ich habe gelernt, mit Büchern umzugehen, weiß Gott habe ich das gelernt! Aber was ist das heute? Tierpflegerin war ich früher. Ich hätte es bleiben sollen. Von Tieren versteh ich was. Sie danken es mir. Tiere danken es immer. Jetzt das Verkaufen von Büchern praktisch im Supermarkt. Aber Zara: umwerfend!« Wieder horchte sie, ob ich zustimmte oder widersprach. Noch bevor ich den Mund öffnete, hob sie, was mir angenehm war, die Hände und wies meine Antwort prophylaktisch zurück. »Im EEZ habe ich sie kennengelernt. Beim Bücherverkaufen. Nun helfe ich ihr. Dann der Zufall mit den Vögeln. Ich sei unentbehrlich, heißt es drüben im Alten Land. Heute war ich zum ersten Mal nicht als Angestellte, sondern als regulärer Besuch dort. Wie haben Sie Leos Bekanntschaft gemacht?« Sie hatte die Frage nicht absichtslos so unvermittelt abgefeuert. Zu unverhohlen freute sie sich an der Überrumpelung. Sie werde es kaum glauben, aber ebenfalls im EEZ, wie Zara auch. Das sei nicht erstaunlich, raunte sie, Zara, die überall ihre Finger im Spiel habe, besitze ein Schuhgeschäft dort, sei dort oft anzutreffen. Leo also im Elbeeinkaufszentrum! Aha! Sie, Sophie Korf, kleine Buchhändlerin und ehemalige arme kleine Tierpflegerin, Tiersprechstundenhelferin, durch ihren Vater, Jäger, von früh auf mit Tieren vertraut – eine Perserkatze mit Vertrübungen am rechten Auge, ein Mischling mit Blut im Kot, ein Spitz mit Warzen an den Hinterläufen, Kastrieren, Scheren wegen Verfilzung –, habe Leo, dieses Finanzgenie, diesen rätselhaften Mann, dessen Geschäfte niemand genau kenne, bis auf Zara natürlich, bis auf Zara wahrscheinlich, beim Einordnen eines alten Lexikons zum ersten Mal gesehen, gerade in einer Situation, als sie sich selbst aus bestimmten Gründen gefühlt habe wie ein Wort mit Kreuz dahinter, also ein ausgestorbenes. »Ist es durch Herrn Ribbat anders geworden?« sagte ich zu meiner Verblüffung mit heller, froher Stimme und ohne die geringste Eifersucht. Sie aber legte beide Hände übereinander auf die vollen Lippen, die sehr üppigen, als hätte ich an Ungeheuerliches roh gerührt. Ich ließ sie nach Worten ringen. Sie tat es mit Liebe zum Detail.

Mich fesselte ja etwas anderes: ein Säugling in einem Kinderwagen, der sehr vergrämt aus Schlitzaugen in die Welt sah und nicht lachen wollte, nicht einmal den Mund verziehen, obschon mehrere Leute versucht hatten, seine übellaunige Feierlichkeit aufzuheitern. Was für ein bösartiges Kleinkind, bissig, verbiestert sah es geradeaus und wurde doch schließlich ernährt und gewärmt. Mit allem auf der Welt schien es unzufrieden zu sein und hätte uns am liebsten den Rücken gekehrt und ab ins Nichts. Die resignierte Mutter kuckte schon gar nicht mehr hin. Ein altes Männchen aber, ein etwas verwahrloster alter Mann, der zeigte ihm seinen letzten Zahn. Da öffnete das Kind, das selbst noch keinen einzigen besaß, das bittere Mündchen und hob die Mundwinkel aus den Vertiefungen des Wangenfleisches an! Der Alte sah es, und nun ging in seinem zerfurchten, todmüden Gesicht, das ja schon eben gelächelt hatte, ein Herbstlicht an, als würde in ihm ein Kastanien- oder Birkenlaub immer heller und goldener, das Aufflammen der Bäume im Oktober. Ich wurde jetzt Zeuge, Anfang Mai, wie es erglühte in ihm und durch die graue Haut schlug.

»Überall hat Zara ihre Finger im Spiel«, flüsterte Sophie erneut. Das mußte in ihren Augen etwas Ehrfurchterheischendes sein und zugleich ein Verbrechen, so konspirativ tat sie. »Natürlich hält sie Leo unter Verschluß.« Vorübergehend kam es mir so vor, als hätte ich kein Herz, innen war nichts. Ob mir das nicht klar sei, wo ich denn meine Augen habe. Ob mir etwa das Merkwürdige, Fragwürdige, Verdächtige dieses Verhältnisses entgangen sei. Wie es möglich sei, zwei so einmaligen Menschen zu begegnen und sich nicht Fragen über Fragen zu stellen! Krächzendes Lachen, sie mache es nicht anders. Da seien wir uns aber schon sehr ähnlich! Sie frage sich auch nichts. Sie leiste ihre Arbeit und sei dankbar, die Nähe dieser umwerfenden Frau zu spüren und – sie verzog die Lippen, offenbar mit dem Gefühl, ein frisch geborenes Kindchen an ihren Brüsten zu bergen – die von Leo.

Wohin die Reise eigentlich gehe, erkundigte ich mich und sah weiter Mann und Säugling an.

»Unmöglich!« Sophie fuhr auf in unechter Emphase. Unmöglich sei es, das so daherzufragen und was ganz anderes zu beobachten dabei! Für sie sei es eine ... eine ... sie brach ab, nahm den Faden wieder auf, in, sollte ich wohl denken, schon unmenschlicher Beherrschung dieser Titanin an Willensstärke, eine Frage auf Leben und Tod. Ob ich dieses Geständnis zu würdigen wisse.

Sie hatte eine komische Art, ihre unverlangten Vertrauensbeweise als Anpfiff zu tarnen. Wer erlaubte ihr denn, mich so anzuschnauzen? Aber, verstehen Sie mich bitte, ich hielt bei der Operette durch, weil es mich ablenkte, und mir konnte einfach nichts Besseres passieren momentan. Es wäre mir ja jämmerlich ergangen, ohne sie auf diesem Schiff, das noch immer nicht bei Teufelsbrück anlegte. Vielleicht fuhr es ja immer hin und her, und wir merkten es nicht. Alle Fahrgäste kriegten es nicht mit in der allgemeinen Bestrickung durch die Darstellungsmacht dieser schwarzen Sophie. So wie sie und Zara in ihrem Goldsatin und der Ingenieur nicht erkannt hatten, daß der Papagei »Maria« gerufen hatte und dann neuerlich, zum Abschied Leos von mir: »Maria!« Was blieb mir sonst? Nicht »Zara«, nein »Zara« nicht, sondern meinen Namen!

»Spanien, Griechenland, Türkei, ein, zwei, drei Monate«, sagte Sophie. Soweit man sie informiert habe, setzte sie beleidigt hinzu. Aber stehe ihr etwa zu, Genaueres zu erfahren? Sie sei für die alten Schmöker im Keller da und für die Piepmätze, kleine arme Buchverkäuferin und Tierarzthelferin. Immobiliengeschäfte für die große Zara. Ob das reiche? Ja? Ob ich mir den Rest ausmalen könne? Sie drehte die Hände nach oben. Die nackten Innenflächen bedeuteten wohl: Meine Informationstaschen sind leer. Allerdings, fügte sie unsinnigerweise hinzu, mit werweißwie durchbohrendem Blick, habe sich die Goldkröte, die nur in Costa Rica, und dort zwischen den Wurzelsystemen der Regenwaldbäume hause, im Jahre 1987 zum letzten Mal gezeigt. Sie sei jetzt wohl ausgestorben. Tja.

»Zara wird auch das weiße Haus für die Schuhsammlung

kaufen, wo wir uns kennengelernt haben, erst vor ein paar Stunden. Nicht zu fassen.« Sophie holte aus ihrer Umhängetasche ein kokettes Täschchen und daraus einen Deo-Stift. Sie fuhr sich damit von oben durch den Ausschnitt hindurch unter die Achselhöhlen. Sie schwitze so leicht, das habe sie von Vater und Mutter, beide tot, geerbt. Wenn sie gleich in ihre Wohnung komme, sei die innen blau erleuchtet, alles in bläuliches Licht getaucht wegen der neuen Flutlichtanlage von St. Pauli.

An der Bushaltestelle fächelte sich mit einem einzigen Vogellaut die Abendkühle ein, wie nach einem warmen Tag. Ich dachte an kleine Farnkrautstrudel in einem Hohlweg. Mich überfiel die Sehnsucht nach irgendeinem Heimatland. Ein Schmerz zuckte vom Ohr zum Auge, eine Umschreibung natürlich. Ein Vierteljahr, ein bißchen mehr, ein bißchen weniger. Spanien, Griechenland, Türkei. Es hätte mir genügt, eine Nacht nur neben ihm zu liegen, ihn nicht einmal zu sehen, nur die Stimme zu hören, nur ausgestreckt neben ihm.

Hinter der Tür lag ein Zettel von Specht: »Ich war da. Du nicht.« Ich muß ihn zerstreut in Stücke zerrissen haben, ohne es zu wissen. Ein Regen fiel nachts zu meinem Trost. Das Knistern, das knisternde Allgemeine besänftigte mich. Es hätte ebensogut Schnee sein können, der dicht fällt, wenn alles zusammenrückt zu einer Einheitlichkeit. Die Welt auf dem Sprung, geduckt in Anspannung aller Kräfte. Aber wohin geht der Sprung?

Lange stand ich im Dunkeln am Fenster. Da fiel mir ein, nach so vielen Jahren erst wieder an diesem Abend, was man mir irgendwann erzählt hatte. Ich war ein griesgrämiges Kind. Aber in einer Gewitternacht, als mein Vater seine mürrische Tochter im Zimmer auf und ab trug, stand plötzlich ein weiß-blauer Blitz am Himmel, und ich sah mit durchsichtigen Augen in das kurze, kalte Feuer. In dieser Sekunde, im Blitzen habe ich meinen Vater zum ersten Mal angelacht, so sagte er es meiner Mutter, aus vollem Herzen angelacht.

Ein paar Tage später gab es einen unerklärlichen, sehr peinlichen Zwischenfall. Daß Zara »überall die Finger im Spiel« hatte, glaubte ich Sophie ja sofort. Jedenfalls erschienen mir während des überraschenden Vorgangs die Schildkröten aus dem Bilderkabinett. Wenn aber Sie, Sie hier, mich verhören wollten mit der Eröffnungsfrage, was ich mir dabei gedacht habe, könnte die Antwort ehrlicherweise nur lauten: nichts!

Wie angekündigt, allerdings nicht von mir erwartet, stand in der Mitte der Woche der Ingenieur an meiner Tür. Nicht Wolf Specht, nicht ein Mann, der Schmuck für seine Freundin bei mir aussuchen wollte, nein, der in aller Welt heimische, unerhebliche Vielgereiste und wohltätig warm einschläfernd Brummende. In der einen Hand eine Orchidee, in der anderen eine feurig gestreifte Feder, als sollte ich wählen zwischen Privatleben und Beruf. Ich versuchte noch, und kann es beschwören, freundlich auszusehen, nichts weiter als freundlich verdutzt, da stand er bereits in der Wohnung und hatte beide Arme, ebenfalls in purer männlicher vielgereister Freundlichkeit, so wie man sich eben rund um den Erdball unter Globetrottern begrüßt, um mich gelegt, Feder und Orchidee dabei wimpelgleich in den Händen haltend, aber schon in meinem Rücken. Trotz dieser für mich betäubenden Selbstverständlichkeit wollte ich mich aufraffen und ihm erklären, daß er falsche Informationen über die Adresse erhalten haben müsse. Nur, bevor ich noch dazu kam, mir das wirklich Kränkende einer solchen Einflüsterung vorzustellen, spürte ich das körperliche Überreden, auf das er, und gerade das gab den Ausschlag, so unbekümmert siegesgewiß vertraute, dieses kachelofenglühend alle Bedenken ausräumende braun Brummende, so umstandslos und bequem ins Sexuelle Rutschende oder Fallende, Glitschende oder Sackende.

Ich könnte nicht sagen, ich hätte kurz vorher noch an Leo gedacht. Ich war ja seit dem Besuch im Alten Land immerzu gewissermaßen an seiner Seite geschwommen – er fiel mir nicht etwa manchmal oder oft ein – im selben Wasser, immerzu an seiner Seite. So war es inzwischen. Aber nun dieser Ingenieur, der bei mir wahrscheinlich eine vielbewährte Taktik gebrauchte. Wenn ihn niemand geschickt hatte, was bewog ihn dann zu seiner Leidenschaft? Mein Körper? Oder die Idee des weiblichen Körpers, dessen grobe Anhaltspunkte er zu Recht bei mir vermutete, so knapp vor der angekündigten Abreise und langen Abwesenheit? Ich selbst reagierte wegen dieses Umstands gewiß sorgloser auf seine phantasiearme Vorgehensweise. Man kennt es ja allzu gut, ein Wunder, daß es so oft funktioniert, ob schnell oder langsam in Szene gesetzt. Ein Ablauf wie nach dem Katechismus. Wir schlingerten auf vorgeschriebenen Linien dahin, im Rauch und Sfumato des Halbbewußten. Alles andere wäre auch eine Übertreibung gewesen, wir benötigten nur Andeutungen für die fälligen Stationen, hätte es länger gedauert, mit Umwegen, wäre herausgekommen, daß wir nicht interessiert waren. Und, offen gestanden, es gefiel mir gerade so! Nur so konnte es ja passieren: Ich lag kurz nach seinem Eintreffen mit diesem unbekannten, insgesamt kompakten Mann in meinem Bett, während mein Gemüt trotz aller Benommenheit frei und frisch blieb, sein tapsiges und sehr zuversichtliches Glied in mir beherbergend, vielleicht so, wie man in einem Museum bei leichter Erschöpfung Gemälde ansieht voller Gestalten und dramatischer Vorkommnisse, aber nur die Wirbel der Farben, Verteilung der Massen wahrnimmt.

Die meiste Zeit über sprach er, wie bei Zara, nur etwas inbrünstiger noch, von Saudi-Arabien, Vorderasien, Ägypten, Afrika. Ich bekam nur die schönen Ortsnamen mit, für Achselhöhlen, Leistenbeuge, Kniekehlen. Sie brannten ab, Weihrauchstäbchen, und leuchteten, Kerzenflammen. Allen, allen um den Erdball herum fiel nichts Besseres ein, Schlaueres, Wahreres, und wir machten es gerade! Nicht schlecht, so gesehen. Es erhöhte mein Wohlbefinden, wüstes Wohlbefinden in diesem Fall, ich gebe es zu. Da ein Fremder mit mir, ja, in Gottes Namen, zugange war, kühl in mir selbst zu wohnen, die Oberfläche aber so glänzend unterhalten mit einem kleinen – das war nicht schlimm – sehr kleinen Widerwillen wegen seiner zu glatten Fingerkuppen und eine Weile fast amüsiert über das hartnäckige Verfolgen des Ziels in seinen etwas stumpfen, kindisch ruckenden, aber willkommenen (als wollte er in immer neuen Anläufen nun doch darauf pochen, daß ich mich ihm auch in Gedanken zuzuwenden hätte) Bewegungen. Er hatte es tausendmal so gemacht und würde es nur in Fällen, die großen Aufwand erzwangen, anders treiben.

Was mich betrifft, so will ich nicht bestreiten, daß es den Augenblick gab, wo ich, Sie wissen ja, diese Empfindung von Kopfstand mit Überschlag hatte. Endlich war ich wieder einmal ganz auf einen einzigen Punkt zusammengerückt. Der Ingenieur prustete schroff und wie im Zorn auf. Wäre es nicht dazu gekommen, hätte es uns beide wohl gekränkt. Sein erstes Wort danach war jedoch »Sansibar«. Eine codierte Benotung? Er solle jetzt schnell dahin gehen, wo der Pfeffer wachse. Wir lachten noch einige Minuten zusammen, was ja als gutes Zeichen gilt. Dann schickte ich ihn fort. Darauf, daß ich es tat, legte ich Wert. »Geh jetzt, Ingenieur!«

Um nicht durcheinander zu kommen, duschte ich sofort, sehr heiß, sehr kalt, sicher, aber ich setzte mich auch hin und versuchte, Federn für Broschen zu zeichnen, trotz der so lange nicht ausgekosteten Mattigkeit. Die aber wollte ich mir lieber nicht eingestehen und kroch, um die vergnügte Körperoberfläche zu bestrafen, erst zwischen die Bettfedern, als der Hahn krähte, mit der Empfindung übrigens, jemand hätte mir einen Streich gespielt. Dieser Gedanke beschäftigte mich in der nächsten Zeit mehr als der Ingenieur, der mir in der Erinnerung vorkam wie ein – allerdings warmer – durchtrainierter feister Frosch. Leo, sagte ich mir, kann ich jetzt um so straffer lieben, in ihn reinbeißen vor Liebe und ihn ebenso hassen wegen seiner verstockten Trägheit: aus der Ferne.

In der durchwachten Nacht hatte ich mich, eventuell nicht unabsichtlich, stark erkältet. Ach, dieser Ingenieur, Handgriff um Handgriff, immer der Reihe nach, unmöglich, ihn aus dem Konzept zu bringen. Er selbst hielt es todsicher für archaische Männlichkeit. Ich lag zu Bett und staunte, da die Parole meiner Krankheit ausgegeben war, über die hohe Anzahl sogenannter Freundinnen, die bei mir eintrafen. Specht, den man nicht reingelassen hatte, schickte ab und zu ein Zettelchen. Am dritten Tag hatte ich mich untersuchen lassen. Mein Arzt: wie stets schneeweiß gekleidet von oben bis unten im hingerissenen Dienst an seinen Apparaten, zwischendurch immer auf Jagd nach den »letzten Paradiesen dieser Erde«. Sein Vorgänger, bevor ihm der Prozeß wegen Krankenkassenbetrug gemacht wurde, trug schon um acht Uhr in der Frühe Partyjacken mit infernalischen Glitzerfäden, um selbst sterbenskranke Patienten in Dreiteufels Namen in Stimmung zu bringen.

Wieder zu Hause, sah ich noch immer die Leute vor mir, die man, sobald sie die Straße betraten, in die Verkleidung eines gelben Postboten steckte, einer Kurzhaarhausfrau, eines Säuglings mit geblähten Bäckchen. Verschwanden sie erst in ihren Zimmern, wurde bestimmt etwas anderes aus ihnen, etwas Flüssigeres, vor allem in der Nacht. Und überall die Schönen, Prinzessinnen, Flittchen, die sich für irgendein Gutes in der Welt einsetzten in den Zeitschriften des Wartezimmers und von allen Wänden herunter. Kurzfristig verehrte ich ihre Schönheit, Jugend, ihre hervorragend geschnittenen Kleider. Wie ragten sie aus dem bescheidenen Relief der allgemeinen Stadt- und Landbevölkerung! Erstrebenswerter Gipfelglanz der Zauberfigur, Auge, Nase, Mund, immer das Gleiche, eins wunderbarer als das andere. Wünschte ich mir, im abklingenden Fieber, Sigourney Weaver zu sein? Ein bißchen sah ich ihr ähnlich, o doch. Ja, sehr deutlich und schmerzlich erkannte ich, wie wir alle gar nicht leben wollten ohne solche insgeheimen Ähnlichkeiten mit einem dieser Giganten. Die Vollkommenheit war an sie delegiert. Wir hielten sie uns als Luxus. Versagten sie aber, zerrten wir sie, und ab und zu war man richtig heißhungrig darauf, zu Recht in den Dreck von Falten, Riesengebissen, Hautunreinheiten, Verwelktheit, Gemeinheiten, im Blitzlicht veröffentlicht. Sie standen freundinnengleich um mein Bett, auf Festen in Büfettschlangen, Limousinen verlassend, auf Yachten, Schlössern, Soldaten und arme Kinder segnend und liebkosend. Sie waren unsere Rassehunde, närrisch, launisch. Wir: alles verzeihend, aber wenn uns der Hafer stach, unerbittlich. Das war nötig, damit sie sich allezeit Mühe gaben. Manchmal näherte sich mir das Gesicht einer lachenden Prinzessin grauenerregend und von allen Seiten. »Weg, Prinzessin!« rief ich, und sie verschwand, im Bikini zum Spaß auf einem Steintier reitend.

Es gibt gut gehütete Anblicke von Orten, aus denen manchmal ein stärkendes Brausen zu mir aufsteigt. Aber jetzt, in der fiebrigen Erhitzung, stürmten sie ohne meinen Willen heran und nicht von mir nach gut und böse sortiert. Der tapirähnliche Kopf einer Weichschildkröte pendelte hinter einem Glas mit weit offenen Nasenlöchern über der rüsselhaft empfindlichen Schnauze. Eine Ziegenherde, die man noch in der 18. Parkettreihe roch, zog mit Schauspielern über die Bühne. Hunde aller Arten wurden von Tätowierten, Glatzköpfigen über Kopfsteinpflaster geführt, mit metallenen Maulkörben von Polizisten durch U-Bahnflure. Im Hintergrund drei Menzelsche Pferdeköpfe. Das Sukkulentenhaus hallte wider von der Stimme einer verborgenen Frau, die wohl aus einer Zeitung einer anderen die Litanei neuester Sonderangebote vorlas. Die Kakteen hörten interessiert zu hinter ihren Schildchen. In Kästen mit Erde, Moos, Kiesel, Schotter, Lava die fleischigen Röschen, Sterne, Kohlköpfchen. Sie bildeten unregelmäßige Konzentrationen, immer rundlich sich absetzende Formen, kleine aufrecht stehende Schuppenkränze. Je länger man hinsah, desto mehr entdeckte man von diesen unscheinbaren Sonnen, die hier, wer weiß warum, gezüchtet wurden. Eine große blaue Seerose, eine der größten Blüten der Welt, schwamm auf dem Wasser und hob sich an kräftigen Hälsen daraus empor. Daneben eine, die nur ein einziges Mal blüht, am ersten Abend weiß und stark duftend. Dann lockt sie, im Amazonasgebiet, in der Freiheit, die Käfer an und schließt sich am

Morgen über ihnen. Am nächsten Abend öffnet sie sich noch einmal, jetzt rosig, ohne Duft. Die mit Blütenstaub beladenen Tierchen fliegen fort zur nächsten, unberührten, die nun die weiße und duftende ist. Die befruchtete Blüte aber sinkt auf den Grund. Die Indianer mahlen den wohlschmeckenden Samen zu Mehl und backen sich Plätzchen daraus. Das alles las ich von einer Tafel ab, unter einer schönen Glaskuppel. Eine alte Frau, seit Jahrzehnten in Brasilien als Biologin, die alle Botanischen Gärten der Welt besuchte, sprach monoton ohne Pause zu den Seerosen. Verschwörungsberichte kamen aus ihrem Mund über Hitler und die jüngst verstorbene Prinzessin Englands, die für Fotografen im Bikini auf Steintieren geritten war. Die Frau aus Brasilien trug eine enge rote Strickjacke und roch beißend wie eine andere Frau, die ich einmal kannte, aus Ostpreußen, ja, danach roch sie sehr stark. Eine Orchidee sei nach ihr benannt, leider nicht hier anwesend. Das alles geschah in der Hauptstadt Berlin. Auf der Bühne hatte ich zwei Menschen gesehen, als Fritte und Würstchen verkleidet mittels Pappe. Sie predigten den Arbeitslosen der ehemaligen DDR, alles nur Schauspieler. Am Oranienburger Tor verkaufte eine ältere Frau mit roter Schirmmütze über traurigem Gesicht, der Lächerlichkeit preisgegeben, wie leicht gequollen von langem Weinen, mit tränenverhangener Freundlichkeit Fritten und Hamburger. Unentwegt griff sie nach Colabechern, weißen Fritten in Plastiksäcken aus dem Kühlschrank, riß sie auf, warf sie in Siebe, hängte sie ins Fett, kassierte, holte warmgehaltene Päckchen herbei, sammelte hochbeladene Tabletts von den Tischen, wusch sie ab, holte gebräunte Fritten aus dem Fett, salzte sie, kassierte und immer so fort. Die Schlange riß nie ab in dem kahlen Raum.

Was mich aber am meisten fesselte, war das schnelle Gehen in den U-Bahnfluren auf den Kacheln, eingeübt in allen großen Städten, nach den Signalen, Wegweisern, Zeichen und Farben. Das eilige Zurechtfinden, man mußte nur die Pupillen fix nach hier und da drehen und gehen ohne Stocken, sich einfügen in die Reihen der Berliner und Besucher, die alle flott ausschritten, weil sie sich auskannten. Im richtigen Moment mußte man abbiegen, aus dem Strom in einen anderen sich einfügen, die Treppen rauf- und runterfließen ohne Aufenthalt und dann auch gern gelitten, eine von ihnen, wie von allein und doch nicht gedöst, rechtzeitig den Mut zur Vereinzelung haben, abspringen, es kommt ein neuer Schwarm, der beim Umsteigen die Führung übernimmt, nach rechts, nach links, manchmal eine Leere, hindurch, tapfer hindurch und schon wieder eintauchen in die Fülle und Menge, kein Hindernis sein, einmünden, abzweigen, den ganzen Tag, die halbe Nacht, sich einfädeln, sich trennen. In Hamburg nahm ich mir nie die Zeit dazu.

Anders in Belgien, wo einzelne Häuserzeilen mitten im grünen Land stehen, leicht ansteigend und gebogen, Reste einer versunkenen oder nur geträumten Stadt, ohne Übergang im fremden Weideland, verloren, vergessen, im Stich gelassen, deplaziert, alles deplaziert in diesem Land, alles wie Teile einer einzigen großen Stadt, die über das Land hinweg auseinandertreibt, eine Algendecke auf einem Teich, Wolkendecke oder Brotkruste, aufplatzend zu Trümmerstükken. Auch zu malerischen Überresten.

Dort, am Meer, auf einem Deich, fast alles ist ja dort ein Deich, die ganze Küste entlang, eine einzige Häuserreihe, ein Mädchen von sieben oder acht Jahren, die dunkelroten Haare in kleinen Zöpfen eng um den Kopf, das spähende Gesichtchen in frühlingshafter Zartheit, o Gott, ich danke Dir für dieses Wunder, in zarter Abweisung wie das Meer und das schleirige Wehen zwischen Äckern und Blüten, das alles im kleinen Punkt ihres Gesichts zusammengefaßt. Mit einem Stich ins Herz dachte ich, daß es unvermeidlich auseinandergleiten wird ins Allgemeine, Schneeflocke zu Schnee. In schwachen Ahnungen würde es noch ein Weilchen geistern und irren vor dem Untergang zwischen den hellen Brauen, dem zusammengepreßten Mund, über dem die Augen dann aber nicht mehr so unbeirrbar und erstaunlicherweise nach innen versunken blicken, aber auch in die morgenlichtfarbene Ferne. Und wie die Haut im Widerschein der sanften Meeresfärbung diesen Moment der Kindheit einschließt und habhaft werden läßt, so umgekehrt später für mich die Landschaft, die Stunden am Seedeich, die das Gesicht verwahrt für alle Zeit. Die Erinnerung an das Gesichtchen reicht aus, um alles wieder erblühen zu lassen. Aber dann die Festungswälle, die grauen Häuserketten, staubgrau, Tausende von Fenstern, von Balkonlöchern nebeneinander, totengrau überpudert, aufragend aus plattem Erdboden, gefüllt mit Lebewesen, die sich verbargen.

Die grüne Moldau jetzt, das süße Scheinen der Natur, grünes Gleiten, weißwolkiges Blühen, Apfelbaumblüte, in Sicherheit gewiegt vom Zugfenster aus. Allerdings scheint am Fluß in aller Ruhe ein Haus abzubrennen, niemand rührt sich in den anderen Häusern. Drei Jungen versuchen einen vierten ins Wasser zu stoßen. Ein Angler redet gestikulierend auf die Wellen ein. Mit wem redet er, mit Nixe, Köder, Fisch?

An einem Strand viele ältere Menschen. Wie lauter leidenschaftliche Großeltern umringen sie ihr einziges, vielfach zu teilendes Enkelkind, das hoch über ihnen auf einem Stein sitzt. Sehnend strecken sie die Arme nach ihm aus. Aber noch kurz zuvor die bleichen Schweine beim Stau auf der Autobahn, still, ohne Laut und Bewegung, haben sie die Schnauzen durch die Lattenlücken nach draußen geschoben, wie ausgefärbt schon, leichenblaß, stumm die rüsselhaft empfindlichen Schnauzen noch einmal den Unmenschen der Außenwelt entgegengereckt.

Mitten in der Nacht ein Hilferuf, hochgellend zum zweiten Stock, ein zweites Mal, aber draußen ist nur dünner Schnee auf der grünen Kuppel des Wiener Volkstheaters. In der Nähe die vertrocknete Mädchengestalt, einige Abende später, einer Botschaftsangehörigen mit unterentwickelter Stimme und boshaftem Urteil. Ohne die geringste Grazie, im teuren, für eine bessere Haltung geschnittenen Mantel an der Seite eines dicken Herrn. Er hat sie mit rechts gepackt, eine andere links. Steif, in grotesker Schräglage, läßt sie sich abtransportieren. Unterdessen kratzen die Antennenauswüchse der Häuser beim Kreisen der Erde am Himmel entlang.

Im Frühlingsregen eine Hochzeitsgesellschaft. Wie groß die grauhäutige Braut aus Coimbra, die nicht lacht, die nicht die Miene verzieht, aber Ballerinaschuhe trägt wegen des kleineren, pfiffigen Bräutigams. Wie rund ihr grauer Nakken, wie souverän die Nichtbeachtung des Schmutzes, durch den ihr langes Kleid schleift! Man muß sich hier die Frage stellen, ob sie glücklich werden können, scheinen es noch nicht zu sein, oder ist alles schon vorbei? Die Braut steht ruhig im Sturm weißer Rosenblätter und der Reiskörner. Beide Mütter rutschen auf den Körnern, mitten auf der Treppe aus, setzen sich auf die Stufen, beginnen ein Kleinkindergeweine, schluchzen, als hätte sich damit schweres Unheil angekündigt. Die Braut wird die ganze Nacht geschrubbt haben, so sieht sie aus. Gekleidet in ein anderes, wunderbares Grau, an einen silbernen Mercedes gelehnt, fotografiert ein Mann die Gesellschaft, ein Mann aus eleganter Welt, der einzig Erfolgreiche. Aus seinem Reichtum ist er herbeigebraust. Nicht die Braut, er ist die Hauptperson, das schlichte Grau nichts als Heuchelei. Die große Familie in fürchterlich glänzender Sonntagskleidung. Das Beste, was sie auftreiben konnten. Es juckt sie darin. Das Schicksal aber hält Einzug durch die versteinerte Braut und die stürzenden Mütter, durch ihren lächerlichen Zwillingssturz.

Irgendwo in einer südlichen Stadt? In der Kindheit? Ein blauer Ara in seiner Höhleneinsamkeit. Er kommt zögernd ans Gitter und beäugt mich. Kein Mensch weit und breit, nur wir. Er und ich. Beäugelt mich abwechselnd mit der einen und der anderen Pupille, dicht an die Stäbe gepreßt. Plötzlich, etwas stand still, das Papageienherz und meins, war ein Geschenk für mich verstohlen hinterlegt, eine Feder, außerhalb des Käfigs, groß und leuchtend blau.

So verlief mein Fieber nach dem Ingenieur.

Noch eben rechtzeitig fiel mir die Verabredung mit Sophie Korf im Botanischen Garten ein. Sophie war jetzt, nach Leos

Abreise, meine Verbindung ins Alte Land. Hoffentlich ahnte sie nichts von ihrer Macht. Schon wollte ich die Wohnung verlassen, als Wolf Specht anrief. Diesmal gab es keine Ausflüchte. Ohne über mögliche Konsequenzen nachzudenken, befahl ich ihn zur Voliere beim Kaffeestand. In zwei Stunden! Unterwegs stellte ich mir die Gesichter der beiden zusammen vor und hustete nervös vor mich hin. Aber was sollte das schon. Befahl? Habe ich das wirklich gesagt?

Sie wartete schildwachenartig beim Eingang, schwarz (Gegenlichtpermanenz!), den üppigen Körper in einem Kaftan, eine Livree, die mit strengem Umriß das Quellen ihrer Formen nur betonte. Die Säule rührte sich nicht bei meinem Näherkommen. Dieser Film »Ivanhoe« hieß übrigens vollständig: »Ivanhoe, der schwarze Ritter«. Als Kinder sprachen wir ihn anders aus. Iwan Ho E, die Klügeren: Iwan Hö. Wahrscheinlich hatte sie mich noch nicht entdeckt, ich aber blieb auf einmal stehen, ich weiß es noch genau, neben einem kleinen Hundehaufen stoppte ich, weil mich ein Verdacht ganz unerwartet erschreckte. Meine Krankheit war vorbei, jedoch das Vorausgegangene damit nicht ungeschehen. Ob also der Ingenieur auch bei Sophie seinen Abschied gefeiert hatte, die Runde gemacht, Rundumschlag? A la: Dem Ingenieur ist nichts zu schwör? Was kümmerte es mich! Sie begrüßte mich feurig mit schwarzen Fittichen, stellte einen tief bewegten Menschen dar, und ich konnte mir nicht erklären, warum eigentlich, sah aber in der Umarmung neben ihrer Schulter hoch im Himmel einen roten Ballon traumwandlerisch treiben, ohne zu entziffern, wofür er warb.

Kaum hatte man das Eisentor passiert, bewegte man sich freier, verschworen den Gartenbesuchern zugesellt. So widerfuhr es einem hier. Sicher, alles war künstlich, und doch wurde ich angesichts der ersten blauen Blumen, deren Namen ich mir jedes Mal merkte und immer wieder vergaß, hochgehoben und süß gebettet, alles lachte mich an wie damals, damals, vor allem die kleinen, tiefblauen, niedrigen Blumen, ihr liebliches und wildes Blau, das immer tiefer führte, in Wendeltreppen, Trichtern, Spiralen. Niemand konnte sagen, wohin. Noch blühte das Wilde Silberblatt, die Mondviole, in hellstem Violett und stark duftend.

Unbedacht in meiner ersten Freude, wieder hier zu sein, und um nicht schon in den ersten Minuten den Namen der Namen auszusprechen, wies ich sie darauf hin, daß hier im ersten Frühling die Krokusse auf einer abfallenden Wiese wie Gasflämmchen aus dem Boden schlügen. Schon legte Sophie die Hände auf ihre Brüste, machte das Kreuz hohl, noch stolzer türmten sie sich also: »Damit kriegen Sie mich zum Schluchzen!« gestand sie sehr erbaut. »Aber nein!« (Trocken, was?) Wirklich, ich sagte das wörtlich: »Aber nein!« Mein Gott, rissen denn jetzt bereits die Dämme? Solche Herzenssätze hervorzurufen, das schmeichelte mir trotzdem. Kurz darauf trat sie, weil es ja keiner sah – ich aber doch! – etwas Rotes platt. Sehr kleine glühende Sterne mit stecknadelgroßen Punkten in der Mitte.

»Oh, oh!« schrie sie auf, als hätte ich ihr eine Bescherung bereitet, alles extra für sie, und sie zeigte, was es hieß, sich zu freuen. Da reichte ihr keiner das Wasser. Niemand verstand es überzeugender, übermächtiges Staunen zu äußern. Welch gelungene Fassungslosigkeit! Eigentlich möchte ich durchaus nicht spotten, ich weiß ja nicht, war mir ja nicht sicher, ob nicht ein wirkliches Kindergemüt aus ihr sprach, exaltiertes Kindergemüt, jemand vielmehr, der wegen seines Kindergemüts geliebt und gelobt werden will. Vielleicht wollte sie, ein hochherziger Einfall (von ihr? von mir als wiederholte Vermutung?), die alten Gefühle nicht aussterben lassen? Ein tiefgründiger Gedanke, falls er stattgefunden hat, finden Sie nicht?

Ein kleiner See – ich war eben die Gute! – antwortete auf meinen Blick mit der Attacke einer silbrigen Fläche, die, von der Mitte kommend, am Ufer sich sogleich verkräuselte. »Gay Head«, »Blue Valley«, »Honey Melon« hießen die Irisblüten, lappige Zungen und Bögen in den Farben von Zaras Schuhen und Vögeln. Nein, Zara besitze kein Schuhgeschäft im EEZ. Ein Mißverständnis, Stuß. Sophie widerrief ihre Behauptung vom letzten Mal ohne Gewissensbisse. »Möglich ist alles bei ihr.« Wir kamen in einen Dschungel, nicht größer als ein Viertelfußballplatz. Unverzüglich fing Sophie an zu schleichen. Auf ihre Frage erzählte ich ihr von der letzten Designermesse. Man montiere den Schmuck jetzt statt ihn zu löten, auch mit Veränderungsmöglichkeiten durch die Trägerin, arbeite mit Glasperlen und synthetischen Steinen, die aber keinesfalls billig seien, beliebt zur Zeit aber auch Lapislazuli und das schwarze Ebenholz afrikanischer Ketten. Tendenz: frostig, anders als meine Entwürfe, die mir aber abgekauft würden. Wie las ich so gern alle die Blumennamen von ihren Tafeln ab, sprach sie aus, deutsch und lateinisch! Man zeigte mir hier verläßlich ein trostreiches Naturgesicht, das selbstverständlich unter dem Schein in seine ernsten Mörderpflichten des Stoffwechsels und Materieaustausches vertieft war. Schwindlig werden konnte einem beim Sturz der Augen in die Schlünde der kleinen Blüten. Ich wünschte mir probeweise, wir wären schon alle tot und wandelten hier glücksschnaufend, übersetzt in ein anderes Leben. Noch immer hatten wir das Wort »Leo« nicht ausgesprochen.

Dicht gedrängt gab es hier die Landschaften der Erde, und man phantasierte sich die Fauna zu jedem Geviert hinzu. Es gab die Blüten als Schlüssellöcher für das Belauschen und Erspähen eines tiefen Korridors dahinter, und es gab diese Sophie an meiner Seite, die zu Klatschmohn und Margerite große Oper spielte, jetzt aber endlich die Katze aus dem Sack ließ: »Leo Ribbat und Zara Johanna Zoern! Vieles weiß ich, jedenfalls weiß ich manches. Manches ist mir inzwischen bekannt und geläufig. Ich spioniere nicht, niemals. Ich halte die Augen gesenkt, tue das, was man von mir wünscht. Achte auf die Vögel, die eigentliche Arbeit macht ein anderer, die spezielle Arbeit der Pflege, die groß ist. Für Zara kein Problem, Geld ist genug da, hier ist welches und dort ist welches, fest angelegtes und zum Spekulieren. Sie sind inzwischen informiert, wer das für sie besorgt. Es vermehrt sich, das Geld, bei mancher Mildtätigkeit, für die man Zara kennt. Aber liebt jemand sie? Aus der Ferne kümmert sie sich um die junge Schuhräuberin, läßt ihre Beziehungen spielen. Ich erfuhr davon, Vertuschungen. Ein guter Mensch ist sie nicht, im Vertrauen. Zu launisch, zu mysteriös. Sie quält mich, sehr schnell weiß Zara, wie man jemanden quälen kann. Auch Sie wird Zara peinigen, sobald Sie eine Blöße zeigen. Leo ist anders, ihr Sekretär, Berater, Galan. Sie hält ihn in ihren Krallen, dabei ist er an Geld nicht interessiert, weiß aber, wie man damit agiert. Sie hat ihn einfach weggeschickt, für Monate. Immobilien, Hotels, Appartements, Grundstücke, An- und Verkauf. Oder glauben Sie, Leo hat Reißaus genommen? Wenn Leo will, kann niemand, niemand ihm widerstehen. Will er aber? Sie zeigt mir Leo und nimmt ihn mir weg. Zu Ihnen, Maria, habe ich auf Anhieb Vertrauen gehabt. Darum wiederhole ich hier noch einmal: Sie zeigt mir Leo und nimmt ihn mir weg! Nur ihr, nur ihr darf er gehören. Natürlich bin ich bloß manchmal dort, bloß selten Zeuge. Selten spricht er, meist spricht Zara. Über Finanzen? Nicht, daß ich wüßte. Sie erzählt ihm Geschichten! Er hört das zu gern.« (Ein schneller Stich) »Sitzt da, sieht sie an, wie sie mit den Schuhen wippt. Jeden Tag mit anderen. Ob er's bemerkt? Die Geschäfte beflüstern sie sicher im Dunkeln. Ach Maria, Sie Gute, Sie Unschuldslamm! Kennen Sie Leos hochtechnisiertes Bürozimmerchen? Finanzgeschäfte mit der ganzen Welt, glaube ich, stelle ich mir vor. Auch hat Zara mindestens einen Sohn. Und Sie, Maria, seit jeher allein?«

Es muß die plötzliche Pause nach ihren halb amourösen Geständnissen gewesen sein, auch der Platz, eine Bank ganz umwuchert von Süßdolde, Rittersporn und Riesenhahnenfuß. Ich verlor für einen Augenblick den Verstand. Was ich niemals hatte sagen wollen, vergessen für immer, nur im dunklen Versteck für mich allein nicht, das kam jetzt heraus, kam aus mir heraus, über meine Lippen, und noch mitten im Satz verfluchte ich still Sophie Korf, daß sie es erlistet hatte, ich verdammte sie wegen dieses Entlockens, dieser Überrumpelung, dieses taktlosen, grausamen, schneidenden Fragens. Ich hatte auf das Wasser vor uns gesehen in seinem schönen Satinglanz, auf den Nixenzauber des Gleitens, rund nach den Seiten weg beim Schnappen eines Fisches, über das Wasser weg zu einem Miniaturgebirge mit blinkend springendem Wasserfall, dessen kurzen Weg schräge Flächen verlängerten und komplizierten. Und hatte das Herausstürzen der Sätze aus der fremden Frau neben mir angehört, ein bißchen konsterniert über solche Vertraulichkeit. Was konnte da Gutes draus werden? Ich hatte sie nicht gefragt und wollte ihr auch nur zur Hälfte glauben, freute mich meiner eigenen Schweigsamkeit und entdeckte am Himmel wieder den roten, dahinsegelnden Ballon, ein phantastischer Samen oder eine einfältige Frucht mit einem Namenszug darauf. Dann die Frage, kalkuliert, in einem Ton der Boshaftigkeit, unerwarteter Schonungslosigkeit vorgetragen, der mich derart verblüffte, daß mir drei Möglichkeiten nicht in den Sinn kamen. Ich konnte die Antwort wegen Indiskretion ausdrücklich verweigern, schlichtweg stumm bleiben oder, drittens, lügen. Nichts davon fiel mir ein in meiner Not, und ich gab zu, gab also plötzlich zu, vor langer Zeit einen Mann und eine kleine Tochter gehabt zu haben, mein Glück, mein Herz, meine Seele, für immer vorbei, keiner mehr am Leben, alle beide tot, beide zugleich. »Schluß!« entfuhr es mir dann, und trotz meiner Aufgewühltheit mußte ich beinahe derb draufloslachen, weil ich zur Hälfte Zara zitierte. Ich erinnere mich noch. Sophie hob beide Hände vors Gesicht. Sie machte schon wieder Theater, wird nämlich doch keinen Schlag befürchtet haben!

Verstehen Sie mich nicht falsch. Ich sterbe weiß Gott nicht, wenn ich dieses Unglück meines Lebens nach Jahren erwähne, aber ich habe mich entschlossen, anstatt ununterbrochen davon zu reden, es niemals zu tun. Man hatte mich bezwungen, gezwungen, wollte ich sagen, aus reiner Konvention mir die Mitteilung entrissen. Es geht mir hier nicht, Verzeihung, es handelte sich hier also nicht um Kummer, ach was, sondern um Erbitterung. Ich verzeihe so etwas nicht und nie.

Glücklicherweise brach das Gespräch durch die Uhrzeit ab. Schleunigst lotste ich die ahnungslose Sophie, die noch perplex, merkwürdig schlurfend – keine Ahnung, welche Vorstellung das jetzt von ihr forderte – neben mir ging, zur Vogelvoliere, wo Wolf Specht längst auf uns warten mußte. Ich verspürte keine Lust mehr, die Reaktion der beiden aufeinander zu beobachten, konnte es mir ja denken. Jeder war pikiert über die Anwesenheit eines Dritten, nur ich nicht, ich war nach beiden Seiten erleichtert, wurde schon wieder fröhlich. Denn Specht, den ich lange nicht gesehen hatte und dem schon wieder die Hand bei der Begrüßung bebte, hatte sich nicht geändert. Nur schien er zu schwanken, ob er Notiz von Sophie nehmen sollte. Er öffnete hinter der Brille die Teichaugen weit (vier Originalteichaugen in meiner Nähe).

»Die einen«, sagte Specht zu mir, »suchen in der Stille und im Gewühl ihr ganzes Leben lang den Edelstein, die anderen wollen selbst gefunden werden.« Ich kannte ihn ja schon, aber Sophie fabrizierte Zeichen enormen Staunens. Ein höchstpersönliches Kunststück von ihr: zu Specht hin ehrfürchtige Verblüffung, zu mir hin spöttische. Das merkte ich sehr wohl und kreidete es ihr, auch weil es mich wider Willen erheiterte, an. Darauf Specht, schon etwas deutlicher auch zu Sophie hin: »Er fühlte sich wunderbarlich von dem grünen heimatlichen Rasenfleck angezogen.« Ich muß gestehen, das paßte gut hierher, und Sophie, die Buchhändlerin vom alten Schlag, antwortete, offensichtlich begeistert, das Zitat zu erkennen, und deshalb alle Vorbehalte in den Wind schlagend: »Dicht vor ihm plätscherten und rauschten die goldgelben Wellen des schönen Elbstroms.« Ja, da hatten die beiden die Eintrittskarten füreinander gelöst, ob sie einander leiden mochten oder nicht und im Handumdrehen ein gemeinsames Thema in Hoffmanns Märchengeschichte gefunden.

Ich aber durfte an anderes denken, war sie los und für mich! Hinter uns flöteten und riefen die Kanarienvögel aus ihren Käfigen Anspielungen in die Luft. Sophie, so kam es mir vor, wollte nun ihrerseits auch mit einer Verabredung auftrumpfen. Sie animierte uns, im EEZ einen Kaffee mit ihr zu trinken. Sie habe zwar heute frei, aber dort – o doch – etwas vor. Specht kämpfte mit sich. Ich sah es, ohne es zu wünschen. Gern wäre er wohl mit mir allein gewesen, mußte bei einem »Nein« aber fürchten, hier arm und nackt zurückzubleiben, auch gefiel ihm die Idee, ein bißchen in meine Bekanntschaften verwickelt zu werden.

Schon bewegten wir uns auf den Ausgang zu. Die stern- und rosenblütigen Formen, die gezackten und gefiederten, die Glocken, Dolden, Trauben strömten gegenläufig an mir vorbei. Sie flogen mit nachlassender Beschleunigung auseinander, wurden immer mehr, immer verschiedener bei ihrem Auseinanderstäuben aus einer einzigen Faust, im ursprünglich rasenden, jahrtausendelangen, verlangsamten Flug.

Wissen Sie was? Gut, daß Sie mir zuhören!

3. Abend

In den ersten zwei, drei darauffolgenden Nächten, wenn ich wach lag, habe ich Sophie verteufelt, Unfug, verabscheut. Wie die Gefühle meinetwegen heißen. Warum mußte sie, gedankenlos im besten Fall, ausgerechnet diese eine Frage stellen?

Ich will ja nie mehr, jetzt also zum letzten Mal, davon sprechen. Die Erinnerung an eine frühere Zeit meines Lebens habe ich gehütet und bewacht. Eine glänzende Blase, über der das Bewußtsein, ohne sie zu berühren, ohne sie zu öffnen vor allen Dingen, beinahe glücklich schweben konnte, nein, warten Sie, die Blase war es, die träumend, ein großer glücklicher Körper, im Bewußtsein trudelte. Sophie hatte durch mein Ausflüstern einen Zerfall in der Zugluft bewirkt. Ganz zu Anfang hatte ich in einem Museum gestanden und die Geduld verloren zwischen den weißen Wänden, auf hellgrauem, schon fast schneeigem Boden, die meisten Leute amselschwarz gekleidet, es mochte modischer Zufall sein. Pendelnde Noten einer asketischen Musik. Plötzlich erkannte ich einen Freund und kniff ihn, da es mich so sehr dazu drängte, für einen Aufschrei in dieser Umgebung verantwortlich zu sein, von hinten in die Seiten. Als er herumfuhr, ohne einen Laut, war es ein Wildfremder. Wir heirateten, hatten bald eine Tochter, alles in Windeseile.

Kennen Sie das Gefühl?

Lange Zeit war das sogenannte Leben winkend vor mir hergetänzelt. Dann gab es eine kurze Phase, besser würde man Zone, Wegstrecke sagen, wo es mit der Gegenwart zusammenfiel. Alle Zeichen sprachen dafür, daß jetzt das ominöse »Leben« eingetreten war. Dann verunglückten wir, das Leben entfernte sich. Ich war ein übriggebliebenes, lästiges Hautteilchen und wurde abgestoßen von ihm oder, ich weiß nicht recht, es hatte genug von mir und wandte sich ab. Alles Quatsch? Man legt es sich eben zurecht.

»Sie haben gar keine Schicksale mehr«, sagte Specht, sobald wir nach dem Botanischen Garten im EEZ beim Kaffee saßen. Wie mir das Herz lachte an diesem heimlichen Schauplatz! Er meinte die Vorübergehenden. »Deshalb konsumieren sie jeden Abend ganz wahnsinnig zur Entschädigung, raffen sich, bequem, wie sie sind, nicht mehr auf, ihr eigenes zu erkennen. Aber das ist die Voraussetzung, damit man eins besitzt. Man muß es bemerken! Schlafwandelnd von TV zu TV, unterscheiden sie nicht, ob sie dösen oder dösige Figuren der Werbung sind. Falsch: Schmerzlich ist ihnen bewußt, beschämt wollen sie vergessen, daß sie nur im Sessel sitzen und nicht jugendlich blödelnd Männchen machen wie in den Bildern vor ihren idiotisch versackten Visagen. Eingesackte Seelen. Es fehlt ihnen die Nüchternheit des Kopfes, um eine Tragik zum Beispiel, nur beispielsweise eine Tragik, entstehen zu lassen.« »Wolf Specht ist Küster«, warf ich ein.

»Eine Arie«, fuhr er fort in seiner Verkniffenheit, »eine Arie etwa, die sie mahnen könnte, etwas aus ihrem Gefühl, aus einer unglücklichen Leidenschaft zu ...« (Ich erschrak: unglückliche Leidenschaft?), Specht stammelte plötzlich. »Sie ... wird ... ihnen zu einer Pizza, einer ... einem aktuellen Autotyp vorgespielt. Wahre Demokratie. Scheiße, Scheiße, Scheiße. Die Gebildeten, die Eliten lächeln sich dabei ins Fäustchen und können sich noch mehr von ihnen abheben. Es wird ihnen leicht gemacht.«

Sophie wandelte sich, gleich nach Spechts Eröffnungssatz, zur mechanisch anfeuernden Mutter, die durch geistesabwesendes, deshalb übertriebenes Nicken ihrem Kleinen Mut macht. Specht glaubte, mit jedem Wort den Nagel auf den Kopf zu treffen, so selig erlöst stimmte Sophie seiner Aufklärung über die moderne Stadtbevölkerung in den

Kaufpassagen – hier aber war's eine absolut nicht proletarische! – zu. Sie sah dabei suchend in die Menge und hatte jetzt Zara entdeckt.

»Die Hauptmasse der Leute wird zu Debilen, vielleicht beabsichtigt man das.« Specht kämpfte erfolglos um unsere Aufmerksamkeit, und doch, eine Sekunde lang hatte der Gedanke an die Repräsentanten von der anderen Seite Platz in mir gefunden. Ich war ihnen früher manchmal bei Essen begegnet. Allein wie die Elitevertreter ihre Servietten neben die Teller flegelten und mit wohligem Schmatzen die Weltliteratur herbeizitierten! Aber halb so schlimm! Es kam ja nicht oft vor, so ein Visavis. Was mochte sich Specht bloß unter ihnen vorstellen? Dämonen der bösesten Art? Und nun Zara, wie vom Himmel gefallen. Sollte das purer Zufall sein oder Sophies date?

»Specht?« Zara lächelte arrogant. Ich nahm es ihr übel. »Meine Putzhilfe heißt Filomena. Andere nennen sie der Einfachheit halber Maria.« Den zweiten und dritten Satz sagte sie nur zu mir, eine Vogelassoziation, weiter nichts. Specht schien entschlossen, nicht nur ihre Tücke, sondern auch ihre offensichtliche Eleganz zu übergehen, und zählte, in seiner Predigt plump fortfahrend, die Tätigkeiten seiner arbeitslosen Freunde auf. Einer verdiene seinen Lebensunterhalt als Sprayer, das Geld reiche eigentlich nur für die Farben, ein Idealist, andere vertrieben sich die Zeit und versuchten, klaren Kopf zu behalten durch Malen, Kampfsport, Französischkurse. Zara betrachtete uns der Reihe nach. Sie trug einen dunkelgrauen Anzug mit einer hellen Bluse im gleichen, nur lichteren Fischgrätmuster, dazu Lacksandaletten. Als sie die Jacke auszog, sah ich, daß die Bluse, deren Kragen oben mit einem Knopf kindergartenhaft geschlossen war, in einem tiefen Schlitz bis zwischen ihre Brüste geöffnet blieb. Es lag am Schnitt, sie konnte nichts dazu. Aber woher rührte diese Straffheit, rührte dieses Strahlen, Mund und Brauenbögen neugeboren, frisch eingesetzt! Ich fand es ungehörig. Mußte sie denn nicht Trauer tragen wegen Leos Abwesenheit?

»Leo hat mich aus Madrid angerufen.« – »Der Sprayer legt mit seinen Zeichen Spuren durch die gesamte Stadt«, wehrte sich Specht. Niemand hörte ihm mehr zu. Sophie und ich hingen an Zaras Lippen, Sophie mit geöffnetem Mund, um ihre Spannung anzuzeigen. »Wir lieben ihn alle, nicht wahr?« mahnte Zara sie sanft zu etwas mehr Contenance. In Spechts Gesicht entstand ein Zucken, er wollte aufspringen, hatte aber nicht die Kraft dazu, ahnte wohl auch, daß es hier Dinge zu erwittern gab. Zara wandte sich ihm zu.

Vor einem Schaufenster fiel mir ein junger Mann auf, weil drei Meter davon entfernt ein Weißhaariger ihn voll Entzücken betrachtete, von oben bis unten, hingerissen sogar von der reizenden Verstocktheit des Jungen, der die Blicke fühlte, aber sich verhärtete. Und noch etwas anderes bemerkte ich fast zur gleichen Zeit. Während ich doch begierig, mit klopfendem Herzen Zara lauschte, sah ich einen sehr alten Mann an einem Tischchen, der voller Entsetzen, regungslos in seinem Grauen auf etwas, es war nichts Besonderes, starrte, auf eine Horde strammer Jugendlicher nur, in ihrer lärmenden Roheit. Zara nahm meine Beobachtung, was mich erstaunte, zur Kenntnis: »Man möchte sie der Reihe nach ohrfeigen. Meine kostbare Jugend ist für dieses Pack nichts als graue Vorzeit.« Sie lachte vergnügt, fixierte mich mit glitzernden Augen und teilte mir leise mit, sie habe die Mutter der kleinen Räuberin kennengelernt, aus bestimmten Gründen, und wisse nun sogar, wo das Mädchen gezeugt worden sei. Bei Fährmannssand, am Deich, in einem Gebüsch, weiß blühende, stark duftende Hecken, vermutlich Weißdorn, meine sie, Zara, die bildhübsche Mutter wußte den Namen nicht. Oder Holunder? Bestimmte Gründe? Man wolle ein weiteres Abgleiten der Kleinen verhindern, falls es nicht längst zu spät sei bei diesem rabaukenhaften Geschöpf mit seinem Schuhwahn.

Zara sprang auf, sprang an diesem Punkt wahrscheinlich auf: »Sie kommen alle in drei Tagen zu mir?« Specht und Sophie, ohne ein Mindestmaß an Stolz, nickten sofort. Offenbar verabredete man sich, sobald ich woandershin sah. »Ich bin allein.« Was für festgeformte, rote Lippen! »Machen Sie einer alten Frau die Freude. Fünf Uhr, ja?« Sie reichte uns nicht die Hand, schwenkte sie nur als aufgeklappten Fächer durch die Luft. Unter der Manschette ihrer Bluse träufelte Duft hervor, Funkeln, geschmeidegleich. Specht saß bereits wieder, als man das perlende Klopfen ihrer Absätze noch immer hörte. Sophie, die Zara einen Umschlag überreicht hatte, blickte ihr, ich weiß nicht, erbost oder erbittert nach. Half nichts. Wir blieben als drei Unbeholfene zurück.

Eine Frau an einem entfernteren Tischchen zerteilte ihren Oberkörper pantomimisch mit der Handkante, bis ich begriff, daß sie ihrer Freundin einen Blusenschnitt erklärte. Neben mir hatte ein Mädchen lauter Samentütchen, reichlich spät für die Jahreszeit, ausgebreitet und studierte die wunderbaren Blütenentfaltungen über dem verschlossenen, unscheinbaren Inhalt. Da wurde noch nie was Vergleichbares draus! Aber das bleiche, über die Tütchen gebeugte Gesicht und die aufgemalten Vampirlippen, die glichen den Abbildungen. Damit machte sie sich selbst was Ähnliches vor, wetten? Lebensnotwendige Anstrengungen, vermutlich.

Ich ärgerte mich nicht mal über Specht, auch wenn er zielstrebig in meine Geheimnisse eindrang, so sehr freute ich mich – und nichts, nichts anderes interessierte mich ja in Wirklichkeit, ich wollte mich doch bloß ablenken mit Blicken nach rechts und links – , nicht ganz aus Leos Leben zu weichen, statt dessen demnächst in der Nähe seiner Zimmer zu sein! Ob der Graupapagei noch meinen Namen wußte? Ich würde Specht eine mildtätige Lüge auftischen zu den weißen Häusern, machte mir da überhaupt keine großen Gedanken.

Zu Hause verriegelte ich die Tür. Wenn mein Zorn auf Sophie daher kam, daß ich nicht auf etwas aufmerksam gemacht werden wollte, um so schlimmer! Auf eine vor mir selbst verborgene Vergeßlichkeit mein altes Unglück betreffend? Das glauben Sie vielleicht! Ich nahm ein Messer, lang wie ein kurzes Schwert und sehr scharf. Damit schnitt ich eine Scheibe Brot ab und zerteilte sie, noch einmal, schneller, immer wieder und geschwinder, bis ich meine Fingerkuppe verletzte und mich das hervordringende Blut zur Besinnung brachte. Als nächstes wäre ich über meine eigene Hand hergefallen, aufgrund einer Art von Verwechslung.

Kurz bevor alles aus war, drei Wochen höchstens davor, hatten wir drei, Mann, Frau, Kind unter einem halb verbrannten, vom Blitz gespaltenen Baum gesessen, bei leisem Regen, auf den hochstehenden Wurzeln, und auf einmal hatte ich uns in einer Abrückung gesehen, eine Vergünstigung zum Erschrecken, denn ich nahm ja gleichzeitig teil, es war ja die Gegenwart und ein glücklicher Inbegriff. Kurz darauf starben die beiden. Ich wäre fast verhungert, weil ich das Haus nicht verlassen wollte. Wie eine alte Rentnerin hatte ich nichts zu essen. Meine Berufstätigkeit aber erzwang einen Rest an öffentlicher Lebensteilnahme, ein Restchen nur. Ich zerstörte absichtlich jede Regelmäßigkeit im Tageslauf, lüftete nie, verwahrloste innerhalb der vier Wände. Mein Schmuck roch ranzig und nach Zigaretten. In letzter Sekunde begann ich blindlings die vermutete Lebensweise der anderen nachzuahmen, um mich zu retten. Denn ich hatte keine rechte Vorstellung davon, wie ich hätte untergehen sollen, ich meine: zügig untergehen. Durch die Stadt strich ich lange nicht. Ich ging an Stellen, wo mich niemand suchte. So konnte mich niemand trösten. Das wollten wahrscheinlich damals viele.

Dann das Herumreisen. Warum? Vielleicht um mit Gewalt mein Weltbild zu verändern, mir eine geografische Untreue anzugewöhnen, weil mir das Glück, ach nein, nicht nur das Glück, überhaupt das Leben so untreu geworden war.

Es ist verführerisch, wie Sie mir zuhören. Ich würde es keinem anderen erzählen. Zum letzten Mal also davon. Es tauchte in der Nacht nach Sophies Frage ja alles auf, nicht die Gesichter der beiden, das nicht, wie schamhaft, aber die Landschaften, seltsamerweise, denke ich jetzt, es wälzte sich heran. Die trivialen Enden verheißungsvoll beginnender Seen, Gott, wie platt, die Landschaft ging einfach wieder zu, aber dann die blaßgrauen, goldbraunen Hänge, die als Schleier im See sich auf- und niederbewegen, wogen, sich bauschen, sanftes Wanken der Bergwände, als könnte man schließlich, eingesogen, eingeatmet vom Silber, darin verschwinden, nicht nur in der Tiefe, auch der Horizont: eine silbrige Tiefe. Nur das Scheinen hatte hier überhaupt eine Stabilität. Die Sonne ging, man sah es, man konnte es nicht beweisen, sehr bedeutungsvoll unter, d. h. sie ging unter über einem sehr bedeutungsvollen Schauspiel an anderer Stelle, über einem blutigen oder prächtigen Schauplatz, dem sie die letzte Tönung, den letzten Schliff gab. An irgendeiner Stelle, die sie beleuchtete, war es so, wie es beim Sonnenuntergang sein soll. Sie schwoll an vor Übereinstimmung.

In einer alten Kirche, Barock, Jesuiten, versteckte oder verstaute ein Kirchendiener seinen Staubsauger im Beichtstuhl und sperrte zu.

All die Heraustritte aus den Bahnhöfen, über die ich kein Buch führte, was würden sie, in der Stauchung, in mir anrichten? Ich hoffte auf eine leise Erosion, ich wollte es ihnen überlassen. Eine Straße mit Geschäften, in die nie einer ging: Mafia, Geldwäsche, stadtbekannt. Alte Frauen, die sehr viel Essen einkauften oder Schmuck, um einen baldigen Tod damit unmöglich zu machen. Es mußte ja noch alles gegessen und getragen werden. Die Figuren über einem Tor sahen mir eine Weile nach, wenn ich mich umdrehte, entlang der Straßenbahnschienen die scharfe Grenze von Licht- und Schattenseite. Man pendelte. Der See schien an die Berge zu stoßen. Ein Dämmern, Nebel, schimmernder Rauch, Eisen, zu feinstem Puder zermahlen. Man trat aus dem Tor des Bahnhofs, dann auf schönes, marmorähnliches Pflaster, glatt und luxuriös für alle, und strömte unter den Bäumen voran, eine Biegung, und man fliegt und fliegt zu auf die duftige, ansaugende Öffnung zum See, aus dem energischen Gehen auf die unendliche Verzögerung zu.

Schließlich Möwen und Schwäne, letzte Gestalten vor dem Verschwelen, Gletscherblitze einer irrealen Festung.

Der moosige Morgen, von Erschütterungen bebend der See, die Oberfläche schüttelte sich mit unzähligen Schattenflächen. Blau gefärbtes Licht, das die Berge entsandten, unter einer Trauerweide die funkelnde Gesellschaft von Wasservögeln. Station um Station glitt ich in meine Kindheit zurück und nach vorn in die sich vollendende Pracht. Wem hätte ich das geopfert? Ich wußte es eines Tages nicht mehr, während sich beschienene Landzungen als schmale Dunkelheiten ins Wasser senkten, verdoppelt. Das Ende des Sees? Lakonischer Abschluß, sang- und klanglos? Er hörte ja früher auf, sprang über in das weiche, verlängernde Blau des Himmels zu unaufhörlicher Erstreckung, wie die Berge sich immer neu zu einem Verschmelzen erhoben. Träumerisch glitt eins ins andere, flutend in eine Ferne und Höhe aus weich wogendem Silber, sonst nichts, wenn man ihnen entgegenfuhr, auf sie zurückblickte, so daß man irgendwann alles, was dagegensprach, vergaß.

Am Morgen nach dem EEZ die Kastanienbäume: fest eingewurzelte Gewitterwolken und volkstümlich wie stets. Als ich ein Paar Ohrringe in Gestalt bunt geschuppter Vogelkrallen in Nienstedten ablieferte, sah ich den Bus mit der Leuchtschrift »Teufelsbrück«. Er fletschte das Wort vor sich hin, zu mir hin. Am Abend pulsierte die große Birke in mein Fenster, aufgeplustert und schrumpfend, aufgeblasen und sich zusammenziehend: Zara, die mich beobachtete. Können Sie das anhören, ohne mich auszulachen?

Wieder fiel mir der alte Mann ein, der die Jugendlichen entsetzt angestarrt hatte. Aber jetzt sah ich nicht nur ihn, sondern hinter ihm einen Korridor, auf dem zu beiden Seiten schneeweiße greise Patienten, lauter ausgediente, ausgeblichene Uralte saßen und voller Abscheu in dieselbe Richtung stierten, die Fäuste vor Wut und Schwäche zitternd, die Ärmel ihrer Anzugjacken nie passend, immer absichtlich zu lang oder zu kurz, um sie zu demütigen. An einer anderen Stelle im EEZ herrschte ein glutstrotzender

Mann, breitbeinig und Blitze schleudernd, eine kleine, sich duckende Frau an. Sie schien gefügig, aber von der Seite bemerkte ich das zufriedene Lächeln ihres gesenkten Gesichts: Ist er nicht herrlich in seinem Zorn? Genau so will ich ihn doch! – Die Bilder standen vor mir, auf steif stehende Fahnen gestickt, und wichen nicht, wollten nicht weichen, bis ich sie begriffen hätte. Ich verstand sie aber nicht. Sie waren gekommen und gingen dann, rückwärts sich entfernende Schilder, wieder fort. Gut, man kauft ja auch nicht alles, was einem angeboten wird, nicht wahr? Und bereut es später und holt es eventuell irgendwann nach.

Der Leib sei der eines Pferdes, der Kopf ein Schweinskopf gewesen. Spechts Schal, ein kühn geschlungenes, im Wind waagerecht stehendes Stück Stoff, wehte Sophie an der Reling immer wieder vors Gesicht und verdeckte manchmal ihre Augen. Dann nutzte Specht sofort die Gelegenheit, um mir heimlichtuerisch, als hätte sie es ihm verboten, eine Kußhand zuzuwerfen, mit eitlem Lächeln. Ja, sollte ich glauben, es wäre, wohleingefädelt, nur deshalb das blöde Kleidungsstück um seinen Hals gewurstelt? Und Sophies Position auf dem Schiff einschließlich der Witterungsverhältnisse von ihm im voraus klug berechnet? Es sei 1615 aufgetaucht und habe sich hier bei Ebbe auf den Sandbänken gesonnt. Wenn man mit Kugeln auf das Ungeheuer geschossen habe, seien sie abgeprallt, und niemand konnte es in seine Macht bringen, bis es nach einigen Jahren ohnehin auf Nimmerwiedersehen verschwunden sei.

Wenn der Schal gerade nicht flatterte, genoß Specht seine eingebildete Rolle als Hahn im Korb zwischen Sophie und mir. Ein gewisses aufgeregtes Flirren in unseren Augen hatte ihn womöglich dazu verleitet. Auch brachte er ja alles für die Überfahrt Vorbereitete an den Mann und unter Dach und Fach. Warum Dübelsbrück? Vor langer Zeit – bei diesem »Zeit« rief Sophie, zweifellos von Zara abgelauscht: »Schluß!« und packte das Schalende. Sie ließ es nicht mehr los. Specht an ihrer Kette, sie an seiner Leine? Nein, die beiden interessierten sich nicht füreinander, aber Sophie konnte es nicht lassen, einmal tückisch an dem Lappen zu ziehen, so daß Specht, halb erwürgt, seine Standfestigkeit verlor. Der Teufel solle über die Brücke, die hier angeblich einmal erbaut war, rübergelaufen sein. Was er dort gewollt habe, wisse keiner. Im düsteren Flottbeker Park vermutete man sein Domizil, daher »des Düvels Boomgarden« genannt. Ritter Bertram hat ihn dort in die Enge getrieben, sein Ehrenname deshalb »Möt-den-Düvel«, »Motemeduvele«. Warum nicht auch »Mottenteufel«? Ich schlug es, hier noch zerstreut, den beiden gleichgültig Aneinandergeketteten oder auch bloß Ineinanderverschlungenen vor.

Da sagte Sophie ohne Ankündigung: »Er soll an seinem Ohrläppchen einen dunklen Flecken gehabt haben, am linken, einer von beiden, Ritter oder Teufel.« Ich blieb, erschrocken, bis zum Anlegen in Finkenwerder stumm. Sie hatte es also bei Leo entdeckt und wagte, mir so zweideutige Zeichen zu geben. Bevor Specht fragen konnte, woher sie das wisse, fügte sie hinzu: »Glatter Durchschuß beim Ritter oder Mottenfraß beim Teufel.«

So ausgelassen ist sie dann, an diesem Nachmittag, aber nicht mehr gewesen. Kaum betraten wir das Alte Land, schritt sie aus wie nach Trommelwirbel, in Erwartung des Jüngsten Gerichts. Wenn sie schon nicht mit Leo selbst rechnen durfte, dann wenigstens mit seinen Möbeln und seiner Geliebten. Ein merkwürdiger Kontrast, dieses Gehen, zu den sonst schleichenden, leicht wogenden Bewegungen des Nachtfalters, Nachtvogels Sophie.

Wir hatten verabredet, noch einige Zeit im Gasthaus bei Frau Engelwurz – hieße es statt -wurz: -horn, wäre sie vielleicht die drittreichste Frau Deutschlands – zu verbringen. Es wehte stark, daher saßen wir nicht unter den Obstbäumen am Fluß. Sie erkannte uns nicht, hatte uns aber doch alle schon vorher gesehen! Als ich sie daraufhin ansprach, sagte sie auch nicht »Jojanna«, erklärte statt dessen, sie sei die nicht, das sei sie nicht, sie sei die Schwester, die Originalwirtin hier, die echte. Die Wirtschaft heiße noch Engelwurz nach dem Vater, sie selbst sei Frau Nohns. Schon manchen habe die Ähnlichkeit mit der Staderin getäuscht, eine Doppelgängerin, eine Kopie geradezu, da könne sie Dinge aus der Kindheit erzählen! Im Stehen, gegen den Tisch gelehnt, setzte sie dazu an, der Leib von den Brüsten an ohne Einschnitt, als sie plötzlich lauschend, mit offenem Mund erstarrte. »Da!« rief sie, »Still bitte, einen Moment Ruhe!« und horchte zum Radio hin. »Da, die Musik!« Auf Zehenspitzen näherte sie sich dem Apparat, lächelte schließlich: »Endlich, endlich Glück gehabt.«

Wir waren allein mit ihr, und so setzte sie sich und schüttelte den lieben Matronenkopf mit dem erregten Teint ihrer Schwester. Diese Stelle, da, da sei sie wieder. Sie müsse jetzt nur noch auf die Absage warten. Wie lange habe sie das schon im Ohr und immer gehofft, es würde noch einmal gespielt, käme zu ihr, die wunderbare Musik, eine Melodie, die sie aber nicht beschreiben, nicht vorsingen könne. Tief atmend schloß sie die Augen, die Hände lagen im Schoß, Nachahmung alter Frauenporträts, die geöffneten Handflächen nach oben. Noch länger aber hielt Sophie es nicht aus. Mit ausgestreckten Armen wallte sie, so emotional wie nur möglich, um die Tischkante herum, wollte wohl die Wirtsfrau an ihr Herz drücken, die aber rechtzeitig befremdet aufzuckte. »Die Pastorale«, flüsterte Sophie, »die Pastorale von Beethoven, die berühmte 6. Symphonie des großen Komponisten!« »Seien Sie doch still!« zischte da Frau Nohns ganz überraschend, beinahe wutentbrannt. Durfte sie so als Wirtin handeln? Das schien sie auch selbst sogleich zu überlegen und wiederholte in ihrer Verwirrung fast schluchzend: »Seien Sie doch still!« Dann aber begriff sie ihr Glück. In Zukunft konnte sie jederzeit, nach dem Kauf einer CD, ihre herrliche Musik hören, von morgens bis abends, von der Ankunft auf dem Lande bis zum Hirtengesang. Sie ahnte es ja erst nur, notierte aber schon alles auf dem Bestellblock.

Sophie war mit Frau Nohns dann versöhnlich ins Innere des Lokals gegangen. Ich wollte die Zeit nutzen, um Specht ein unverfängliches Lügenmärchen über die Zufälle mit Johanna aufzutischen. Er machte es mir sehr einfach, indem er ungerührt abwehrte: »Alles Fügungen.« Glauben Sie mir, ich möchte nicht herzlos erscheinen, aber fordert solche Unerschütterlichkeit nicht das Schicksal heraus, das doch ein bißchen wilder ist als Spechts leimige »Fügungen«? Im Augenblick akzeptierte ich allerdings gern aus Bequemlichkeit, korrigierte nicht mal durch ein: »Falsch, alles Absicht!«

Beim Rausgehen, Sophie erneut gestrafft zu einer irgendwo harrenden beglückenden Exekution, führte uns die Wirtin in einen Winkel des großen Gastzimmers. Zwischen Truhe und Schrank eingeklemmt, saß eine offenbar uralte kleine Person, von den beiden Möbelstücken aufrecht gehalten, totenbleich mit wenigen Haaren, die übers Weiß schon hinaus waren und ihr zu Berge standen. Sie leckte etwas Unsichtbares, rieb sich auch eine breite, blaue Narbe, quer über ihrer Nase. Zu all dem trug sie einen rot-grün geblümten Kittel mit eingelaufener Strickjacke. Die Augen der Greisin waren riesig, sie sah uns unbeweglich damit an, in Angst und unwillkürlichem Strahlen, als machten wir ihr diese Ecke streitig, die doch ihre letzte Zuflucht war, die Höhle dieses dürren, schwachen Lebewesens.

»Mutter ist schon wieder ausgerissen. Wieder hat die Polizei sie am Hamburger Hauptbahnhof aufgegriffen. In Pantoffeln. Sie wußte nicht, wer sie ist.« Daraufhin sagte die kleine Mutter: »Auf der Reeperbahn ein Toter und zwei Schwerverletzte. Alles Zuhälter. In Bergedorf eine Schülerin vergewaltigt, in der S-Bahn. Negeraufstand in Kuba, Schüsse hallen durch die Nacht. Flüchtlingsschiffe kommen in Italien an. Die haben die Nase voll davon. Will keiner haben. Bauer Reineck hat sich erhängt. Sind Sie Kriminelle?«

Sie hatte es deutlich artikuliert vorgetragen, wenn auch heruntergeleiert als Pflichtbeitrag, verfiel dann wieder in ihr Lecken oder heimliches Lutschen von irgendwas, und sei es am eigenen Gaumen. Ihre Mutter sei jetzt bestimmt zufrieden, ja selig, sagte die Wirtin. Sie habe eine solche Schwäche für Straftaten, ob nah oder fern. Nichts mache sie glücklicher, als Gästen Verbrechen aufzuzählen. Daher, wegen dieser unschuldigen Freude, habe sie sich angewöhnt, freundliche Kunden zu ihr zu bringen. Es müsse von Mutter eine Sehnsucht nach solchen Schauplätzen sein, die sie, obschon man streng auf sie achte, alle paar Monate ausreißen ließe. Dann schaffe sie die gesamte Fahrt mit dem Bus. Hoffentlich werde sie auf diese Art nicht selbst einmal Opfer. Natürlich langweile sie sich in ihrem alten Leben. Halb schlafend sitze sie abends vor den Late Night Shows und auch Porno Shows, lasse sich die Kasper vor den Augen zappeln. Wenn sie von den Ausflügen komme, wundere sie sich über die jungen Mädchen, die Röcke bis zum Schamhaaransatz trügen, aber keine Dirnen seien, sondern Schülerinnen, Verkäuferinnen mit Unschuldsmienen. Diese Luder wollten auf zwei Hochzeiten tanzen, viel schlimmer als die echten Huren, meinte die Mutter. Sie werfe das durcheinander. Dann dachte die Wirtin vor dem zu erwartenden Ansturm auf den Kaffeegarten noch schnell an ihre Musik. Das lächelnde Winken, mit dem sie uns zu Zara, und also um ein Haar zu Leo selbst entließ, verriet sie.

Die fälschliche, die Zwillingsvilla, an der wir vorüberkamen, leuchtete schneeig oder auch geisterhaft, jedenfalls renoviert, mit toten Fensteraugen. Specht nickte ihr wohlwollend und ohne Fragen zu, froh darüber, wie sich die Dinge ineinanderwanden. Für ihn diente alles dem Zweck, seine Schlingen und Ringe immer unausweichlicher um mich zu legen. Wenn er nicht zitterte vor Verzweiflung, platzte er vor Selbstgefälligkeit. Diese spiegelnde oder beschlagene Brille, dieses bebende Bärtchen!

Zara an der Tür lehnend: Wie schön sie sein wollte! Die Lippen noch röter, noch geschwollener, noch höher die gewalttätigen Brauen. »Ah«, machte sie, »der junge Mann – was sagte Sophie? –, der Theologe, jedenfalls Küster ist.« Sie trug eine schwarze Seidenjacke, stumpfe, rauhe Seide mit tiefblauen Satinknöpfen und Kragenaufschlägen, darunter, so mein Eindruck, überhaupt nichts, einfach gar nichts, nur irgendwelche schnell gegriffenen Jeans und die schwarzen Sandaletten, der eine Fuß mit gelackten Nägeln, der andere nicht. Es war mir unmöglich, Zara nicht dergestalt zu taxieren.

»Frau Jojanna«, sagte Specht scherzhaft. Sie begriff gewiß mit einem einzigen Blick, wie arm er war und wie verhältnismäßig teuer sein Schal, sie sah die bescheidenen, verkümmerten Schuhe. Mir entging nicht, wie es sie amüsierte und entwaffnete. Ich denke an Leo, es ist erst viel später passiert, der vor einem großen Gebäude eilig und finster auf mich zugebogen war, ein grauer, grimmiger Erzengel mit verdreckten Schuhen, aber es war egal, er nahm es mit den vielen Steinen im Hintergrund auf. Ich weiß nicht, was ihn so zornig machte, und erkundigte mich vorsichtshalber auch nicht. Vielleicht war es kein Zorn, nur die Weigerung, erfreut auszusehen? Verzeihen Sie, eine Abschweifung, damals dachte ich noch nicht daran, es passierte ja erst noch.

»Küster Specht«, Zara konnte es nicht lassen, »denken Sie nicht, es fehle mir an Frömmigkeit! Jeden Morgen besuchen mich zwei Krähen. Meine Nachbarn halten mich deshalb für eine Heidin, dabei begrüße ich die beiden als Himmelsboten.« Die Tür am Ende des Korridors, wo hinter Glas die Vögel hausten, war geschlossen. Sie führte uns aber darauf zu. Ich spürte an Spechts Atmen neben mir, wie er über die Größe des Hauses, die Ausblicke in die seitlichen Zimmer staunte. »Gut sehen Sie aus«, nun wandte sich Zara an mich, »Leo würde seine Freude an Ihnen haben.« Sie riß eine Tür auf. Überprüfung durch abrupten Lichteinfall, ob ich errötete? Da saß ja auf einer Stange der Graupapagei! »Hören Sie nur!« Ich konnte es kaum glauben, er rief: »Maria!« wobei er das i wie j aussprach, seine persönliche Note. »Haben Sie gehört? Haben es alle gehört? Ganz deutlich ruft er meinen Namen.« Eine alberne, verstockte Behauptung von Zara, aber Sophie und Specht nickten feige und kriegten einen Cognac dafür. Neben dem Papagei hing ein sanft glänzender Samtmantel, man dachte, eine goldbraune Flüssigkeit ergösse sich zeitlupenhaft zu Boden, die angeschnittenen Ärmel öffneten sich weit, und man sah das Innenfutter ihrer Doppelkehlen, ein helles, kühnes Grün. Das restliche Innere war wieder anders grün gefüttert, eine andersartige, flackernde Seide, so schön, daß es mich traurig machte. Der Papagei rief vergeblich: »Maria«, ich ahnte, wie sehr Leo Zara, wenn sie aus Bett oder Bad stiege, darin lieben würde, ein Geschenk von ihm oder für ihn gekauft. Nur weil ich Zaras seitlich kontrollierende Blicke spürte, verstellte ich mich hastig und grinste sinnlos und durchschaubar vor mich hin. Ob mir Leo schon damals vorkam wie ein anspruchsvolles, schwer zu unterhaltendes Publikum, das nur noch durch federleichten Zeitvertreib zu befriedigen war?

Sophie, von Zara bis jetzt nicht sonderlich beachtet, rächte sich auf der Stelle. Als Zara dem Vogel flüchtig über sein Gefieder strich, zischelte sie mir zu: »Wie gut es ihr geht! Wie sie sich aufmöbelt! Hat sie Leo vor uns bloß versteckt? Irgendwo eingesperrt, nur für sich allein?« Zum Lachen! Aber zu bewundern war Sophies Findigkeit, Dinge in die Welt zu setzen!

Wegen des Windes saßen wir auch hier im Wintergarten, fast im Freien, aber hinter Glas. Zara offerierte Tee und nebensächliches Gebäck. Sie lobte unsere brav gehorsame Annäherung übers Wasser. Das sei Pflicht, meinte sie, warf uns aber gleichzeitig einen Blick zu, der uns fragte, was wir um Gottes Willen bei ihr wollten, unter den hochmütigen Brauen hervor, ließ auch durch den kleinen Finger die Teetasse einmal im Kreis herumsausen. Sie male sich im Grunde immer aus, der Besuch, der sie über den Fluß erreiche, sei eigenhändig von Christophorus über die Elbe transportiert worden.

An diesem Nachmittag präsentierte sich Zara von unerwarteter Seite. Auf das artig wiederholte »Christophorus?« von Sophie sprang sie sogleich an, schlug auffällig die Beine übereinander, eine Zigarette war vom Himmel in ihre Hände gefallen. Schadenfroh beäugte ich Specht, der – selbst er! – Zara begaffte, Zaras bewegliche, dazwischen ab und zu in den Fischmaulzustand verfallende, streng geschnittene, unübersehbar plustrige Lippen. Er wollte hinter den Widerspruch kommen, aber das gelang keinem. Zara übertrieb ja noch, wenn sie sich sorgfältig schminkte, in beide Richtungen, fleischlich und herrisch. Um mit den Blicken der Männer, wohl auch der Frauen, ihren Spaß zu haben?

Zara also blies ein Imaginationspulver in unsere Ohren. Es entstand dabei etwa folgender Singsang: Christophorus, Gorilla, schon nicht mehr bekannt? Schwere Kindheit, arbeitsreiche Folgejahre, hörte die Passagiere auf den Booten, die er an seltenen Tagen für deren Eigentümer ruderte, manchmal die Zeit der Jugend loben, die doch alles besitze, was wirklich zähle im Leben. Er hörte ihre neidvollen Seufzer angesichts seines starken Rückens und begriff diese Leute nie. Das Funkeln des Wassers, in das er seine Ruderblätter tauchte, das sahen alle gleich. Und das war schon alles, was er mit ihnen teilte an Glück, der Rest häufte sich doch ausschließlich auf ihrer Seite an.

Erwachsen, zu arm zum Heiraten, zu bedürftig, um ein eigenes Boot zu kaufen, und in einer Hütte an einer seichten Flußstelle lebend, wo er Klienten, vom Eichhörnchen bis zum Wolf mit einem Stecken in der Hand ans andere Ufer trug, so daß der Lohn knapp reichte zur Stillung der primitivsten Lebensbedürfnisse, geschah ihm etwas, von dem er selbst nicht wußte, ob es ihn froh oder bekümmert machen sollte, ob sich, über alle Ungerechtigkeiten des Daseins hinaus, hier noch einmal, eine neue zeigte. Ein junges Geschwisterpaar verlangte seine Dienste, beide gazellenzart. Er hätte sie zusammen übers Wasser tragen können, beide so wohlgestaltet in Schlankheit und Rundung. Er wollte sie nicht drücken, jedes für sich in aller Vorsicht befördern, auch währenddessen jeden einzeln, den Jungen und das Mädchen, auf seinen Schultern spüren.

Zuerst trug er das Mädchen. Ungewöhnlich hübsch war sie eigentlich nicht, nur ein Schimmer umgab sie, ein seidiges Flirren auf ihrem Fell und um alle Linien ihres Gesichts, und eine Biegsamkeit empfand er an ihr, die ihren Körper als herrliches Werk erscheinen ließ. Er unterschied nicht mehr, ob es Duft, Licht, Energie war. Am anderen Ufer setzte er sie ab und sah bis zur Hälfte des Flusses immer zurück, von da an aber zum jungen Gazellenmann hin, und schon aus der Entfernung stellte er fest: Mit ihm würde es nicht anders gehen. An dessen Leib zeigte sich eine beginnende größere Kräftigkeit, aber doch noch der Seerosenschein der schwesterlichen Fellreflexe. Christophorus setzte den Jungen behutsam neben der Schwester ins Gras. Das Herz wurde ihm schwer, als er von ihnen Abschied nahm, von dem, was sie umhauchte, so fremd. Er wandte sich, als er zurückwatete, nicht mehr um, hatte Vorwurf und Anklage begriffen. Es war zu spät. Demut und Wertlosigkeit fühlte er zum ersten Mal vor etwas, das er selbst überreichlich besessen hatte.

Mit diesem Augenblick fiel das Urteil. Er war alt geworden. Er hatte das, was er als Juwelenkostbarkeit ahnte, im Moment des Erkennens verloren. Diesmal also zahlte der Fährmann den Preis für den Transport.

Hier riß Zara brutal den Filter von ihrer Zigarette. Zur Verdeutlichung? Durch Spechts dicke Brille hindurch bemerkte sie dessen Skepsis und sagte: »So aber ist's gelaufen. Die Kirchenväter und alle Patriarchen und Cherubim verbürgen es. Fortsetzung und dickes Ende: Gleichzeitig war er glücklich über das große Augenöffnen. Auf einen Schlag sah er die Herrlichkeiten, die ihn umgaben, den Liebreiz des Frischen, Beginnenden überall, weiß wie Lilien und prall wie fetter Speck. Ob er damals schon Christophorus hieß oder nur Gino Knudsen ist doch wurscht.«

Spechts Bärtchen bebte ertappt. »Eines Tages, also gut, Meister Specht, saß Ihr Herr Zebu am Strand.« Hier drohte Zara wegen Spechts Beckermesserei, die sich aber nur mimisch auszudrücken wagte, die Geduld erstmals zu verlieren. »Als nacktes Zebuknäblein, gerade aus den Windeln raus. Konnte er schon richtig laufen? Wo steckten die Eltern?« Dann besann sie sich und sprach, ohne ihn weiter zu beachten, zu den Fenstern hinaus in den windigen Garten, der kühl blühte, denn es war ja inzwischen schon die zweite

Maihälfte angebrochen. Ich dachte an Zaras tropische Vögel, wie man sie noch gut wärmen müsse an solchen Tagen, damit sie am Leben und so blitzend bunt blieben.

»Der Kleine konnte jedenfalls schon verständlich seinen Wunsch artikulieren, und Christophorus war sprachlos über das winzige Wesen, um das wiederum der rosige Anfangsschein floß. Stundenlang hätte er es anstarren können, in seiner Porzellan- und Alabasterähnlichkeit und Perlmutthaftigkeit und im Grunde fleischernen Karfunkelhaftigkeit.« Zara sagte es immer provozierender zu Specht hin, der die Augen vor ihr niederschlug. Dieses Kleinkind also setzte er sich andächtig auf die Schulter, um sich unentgeltlich in die daunenluftige, so reizende Last, in das marderleichte, frettchenweiße Gewicht, das auf ihm ruhte, zu vertiefen im spielerischen Hinüberwandern, die ewig gleiche Strecke seines Lebens, in den kleinen Abdruck, Katzenpfotenabdruck auf seiner mächtigen Schulter, ein mittelloses Kälbchen, etwas schmuddelig letzten Endes, ein Kind, das nur seine Kindheit hatte und über nichts sonst verfügte. Er wählte eine breite Stelle, ging extra einen Umweg, um eine längere Strecke zum Nachdenken, zum wohligen Versenken in dieses einfache, dahergelaufene, ja, x-beliebige Lebewesen vor sich zu haben. Er verstrickte sich ein bißchen dabei, achtete nicht auf die Spur, spürte, wie er ermüdete unter diesem Inbegriff eines blühend gewölbten Dinges, wie das lächerliche Gewicht des Kälbchens, dessen Kasperlebeine auf seine furchterregende Gorillabrust zutraulich herabhingen, auf ihm lastete und ihn drückte. Er mußte seinen Stab fester packen, um nicht zu taumeln, sein Rücken, der viele Erwachsene getragen hatte, krümmte sich. Das Kind hörte ein Ächzen, sagte aber nichts, wie anstrengend für Christophorus das Ausschreiten auch wurde. Es hielt sich an den Gorillahaaren fest, weil der Mann nun beide Hände benötigte, um seinen Stab zu umklammern. So kam er gegen Sog und Fluten des Wassers eben an. Er stöhnte unter dem Schmerz auf seiner Achsel. Es war sein schwierigster Weg, und der alte Grillenfänger kämpfte sich voran. Es mußten wohl Stunden sein. Das rücksichtslose Zebu-Kind preßte ihn zusammen, ja, trug er denn etwas aus Erz? Einen Stein? Eine reitende Bleifigur? Christophorus steckte in dieser Szene, die offenbar Gitterstäbe hatte, schleppte aber doch lediglich ein Kälbchen mit piepsiger Stimme, die nun an seinem Ohr flüsterte, er aber hörte es als unendlichen Hall, als Dröhnen aus riesigem Brustkorb, aus dem ganzen dunkelnden Himmelsraum. Mit letztem Mut erreichte er das Ufer, setzte das Kind, das ihn unverändert als Kälbchen anblickte, zu Boden und antwortete größenwahnsinnig, ja, er habe die gesamte Welt getragen. »Richtig, Herr Specht?«

Seitdem war er ein geistesabwesender Fährmann, aber das störte in seinem Beruf kaum. Ihm selbst erschienen die Dinge, Fisch, Spatz, Wolke oft, als stiegen sie jugendlich mit einem Kometenschweif vor ihm auf, mit Banner und Schleppe, nachfolgendem Wirbel oder Trichter, durch den er hindurchsah auf einen hellen Grund. Lichtschneisen in eine große, rauschende Räumlichkeit. Er blickte durch die Oberfläche von Teichen auf die schwach sichtbaren, von Algen überzogenen Körper, auf alte Fahrräder, Skelette. Es geschah, seltener, auch bei einem Wort, das gesprochen wurde, bei einer harmlosen Bewegung, daß ihm schien, ein Maul öffne sich, ein riesiges finsteres Maul, ein Schacht, vor dem ihm grauste, dann wieder eine strudelnde Lichtspur auf einer Welle, einem Tierauge, einer alten Wange.

Dann stieß dem Gorillagreis ein letztes Ungemach zu. Er trug einen verwöhnten, halbstarken Affen und brach mitten im Fluß unter ihm zusammen. Der Junge drückte angeekelt und in seinem Zorn den Alten so lange unter Wasser, bis er ertrunken war.

»Der Tee, der Tee«, juchzte Sophie, ungeniert auf ihren Schoß oder die Blase weisend, und rannte raus, anstatt mit äußerster Selbstbeherrschung weiter die Ehrfürchtige zu mimen. »Unsere Persephone muß zum Klo.« Zara nutzte die Gelegenheit, mir zwischendurch mitzuteilen, die Mutter der Räuberin sei jetzt auf die Idee gekommen, sie habe das Mädchen von einem bekannten Filmstar empfangen, der aber schon vor vier Jahren verstorben sei. Sie wolle die Exhumierung zur Bestätigung der Vaterschaft verlangen. Damit die Tochter das ihr zustehende Vermögen zu packen kriege.

Ich aber dachte mir: Sophie lügt! Sie sucht einen Vorwand, nach Leos Zubehör zu spionieren, nach einem Rasierpinsel, einem Männerbademantel, einem Zettel mit seiner Handschrift, es gäbe so viele, so viele Stellvertreter. Da kehrte – und schien Tragisches (nichts gefunden!) vollbracht zu haben – die schwarze Herrscherin des Totenreichs bereits zurück. Specht ließ in der Pose eines stark Philosophierenden die Augen von Frau zu Frau wandern. Eins dämmerte ihm: Hier fiel ihm eine andere Rolle als die des Gockels im Korb zu. Er hatte, wohl da er ohnehin als Küster verschrien war, plötzlich nicht mehr an sich halten können: »Die schönen biblischen Geschichten! Sie versickern. Man will nur noch durch die Kaufpassagen kriechen und krebsen und robben.«

»Weinen Sie doch nicht. Das Problem ist die Masse. Das alles wächst ja fürchterlich an. Da müssen eben ein paar ältere Anekdoten abtreten«, beschwichtigte Zara halb abgestoßen, halb mitleidig. »Aber nicht diese!« schluchzte Specht. Ich schämte mich. Was glaubte sie von meiner Beziehung zu ihm? Sie strich ihm einmal gutmütig-geringschätzig übers Haar und bewegte die angewiderten Lippen. Niemand unterbrach sie mehr.

Ich erinnere mich an ein Raunen und Säuseln, ein Enthüllen von halb Vertrautem. Es muß ja alles aus diesem schwellend gewalttätigen, häßlichen und herrlichen Mund gekommen sein. Sie öffnete, wer weiß zu welchem Zweck, den obersten Knopf ihrer rußig überstäubten Jacke, die dem Unterfutter eines tropischen Vogels glich, einen reichlich tief sitzenden Knopf, und forderte uns auf, unser Ambiente als Paradiesgarten zu begreifen. Das tat sie nur, um eine zierliche Blasphemie anzubringen. Damit es keine Idylle werde, habe sie, jedem Kunstgeschichtler und sonstigen Anstandswärter zur Beruhigung, vorsorglich einen Strauß Rosen hingestellt, unanfechtbares Symbol der Passion. Sie richtete ihre Augen sehr zärtlich auf die düster glühenden Blüten. Sicher dreißig! Von wem? Neue Nahrung für Sophies Argwohn. Ich hörte in der Ferne den leisen, unentwegten Zwitscherhintergrund der ihr kleines Leben genießenden Vögel, manchmal war ein gellender Pfeifton dazwischen und das Prasseln eines überstürzten Auffliegens. Die Schuhe, die an den Füßen wenigstens wippen wollten, die aber mußten in ihren Vitrinen stillhalten.

Dann sah ich den Riesengorilla, in seinen besten Jahren in die Haltung eines Greises gezwungen, den muskulösen, prangenden Körper offenbarend, die wüsten Locken über die Brust herabfallend, in der Not seinen Stab packend, die Augen geschlossen, nicht nach innen horchend, den Kopf mit Anstrengung gegen die Schulter gehoben, wo der kleine Satan an seinen Haaren zog, vor einem flammenden Sonnenuntergang, ein Schmelzofen hinter ihnen, den halben Himmel füllend, davor das tückische Kälbchen und der gepeinigt sich rundende Rücken des Affen, das Kälbchen, in seinen Nacken gesprungen und dort festgebissen, Tier oder Teufel, den starken, nie gebeugten Nacken bezwingend, so daß es Christophorus grausig durchfuhr und lähmte, aber auch verzauberte, so wie bei Sonnenaufgang oder Sonnenuntergang im schrägen und schrägeren Licht jeder Gegenstand einen scharfen und schwarzen, bisweilen unendlich erscheinenden, die Gestalt des Urhebers maßlos längenden und übermächtig machenden, ganze Ebenen übergreifenden und unterjochenden Schatten wirft. Ein grotesker Zeiger, der sich auch noch die Zeit untertan machen will. So das außer Rand und Band geratene Gewicht in Form des zarten Zebu-Körperchens, das auf dem Gorilla ruhte wie nichts vorher sein gesamtes Leben lang.

Ob der Küster sie auf weitere Legendenfestigkeit prüfen wolle? Auch auf dem von uns aus gesehen linken Seitenflügel des vorgestellten Altars, also dem Affen gegenüber und entsprechend, reiche jemandem das Wasser bis zu den Knien, einem Bären. Objektiv betrachtet war da bloß Luft.

Glauben Sie mir, von jetzt an kannte Zara kein Pardon mehr. Wir wagten nicht mal mehr von unserem Tee zu trinken.

Das heraldische Ereignis seines Lebens? Bis in seine frühesten Jahre und spätesten Stunden hinein könne man diese Kardinalszene ausfindig machen. Ihm selbst sei das stets am besten gelungen, und da er ohnehin zu Visionen und zukunftdeutenden Träumen neigte, besonders im Alter, entdeckte er sich als Ertrinkenden im aufgewühlten Meer sehr oft. Mit fünf Jahren hatte er einen ungewöhnlichen Fisch beobachtet, auf den das Sonnenlicht fiel, der still mit goldenen Schuppen im Wasser stand, und je länger er ihn bestaunte, desto blitzender und seltsamer wurde das Tier. Er wußte nicht, wie lange er ihn so bewundert hatte, aber als plötzlich der Fisch davonfunkelte, fuhr er auf und war allein an einem unbekannten Strand, die Kameraden verschwunden, er in der Fremde zurückgelassen, keine Bärengenossen mehr, vielleicht nie mehr, auf der langen Ebene am Meeressaum entlang. Keiner stand ihm bei, so konnte etwas zischend nach ihm schnappen. Eine Zeltplane fiel zusammen, weil es keine Stützpfeiler ohne die anderen gab, ein Hohlraum, ein fegender, unangenehm pfeifender Wind, um ihn schlagende Begrenzungslappen. In der Anwesenheit des Fisches war das nicht so gewesen, da hatte er sicher gestanden, gut gerüstet wie das Tier in seinen Schuppen.

Von da an vergewisserte er sich furchtsam, immer wenn ihn etwas fesselte, wenn also die Gefahr am größten war, daß die anderen sich nicht aus dem Staube machten. Auch mußte er darauf achten, daß sie nicht mit ihren Tatzen nach ihm schlugen, weil er sich sonderbar aufführte, wenn er sie vergaß. Was nicht leicht war. Gar nicht einfach für ihn, denn immer riß ihn etwas hin, eine Gewalt, die sich niederließ auf diesem und jenem, egal was, aber die Betörung, die hörte nicht auf, so wie ihn bei einer Kleinigkeit schon der wilde Zorn überkam, dreinschlagen ließ, wunderbar aus Leibeskräften, so überfiel ihn auch eine Begeisterung. Er hatte keine Ahnung, was gewollt war und wohin mit sich.

Einen imponierenden Sprung müsse er tun, müsse den nur tun, das riskieren, ohne Anhänglichkeit an die Freunde, ohne sich in ihren Schutz zu ducken, nur den. Das träumte der Bär, wenn er das Boot schrubbte, träumte es sogar in seiner Hochzeitsnacht. Denn den gewaltigen Satz, den tat er auch nicht in den Armen seiner gutartigen Frau bei ihrer gutmütigen Vermengung, nicht bei der putzig brummenden Bärin. Nie. Es kam ab und zu eine Art Gliederreißen über ihn, auch das Gefühl, er säße in einem Ei in Erwartung einer groben Zertrümmerung.

Von klein auf bildete sich der Bär insgeheim ein, im Grunde, im allertiefsten Grunde zwar nur, wäre er mit der Gabe der Schwerelosigkeit ausgestattet. Die harte Arbeit machte ihn derber, die Angst, von seinen Kumpanen verlassen zu werden, wich nicht von ihm, auch nicht die Empfindung, er könne sich, nur sei die Fähigkeit noch nicht ganz ausgereift, aus den Felsbrocken, die sein Herz, sein Leben ummauerten, hinausschwingen, er würde sich eines Tages, auf seinem Bett bei seiner schnaufenden Bärin liegend, zugleich über sich, über seiner eigenen, zottigen Hülle probeweise schwebend, endlich durch das Fenster hindurch auf das Dach des nächsten Hauses schwingen und ohne Umstände dann mit sicherem Tritt Fuß fassen auf der herkömmlichen Luft.

Aber wußte man's?

Er fing weiter Fische, obschon ihn doch die Erinnerung an die Leichtigkeit und den großen Sprung nicht verließ. Alle paar Wochen betrank er sich. Da konnte er im Rausch auf Kreidestrichen und sogar auf Balken balancieren, kühne Geschicklichkeitswetten abschließen und gewinnen, verrückte Reden führen, und niemand wich deshalb von ihm, so daß er schließlich in einem leeren Raum gestanden hätte. Sie blieben alle bei ihm, schlugen ihm auf den Rücken und lobten seine ordnungsgemäße Besoffenheit.

Schließlich tauchte jemand auf, dem er schon von weitem, als er noch gar nicht dessen Gesicht erspähte, die Schwerelosigkeit ansah, am Gang. Man wußte nichts Genaues. Er, der Bär, schon eher. Er brauchte nur hinzusehen. Falls dieser Unbekannte es darauf anlegte, das zu tun, was er, der Bär vorhatte, aufzusteigen, die stabilen Treppen, die sich in der Luft verbargen, zu entlarven und zu benutzen, wäre er jederzeit dazu imstande. Das fiel nur ihm auf, dem Bären, der viele Jahre, wenn er die verendeten Fischleiber aus den Netzen flocht, über sein verborgenes Talent nachgedacht hatte, dessen Folgen, wenn es ans Licht käme, er fürchtete. Man konnte ja in einer Ödnis erwachen ohne teilnehmende Lebewesen.

Es überraschte ihn nicht, daß der Hereingeschneite die Mutter seiner braven Frau ohne Umstände von einem tödlichen Fieber gesund zauberte. Der Bär bemühte sich sogar, mürrisch vor sich hinzugrübeln, während sein Herz raste. Und da war es dann schon: Der rätselhafte Wanderer ließ ihn nicht in Ruhe. Er veranlaßte ihn und seine Kollegen, nach erfolgloser Fahrt es noch einmal, wider alle Fachvernunft, zu versuchen. Die Netze füllten sich, in eiligem Hokuspokus. Das Schiff drohte sogar unterzugehen dank seiner übertriebenen Fracht. Da wußte freilich der Bär: Die Stunde hatte ihm geschlagen. Das fremde Zebu verstand sich nicht nur auf die Hexerei des Luft-Schlenderns. Er war des Bären einzige Möglichkeit und die Versuchung schlechthin.

Zara als Märchentante? »Widerlich«, murmelte sehr, sehr leise Specht, sagte aber nicht: »Spinnerin!«

»Das Zebu winkte und der Bär hüpfte linkisch hoch«, antwortete ihm Zara direkt in seine Teichaugen rein. Das heißt: Er trottete ihm nach. Verblüffenderweise gingen auch die Genossen, geblendet von den Fischfangkünsten des Verführers, mit. Manche verließen ihn bald, andere später, je nachdem, wann bei ihnen die Verzauberung erlosch. Einige blieben, der Bär, kein Mann des Strohfeuers, natürlich unter ihnen. Auch die Gewichtlosigkeit spürte er am eigenen Leibe.

In einer stürmischen Nacht die ewige Szene. Sie kämpften in ihrem Boot um ihr Leben. Saumselig näherte sich der Bekannte, das noch immer und noch immer unverändert fremde Zebu, flanierte und tänzelte lockend übers Wasser. In diesem Augenblick fühlte Simon die Leichtigkeit wie sonst die Schwerkraft, wie sonst die Knochen, so jetzt nur noch die riesige Lunge. Die Wogen schmiegten sich sanft seinen Sohlen entgegen. Er lief über die Wellen auf den Lächelnden zu, der im Dunkeln schwach leuchtete. Und das, das nun endlich war der Sprung. Er tappte allein in der Finsternis ohne Furcht übers Wasser, und der Wind erschreckte ihn nicht, fuhr im Gegenteil in seine alte, brummige Kinderseele, als könnte er aus sich selbst hinausfahren.

Bis er sank. Die Angst war hinter ihm hergeschwommen und hatte ihn noch rechtzeitig erreicht. Mitten im Sprungbogen knickte er ab – für Zuschauer sicher ein fast possierliches Bild –, schwer wie ein ganzer Felsen, sank schnell und schreiend, bis das Zebu ihn gemächlich auffing und wieder in den Sprungbogen plazierte.

Wußte man, ob der Fremde das andere Ufer und Fundament war? Oft ja, aber nicht zuverlässig. Oft wollte der Bär sein Leben für ihn hinschleudern, kurz darauf nicht mehr, kurz darauf lieber mit allem warmen, dünstenden Volk beisammensitzen, nichts weiter als schwerfälliges, moosartiges Volk sein. Dann weinte er viele Tränen aus seinen unwissentlich stets verschmitzt blickenden Augen über die rissigen Wangen. Weinte über sein kleinmütiges Sinken und raffte sich auf in eine neue Tollkühnheit. Das ging bis zu seinem Tod in Rom, als er nach außen der sogenannte »Fels« war – ein Taufscherz des spöttischen Zebus, das auf sein Absacken im See anspielte –, der niemals wankte, als Nero die Stadt in Brand steckte und sie alle jagte. Der Bär steigerte noch seine Sprünge und Mutproben, denn man wußte ja nichts Genaues über den Fremden, der längst von ihnen gewichen war, ganz genau wußte man gar nichts, man drohte zu versinken, einsam, in jaulender Schwärze, wo es keine Festigkeit und Treue gab, nur brüllende Dunkelheit ohne Haltegriffe, niemanden sonst, nur ihn, den Irregeführten und Überschwenglichen. Dem mußte man durch stets neue, unerschrockene Taten entkommen, springen, bis man starb und fiel.

Keine Pause, kein Tee, kein Gebäck, kein weiteres Knopf-
öffnen an Zaras Jacke? Nichts.

Schlage man den Seitenflügel mit dem Christophorus
einmal zu, dann zeige sich auf der Rückseite, die sich nun,
vom Betrachter aus, als die rechte Hälfte der Altarvordersei-
te herausstelle, daß es auch hier um Flüssiges gehe, allerdings in sehr reduzierter Form: Eine Katze kauerte vor einem
Zebu, das sich am Tisch mit Freunden beim Essen und Trinken unterhielt, und salbte, wusch, ölte, etwas in der Art, dessen Füße, wobei sie aber das niedliche Köpfchen zu ihm
nach oben wandte, aufmerksam lauschend, die schön ge-
formten Ohren gespitzt. Die gewissenhafte Pflege ihres Ga-
stes wurde dabei, bei diesem gebannten Zuhören mit leicht
offenstehenden Lippen, zunehmend, in träumerischer Tra-
nigkeit, eine unbewußte Liebkosung und Verhätschelung
seiner Füße. Für das Zebu kein Grund, sich ihr zu entziehen.
Es warf einen recht wohlgefälligen Blick aufs Kätzchen.

Einen wohlgefälligen Blick? Gehörte das demutsvolle
Tierchen da unten nicht zu der Sorte, die schon als kleines
Mädchen in einen Winkel sich verdrücken, fromme Geschichten lesen und dazu eine Leckerei nach der anderen
futtern, ganze Nachmittage lang, wenn man sie nicht auf-
stöberte? Ihr Vater, der ihr und der Schwester gern von den
alten Propheten erzählte, störte sie nicht. Solange sie, sagte
er sich, die heiligen Episoden so schluckte und schleckte wie
die süßen Kuchen! Anders als dieses weiche, damals etwas
dickliche, fast träge zu nennende Kind: die Schwester! Eilig
streckte sie sich nach oben, sogar im schieren Wachsen ehr-
geizig, geriet ganz nach der Mutter und weigerte sich – allein, wenn er ihren Kopf ansah, die Stirn – die Gedächtnis-
staffel, die alten, gebenedeiten Namen der Wahrsager,
Träumer, Propheten weiterzugeben, um statt dessen die
Hände mit stetiger Geschicklichkeit zu rühren, die Tüchtige,
die Notwendige, die schon längst einen Mann hatte, den
sie, die Strenge, Vernünftige sich sicherte, indem sie ihm,
nüchtern und rabiat wie Quell- oder Leitungswasser, die immerzu auf der Lauer liegende Verstellungssucht und Koket-

terie der weiblichen Katzen nach eigenem Gutdünken abschreckend sezierte. Der Gute fühlte sich weise beraten. Maria horchte währenddessen ihrer Kindheit nach, den glühenden Bildern, dem, was sie geschmeckt und gerochen hatte, dem Duftenden und Dämmrigen, dem Rauchigen und Schaurigen. Die Ältere schüttelte den Kopf, besorgt, ob die Jüngere am Ende zurückgeblieben, regelrecht blöde sei. Der sehr alte Kater-Vater aber äußerte kühl, als jene, schon mit drei Kindern gesegnet, klagte, sie sei in ihrer ersten Jugend viel fixer und gelenkiger beim hausfraulichen Schaffen gewesen, wer sich nach seiner Jugend zurücksehne, egal, welche Gründe er dafür angebe, der sehne sich nach dem Leben, das er insgeheim versäumt zu haben glaube. Wer sich dagegen nach der Kindheit sehne – und hier lächelte er in Marias unverändert kindliche Augen, Marias, der trotz ihrer Lieblichkeit kein Mann wirklich nahetreten konnte, sie entschlüpfte den Männern, weil ihr die rauhe Oberfläche zum Festhalten fehlte –, der sehne sich nach der Ewigkeit, nach dem unvergänglichen Licht.

Beide Schwestern waren auf ihre Weise häuslich. Die erste, weil die tägliche Arbeit sie dazu anhielt, die zweite, weil sie sich außerhalb der Stätte ihrer Kindheit die Welt zu kraftlos dachte, ohne den bestrickenden Klang der früheren Zeit. Der Zeit, als sie die Augen jeden Tag erstaunt aufgetan hatte und auf die Welt richtete, wobei sie ihren Vater aushorchte und sich mit Büchern und gestohlenem Konfekt in einen Gartenwinkel verkroch. Ob auch der Vater dachte, sie, seine liebe Tochter, sei beschränkt? Bevor er starb, legte er die Jüngere der Älteren beängstigend dringlich ans Herz.

Nun also lebte Maria im Haus der Schwester, und diese behandelte sie freundschaftlich, da Maria ihrem, Marthas nettem Kater-Mann, keine schönen Augen machte und alle Welt sie, Martha, lobte wegen ihres allgemeinen Sorgens. Wenn man es nur anerkannte! Das Haus Marthas und ihres Mannes war aber eigentlich ohnehin auch Marias Haus, nämlich das der nun vollzählig verstorbenen Eltern. Und nein, faul war ja die naschhafte Maria keinesfalls, nur nie so recht bei der Sache, immer leise enttäuscht von werweiß-was, sah mitten am Tag im Lärm des Wirtschaftens einen blauen Krug an, den es schon gegeben hatte, als sie geboren wurde. Er fiel Martha – bestimmt eher ohne Absicht – hin. Mein Gott, dieser aufwendige Jammer in Marias Schweigen. Martha: »Sie macht wieder ihren Trauerschwanenhals!«

Was Maria beschäftigte, war jedoch ein Widerspruch, den sie nicht lösen konnte. Wie gut ihr etwa so ein blauer Krug und seine rundlichen Spiegeleien des Zimmers einmal getan hatten, das wußte sie vollständig erst jetzt. Es wurde immer schlimmer, nein schöner, immer, immer schöner, aber schlimmer insofern, als man nicht mehr hinreichte, hinlangte. Keine Süßigkeit, kein Flirren im Teich war so herzerobernd, wie sie es damals gefühlt hatte. Das aber – fühlte sie erst jetzt. Zum Verrücktwerden!

So verstand sie nicht einmal, in ihrer zaudernden, ein bißchen arg mauloffenen Lebensweise, ob es sie nach vorn oder rückwärts lockte. Zurück, wo es ihr jetzt deutlicher und schmerzlicher erschien, wie eine Minute, ein freudiger Schreck, eine glückliche Angst sich insgesamt gewölbt hatten zu einem stabilen Horizont, und gleichzeitig vibrierten und schlängelten sich, ähnlich den Gräsern im flutenden Wasser, auch die kleinsten Ereignisse, die unter dem Schutz der alten Gesänge, der Raub- und Täuschungsgeschichten der Vorväter standen, beschattet, beschirmt und ihnen zugehörig. Aus allen Zeiten hatte es sie angeredet und ihre Heimat, ihr Vaterhaus, den Garten und Hof mit Nägeln festgeschlagen, mit Glockenschlägen, die noch immer in ihr nachhallten, ja eben zugleich, im kontinuierlichen Schwinden durch den Abstand der Jahre, lauter, fordernder, klangvoller wurden.

»Maria! Maria, dies und das!« rief die Schwester, die etwas hatte von einem wirbelnden Küchengerät, wenn sie, Maria, ein gewisses Laubdach im Regen, im aufpeitschenden Vogelzwitschern beschnurrte und nicht aus den Augen ließ, denn sie sah darin auftauchend das blanke Herz ihres Lebens sich stürmisch entfalten, verharrte aber in Ratlosigkeit.

Fest hatte sie sich vorgenommen: War diese Sache erst geklärt, wollte sie ein tatkräftiger Mensch mit vielen rechtmäßigen Erlebnissen sein, Erlebnissen wie auch Ergebnissen.

Redete Zara? Dösten wir bloß aufgrund von Stichwörtern und jeder anders?

Bis dann, so verstand ich es, von Martha, die wohl ihr Haus und ihre Virtuosität in gastfreundlichen Belangen, ihren Genius in gastlicher Häuslichkeit glanzvoll zu demonstrieren gedachte, etwas voreilig eingeladen, dieser Zebu-Mann erschien, der die Gabe der Rede besaß, in einer solchen Schönheit, wie Maria es selbst von ihrem Vater nicht in Erinnerung hatte. Vom ersten Moment an, als sie erschauernd seine Stimme hörte, konnte sie sich nicht verschließen, vergaß Marthas Aufträge an sie, blieb lauschend in seiner Nähe, in seiner noch dichteren Nähe unter dem Vorwand, ihm die müden, viel gewanderten Füße zu restaurieren, auch das entfiel ihr, und vernehmlich waren nur noch die alten Geschichten von Erde und Himmel, vom lodernden Gott und der wankelmütigen Erde, die sie doch alle schon angehört hatte. Eine großartige Sonne schien prächtig darüber aufgegangen zu sein. Sie merkte nicht, wie ihre Finger – und nahm kaum wahr, daß der Zebu-Mann, als Martha auf sie, Maria, und ihren unverschämten Schlendrian hinwies, eben sie, Maria, als die hinstellte, die das Richtige tat, und Martha in ihrer Schürze tat das ein klein wenig weniger Richtige? – die schmutzigen Beine mit lange nicht gepflegten Hufen, das sah sie wohl, zu streicheln begannen, und daß nicht Wasser, sondern kindliche Freudentränen Rinnsale durch den trockenen Staub auf seinen Füßen zogen.

Denn es waren ja diese Geschichten zum ersten Mal nach all den Jahren noch bezwingender als jemals in der Kindheit, metallisch feste Kugeln, und doch kam ihr Leuchten, das verkannte Maria nicht, letztlich aus der Erinnerung. Aus ihr wuchs ihnen die Macht zu, aus Marias schöner Kindheit erhielt das alle mit seinen Reden bestrickende Zebu die Herrschaft und einzigartige Gabe, so süß wie Honig zu sprechen, süßer als alles Vergangene. Ja, honiggleich, in Honig gerollte Schnuckerei, so tropften die Worte von seinem Mund und wandelten sich in Bilder und Schneisen, durch die man auf den Grund des Wunderbaren sah.

Nur in einem täuschte sich Maria dann. Als das Zebu weitergewandert war, wurde sie da, wie versprochen, die tatkräftige, aktuelle Gegenwartsperson? Ach nein!

Sie ging, vorwärtslebend, immer tiefer in ihre Kindheit, als Fruchtkern von allem, zurück. Eine kindliche, schließlich kindisch gewordene alte Katze war sie am Ende, ohne sich aber jemals wieder umzusehen – und damit den meisten Leuten ihrer Jahre zum Schluß ganz unähnlich – nach den früheren, märchenhaften Zeiten, den Legenden der Tage mit ihrem Vater, nein, das eben nicht! Sie fühlte die Bilder aus dieser Phase ihres Lebens hinter sich brennen, ein Feuer, das sie vorantrieb, das durch sie hindurchschien auf Martha, deren Kinder, die Käfer, bis sie endlich, todmüde, tief entzückt, in ihm verschwand.

Noch kein Aus für das halb religiöse Summen in diesem Wintergarten. Werden nicht auch Sie fromm tropisch benommen davon?

Klappe man den Flügel mit dem sinkenden Bär, dem Gegenstück zum watenden Gorilla, der die eben erwähnte Katze auf seiner Rückseite zeige, ebenfalls zu, habe man nun den geschlossenen Altar vor sich, dessen linke Hälfte wie die vorigen Bilder Füße in Verbindung mit Wasser präsentiere, ja, entsprechend der rechten Hälfte sogar wiederum ein Tier, das es sich beim Mahl gutgehen lasse, und jemanden, der diesem, vor ihm kniend, die Füße ins Wasser tauche. Unnötig sei jetzt wohl, darauf hinzuweisen, daß dreimal dieselbe Gestalt auf den Gemälden erscheine, sogar hier zum vierten Mal, nur erkenne man sie auf dem Christophorus-Bild noch nicht recht: Man sehe sie also als Zebu-Knirps und dann als Retter auf dem See, als denjenigen, dem das Kätzchen zu Füßen hocke, und, überraschend, nun in der umgekehrten Rolle, er, der Zebu-Mann selbst am Boden vor einem anderen, einem Giraffen-Mann. Das sei leicht auszumachen, auch wenn das Zebu sein Gesicht nach vorn beuge.

Man erhielt also keinen Hinweis auf seine Empfindungen beim Einnehmen dieser devoten Position, aber an dem, über dessen Füße er sich neigte, sah man: Er war von ungewöhnlicher, junger und männlicher Schönheit, mit goldenem Fell und gerade sehr unglücklich. Keiner von den zahlreichen Tischgenossen konnte sich in einem dieser Punkte mit ihm messen.

Von klein auf war er daran gewöhnt, sich abzuheben und wegen seines Liebreizes bestaunt zu werden. Man wunderte sich bei diesem verspielten, zugleich auch frühreifen Kind noch über anderes und über das mehr: Es besaß eine unerklärliche Durchsichtigkeit, etwas durchaus Gläsernes, so nannten es Eltern und Lehrer, noch tastend, zu Anfang, mußten aber bald eingestehen, rein gar nichts zu erkennen an diesem Giraffen-Kind, als würde ein komplizierter Schliff das Glasartige seines Wesens auf eine sehr helle und tückische Art verschließen, ein Kristall eventuell, ohne etwas zu verbergen, völlig unzugänglich, aber, und das schien plausibler, wenn schon nicht sein Inneres, so doch seine Umgebung lampengleich erhellend. Er selbst war gar nicht durchsichtig, man verwechselte es zunächst. Er machte nur die anderen durch seine Anwesenheit, erst recht durch seinen Blick, zu etwas Durchschautem. Er tat es sanft und ohne Berechnung, jedoch Verwirrung stiftend und, was schon im Kindesalter die Giraffenmädchen betraf, auch unwiderstehlich.

Was ihm gefiel. Er hielt es für selbstverständlich wie Luft und Wasser, und ebensowenig interessierte es ihn jedoch auch. Er, Johannes, von klein auf geliebt und mit Vorsicht behandelt wegen seiner mysteriösen Unantastbarkeit, gab sich den eingeführten Lebensfreuden hin in angenehm irritierend zerstreuter Weise. Da man ihn nie ganz kannte, jagte man ihm nach. Da man sich von ihm erkannt fühlte, speziell die Giraffen-Frauen, verfolgte man ihn. Sie meinten, nur in seiner Nähe, unter seinen Blicken blühen zu können. Und das taten sie dann, raketenartige Entfaltungen in schamloser Geschwindigkeit. Johannes bemerkte das, senkte jedoch die Lider aus Takt und fuhr fort in seiner

Lebensweise, die man als gemessen bezeichnen könnte. Pedantisch war sie deshalb nicht, weil sich dieses Maß nicht im geringsten nach äußeren Gesetzen richtete, vielmehr nach einem instinktiven Gleichgewichtsgefühl seiner Natur, und ihm allein gehorchte er.

Wobei das Ärgernis – eins in aller Unschuld – natürlich ein anderes war. Johannes hofierte die Frauen, die sich um ihn drängten, so wie sie es mochten, das konnte er, auch das, wie kein zweiter. Er schien bloß hinzusehen und begriff sofort, was hier sehr freundlich schmeichelnd für ein weibliches Ohr klingen mußte. Er hatte es gern, wenn sie lächelten, die Gesichter der Mädchen, auch die häßlichen, gerade die. Ihm lag das richtige Wort auf der Zunge, und er schmiegte ihm seine Stimme geschmeidig an, bevor die Giraffenbullen überhaupt aufwachten. Ja, es gefiel ihm, eine kleine Zärtlichkeit, ein Flüstern so begeistert aufgenommen zu sehen, als ginge er mit einer Wünschelrute umher und spürte die Wasseradern in diesen bedauerlicherweise so schlichten weiblichen Landschaften auf. Betrüblich fast, wie leicht es ihm von der Hand ging, ihnen den Kopf zu verdrehen, wie wenig genügte, um gewissermaßen großes Glück zu erzeugen. Die anderen Giraffen-Konkurrenten? Was betraf ihn das! Ihn kostete das alles keine Anstrengung, er kannte die Noten und jonglierte damit, mit den zarten Signalen und den einschlägigen Winken. Es wurde sogleich zurückgewinkt, die Koketten gaben kokett geneigte, die Spröden spröd geneigte Antwort.

Sie werden verstehen, wie ich in Aufregung geriet, als Zara so redete! Verspottete sie mich? Meinte sie Leo und strafte mich jetzt in aller Ausführlichkeit? Konnte sich gar nicht genug tun in den Schilderungen eines mir nur zu schrecklich bekannten Zaubers? Verriet ihn der Allgemeinheit zerstörerisch und machte, was Leo anging, meinen gesamten Gefühlsaufwand überflüssig? Womöglich deshalb, und unter ihnen als Mine versteckt, all diese heiligen Schnurren? Und wie drohte sie mir mit dem Fortgang ihrer Story und meiner, nun ja, Leidenschaft?

In aller Unschuld? Dummheit? Verblüffend, daß keine boshafte Zunge behauptete: aus Bequemlichkeit. Johannes schien etwas nicht zu wissen, darin waren ihm alle anderen voraus, das war es, was sie schwerfällig machte: Er handelte mit Symbolen! Er wunderte sich über die Unbeholfenheit rivalisierender Liebhaber und über das Gewicht, das seinen leicht gesetzten Schachzügen angedichtet wurde, wie aus uralten Konventionen herrührend. Er selbst begriff ja nicht, daß er mit ehrwürdigem Instrumentarium im Reich von Tabu und Schamanentum zart zwar, aber doch: fuhrwerkte! Eine partielle Debilität, ohne Zweifel. Die gebrochenen Herzen hielt er für Fauxpas ihrer Besitzerinnen, denen er solche Makel aber kavaliersmäßig verzieh, indem er sich ritterlich entfernte.

Sie sehen, Zara (sie rang dabei für einen Augenblick verräterisch nach Atem) verlor tatsächlich an diesem Punkt die Kontrolle über sich, sprang aus ihrer Geschichte, vergaß sich. Nein, falsch, vergaß sich überhaupt nicht. Im Gegenteil. Dachte zu sehr an sich und mich und Sophie und wer weiß, an wen noch.

Nun wusch das Zebu ihm die Füße. Eigentlich hätte er auch das als Selbstverständlichkeit empfinden müssen. Er war solche Verwöhnungen gewohnt und pflegte sie mit Grazie, ohne Hochmut entgegenzunehmen. Aber etwas hinderte ihn daran. Er erlebte es mit großem inneren Wanken, erlitt es fassungslos und umklammerte sein schneeweißes, lammartiges Hündchen zum Trost.

Irgendwann ächzte Specht hinter der Hand rebellisch: »Morbider Unfug!«

Sein Schmerz? Johannes, der großäugige Giraffenmann, war der einzige, der zu Lebzeiten jenes Zebus, das sehr bald darauf starb, das an diesem Abend wissentlich und gewollt seinem schändlichen Tod entgegenging, war der einzige, der ahnungsweise erkannte, wem sich da alle, ihr bisheriges Leben zum größten Teil aufgebend, angeschlossen hatten. Sie alle fühlten die Betörung, der sie sich nicht verweigern konnten, auch wenn sich manches in ihnen sträubte und sperrte. Es riß sie dennoch mit, und sie versteiften sich nicht im Widerstand gegen seinen Befehl. Wenn er sie auf die Probe stellte, zeigte sich: Sie hatten ganz wacker aufgepaßt. Simon, dem Bären, waren einige zufriedenstellende Sätze gelungen, für die man ihn lobte. Johannes aber schien es gelegentlich, als würde in der Gegenwart des Zebu-Mannes seine, des Johannes Gabe, die Lebewesen nach Belieben zu durchschauen, dahinschmelzen, ja, schmelzen unter einer mondhellen Glut und zugleich mit dem Blick, der auf ihn gerichtet war, in einer schrecklichen Weiße zusammenschießen. Er wurde in einen Stern oder Blitz entrückt, in einen Lichtwasserfall, Brandungsansturm, der über den gesamten Himmel raste und dabei das Geräusch eines ruhig schlagenden Herzens machte. Das Herz also jenes Meisters, an dessen Brust er an diesem Abend zu schlafen vorgab.

Er als einziger begriff die Geste, die sich jetzt vor ihrer aller Augen abspielte. Eine Geste, die mit fürchterlichem Dröhnen den stillen luftigen Saal erfüllte: das Knien ausgerechnet dieses einen vor ihnen, der die schwielige Haut ihrer krummen, zum Teil böse verunstalteten Füße abtrocknete, dessen Worte brausend ihre Seelen durchquerte, ein Göttersohn vor ihnen, den ungeschlacht Sitzenden und Speisenden.

Noch viel später, als Johannes wie kein anderer über die Vorkommnisse jener Zeit schrieb, brachte er es nicht über sich, seine wild siedenden Gedanken in diesem Moment zu äußern. Er legte dem Bären in den schlichten Mund, was gesagt werden mußte. Zu groß war auch die Beschämung, die ihm, dem Liebling, widerfuhr, dem nie getadelten. Daß er, nur an dieser Stelle bisher noch blind, die ungeheure Wucht der Zeichen erstmals in seinem Leben wahrnahm. In einer einzigen, unauslöschlichen Schreckenssekunde.

Johannes habe danach nie wieder das lustige Spiel mit den Giraffen-Frauen getrieben – zu deren Bedauern –, nie wieder leichtfertig ihren Herzen gewinkt und über ihren langatmigen Ernst sacht gelästert. An diesem Abend wurde er noch mit einem zweiten Zeichen angeklagt, verurteilt und gestraft, obschon ihn keine direkte Schuld daran traf.

Dieses andere Bild, Signal heftiger Zuneigung, sein tief an die Schulter des Zebus gesunkener Kopf, prägte sich nämlich einem anderen ein, der es als Stempel und Messerschnitt beobachtete, trieb ihn, den vor Eifersucht Keuchenden, da er den Anblick nicht aus seinen Augen waschen konnte, in sein weltberühmtes Verbrechen.

Zara erzählte natürlich farbenprächtig, elastisch, federnd. Sie müssen verzeihen, es gelang mir nicht nach ihrer Attacke auf anderes als ihre Stimme zu achten. Ich kann das Bild nur dürr rekonstruieren. Ihre Hinterhältigkeit, die sie mir, anders als Sophie mit den gleichmäßig gerundeten Augen und Specht, nicht verhehlen konnte, veranlaßte ein Rauschen in meinen Ohren. Das Blut?

In Spanien würden Züchter und Besitzer ihre Windhunde, sofern sie für Rennen nicht mehr taugten, durch Erhängen umbringen. Wußte Zara das von Leo? Hatte er es ihr gefaxt? Sollten die Eigentümer durch Fehler der Tiere besonders enttäuscht sein, machten sie deren Sterben extra zur Qual, indem sie die Tortur feinschmeckerisch verlängerten. Bis zuletzt könnten die Hunde dann mit den Hinterläufen noch eben den Boden berühren. Unmenschlichkeiten dieser Sorte – aber was das für ein Kitsch sei: »Unmenschlichkeit«! Was man von dieser sentimentalen Vokabel denn erwarte –, insbesondere Tierquälereien, ordneten die meisten Leute, falls sie den verzweifelten Helden der nächsten Szene überhaupt noch kannten, diesem vom Knabenalter an zu. Genau das aber sei eine Täuschung. Niemand habe gerade ihn bei irgendeiner Schändlichkeit gegenüber Tieren oder anderen Wesen je ertappt. Zum Außenseiter habe er sich gemacht dadurch, weil er ausgerechnet vor solchen tolerierten Freizeitspäßen, zu denen das Normkind hassenswerterweise vorübergehend neige, immer geflohen sei.

Es war gar nicht Mitleid oder Mitgefühl im traditionellen Sinn, oder wenn schon, dann Erbarmen mit sich selbst. Er ertrug bloß die Anblicke nicht! War er gezwungen, ein zum Schlachten geführtes Schwein am Strick in seiner Todesangst zu erleben, trieb es ihn zu Tobsuchtsanfällen. Tagelang stand das geängstigte Wesen als Abdruck in seinem Gehirn, hatte sich, durch einmaliges Ansehen, nachdrücklich, ungehindert, mit seinen gefesselten Gliedmaßen, blutend und hilflos, in sein Gemüt geschoben. Wie sollte er das auslöschen, versiegeln oder verriegeln vor seinen Träumen, wo es wiederkehrte und die Zimmerdecke, die Schale um die Erdkugel ausfüllte, wenn er hoch zu den sachlichen Sternen sah. Es kläffte ihn an als Weltunheil, sperrte seinen Rachen auf als Bild des Grauens, in dem alle Schrecken eingekocht und eingepreßt und gestaucht waren. Aufhören konnte es ja niemals, darum blieb ihm nur übrig, davor wegzulaufen, vor dem Sog und Saugen, der verwüstenden Weltqual, gestaut in jeder einzelnen der peinigenden Ansichten. Der Blick seiner Mutter am Fenster, wenn sein Vater sie zu Vergnügungen verließ, das stumme Senken ihres Kopfes, das stumme Senken eines Verlierers reichte schon aus, wenn er sich nicht mit aller Anstrengung verhärtete. Er wußte ja, in jedes dieser Bilder waren die anderen eingenistet. Das Unglück wählte sich nur eben diesen einen Umriß für den Augenblick, um zu erscheinen, und verbarg sich darunter in seiner Fülle. Sprang durch die Pupillen in sein Inneres, und war es darinnen, breitete es sich gefräßig und verheerend mit seiner Gefolgschaft aus.

Grundsätzlich seien sie ihr nicht unbekannt, solche dräuenden Standbilder, Urbilder, die über alle Logik hinaus verwundeten, aber natürlich nicht! Zara zauderte, ob sie jetzt den nächsten Knopf ihrer Seidenjacke, der schwarz-blau changierenden, öffnen sollte, wie um eine fleischliche Gegenmelodie anzustimmen, zum Eigentrost. Sie selbst habe gerade erst eine solche – – solche Komposition ansehen müssen, einen jungen Mann, auf Eisenbahnschienen sitzend. Der etwa Fünfundzwanzigjährige habe mit geblähten Nasenlöchern geradeaus gestarrt. Hinter ihm ein noch jüngerer, fast halbwüchsiger, mädchenhafter Polizist in gewaltiger Schutzkleidung und mit einem auf den Hinterbeinen geifernden Hund, Dobermann, den er streng habe zurückreißen müssen, damit er sich nicht mit bereits gefletschten

Zähnen auf den Demonstranten stürzte, den er schon als Beute fixiert hatte und der im Rücken Keuchen und Hecheln des kampfbereiten Tieres spürte bei gespieltem Gleichmut, der versteinerte, sehr bange Tapferkeit gewesen sei.

Er aber, zurück zu ihm, Judas also, sah an diesem Abend wie schon öfter, den Hals der Giraffe Johannes weit über Schulter und Oberkörper des geheimnisvollen Zebus reichen, das sie alle so berückte. Eine Berührung wie die jetzt angeschaute war ihm, Judas, nie erlaubt worden, gar nicht in Erwägung gezogen jemals für ihn. Er hatte es hingenommen. Heute jedoch fraß sich der Anblick in seine Brust, der Anblick, das Beschwörungszeichen und Bild eines boshaften, gegen ihn gerichteten, durch nichts betrübten Glücks. Er konnte sich nicht dagegen vereisen, nicht rechtzeitig die Tore der Augen schließen, es hatte, ihm bestimmt, von Anfang an auf ihn hingeschneidert, Einlaß gefunden, zu seiner Qual, und blühte giftig in ihm auf, verzehrte in Geschwindigkeit alle schwächeren Eindrücke und rührenden Gesten des begehrten Zebus, war brennend in ihn gestempelt: die Giraffe an der Brust des ihm Unerreichbaren! Judas stürzte davon, zu denen, deren Antrag auf Verrat er nach dem Mahl allen lachend hatte mitteilen wollen, nun aber entschlossen, das in ihn geätzte Bild mit der Gegentat zu annullieren.

Klappe man den linken Flügel noch einmal auf, den Flügel, auf dem das Zebu der Giraffe die Hufe wasche und auf dessen Innenseite, nun wieder sichtbar, der Bär vom Zebu vor dem Versinken gerettet werde, so solle man jetzt den Blick auf die freigegebene Hälfte des Altarmittelstücks wenden, die Judas in der ersehnten innigen Berührung zeige. Näher als alle sei hier Judas dem Zebu gekommen. Man erkenne es ja gut. Er reiße es in seine Arme und umhülle es bis aufs Gesicht mit seinem Gewand, wickle es ein, feßle es beinahe – auch wie hilfesuchend –, so daß ihre Gestalten zu einer verwüchsen, und erpresse triumphierend einen Kuß, den das Zebu, ohne die groben Lippen des Judas zurückzustoßen, in tiefster Traurigkeit erdulde, während schon die Häscher nach ihm griffen.

Wohl erst hier, in der Konfrontation der beiden Profile, wird deutlich, wie sehr das Gesicht des Zebus sich abhebt. Man möchte sagen, es ist die Schwermut, aber man weiß es nicht, der Ausdruck eines Fremdlings, der erkennt, daß er entgegen ursprünglichen Hoffnungen es bis zum Ende bleiben wird. Aber auch er erwecke in denen, die ihm begegnen, eine Sehnsucht, wenigstens Neugier, einen Blick hineinzuwerfen in jene sehr ferne Fremde, ob man dort wohnen möchte, seinen jetzigen Wohnort tauschen dagegen. Auch überkommt diesen oder jenen das Gefühl, ein Heraufdämmern von etwas Heimatlichem sei gerade dort zu erwarten, aber es ist vielleicht nur die Reminiszenz an ein jahrhundertealtes Heiligenbildchen.

Das eigentliche Verbrechen des Judas, über das man viel spekuliert habe – an Anklägern und spitzfindigen Verteidigern sei nie Mangel gewesen, ja, ihn zu entschuldigen eine Liebhaberei von Wortverdrehern geworden –, die Auslieferung also an die Hohenpriester und ihre Schergen, mit senkrecht gestellten Lanzen, Lampen, Keulen den Himmel abzäunend, und damit die Einleitung der Passion, die Schandtat, bedenke man seine spezielle Artung und Empfindlichkeit mit, seine Untat also (dieses Geld, die sogenannten Silberlinge, solle man als Kinderkrammotiv sowieso außer acht lassen!), sei nicht der Verrat im Jähzorn, in der erbitterten Eifersucht gewesen. Das könne man als leidenschaftliche Gekränktheit ja doch halbwegs entschuldigen, gewissermaßen unter Totschlag verbuchen, sondern die Geste, mit der er den Feinden des Zebus das Zeichen gegeben habe. Das Zebu selbst habe ja auch nicht den Verrat angeklagt, in erster Linie, als es Judas nach der Gefangennahme noch einmal anredet, vielmehr ausdrücklich die Pervertierung des Symbols: »Mit einem Kusse ...?« Einem anderen als Judas könne man das leichter vergeben, ihm nicht, da man ihn mit der größten Zartheit, die Anblicke zu erleiden, ausgestattet habe.

Was ihm den Hals breche. Er habe, ein Doppelhohn und Doppelverrat, Schändung des Liebesemblems ganzer Völker, gegen seine ausgeprägteste Begabung wissentlich verstoßen. Dieser Augenblick sei daher unsterblich geworden.

Unmittelbar darauf, nachdem Judas ein einziges Mal die größte, wildeste Nähe zum Zebu genossen hatte, es gerochen, seinen Herzschlag gespürt – seine Lippen auf jenen, sein Atem mit jenem vermischt – trat ein neues, auf der Stelle sich wütend eingrabendes, sich in ihn einwühlendes Bild vor ihn. Man hieb auf den ein, den er umarmt hatte, eben aus diesem Grunde, wegen dieses Kusses, führte ihn rasch weg an Stricken, zwischen Fackeln in die Dunkelheit. Noch eben hatte Judas das schweißnasse Antlitz an seinem gefühlt, jetzt riß man den Gefangenen fort, Judas wußte, um ihn zu schlachten. In seinem Gesicht eine Blutspur. Das Zebu widersetzte sich nicht und senkte den Kopf.

Dieses neue Bild löschte dasjenige vom Abendessen aus. Grundlos, ohne die Hitze seiner neidvollen Erbitterung, erschien Judas nun drohend seine Tat, nicht die Tat, vielmehr die ihr folgende Szene, der Blutstreifen, die gebundenen Gliedmaßen, der stolpernde Schritt. Heulend, gebirgsartig fiel es aus allen Richtungen über ihn her, um ihn zu erschlagen und mit Spalten zu verschlingen. Judas mußte fliehen. Also ging er und erhängte sich, damit ihn der Anblick verließe. Aber dann, zuletzt, erschien wieder, mit jenem nächtlichen die Waage haltend, zischend und glühend das Bild des schönen, bevorzugten Giraffenhalses, und es hatte nichts von seiner anstiftenden Macht über ihn eingebüßt, so daß Judas doch vor sich gerechtfertigt hätte weiterleben können, aber man fand ihn dann tot. Die Füße hatten im Todeskampf den Boden noch berühren können, aber zu knapp für einen dauerhaften Stand.

Jetzt blieb noch die rechte Hälfte des Altarhauptstücks zugedeckt.

Weil es mir da gerade einfällt: Elizabeth Taylor war in dem Ivanhoe-Film eine junge Jüdin. Etwas Schöneres hatte man wohl noch nie gesehen.

Zugedeckt von Maria, der Katze, der Schwester Marthas und des Lazarus, die dem Zebu die Füße balsamierte. Schla-

ge man die Tafel zurück, erscheine wiederum die gekrümm-
te Gestalt des Christophorus, vom bleiernen Kälbchen
schwer gedrückt. Das Gemälde aber, das nun als Nachbar-
bild zur Judasszene durch Zaras Vermittlung sichtbar wurde, offenbarte uns eine Hirschkuh als derangierte Beauty.
Auf die Knie gefallen, streckte sie verlangend Maul und
Vorderhufe nach jenem hier zum sechsten Mal insgesamt
aufgetauchten Zebu, das licht, ja unirdisch oder gleich
überirdisch, sein Gesicht nicht ohne Freundlichkeit der augenscheinlich nach ihm Dürstenden zuwandte, sie aber
doch mit eindeutiger Bewegung abwehrte. Von beiden Seiten, in konträrer Absicht, wurden hier Glieder gegeneinan-
dergestreckt. Im Fall der Knienden war die Berührung er-
fleht, seitens des Zebus wurde sie untersagt, und zwar auf
eine nicht betörbare, wenn auch mildfühlende, über den
Entzug hinwegschmeichelnde Weise.

Habe man die taktilen Begegnungen des Zebus mit den
verschiedenen Lebewesen im Gedächtnis, dann sei diese
letzten Endes aber doch brüske Lücke zwischen den Läufen
der Hirschkuh Maria aus Magdala und dem Zebu erst in ihrer ganzen Befremdlichkeit enthüllt. Das sehr bekannte, alles Bisherige widerrufende »Noli me tangere« sei zweifellos
der Höhepunkt ihres Altars, sagte Zara und sah stolz in die
Runde, als hätte sie sich das alles selbst ausgedacht.

Man solle auch beachten: Sie habe die Zurückweisung
der Hirschkuh nicht allein als Schlußpunkt ihrer Führung
arrangiert, als Ende aller Annäherungen diese Abfuhr, sondern sie auch ausdrücklich neben den von allen Kontakten
dramatischsten, den Kuß des Judas, plaziert. Die Mittellinie
der Haupttafel müsse demnach mitten durch den Betrachter verlaufen. Er solle sich im übrigen denken, was er wolle.
Es sei ihr schnuppe! Aber effektvoller könne man das wohl
kaum hinkriegen.

Nach meinem Eindruck wollte Specht hier aufspringen.
Zara spürte das. Sie tätschelte einfach seinen Arm. Er ließ
sich den unerkannten Spott gefallen und blieb sitzen. Oder
hatte er ihr Parfüm gerochen?

Anders als bei der Katze Maria, an deren Lebensbeginn die frommen Fabulierungen des Vaters standen, wurde die frühe Kindheit der Hirschkuh eröffnet durch die unangenehme Überraschung, erstmals ihre Mutter im Bad zu sehen, die bewunderte, allzeit dekorierte und mit Ornamenten versehene kuhköpfige Frau, plötzlich ohne das Podest der Schuhe, ohne seidigen Faltenwurf, eine kleine, kugelige, nackte Person. Maria hatte ein Geheimnis vermutet unter den Schleiern und gewebten Blüten. Es befanden sich darunter aber nur mehrere runde, miteinander verbundene Einzelkörper, die sich schattenlos aufdringlich wölbten und nichts verbargen, als Merkpunkte die roten Pfropfen der Brüste und der Haarfleck, wo die geblähten Formen des Bauches und der Schenkel derb zusammenprallten.

»Bei einer Hirschkuh?« warf Specht rechthaberisch ein. Zara winkte bloß ab, faßte sich aber zur Strafe wieder kürzer. Und gleich weiter mit Zaras schwülem Gottesparfüm. Eine Roßkur für Specht?

Von da an begriff die junge Hirschin, Hindin die Notwendigkeit, den Körper auszustatten und zu schmücken, zu bemalen und zu veredeln, damit jedermann abgelenkt wurde von dem Rätsellosen unter den Schals und Überwürfen, ihn zu versehen mit Ketten und Schnüren, und früh verlockte es sie, zu überprüfen an den Böckchen und Böcken, wie sehr sie mit ihrem Zierat sie alle hinwegtäuschen konnte über das blöd Dingliche, das Fehlen des Zaubers, den sie erwarteten, die Narren, die Dummköpfe, die gutgläubigen Schwärmer. In sehr jugendlichem Alter wußte sie schon – das Haus ihrer Eltern hatte ausreichend Zimmer an entlegener Stelle –, daß auch die männlichen Gegenspieler kein Geheimnis bargen und ihr vorzuweisen hatten. Das war kurz danach schon nicht mehr schlimm, und nur kam es darauf an, es sich einzubilden, um an gewisse Freuden heranzugelangen, Vergnügen von eigentlich kränkender Einfachheit, und sie sah ja auch manchmal die Junghirsche mit besessenem Gesicht einen Stock immer wieder in ein Loch stoßen, in grollender Begeisterung über die simple Mechanik, die schon alles war.

Betrachtete sie an Abenden, wo es Besucher gab, die scheinheiligen Gesichter der Frauen, die deren nächtliches Wirtschaften tadellos leugneten, wie ahnungslos von der Schematik des Kopulierens und wie konstruiert und geschaffen für phantastischere Ereignisse, dann bestand für sie noch am ehesten ein Mysterium in diesen Vortäuschungen, die man auch Heuchelei der Natur nennen konnte. Als ginge es um Schönheit, Poesie, Dämonie! Um all das ging es nicht bei den unmittelbar an den Schlußkaffee sich anschließenden Paarungen. Sie wußte es ja längst und hatte es an Nachmittagen in entfernten Winkeln ausprobiert und regelrecht nachgewiesen.

Freilich wußte sie aber auch von der hektisch sich windenden Freude, die sich aus dem einfachen, jedem Tier zugänglichen Hin und Her ergab, die Beförderung in einen Lustzustand, mit keinem anderen zu vergleichen, eine Auslöschung, sekundenlang, bis der ganze Körper lächelte in einem von jedem Bedenken gereinigten Entzücken. So lernte sie, nicht das Individuelle zu lieben, sondern das Maschinelle. Aber es mußte eben das Maschinelle durch ein Individuum geschehen, dieses Umkippen, die Preisgabe, die Eroberung des Organischen durch das Mechanische des anderen Körpers, der in ihren vordrang.

Noch nach vielen Malen interessierte sie dieses Umkippen von einem Zustand in den anderen. Noch immer, als sie schließlich, nicht mehr jung, dem begegnete, der so erleuchtet redete und dabei aussah wie ein genießerischer Faun, ein Zebu, das in Einöden gelebt hatte und sich noch gelegentlich dorthin zurückzog. Sie hielt sich mit anderen weiblichen Tieren beobachtend in seiner Nähe und weidete sich an jener Unvereinbarkeit, an seiner stimulierenden Verstellung, von der er selbst möglicherweise nicht mal etwas ahnte. Maria aus Magdala, die Hirschkuh, nicht mehr ausgehungert, lebens-, affären- und liebessatt, wartete nachdenklich in Gelassenheit. Die Frage war überhaupt, ob sich ihr erotisches Vergnügen noch steigern ließe. Sie folgte ihm unterdessen stets, pflegte ihre Schönheit deshalb etwas flüchtiger, fahriger.

Erst als sie später dann zu seinem Grab kam, nach tränenreichen Stunden in Gesellschaft der ein wenig naiven Anhängerinnen, geschmückt zur Ehre seines Leichnams, da endlich geschah das amouröse Wunder und Wunderbare ihres Lebens. Der, den sie noch eben für einen Tierwärter hielt, ruft sie, die magdalenische Maria, bei ihrem Namen, und im Umwenden, im Hören der vertrauten Stimme sieht sie zum ersten Mal das ganze Geheimnis, die geheimnisvolle Einheit, kein Abriß, kein Sprung – hat sie es nicht von klein auf trotz der Enttäuschungen gewußt? –, kein Graben, keine Lücke: Stillung höchster, längst aufgegebener Begierden. Sie sieht das wunderbare Einhorn-Zebu, dem sie folgt, sieht die irdischen, die so verführerisch männlichen Konturen und Fundamente noch ihr zugewandt, und davon ausgehend aber jetzt den unendlichen Korridor aus Weißglut als rauschende Fahne und Kometenschweif.

Sie hat immer, was ihr anziehenswert erschien, angefaßt. Anders weiß sie es nicht. So stürzt sie ihm entgegen, streckt die Läufe nach ihm aus, nach den Umrissen, um des Flammenden teilhaftig zu werden.

Das unbegreifliche Nein! angesichts ihres verzückten Strebens erwägt Maria Magdalena, die Hirschin, für den Rest ihrer Tage. Sie hört nicht mehr auf, Hals und Hufe vergeblich zu strecken. Für einige Zeit besucht sie stellvertretend täglich das Grab eines ihr unbekannten Toten, am selben Tag wie ihr Zebu gestorben. Sie benötigt einen berührbaren Ort. Bis die Familie der Witwe eine heimliche Geliebte des Verschiedenen in ihr wittert und sie verjagt. Dann lebt sie als Eremitin, ihr Leib verfällt. Nachts betet sie mit dem Mund und beruhigt schluchzend ihr zuckendes, hager gewordenes Fleisch, wo es will. Betet sie wirklich? Sie sagt ja keine Wörter, ersehnt nur tagaus tagein seine Gestalt, ihren Untergang endlich im dunklen, immer helleren Feuer des Zebuauges.

Zara bewegte die Hände kaum. Allerdings, als sie vom Lebensende der Hirschin sprach, ahmte sie deren Ausstrekken der Arme nach und fixierte dabei so deutlich Sophie, daß zumindest mir klar war: Sie parodierte, überdies augenscheinlich erschöpft vom Reden und auch auf einmal lustlos, unsere Persephone.

Sie wandte sich Specht zu: »Leute Ihres Schlages hoffen, wenn ich nicht irre, aus Entsetzen über die abstoßende Zukunft einer abscheulichen Menschheit, Weltuntergang und Jüngstes Gericht herbei? Ein Weltgericht, bevor es durch genetisches Abrakadabra sowieso überflüssig wird?« Sie spielte mit ihrem Knopf, dem zweiten von oben, und ließ einen Fuß, den vorn gelackten, in der Luft kreisen. »Specht, passen Sie auf! Bei dem, was ich Ihnen, ausdrücklich Ihnen, als Dank für Ihren so anregenden Besuch jetzt vorführe, müssen Sie die Vielfalt der Bösewichter, echte lasterhafte, rare Stücke darunter, bitte würdigen. Wahnsinnige, wie Sie die auch noch in Ihrem EEZ aufspüren. Werden bald Museumsexemplare sein, vermute ich.«

Vielleicht konnte er seine Brillengläser absichtlich beschlagen lassen, damit er sich nicht so genieren brauchte. »Aus den schönen Rinderaugen des Zebus sind inzwischen die Feuerräder eines riesigen Uhus geworden. Man muß die beiden Seitenflügel ein letztes Mal zuklappen. So! Ihr habt das alles noch vor Euch? Zwei Fußwaschungen! Jetzt geht um den Altar herum. Auf der Rückseite, zeigt sich, ist der Weltenrichter aufgemalt. Gegen all die versöhnerischen, irdischen Berührungen und Ablehnungen, über allem thronend, der Unterscheider und Trenner, Schaffer strahlender Übersichtlichkeit.« Durch die Szenen der salbenden Maria, des Christophorus und der flehentlichen Hirschkuh, man merke es jetzt, schienen die Guten hindurch auf die Rückseite, mischten sich mit den Guten dort. Unter den hier wimmelnden Bösen zur Linken des Richters: das sich in Gegenwart des Verräters demütigende Zebu, kniend vor seinen Gefolgsleuten, der sinkende Bär in seiner Kleingläubigkeit, der Judaskuß. Die schärfste Endgültigkeit hält Einzug. Geschieden werden Zeit von Ewigkeit, Böcke von Schafen, Kraut von Unkraut. Eine scheidende Achse, angebrochen ist das große Entweder-Oder. Hier neues Paradies. Dort Feuerofen. Kein Gefackel mehr. Es triumphiert nicht länger der Übergang, das Verschwimmen und Betasten, es siegen die Dämonen des Guten und Bösen. Engel und Teufel treiben die Schwankenden, aus den Gräbern Taumelnden, die nicht wissen, wohin, den ihnen reservierten Plätzen zu. Darüber ganz großartig die Auferweckungstrompeten. Zu spät für Reue und Umkehr erfahren die Nackten, die sich aus der Erde wühlen, daß es der König mit den Uhuaugen war, den sie liebten oder verstießen, sie aber viel wichtiger genommen wurden, als sie sich je träumen ließen.

Das Ende des humanen Schwankens und aller Unsicherheit präsentierte Zara Specht als dessen Spezialverlangen. Ganz klassisch: der Richter auf einem Regenbogen, unter seinen verwundeten Füßen die goldene Weltkugel, in der Sonne und Mond schimmerten. Rechts von ihm, etwas unterhalb, Petrus, der Bär, der die splitternackten Seligen, jetzt durch und durch Gerechten und Allerbesten, die von verklärten Vogelmenschen zu ihm geleitet wurden, für die Bekleidung in Empfang nahm. Links vom Uhuäugigen, und auch hier etwas unterhalb, der rußig feurige Strudel und Schlot, in den, von lüstern züngelnden Tier-Mensch-Mixturen gescheucht, mit schauerlichen Brustauswüchsen und Wänsten die Geizigen, Wollüstigen, Grausamen – was für eine fahrlässig sinnenfrohe Gleichsetzung von gut/schön und böse/häßlich – kopfüber hineinstürzten. Nur an den Rändern, im Niemandsland – eine allerletzte Brücke – wurde gerangelt um offenbar unklare, erst im äußersten Moment zu entscheidende Fälle und Halblaster vielleicht. Demimonde.

»Idealisierungen«, sagte Zara, zunehmend gereizt, »wenn wir uns daran satt gesehen haben, klappen wir noch einmal die Seitenflügel von vorn auf. Was finden wir auf dessen Außenseiten? Die Guten werden nun flankiert von Maria, der Katze, die dem Fremdling die Füße reinigt in aller

Bescheidenheit. Den Verdammten aber assistiert, stärkt ganz wörtlich den schuldigen Rücken, das Zebu mit seinen melancholischen, edelsteinernen Rinderaugen, obschon es sich hier ja vorbeugt, um Giraffenhufe zu waschen.«

Die Art, wie sie Specht attackierte, erinnerte mich flüchtig an eine sehr junge Prostituierte, an deren schönes, ange-ekeltes Gesicht, die Nachtaugen geblendet unter langen Wimpern, als sie von den Freiern sprach, obschon ja Zaras Gesicht beim besten Willen nicht jung zu nennen war. Darauf kam es aber wahrscheinlich nicht an.

»Machen wir's kurz! Ewiger Absturz gestoppt durch beschwichtigendes Flügelfächeln von den Seitenbildern. Jedem steht frei, hier aufzuklappen und zuzuschlagen, was er will.« Unsere Pastorin rieb eine Stelle, die sich exakt über ihrer linken Brustwarze befinden mußte. Sollte dort wirklich ein Flecken auf der Jacke sein? Irgendwie jucken aber tat es uns andere auch.

»Sie verdreht alles für ihre Zwecke«, flüsterte Specht mir zähneknirschend zu. Zara aber hatte es selbstverständlich gehört und antwortete ihm in übergroßer, höhnischer Zärtlichkeit: »Freuen Sie sich gefälligst darüber, was ich Ihnen aus den paar Stichwörtern, meinetwegen auch Sternbildern fabriziert habe. Wissen Sie nicht, daß das der Sinn von allem ist?« Und, halb zu ihren Zehen, halb zum Fenster hinaus: »Die Heraldik, die Sie fürs Turnier, die affige Daseinsturnerei benötigen, die die vielen Lebensbilder einschmilzt in wenige zur Aufbewahrung.« Kaum hörbar murmelnd: »Schafskopf!« Ich weiß es noch, ich dachte daran, wie ich im EEZ mühelos das Durcheinander in meinen Leo-Horizont faßte. Passieren konnte, was wollte, ich brachte es in ihm unter, auf Biegen und Brechen.

Bevor mir etwas insgesamt Harmonisierendes einfiel, da ich mich für Specht verantwortlich fühlte, schickte Zara Sophie und mich zu den Vögeln (»Ihr kleinen Vögelein, ihr Waldergötzerlein« sang es sofort dankbar in mir). Sie selbst müsse dem Herrn Storch hier unbedingt noch etwas demonstrieren, glitzerte mich an und wollte vielleicht prüfen, wie es mit der Eifersucht meinerseits stand. Was aber gingen die beiden mich an! »Ziküth! Ziküth!« hörte ich wie von fern (»Sie singen so jung, sie singen so alt«). Wenn Zara in diesem Haus nicht in meiner Nähe war, rückte Leo mir um so näher.

Sie äugelten heute frontal zu mir hin, so jung, so alt, als hätte sie sich vorgenommen, als diabolische Kleingespenster, gefiederte Beelzebübchen und Cherubim Zaras Geschichten zu verlängern. Ach, hier, an dieser Stelle, war ich in Leos Arme gestolpert und stante pede von Zara ins Strafkabinett entführt worden. Da kehrten – Sophie vergessen an meiner Seite – Zara und Specht schon zurück, Specht flammend rot im Gesicht. Hatte sie ihn geohrfeigt? Ich vermute eher, es handelte sich um Folgen seiner Erregung bei der Vorführung eines geheimen, obszönen Mechanismus der Chinesin. Zu Zaras riesiger Schadenfreude!

An der Haustür überrumpelte sie mich: »Verflixt schwer, unerwünschte Liebhaber sanft loszuwerden! Kein komischer Vogel, ein Untier ist Ihr Freund.« Schon stand ich draußen, und was rief sie hinter uns her? »Mein Wandrer hinkt an seiner Glaubenskrücke/ Zum Teufelsstein, zur Teufelsbrücke!« Ich hatte das schon einmal gehört, viel früher aber. Dann war ich wieder mit Specht und Sophie auf dem Schiff, wo Sophie sich nicht beruhigte, die Hände rang über Zaras unschicklich aufgedonnertes Make-up, gleisnerische Mimin Korf, und wie sie uns jede Nachricht über Leo, das einzig Interessante, vorenthalten habe. Lobte aber sicherheitshalber diese »großartige Frau, und das in ihrem Alter!« »Graupapagei?« fragte ich zurück, um ihr anzuzeigen: Die kleine Bosheit ist erkannt. Der unerwünschte Liebhaber maulte weiter über Zaras Willkür. Sie sei kein Umgang für mich. Ich achtete nicht auf das Untier.

Am Ufer von Teufelsbrück liefen die Wellen laut und schräge gegen die Ufersteine. Schloß man die Augen, klang es wie das Meer oder eine Maschine unter dem Wasser. Wir gingen noch gemeinsam ein Stück am lachenden Teufel vorbei. Einmal hatte ich hier gestanden und leise vor mich hin, aus Jux und weil ich nicht widerstehen konnte, ein paar Mal »Leo!« gerufen. Als Leute kamen, tat ich, bei hochgeklapptem Mantelkragen, so, als würde ich telefonieren. Die Lichter auf dem Fluß hockten, in leuchtende Nester verwandelt, in den Astgabeln, und geduckte schwarze Gespenster waren vorübergeradelt.

Specht brachte mich nach Hause. Ich dachte auf dem Weg so sehr an Leo, daß ich einmal anfing, den Namen auszusprechen, konnte dann aber noch rechtzeitig den Satz mit Le-ben beginnen. Natürlich wimmelte ich Specht ab. Aber als er da vor mir stand und sich nicht traute, rührte er mich sehr. Gut, daß er nicht ahnte, wie dieses stumme Stillstehen ohne Pose auf mich wirkte! Glücklicherweise raffte er sich auf zu sagen, er habe jetzt eine Weile keine Zeit für mich. Specht hatte von der Abwesenheit eines offenbar renommierten Leo gehört und spielte mir jetzt wohl Verreisen vor, um mit ihm zu konkurrieren.

Oben war ich, wie alle Hausbewohner, in Zimmer abgepackt. Ein Hallen meiner Schritte in den noch toten Räumen, in denen ein Wind ausgegangen zu sein schien, bis von unten die Essensvertraulichkeiten und -zudringlichkeiten und ein Fernsehgebrumm von oben mich gütlich einlullten, als schliefe ich schon. Die guten Hausgenossen! Wer hätte gedacht, als wir geboren wurden an so verschiedenen Orten, wir würden eines Tages dieselbe Adresse haben. Nun war ich sofort froh, mein eigenes Reich vor der Welt verriegeln zu können. Es klingelte einmal kurz. Mit schuldbewußtem Triumphgefühl reagierte ich nicht darauf und bildete mir ein, ich hätte mich in diesen vier Wänden vor gewaltigen Gefahren in Sicherheit gebracht. Ich genoß jeden freien, beschützten Schritt, stellte mir erregenden Besuch vor und freute mich, daß er nicht kam.

Auf der anderen Straßenseite beobachtete ich einen Mann beim Gehen. Wirklich, sie, die Männer, waren anders als Frauen, anders gebaut und in jeder ihrer Gesten anders, auch wenn sie sich allein fühlten. Sie verstellten sich nicht. Frauen schnüffelten einem immer nach. Männer ließen, noch nach Jahren, einer Frau sogar beim Beischlaf das innerste Privatleben. Es interessierte sie gar nicht, im Gegenteil, sie dankten es einem, wenn man sie damit nicht behelligte. Deshalb konnte man mit ihnen zusammenleben.

Gegenüber, auf den Balkons vor den erleuchteten Fenstern, die schwarzen Gestalten der Raucher, zuverlässig wie das Uhrenschlagen. Manche traten alle Stunde ins Freie, andere halbierten, viertelten. Ein unbegreiflicherweise und grundlos tragisches Ritual. Jedenfalls an diesem Abend. Endlich kündigte sich der Mond hinter einer Hausecke an, hinter einem verdeckenden, an den Konturen aufstrahlenden Hindernis. Ein Anblick, der mir in dieser Version immer das Herz aus dem Leibe zu ziehen droht. »Leo«, miaute ich nach oben zum Mond. So war der Tag dahingegangen und der Abend auch. Auch unserer ist es in ein paar Minuten. Ich verspreche es Ihnen.

Die nächsten Tage? Im Garten hingen Bettücher auf der Leine. An den Rändern schwankten die Laubmassen zum feierlichen Winken der Laken mit. Einmal lag ich auf einer Decke zwischen diesen weißen, unbeständigen Wänden, die Laken wie Pendel, die Zeit nicht messend, nur besänftigend. Geduldig bearbeiteten sie den Tag. Bei Regen lief ich auf dem spiegelnden Asphalt. Ohne zu sinken, konnte ich auf einer Wasserluftfläche gehen mit Blicken in die Tiefe.

Trotzdem und geradezu extra schrieb ich eine Reihe Rechnungen, sogar zwei Mahnungen. Ich hatte das Gefühl, ich müsse im voraus viel arbeiten. Mir gelangen ein paar schöne Zeichnungen, Vögel mit langen, geschwungenen Schwänzen. Als Anhänger und Brosche schaffte ich nun mal nichts Gescheiteres. Bei den Entwürfen durfte ich allmählich gewagter werden. Als ich mich mit Sophie verabredete, war unser Treffpunkt wieder das EEZ. Wir taten voreinander, als hätten wir keine Ahnung, weshalb wir uns so gern darauf einigten.

Sie drückte mir beide Hände. Hatten wir uns so lange nicht gesehen? »Zaras Reich«, behauptete sie, im EEZ ringsum blickend. Ich glaubte ihr aber längst nicht mehr blind. »Zara tut alles mögliche Mäzenatische, kümmert sich sogar um die kleine Räuberin. Und wissen Sie weshalb? Damit nicht rauskommt, daß sie die Menschen nicht leiden kann, unter Umständen sogar haßt. Vor allem sie selbst will es an sich nicht bemerken. Das ist meine Hypothese. Haha, Zara und ihr St.-Wasch-mir-den-Fuß-Altar!« Zara zerfresse sich in Wahrheit vor Eifersucht. Einmal habe sie absichtlich das ganze Haus mit Kohlgeruch erfüllt, damit auf den weltmännischen Leo, als sie, Sophie, gekommen sei, dieser biedere Geruch abschreckend übergegriffen habe. Jedes Mittel sei der recht.

Immer über die Toppen geflaggt! Immer Leidenschaft en masse, Hochkurbeln der Stimme, Fingerhiebe auf den Tisch, scharfrichterähnliches Abhacken imaginärer Köpfe, dann ein Wiegenlied. Scheußlich. Aber als ich auf die vorüberziehenden, ununterscheidbaren Körper sah, war ich froh, sie zu haben als einzige, die mir momentan ein kräftiges Gefühl abzwang. Sie legte die Finger auf den Mund, riß die Spechtschen Teichaugen auf und verdeckte etwas unter der hohl gemachten Hand. Wir betrachteten zur Steigerung der Spannung noch ein Weilchen die Menschenmassen, hatten beide einen Einfall zu ihnen, uns dazuzählend, sagten aber nichts. Ruckartig zog sie ihre Hand weg. Auf dem Tisch lag ein Foto, ein Säugling drauf aus älteren Tagen. Sophie hob das Bildchen fast an ihre Lippen, feucht glänzenden Auges. Ja was, ein Kleinkind, das sicher noch die Hosen vollschiß! Was denn nun! Sie versenkte ihre Blicke in mich, fast erkannte ich die schlammigen Molche in ihren Augen. Ob ich denn nicht begreife. Ich wollte nicht. Er sei es, Leo, sie habe es »stibitzt«. Und wieder Finger auf den Mund. Klar, ich hätte es ihr nur zu gern weggerissen! Was sollte das in ihren Händen, was ging sie das an! Aber ich hatte keine Wahl, disziplinierte mich, studierte es kurz und kühl, kommentierte streng: »So haben wir alle mal ausgesehen«, als sei es ein Defekt, und schob es ihr, meine enorme Beherrschung genießend, wieder hin.

Obschon ich das EEZ manchmal verabscheute, hegte ich auch gegensätzliche Gefühle. War es nicht unsere Mutter, ein uns nährender Busen, ein Nahrungsmittelpunkt, unser Trost und warmer Ofen?

Geläufige Bekannte, außer den Kunden, wollte ich nicht sehen. Schwer vorstellbar für Sie? Aber Zara, Sophie und neuerdings Specht, mit denen traf ich mich, würde ich mich getroffen haben, jederzeit gern. Warum auch mit Specht? Weil er jetzt dazugehörte. Zu Leos Vortruppe. Er wußte es nicht, konnte aber nicht anders.

Da war er ja schon, meldete sich nach circa drei Wochen zurück mit gewaltigen Neuigkeiten und trat großspurig, für seine Verhältnisse grölend selbstsicher auf. Klingelte und stand in der Wohnung, wollte wohl die Ingenieursmethode erproben. Statt einer Feder gab es veronesische Pinienkekse, 100 Gramm.

Sieben Tage Oberitalien. Eine Gratiseinladung für ihn. Specht benahm sich korrekt. Die »Einladung« blieb zu seiner sexuellen Entlastung anzüglich unerklärt im Raum stehen und glomm ein wenig. Noch immer trug er das Schuppenbärtchen, jedoch hatte er ihm beigebracht, sich neuerdings verächtlich zu sträuben. Ich sah in die algigen Doppelteiche – und für den Rest seiner Visite lieber nicht mehr, um seinem Auftritt Glauben schenken zu können.

Auf einer Kirchentreppe hatten zwei Frauen das dort mit dem Kopf nach unten liegende Kruzifix samt Corpus lachend per Gummischlauch abgespritzt. Bei einem Ausflug ans Meer mußte man, so Specht, mit ansehen, wie drei muskulöse Italiener belustigt den Todeskampf einer jungen Muräne studierten. Ihr Kopf war mit den Zinken einer Gabel arretiert, während sie sich, das Maul weit offen, sterbend aufbäumte und Gefallen erregte.

Specht: »Ans Meer? Wo dicke Großmütter in Kleidern paradieren, die zentimetergenau unter den Arschbacken enden und die altgedienten Beine unerfreulich vorweisen, wo Paare im hellen Licht auf Felsen ausgestellt ihre Schleimspiele treiben bis auf die unmittelbare Kohabitation, weil das verboten ist, sonst wär's ihnen wurscht, der Akt, der von schreiender Trivialität sein wird wie die auf dem Rücken alles von sich streckenden Weiber, und wo nur eine sehr junge Schönheit luftig aufschäumend ...« »Da«, machte ich, »du hast was Grünes am Zahn.« Da war gar nichts. »Maria!« Specht griff nach meinen Händen, er verwechselte mich mit einem Gnadenbild. Ich schüttelte ihn aber schleunigst ab.

»Ein beleibtes Paar bräunt sich. Der Riesenhund ist deponiert im Schattenquadrat, spärlich genug, unterm Sonnenschirm, hechelnd, stundenlang, ab und zu stößt er einen klagenden Schrei aus. Dann hält das fette Weib ihm die Schnauze zu.« Specht natürlich immer auf seiten der Tiere, seines Namens wegen. »Dann die hell verfärbte Seniorenflut. Überall. Wie schrill verzweifelt sich die Jugendlichen in ihren Sportrüstungen gegen den Tod, gegen diese Erosion wehren, gegen die, wenn auch unterwürfige, Seniorenübermacht! Am tollsten aber Verona, die Stadt des berühmtesten Liebespaars!« Specht rief es in bitter warnendem, drohend orakelndem Hohn.

Höllenstimmung im Hof der Julia, Hexenkessel und Gekreisch, wohl weil sich alle anwesenden Paare animiert kniffen und kitzelten. Auf dem Balkon patente Frauen, die den Gatten die lange Nase zeigten. Familien, kinderreich dazugequetscht in die enge Räumlichkeit, Burschen, die grinsend die rechte Brust der Julia zur Markierung ihrer Abgenutztheit noch glänzender rieben. Romantik, Sentimentalität, Kitsch? Nicht die Spur! Alles lachte sich kaputt wegen Shakespeare, der Liebe, der Fama und auch wegen sich selbst, so doof zu sein, hierher zu kommen. Ausverkauf, kurzum, Ramschatmosphäre. Wenigstens kostete es keinen Eintritt.

Die Verhunzung der Liebe an sich – so wollte er es wohl verstanden wissen – tat ihm gut, vor allem, sie an mich weiterzureichen. Ich gönnte ihm die Befreiung. Er lauerte auf Widerspruch. Der kam aber nicht.

Dann zum Eigentlichen. Es sei soweit. Auf Apokalypse und Höllensturz müsse nicht länger gewartet werden. Mit der Liebe seien auch Schönheit und Würde passé, mit der wachsenden Zahl der Arbeitslosen aber sei das, von dem er sich gerade ein Bild gemacht habe, pestilenzartig gewuchert, um die Betrogenen vollends fertigzumachen. Vergnügungseldorados. So sei es von oben gewollt, aus finanziellen und politischen Gründen. Die Idioten unter Glaskuppeln, der ganze Globus mit seinen Leitattraktivitäten vertreten, auf gar nicht so kleinem Raum für 50 Mark pro Besucher, das seien 200 Märker für eine Normalfamilie. Versiegelt, wie gesagt, unter Glas. Haha, würde nichts nutzen auf Dauer. Irgendwann schlügen sie trotzdem los in den multifunktionalen Zentren, den Erlebnisparks und Urlaubsdörfern zwischen Shopping und Riesenwasserrutsche. Bescheuert auf die Welt gekommen und noch immer bescheuerter gemacht. Im Wegwerfgeschirr mit der internationalen flüssigen und festen Scheiße unter Palmen, unter Sternenzelten, unter Säulenhimmeln abgefüttert, säßen da ratlos mit den Resten ihrer Seele grübelnd in der Kacke, immer natürlich verkehrsgünstig in Bahnhofs- oder Autobahnnähe. Oder quietschten in der Wellenanlage mit Turbo.

Säßen sensationell in der Kacke, trübsinnig letztlich wie in einem elenden Wartesaal. Sparten drauf, kämen nicht los davon, schlügen irgendwann aber trotzdem los. Wer im Glashaus sitze, werfe mit Steinen! Looping, Regenwald und Mayaruine, das werde alles nichts helfen.

Säßen in der bombastischen Kacke und hätten tolles Feeling mit der Tageskarte, die aber finanziert sein wolle, womöglich Hotelübernachtung inclusive, alles eben Mix von allem, was das Herz begehre. Kacke mit Musik, das verstehe sich ja wohl. Das Paradies. Superbeleuchtung.

Spechts Stimme überschlug sich vor Grausen und Berauschtheit. Die Rechthaberei seiner Visionen! Besser konnte sich kein Urlaub entwickeln für ihn. Sechzig solche Erlebnisparks gebe es inzwischen in Deutschland. Branchenumsatz in Milliardenhöhe. Die, die sich anfangs dagegen gewehrt hätten, die Länder und Gemeinden, griffen jetzt allzu gern zu, gerade in struktur- und wirtschaftsschwachen Regionen sei die Aussicht auf die hohen Steuer-einkünfte Verlockung, Versuchung, Verführung. Haha, Tür-kische Bäder! U-Bootsimulatoren!

Lokalpolitiker und Investoren planten glänzenden Au-ges, damit noch mehr Scheiße unter Glaskuppeln gefressen werde, damit immer mehr Kacke von Glas überwölbt wür-de, damit man den sogenannten Mob immer fester und kal-kulierbarer im Griff hätte, belauscht und im Griff, belauscht die einen, die anderen schwer beschickert gemacht. Die würden dann gar nicht mehr merken, daß sie sterben. Al-lein im Umland von Berlin sollten sechs solcher Mords-elendsdorados entstehen! Ob das die einzige Möglichkeit sei, die echten Alpen, bitter nötig, vor der Menschheit zu verstecken?

Kurzum, Specht hatte in seiner zweiten Urlaubswoche ei-nem befreundeten Elektriker im Center Park von Bispingen, Lüneburger Heide, assistiert. Kein Annäherungsversuch. Specht war so schon glücklich genug. Nur Blicke gab es. Da-für dachte ich aber noch in der Nacht an ihn. Wie ich näm-lich davor, mit ihm selbst, Sophie und Zara im EEZ gedacht hatte: Und doch gibt es auch hier, in dieser Stadt, ein Ge-häuse, in dem die Arien gesungen werden, bis hoch hinauf in die kühlen Gletscherregionen der Töne. Gerade da aber hatte Specht gebrüllt: »Wenn eines Tages das Trinkwasser ausgeht, dann werden sie alle, wir alle, auf die Restgletscher kriechen und sie ablecken. Unser Schicksal heißt Vermi-schung, Zerstreuung, Entropie!« Ich hatte dagegenüber-legt, daß doch selbst die schrecklichste Zertrümmerung aller Weltbilder immer nur auf der kleinen Leinwand des einzel-nen, menschlichen Bewußtseins erscheinen kann, und es tröstete mich, damals, im EEZ und in dieser Nacht dann wieder. Dann wieder Spechts Bevölkerungsströme in Sta-dien, Arenen, Baumärkten. Früher seien es die Klein-Könige gewesen, deren größte Sorge war, ihr Volk könne ihnen weg-laufen, sich in Gebirgen und Wäldern vor ihnen verstecken, sie im Stich lassen, wenn sie regieren wollten. So vor kurzem noch in der DDR, jetzt sei das Volk, bis auf die Stimmzettel zwecks Demokratievorspiegelung, entbehrlich und müsse nur noch irgendwie körperlich verwahrt werden.

Am nächsten Tag fragte mich eine, im ersten Moment fast häßliche Stimme am Telefon, ob ich die Liste der reichsten Familien inzwischen auswendig dahersagen könne. Ich angelte geistesgegenwärtig nach meinem Adreßbuch. Der Zettel lag vorn drin, nein, gelogen, der Zettel war an die Wand genagelt. Also las ich, zuerst gespielt zögernd, dann routiniert ab: »Quandt, Albrecht, Engelhorn, Haniel, Woeste, Verzeihung, Langmann, Woeste …«

Gerade vorher war ein aufwendig konstruiertes Insekt, ein durchsichtig grünes, auf meiner Hand gelandet als hochgestochenes Modell für ein Schmuckstück wahrscheinlich, viel zu kompliziert für meine Fähigkeiten, doch das merkte ich erst hinterher, nach dem Anruf. War ausgerechnet und unmittelbar vorher gelandet! Ich las in Wahrheit aber nicht die Namen vor. Ich tat Schlaueres und war hinterher zufrieden mit mir. Da es zufällig noch neben dem Telefon lag, trug ich Spechts Gedicht vor:

»Das Schwein

Zu Hilf, zu Hilfe, schöne Frau,
ich bin ein Schwein,
das arme Schwein von Drosendorf,
von Drosendorf, das ist nicht weit
vom dunklen Böhmerwald.«

Erinnern Sie sich? Natürlich tat ich auch das nicht. Ich sagte nur sehr schnell, ratterte runter, weiß der Himmel, warum ich ausgerechnet darauf verfiel: »Sperre Limburg des Kraftwerks Kaprun-Hauptstufe und Krafthaus Limberg des Kraftwerks Kaprun-Oberstufe.« Gar nicht so leicht, das auswendig runterzuleiern. Aber ich, ich kann's!

Schon zurück! Schon zurück! Ich rannte im Regen um den Häuserblock und aß ruckzuck eine ganze Tafel Schokolade dabei. Vor Freude, und erschrocken darüber, daß mir Leos Stimme erst nicht gefallen hatte.

Alles weitere morgen abend. Nur schnell das noch, weil ich jetzt wieder daran denken muß. Die alte Ausreißerin, die Mutter der Wirtin im Alten Land, hatte plötzlich eine Brille, die ihr am Band vom Hals hing, mit einem Ruck aufgesetzt, um uns zu fixieren, und dabei zogen die schweren Gläser die unteren Lider stark abwärts, so daß die Augäpfel in offenstehenden, blutigen Taschen steckten.

Einmal, als ich wieder in Nienstedten wegen eines Kunden zu tun hatte, fiel mir beim Hinunterlaufen der S-Bahnhofstreppe auf, was über den Stufen stand. Die Zahl 39, darunter, mit einem Pfeil nach links, das Wort »Flughafen«, dann noch mal die 39, darunter, mit einem Pfeil nach rechts, das Wort »Teufelsbrück«. Das Hochsteigen von Leuten auf Treppen aus der Tiefe berührt mich immer eigenartig. Auch ein großer gelber Hund, ein riesiger Hund, der Kopf schon fast ein Kuhkopf, stieg einmal aus dem Boden, wo Keller und Küche waren, in einem Restaurant auf, kam und legte seine Vorderpfoten auf meinen Fuß, in Paris war's. Da hörte ich ein Weilchen auf zu essen und sah lieber dieses Bild an.

Was ich noch zu dem Auferstehungsbild von Zara sagen wollte: Ich sehe die Leute eigentlich in langen Schlangen aus den U-Bahnschächten fahren, nach oben, auf Rolltreppen, an Plakaten vorbei mit dem Mount Everest drauf, wo à la mode das Ewige Eis beklettert wird. Die Leute denken vielleicht, es geht auf einen lichten, hell blühenden Boulevard. Aber es ist diesmal das Jüngste Gericht. Ein Bischof mit einem Beil unterm Arm, eine Frau mit einem Rad in der Hand, ein junger Mann mit einem Pfeil haben sich unter die Hochfahrenden gemischt, ein Alter mit einer Zange, alles Märtyrer mit ihren Leidenswerkzeugen. Im Louvre habe ich das verblüffendste Bild zum Letzten Gericht gesehen. Alles lächelnde Personen, Mutter Elisabeth und ihr Sohn Johannes, Maria und der Kleinste von allen, Jesus, und schließlich, ganz rechts, der lockige Erzengel Michael, die Beine in blitzender Rüstung schräg gelegt. Jesus spielt tapsig mit einer Waage, Mitbringsel des Engels. Das fürchterliche Fanal, die Guillotine des Weltgerichts beinahe, als Spielzeug für zwei neckische Kinderchen. Hinter ihnen, durch eine dunkle Höhlenwand, Ausblick auf eine hell entrückte Landschaft. Das himmlische Jerusalem? Wenn ich mich recht erinnere, hat es Ludwig der Vierzehnte als Leonardo gekauft. Das sanfte, allgemeine Lächeln über der Szene muß ihn zu seinem Irrtum verführt haben.

Ja natürlich, warum dachte ich nicht früher daran, angesichts der Chinesin in Zaras Haus! Dort, im Louvre, hatte ich ja auch, aus dem Trupp ausscherend, ein schon älteres asiatisches Paar gesehen. In der Pyramide gingen sie hintereinander her, als die Frau sich vor dem Mann bückte, plotzklaps ihren Rock hochnahm und von den weißen, speckigen Oberschenkeln ein blau leuchtendes, mit Glasjuwelen – werden ja wohl nicht echt gewesen sein – besetztes Band abstreifte, ein intimes Schmuckstück offenbar, es nur ein wenig tiefer schob und nach zwei Schritten noch einmal den Rock raffte und nun das auffällige Schenkelband kichernd über das Knie und den Schuh ganz abzog. Der Mann hinter ihr griente, geradeaus blickend, als erinnerte er sich an etwas mit Genuß.

Gehen Sie noch nicht! Noch nicht, einen Augenblick noch!

Wissen Sie was? Ich persönlich glaube, Spechts Abscheu vor den Massen, nun auch vor den Touristen, wie sie sich folgsam aufmachen in endlosen Strömen, um sich zu ergießen in Museen und Kirchen, zu den namentlich ausgerufenen Idolen und Legenden der Kultur, an Stränden, in Einkaufsstraßen, wie sie losstürmen und träge fließen, wenn die Saison beginnt, um schlüpfrig bemalte Königsbetten und vergoldete Königinnenklos zu besichtigen, dieser Abscheu rührt her von einem Satellitenfoto Europas, das er über seinem Küchentisch hängen hat. Er bildet sich ein, der Blick aus solcher Weltgerichtshöhe sei der ihm angestammte!

Ich flüsterte bestimmt »Leo« vor mich hin, bevor ich damals einschlief. Ihnen aber: Gute Nacht! – Stellen Sie sich vor, ich hätte am Telefon doch mit einem Gedicht Spechts geantwortet, nämlich diesem:

Lied des Löwenjungen

Gute Nacht, jede Nacht
schlafen wir eng,
schlafen wir schnaufend eng
umarmt ...«

Nochmals: Gute Nacht! Apropos Spechts Gedichte. Er schickte mir dann später ein extra kritisches. Es lautete etwa so:

Rhein in Flammen
Weinfest total
Wurstmarkt Trip
Kegelparty
Oktoberfest-Gaudi

Rhein in Flammen
Weinblütenfest
Vatertagsbummler
Maintour

Rhein in Flammen
Grachten-Idylle
Blumenkorso

Rhein in Flammen
Möbelmesse

Rhein in Flammen
Rhein in Flammen
Rhein in Flammen

Überschrift: Rhein in Flammen! Zum letzten Mal: Gute Nacht! Sie wissen, welche Medizin ich mir gegen das Grauen eingesetzt habe.

Holunderburg

4. Abend

Kennen Sie etwa das Gefühl? Man wünscht sich vor so viel nahen, in Hochform gebrachten Gesichtern Wildfremder eine unbewachte Minute lang, alle Leute sollten, bis auf die wenigen eigens geschätzten, auf der Stelle vom Erdboden verschwinden. Sie drängten sich zwischen Schuhsammlung und Vogelsalon, aufgekratzte, tschilpende Wesen, aus Zaras Vitrinen und Käfigen in die Zimmer gekippt. Besser, wenn sie ihre Gestalten als Gefiederte und High heels beim Flüstern, Aufschreien und dem markerschütternd krachenden Gesellschaftslachen beibehalten hätten. Ich will nicht, ich will nicht! rief krakeelend eine Stelle in mir. Dazu hatte ich beim EEZ-Zusammenstoß keine Zeit gehabt.

Ein heller Juniabend. Die Wände bauschten sich. Das kam vom allgemeinen Duften. Ein Glanz bleicher Holunderteller draußen und von den Mondlichtteints hin- und herschwärmender Personen im langen Flur. Um ja nicht zu früh zu kommen, verspätete ich mich zu Leos Wiedersehensfest beträchtlich. Da stand schon Zara neben mir, die Lippen brennend, zum Ausgleich die Konturen streng nach unten gezogen wie noch nie. Sie machte das doch bestimmt, um durch den Widerspruch zu verwirren? Ich wußte nur zu gut, wen vor allem, sah ihn aber noch nicht. Zara, zartfühlend, durchschaute meine Hilflosigkeit: »Nicht den Kopf verlieren!« Das höhnte sie mir einfach ins Gesicht. Ich schluckte es. Wir mußten uns im Vorüberwehen der Gäste aneinander festhalten. Sie streckte sogar, in einer Art Festrausch, den Arm mit einem hohen Kelch über ihren Kopf: »Hören Sie nur, Maria!« – wieviel Zeit sie sich für mich nahm, trotz der vielen, lebensgierig stolzierenden Besucher

– »Der kleine Liebesvogel singt sein süßes Lied.« Sie strahlte mich an, weiße Blitze aus ihrem Inneren. Dann zog sie die barbarischen Brauenbögen zusammen: »Das wird heute noch oft gespielt. Ein langsamer Walzer. Wer will, kann tanzen dazu.« Eine Drohung. »Rosita Serrano singt für uns, die Chilenin. Leider tot.« Ich entdeckte ein junges Mädchen, das mich sofort an das Foto von der Schuhräuberin erinnerte, als Zara die Parole ausgab: »Willkommen im Reich der Poesie, wo man manche Wörter unbedingt aussprechen muß und andere nie aussprechen darf.«

Wir wurden, in unserer halb erzwungenen Umarmung, von anderen interessiert bestarrt. Falls mir bekannte Personen darunter waren, sortierte ich sie nicht als das heraus, begann statt dessen vorsorglich im höflichen Übereifer, Fremde für Bekannte zu halten. Sie blähten sich, geputzt in allen Haarfarben, vor- und zurücktaumelnd. Ich hatte zu lange nichts gegessen. Zara trug ein morgenrockartiges Gewand, unglaublich, mit meiner Frauenschuhbrosche dran! Schwarz von Hals bis Fuß, ein Satinkleid, das sie schmal um sich gewickelt hatte, mit einem einzigen lässigen Kordelknoten um den Körper geschlungen, als wollte sie Sophie belehren – ach was, daran dachte Zara überhaupt nicht –, wie man sich mit lauter Finsternis nicht zum Schornsteinfeger, sondern zur Halbgöttin macht. Alle Möglichkeiten, Dekolleté und Beinschlitz zu variieren, standen ihr für den Abend frei in voraussehbaren Abstufungen. Keine Spur von Leo, der einzige Punkt, auf dem sich für mich das Glück niederließ und zwar unmäßig. Der äußerst selten gestattete Zugang zu einer in der Welt vielleicht ständig vorhandenen Seligkeit und Brillanz. Hier mißverstand mich Zara. Ich war in Gedanken und nicht mehr ratlos. Sie wollte mir noch einmal beistehen: »Bündeln Sie sich die Leute zu Gruppen. Es gibt nicht mehr als circa fünf Typen. Hinter solche Leitfiguren stellen Sie die anderen in Zehner-, Fünfer-, Dreierkolonnen. Da kommt jemand für Sie.«

Ich versteckte den Kopf im Schrecken, und mir entschlüpfte, idiotisch, das unsinnige, unangebrachte Wort: »Du«.

Es erregte keine Verwunderung. Vor mir stand Specht. Die Teufelin machte sich aus dem Staube. Specht, irgendwie als Vagabund gekleidet, verdroß mich durch seine unerwartete Anwesenheit so sehr, daß ich mich ohne Begrüßung abwandte, obschon er seine Hand ausgestreckt hatte und sich dann die Brille putzte wie sich Affen hinterm Ohr kratzen. Heute ist mir meine Grobheit unverzeihlich, auch – lästigerweise – unvergeßlich.

Nicht nur Specht war da, auch Sophie, Frau Engelwurz, die Schwester der Wirtin Nohns, und deren alte Mutter sogar. Diese beiden vor allem, in unerbittlich festlicher Kleidung, sorgten für ein hausfraulich altländisch schürzenhaftes Element. Was hatte Frau Engelwurz behauptet? Zara ließe niemanden in ihr Haus? Ein Büffet mit Blumenspringbrunnen, echten Hummern und teils künstlichen Früchten, mal so, mal so, man konnte sich foppen lassen, befand sich im Wintergarten. Getränke wurden von befremdend schönen Kellnern serviert. Zara trug die Pekingschuhe. Den ganzen Abend über tauchte hier und da die Halbwüchsige auf, die ich – wie sich herausstellte zu Recht – für die Schuhräuberin hielt, zusammen mit einem Mann, der vielleicht ihr Bruder, ihr Freund oder der war, der bisher, vor dem Einfall der Mutter mit dem toten Filmstar, als ihr Vater gegolten hatte. Gelegentlich sprach Zara mit den beiden und warnte sie einmal scherzhaft mit dem Zeigefinger, das Mädchen und den etwa fünfunddreißigjährigen Mann.

In der Nähe der Eingangstür hatte man ein plakatgroßes Foto aufgehängt mit sehr hochhackigen Sandalen aus goldenem Leder. Ich mußte aber an Kautschuk denken. Das innere Sohlenstück, das den Fuß tragen sollte, war steil hochgebogen und schwebte größtenteils frei über der Plateausohle, die Schuhspitze und Absatz, flach am Boden aufliegend, verband. Der waghalsige, geschwungene Absatz aber, an seiner schmalsten Stelle vom Gewicht der ehemaligen Trägerin leicht eingedrückt, warf Falten. Mit ornamentierten Riemen und Bändern war der vorn offene Schuh am Fuß zu befestigen. Ein Geschenk für Zara vom, hörte ich, Ingenieur! Es handelte sich um das Schuhwerk Liz Taylors aus dem Film »Cleopatra«. Sehr geeignet, um die kleine, zur Drehzeit schon recht rundliche Person zu strecken. Im Film »Ivanhoe, der schwarze Ritter«, an der Seite Robert Taylors, der aber gar nicht mit ihr verwandt war, erschien sie uns Kindern von so unvergleichlicher Schönheit, daß der einzige Fehler des Films in der Bevorzugung der öd blonden Joan Fontaine durch Ivanhoe bestand. Ein reines Mißgeschick.

Leo – ich war ihm sogleich dankbar dafür – sprach mich von hinten an, und ich drehte mich auch gar nicht zu ihm um, schloß womöglich die Augen. »Sie sind also wirklich gekommen«, sagte die Stimme, sagte es schwermütig, und wieder hörte ich Rosita Serranos »Der kleine Liebesvogel singt sein süßes Lied.« Als ich mich endlich umwandte, sah ich eine Weile auf sein dunkles Hemd, das sich angenehm spannte über der Brust, sah in vorsichtigen Schüben höher, auf den ebenfalls dunklen Krawattenknoten, sehr südamerikanisch. Dann war ich bei der unverrückbaren Halssäule, beim schutzlosen Kehlkopf, alles Zentimeter für Zentimeter.

War auch Leo rot geworden? Ich weiß nicht wann, aber er hatte sich verfärbt und entfärbte sich. Noch leiser sprach er jetzt, als befänden wir uns Mund an Mund. Ich suchte nach dem Muttermal, um ihm nicht in die Augen sehen zu müssen, ich brauchte alle Kraft zum Einatmen. Oberhalb meiner Blicke verzog er seine Mundwinkel, ich kriegte es durch die Wimpern mit. Die Leute waren vom Erdboden verschluckt.

Ich meinte eben eigentlich nicht »schwermütig«, wohl eher »zaudernd«, eventuell »bedauernd«. Weil ich seine Einladung leider wörtlich genommen hatte, was nun nie mehr rückgängig zu machen war? Aber damals lächelte ich mit allem, was an mir lächeln konnte, ein dämlicher Anblick wahrscheinlich, begeistert zurück. Niemand muß mich darüber aufklären, wie doch die Welt während solcher außerirdischen Wallungen grausam weiterwurschtelt. Ein Horizont schloß sich heiter um mich als Grundwahrheit, Grundtäuschung. »Ziküth« hörte ich den Liebesvogel mit anderer Stimme als der Rosita Serranos singen. »Maria« rief der Graupapagei, ich weiß nicht, ob in mir oder außerhalb. Waren wir beide es, die da murmelten an einer offenstehenden Gartentür?

Das Haus wirkte größer und verworrener als je zuvor. Welle auf Welle rollte der Duft aus den Etagen weißer Blütenteller heran, um uns beim saugenden Rücklauf die Füße wegzureißen. Wir wurden ins Rutschen gebracht, zerschmettert, ertränkt, angespült. Ein Flüstern und Wispern, aber ohne Eifer, träge, beinahe wie verdrossen. Die Konvention, der Vorwand. Man nahm einander in Augenschein. Draußen noch Kastanien und Weißdorn, Kerbel, Süßdolde, alle Holunderherolde.

Die Leute drinnen und draußen: verschwimmende Reliefs wieder, auf der obersten, vordersten Schicht zu Halb- und Viertelfiguren modelliert, darunter zu einer homogenen Materie verschmolzen, warten Sie: eher ungestaltet gelassen. Ich mußte mein Gesicht immer nah an das seine bringen, um ihn zu verstehen. Wovon sprachen wir, was wurde mitgeteilt? Hier leistete sich Zara einen altmodischen Scherz. Noch einmal sang Rosita, aber nur bis »singt sein ...«, dann brach das Lied ab, und jemand stieß einen melodischen Pfiff aus. Wohl für die meisten Gäste gut sichtbar, trugen vier schöne Kellner ein Tablett, auf dem um eine silberne Haube herum vier schneeweiße Tauben aus Wachs oder Porzellan saßen. Wieder der Pfiff. Da hob Zara, wobei sich der Morgenmantel über den Brüsten großzügig öffnete, die Glocke hoch, und aufflatterten vier milchweiße Täubchen und sogleich den Kellnern auf die Handrücken. »... süßes Lied« ging es weiter. In der Ferne sah ich jetzt Sophie, die sich zu uns durchzukämpfen mühte, aber es nicht schaffte.

Da begann ich mich an etwas zu erinnern, ganz allmählich, es war da und nur noch keine Figur geworden. Aber Zara, der niemand den Weg versperrte, trat vorher schnell zu uns, während die Gäste noch immer klatschten.

»Nachher gibt es den Graupapagei zu essen.« Sie ließ die

Augen zwischen uns wandern. Wir sollten merken, daß sie es tat, und vermutlich deshalb verlegen werden. So komisch das für Sie klingen mag: Ich war vor lauter Liebe dafür viel zu gutmütig, betäubt, schlaftrunken. Und Leo, nehme ich an, nahm ich jedenfalls damals an, konnte sie ohnehin damit nicht erschüttern, er kannte sie, er ertrug sie. Ich will natürlich sagen: Das hoffte ich und machte mir über die Strafwürdigkeit, ich meine Fragwürdigkeit meiner eigenen Rolle ja keine Gedanken.

»Maria«, sagte Zara sanft, »achten Sie zum Beispiel auf die Münder der Frauen. Es gibt drei Sorten. Manche sind einfach und schlicht wie nun mal gewachsen, andere in Wunschform geschminkt und wenige durch Küsse, man sieht's deutlich, deformiert oder erst geformt.« Auf meinen verblüfften Blick hin fuhr sie fort: »Das interessiert Sie doch. Man muß bei jedem Menschen das Reizthema finden. Und nun sehen Sie da drüben, auch du, Leo, sieh hin, die faszinierende Charlotte, sitzt an ihrer Doktorarbeit. Wie großartig ihr die Frauenkämpferei steht, die nach letztem Schrei, versteht sich, deshalb macht sie's auch bloß, paßt einfach toll zu der roten Mähne, dem hübsch stilisierten Busen, dieses wandermäßig Federnde. Selbst heute abend trägt sie einen winzigen Rucksack. Bedeutet: illusionsloses Einzelkämpfertum in Anführungsstrichen, hier aus Seide gearbeitet. Früher kombinierte man Pelzmäntel und Turnschuhe zur Klage: ›Mich hat das System zerbrochen.‹ Die Turnschuhe sollten das wärmende Symbol des Gutbürgerlichen demütigen. Und außerdem, Maria, bei ihr, wie bei vielen Frauen heute, liegen die Liebschaften pragmatisch schuppenartig übereinander. Sie beendet ein Verhältnis erst dann, wenn das nächste gesichert ist. Anders bei unserer melodramatischen Sophie. Sie liebt in Intervallen, lange Zeit männerlos, dann wird sie besonders schwierig, unsere Persephone. Gerät mit den ihr mythologisch zugedachten Jahreszeiten über und unter der Erde durcheinander, mehr als sonst noch.«

Wir sahen sie in diesem Augenblick auf einen jungen Mann einreden, fanatisch über einen Gegenstand sich ereifernd – was für eine Lust, sich gesellschaftlich zu strapazieren! – zwischendurch schnell in die Weite spähend. Hinter dem Rucksack dieser Charlotte aber erschien Specht und wollte – ließ es dann Gott sei Dank – schelmisch dessen Gewicht prüfen. »Ist Ihnen aufgefallen …« In dieser Sekunde stand aus einer gut gelaunten Männergesellschaft ein grauhaariger Mann in dunkelblauem Anzug auf. Ich konnte ihn von vorn beobachten, nicht die Frau, eine sitzende, blonde Person, die er begrüßte, stellte nur beim seitlichen Wenden ihres Kopfes fest, daß sie eine sehr große Sonnenbrille trug.

Das leuchtet Ihnen sicher ein.

Er versenkte seine schön bewimperten, erfolgsgewohnten Augen lächelnd in ihre dunklen Gläser – ich sah es, als gälte es mir –, und zwar einige Momente, deutlich und kalkuliert, zu lange, mit Vergnügen an dieser unverschämten Überdehnung, blindlings in das Gläserdunkel hinein, um dort auf unausbleibliche Resonanz zu stoßen. Sofort war klar, daß dieser Mann, der sicher viele Frauen erobert hatte, jawohl, erobert, nicht mein Fall sein würde. Und doch habe ich keinen Männerblick an diesem Abend so behalten wie diesen, so samtig und kalt erprobt. »… aufgefallen, wie diese jugendlichen Hochbegabten – Sophies gegenwärtiges Opfer ist so einer – noch immer und egal, wo sie sich befinden, in der ersten Schulbankreihe sitzen, kerzengerade, begierig, alles nur ja aufzunehmen, um dann die überwundenen Lehrer zu belächeln und sich fit für den nächsten zu machen, in ihrer robusten Arroganz, nicht ahnend, wie doch das Leben von einem Dreißigjährigen schon etwas mehr Gebrechlichkeit und Müdigkeit erwartet und nicht so viel infantile Wißbegier. Zurückgeblieben, diese Überflieger, aber die kommenden Leute.« Zara dehnte sich wohlig im geschmeidigen Mantelkleid. Im Gegensatz zu mir wußte Leo, ob sie darunter nackt war. Sie wollte es so. Die ganze Festversammlung sollte sich diese Frage stellen.

Leo wurde beauftragt, das Ehepaar Bolz zu begrüßen. Er tat es, fuhr Zara aber, zur Hälfte protestierend, einmal ruppig durchs Haar. »Ehepaar Bolz, unsere charmanten Hausverkäufer. Ich werde Ihnen das höfliche Paar noch erläutern«, tröstete mich Zara über den Verlust weg. »Sehen Sie zu, ob Sie sie entdecken, die putzigen Beinchen von Frau Bolz, unten mit angewachsenen Pumps, stark angespitzte Bleistifte, nadelspitze Minen, auf denen sie ihren winzigen Rüsseltierleib balanciert. Der zugehörige Mann, nicht größer als die kleine Frau, Jungmädchenhaut im Gesicht, eine Anemone. Gesenkter Kopf, nie ohne Aktentasche, auch heute nicht. Viel Erfolg.«

Schon stand ich allein herum mit meinem Glas. Ich aß auch irgendwas. Zara kam dann noch mal zurück: »Die blonde Frau mit Sonnenbrille ist ein ehemaliges Model. Schönste Füße der Welt, besonders gefragt für Abendsandaletten in allen internationalen Modezeitschriften.«

Um das Paar zu entdecken, mußte ich mich nur an Leo halten. Er blieb aber verschwunden, und ich, ich rührte mich nicht von meinem Platz. Die kleine Räuberin stand jetzt bei dem Grauhaarigen, der jedoch an ihr seinen Blick nicht versuchte. Kurz darauf plauderte er mit der Doktorandin. Sie machte, umrollt von ihrem wuchtigen Haar, ausdauernd die Bewegungen eines Schwimmers. »Finnegans Wake«, rief sie, oder auch: »Lieber'n Shake«, und Zara lachte bei dem, den ich für den Begleiter der Schuhverbrecherin hielt. Immer freute ich mich, nicht zu verstehen, was sie alle sagten, nur zu beobachten, wie sie durch Einzelgesten aus dem Untergrund hervorsprangen, und dabei, gewissermaßen tänzelnd, nach der Gestalt zu forschen, die mich doch ausschließlich gefangennahm, den Kopf manchmal zum Garten zu drehen und mich überwälzen zu lassen vom Duft der zwielichtigen Dolden und mich den raunenden, rumorenden Mondlichtgesichtern zuzuwenden, den im Lachen aufplatzenden Vollmonden in den Räumen, mit der einzigen Sorge, Sophie oder Specht könnten zu mir stoßen.

Auf einem Klappstuhl saß plötzlich die alte Frau Engelwurz neben mir und erzählte, ihr Mann sei vor Jahren in Mallorca mit neunzig Jahren im Schneesturm umgekommen, eigentlich nicht sofort, nur der Bus habe in dem Unwetter einen Tag aufs Freischaufeln warten müssen. Nach drei Tagen sei der Gute an Lungenentzündung – ein schöner Tod insgesamt – verschieden. An ihr stellte ich zum ersten Mal fest, daß auch die Symmetrie eines Gesichts keineswegs etwas für immer Garantiertes ist. Auch die sorgfältig austarierte Balance der beiden Gesichtshälften war also Vorrecht und gloriose Leistung der Jugend. Wie ist mir in Menschenmengen immer so philosophisch zumute, aus Notwehr. Mein Gott, solche alten Leute offenbaren Wunder über Wunder, besonders nach dem Einstürzen der stolzen Augenbögen. Ein Lebensabschnitt der Abenteuer! Und wie früher, ganz früher, die große Aufregung wegen des Ungewissen! Hier allerdings namens Tod. Auf das stumme Stichwort hin hob die alte Frau ihren Arm und ließ ihn immer wieder nach unten sausen. So habe sie als Kind gesehen, daß ein Mörder grinsend am Tatort vormachte, vor Polizei und Zuschauern, heimlichen Zuschauern wie sie, die alte Frau Engelwurz, wie er sein Opfer erstochen hatte. Ein unvergeßliches Erlebnis »aus Kindertagen«.

Ich ging nun doch, als würde ich von ihr weggeschoben gegen meinen Willen, woandershin, erkannte Leo aus der Ferne bei einem kleinen Paar und genoß es, wollte gar keine Änderung, ihn aus sicherer Distanz anzuschauen. In der Nähe hörte ich ihn ja kaum lauter sprechen. Der Oberkörper, über dem sich das Hemd so einladend spannte, winkte mir heimlich, dehnte und reckte sich, was die Anzugjacke weiter öffnete, dazu das knochige, undurchdringliche Gesicht, so blaß zwischen den anderen, müde, angespannt, aufmerksam, zerstreut, ringsum aber von einem Luftzittern umgeben, das mich bei geringerer Entfernung auf Dauer zersetzt hätte.

Manchmal das Aufkreischen einer Frau. Einmal gab die rothaarige Doktorandin einem nur wenig älteren Mann mit fadem Gesicht über rosa Kragen eine Ohrfeige, einem mühsam korrekt aussehenden Herrn, mit rosa Krawatte obendrein, der mächtig ausholend zurückschlagen wollte, aber man hielt schnell seine Hand, nein Faust. Aus der anderen fiel sein Glas zu Boden. Ein etwas tollpatschiges, sehr glücklich aussehendes Landmädchen kam flink mit einer Schaufel gelaufen. Der allgemeine Lärm klang nun ein Weilchen animierter, und Zara, im Vorübergehen, klärte mich auf: »Zoff mit dem Anlageberater, früherer Medizinstudent. Dabei hat seine Mutter, in Süddeutschland Verkäuferin beim Optiker Fielmann, vor ein paar Wochen, kurz nach ihrem Besuch hier bei ihm, Selbstmord gemacht. War zwischendurch Autohändler, hat einmal seine Freundin fast totgeschlagen, aber besserungswillig. Ist wohl schwierig, damit aufzuhören, wenn man auf den Geschmack gekommen ist.«

»Auch das noch. Nicht schlimm. Nicht schlimm«, klang es weh, sanft flötend und beinahe süß ersterbend an mein Ohr, bläulich-grün. Ich kam jedoch nicht zum ausführlichen Trauern um die Frau, die das starre Blicken der Kunden nicht ertragen hatte. Ich erschrak nur. Dann rezitierte in eine plötzlich klaffende Stille jemand in einem anderen Raum:

So hin

Viel Liebe,
viel Balz.
Ein großes Getriebe
Jedenfalls.

Alles versprechen,
wie es gefällt.
Es knirscht der Rechen
Über die Welt.

Es sei der achtundachtzigjährige Arzt und Dichter Erwin Bükken, der das Gedicht vor zwei Monaten geschrieben habe. Gut auswendig zu lernen. Man wünschte es noch einmal zu hören. Ich wunderte mich nicht über das Aussehen des Mannes, da ich ja seine Berufe vorher erfahren hatte. Er sah aus wie ein Arzt und Dichter zugleich. Er habe ein riesiges, größtenteils unveröffentlichtes Werk und sei Weggefährte von Bense und Fabri gewesen, sagte jemand hinter mir. Als ich mich umwandte, war es der elegante Grauhaarige. Er sprach mit der Blondine, die noch immer ihre Sonnenbrille trug und nun, im Stehen, bestimmt 180 Zentimeter groß war, mit verwittertem, sehr braunem Gesicht. Später teilte mir Zara mit, diese Frau habe einen Arzt geheiratet und lebe mit ihm in einem Armenviertel in São Paulo. Sie sei hier für zwei Monate auf »Heimaturlaub«. Und einige Zeit darauf sagte sie mir noch, sie habe drei Söhne und schon zweimal sei die ganze Familie nur knapp einem Mordanschlag entgangen. Der Anlageberater aber habe einen gewalttätigen Vater gehabt und als Kind gelernt, zu dessen Schlägen zu jammern und dann in seinem Zimmer in sich hineinzulachen. Als Erwachsener sei er aus Rache nicht ausgezogen, habe sich von seinem geschiedenen Vater ernähren lassen, um ihn zu bestrafen, nach Kennenlernen seiner Freundin dann nicht mehr arbeiten wollen, lieber die Freundin kontrolliert und sie schließlich um ein Haar erwürgt aus Wut auf seinen inzwischen längst verstorbenen Erzeuger.

In welchem Teil des Hauses hielt ich mich eigentlich auf? Specht sah ich die Knie der Chinesin umklammern. Die kleine Räuberin flatterte überall, der »Liebesvogel« sang seltener. Die Räuberin steckte eine silberne Gabel in ihre Rocktasche. Da sprang das Landmädchen neben sie und holte ihr flugs die Gabel aus dem Versteck. Die beiden fixierten sich lange, die Diebin mit geballten Fäusten, bis sie sich schmunzelnd abwandte.

Die Alpen jedoch ruhten in der Zwischenzeit fest, das Hochgebirge lag unverändert währenddessen in Höhe, Breite, Länge da.

Das Landmädchen, sagte Zara irgendwann, sei ein fröhliches Kind gewesen, habe immer alles glücklich bestaunt, den Mond, die Elbe, das kleine Fahrrad. Dann aber: als hätte man eine schöne Knospe entrollt und darinnen alles verfault gefunden, so sei ihr Gesicht erloschen. Ihre eigene Jugend müsse sie maßlos enttäuscht haben. Sie sei die Freundin des Anlageberaters gewesen. Jetzt aber funkle sie wieder, ihr neuer Freund sei bei der Freiwilligen Feuerwehr.

Es gebe hier im übrigen solche, deren kühnes Gesicht – wie etwa jener Grauhaarige, ein bekannter Literaturkritiker – permanentes Inbild des Grandiosen sei, was zu mancherlei Fehleinschätzungen des eher rudimentären dazugehörigen Charakters führe, und andere, deren kindlich-plapperndes Auftreten in Wahrheit harte Arbeit sei, ich solle mir jene zarte Frau ansehen, Frau Heinrich. Sie täusche damit auch ihren eigenen Mann über das Stählerne ihres Wesens reizend hinweg. Wie generell die Paare, hier die biedersten Gäste, etwa die Ehepaare Gutsch, Ebelsohr, etwas sehr Prikkelndes seien, diese menschlichen Fahrräder, Zweiräder, aber auch eben die Familie Bolz und Heinrich, einfache Maschinen im Grunde, die dazu aufstachelten, hinter das Gesetz ihres Funktionierens zu kommen, hinter ihre gemeinsame Grundsubstanz und die Art ihrer Rollenverteilung.

Der grauhaarige Kritiker steckte in diesem Moment hintenherum einem der schönen Kellner, der daraufhin ziemlich inoffiziell griente, einen Geldschein zu.

Ehepaar Bolz: stritten fast nie, sie wisse es, so Zara. Wenn aber doch mal, würfen sie einander ihr ganzes Leben vor. Wie viele Leute mittleren Alters nähmen sie Schönheit an sich selbst immer weniger wichtig, machten es sich dafür zu Hause schön. Ihre Wohnung: als hätte man eine mißglückte Speise durch dickliche Soße zu retten versucht, eine dauernde Beschwichtigung vor dem Grauen der Welt. Es gebe Männer und Frauen, vor allem aber Paare, bei denen der Sex immer mit eingeschlossen sei, und leicht, fließend sei der Übergang zum Bett bei ihnen vorstellbar. Bei anderen sei der Gedanke daran fast pornografisch, etwas völlig von der Normalerscheinung Unterschiedenes, wie Feiertag und Werktag, Soldat und Privatmann, Koch mit Mütze und Bischof. Was ich meine, zu welcher Sorte gehörten die Paare Bolz und Heinrich? Frau Bolz aber spiele der Welt immer das amüsierte Ehepaar vor, das sich niemals langweile. Komme man auf einem solchen Fest in ihre Nähe, lache sie unverzüglich hell auf im Gespräch mit ihrem Mann. Er sage dann ein Kompliment zu ihr, vor allen Leuten: »Dich hätte man früher als Hexe verbrannt!« oder was Ähnliches. Niemand glaube das. Wenn sie das merke, werde sie böse auf ihn, fuchsteufelswild auf den Ahnungslosen mit seiner Aktentasche. Er hatte ja nur was Nettes gesagt, leider zu dick aufgetragen dabei.

Ob Zara ihre Gäste einlud, um sich vor ihnen zu ekeln? Aus dem Vogelsalon drang hysterisches Pfeifen. Das lenkte Zara nicht ab. Ich sah einen rundlichen Mann, gelb im Gesicht, Schnurrbart stark, Brille dick. Seine überaus saftigen Lippen lachten, denn sein Arm umschlang ja in Höhe der Brüste, die bis zur Hälfte aus einem Kleiderausschnitt hervorbrachen, eine junge Frau mit blonden Zöpfchen, deren durchsichtiges Kleid, die Hüften pressend und modellierend, den gesamten Unterleib bis zur Abdeckung durch einen winzigen Slip freigab. Zara: »Für ihn, Gastronom Tetzelmann, ein spätes Liebesglück. Aber, Maria, sehen Sie zunächst das Ehepaar Heinrich. So einen scharf klaren Blick wie der Mann hat heutzutage eigentlich nur noch ein Sektierer oder Idiot. Sie aber wirkt viel weniger alt, weil sie davon überzeugt ist, daß der liebe Gott sie als kleines Mädchen sieht. Doch Vorsicht, wenn was nicht nach ihrem Willen geht, tritt ihr Naturell keifend zutage. Was macht sie mit dem Mann trotz dessen herrischen Unternehmerprofils? Sie gibt ihm Zeichen, nichts auszuplaudern, Finger auf dem Mund, aufgerissene Augen, die alte Klamotte. Alles in Gesellschaft, wohlverstanden, geht auch einfach weg, aus Protest, wenn ihr ein Thema nicht paßt, oder schnipst am Gatten, der ja ihr Eigentum ist, ermahnt ihn an dringende Briefe, schießhundartig an seine Verdauungspillen, sobald er ein wenig anderweitig zu flirten beginnt, dreht in dämmrigen Zimmern kategorisch das Licht an zur Ernüchterung. Kaum ist die Gefahr gebannt, wird postwendend das kleine Mädchen gegeben, das Dragonertum soll vergessen sein. Er übrigens ist ein Romantiker, glaubt schon seit April überall die Nachtigall schlagen zu hören, Sie wissen ja, schmelzend und wirbelnd, vermutlich selbst dann, wenn ein Eichelhäher schreit.« Fort war sie.

In einem anderen Raum – auch er ohne den leibhaftigen Leo – stand in der Nähe des Fensters ein phantastischer Rosenstrauß, die finsterroten Blütenwirbel an den Randzonen aufglühend. Ein Duft machte mich hinterrücks schwelgerisch und ängstlich zugleich. Zog in der Wärme von Westen Regen auf? Der Himmel jetzt in der Farbe der Holunderblüten, der Mond abnehmend, leuchtendste Blütenscheibe von allen. Hinten die Vögel: Ihr Zwitschern schloß die ineinanderübergehenden Räume ab, eine melodisch trillernde Wand. Träumerische Wolken, die den Sommerabendhimmel als hohen Raum eröffneten, Brandungsschaum eines dahinterliegenden Ozeans. Die Bäume säuselten sich die Seele aus dem Leib.

»Finanzdienstleister auf unterster Ebene. Und der will mir sein Know-how-Profil präsentieren!« sagte jemand weit weg. Kennen Sie das Pochen und Stechen, aber auch Knochenerweichen, dieses Herzklopfen und alles wie etwas, das man auf der Zunge schmeckt? Glücksschleier, Glücksnetze, vom Himmel heruntergetaumelt und schattenartig darangeheftet das Bewußtsein eines unerklärlichen Mangels, ja Makels. Dazu aber müssen sich drei Gerüche zusammenbrauen, wie hier jetzt: Rosen, Holunder, Jasmin und ein Tief, das sich von Westen her ankündigt.

Ein italienisches Lied wurde gesungen. Ich verstand es nur zum Teil. Jemand bat die Madonna, sie solle ihn vor der Liebe retten, damit wieder Ruhe herrsche in seinem Leben, oder ihm, andersherum, nach dem Verlust seines Liebchens, wenigstens Ruhe und Lächeln zurückerstatten, oder ihm ein Liebchen geben, ein altes oder neues, damit sich ein heiterer Frieden bei ihm einstelle. Immerhin waren schon welche vor mir von der Liebe deppert geworden! Wieder die Stimme von fern: »Aber dieser Ribbat! Immobilienspezifisch und finanztechnisch ein Genie. Eine Schande, wie das hier privat, ohne Herausforderungen, verkümmert. Muß aufpassen, daß er fit bleibt.«

Die schwarze Sophie strich nun doch an mir vorüber, betrachtete vielsagend, betrachtete sehr bedeutungsvoll den Rosenstrauß und mich, legte beide Hände auf die düster umspannten Brüste und wies mich auf eine geheime Verschlußsache hin. Natürlich! Die Rosen stammten von ihr. Sie wogte konspirativ im verblassenden Abendglanz. Von ihr, o ja, und zwar ausdrücklich – sie warf den Kopf stutengleich in den Nacken und sah sich schnaubend um – für – sie räusperte sich – Zara! Um des lieben Friedens willen Zara geschenkt! Sie puffte leicht in meine Seite und kicherte schwesterlich überflüssig: »Zara. Nicht – Leo!«

Gern ließ ich mich von einigen Leuten woandershin treiben. Kam dicht am Gastronom Tetzelmann vorüber, der sein Schätzchen an der Hand hielt. Die beiden mochten wohl selig sein wegen ihrer provozierend physischen Unähnlichkeit, dufteten außerdem mörderisch wie kein zweites Paar zum Beweis ihres ähnlichen Geschmacks auf der anderen Seite.

Es wurde ein wenig getanzt in einem Raum ohne Fenster. Die kleine Räuberin bewegte sich allein zwischen den musikalisch Gestikulierenden – tanzten hier auch die Kellner miteinander? Nein, nur kellnerähnlich Gekleidete –, als wollte sie ihnen an die Brieftasche. Und tatsächlich, wie von Zara vorhergesagt: Frau Bolz, im flackernden Licht und in den Armen ihres Mannes, der seine Aktentasche unter einen Arm geklemmt hatte, lachte, rosig und trippelnd, hier und da auf. Auch Zara und Leo tanzten.

Mir fiel ein länger zurückliegender Traum ein. Ich habe Ihnen davon erzählt? Zara und Leo im kahlen Bett, ich zufriedener Teilhaber ihres Vergnügens. Ich stand ganz ruhig, verbarg mich aber, sie sollten nicht meinetwegen unterbrochen werden oder mich hinzuziehen.

Es war ein ruckhaftes Verschieben der Körperabschnitte, Aufweichen der plastischen Teile der Gesichter und Umkombinieren. »Sie müssen entweder die Leute als Oberflächen oder dämonisch sehen«, hatte Zara vorhin zu mir gesagt. Oberflächen auf langen Stielen, Wasserpflanzen, ein Teich voller Würmer und Gewächse. In einer Ecke stopfte die Frau mit den Zöpfen rasch ihre Brüste, die hellroten Höfe der Brustwarzen eventuell geschminkt, in den Ausschnitt.

Ehepaar Heinrich dort hinten. Ich rekapitulierte wohl nur, was ich von Zara wußte. Plötzlich würden die älteren Ehepaare merken, daß ihnen derselbe Wind entgegenbläst, kein genus-, sondern ein alterseigentümlicher, und so täten sie gut daran, sich bequem in ihr Geschlecht fallenzulassen, die Frauen zu den Frauen, die Männer zu den Männerstammtischen, die Stimmen der Männer möglichst nach Art der Rabenvögel, die der Frauen meisenartig, grasmückenartig? Man sehe es vorzüglich sublimiert an diesem Pärchen. Er immer stoischer, unbewegter und kaum lachend, sie exaltiert das kleine Kind, kleine Tierchen mimend, nicht melodramatisch wie Sophie, sondern alles blümchenklein. So ahmten sie immer noch die Erschaffung von Mann und Frau nach, wenn es gutgehe. Wie sie das Kätzchen spiele! Zur Untreue zu feige und zu faul, entschädige sie sich durch eine Art Prostitution der Zeichen, Hinweise an jedermann auf ihre angeblich sinnliche Natur durch Schnalzen, feines Grunzen, Piepsen etcetera, pipi.

Der Herr und Mann Heinrich schaute gerade dem Gastronomenliebchen gierig nach. Ich war mir aber nicht sicher, ob er sich den begehrlichen Aufruhr nicht nur einbildete, um ihn seiner Frau mitzuteilen, die es stimulierend fände. Hier drohte ja keine Gefahr. Nur ein klitzekleiner Ruf der Wildnis war's. Sie mochte das sicher.

Durch die Fenster im Westen des Hauses kam noch immer prunkendes Licht. Willig gab sich der Juniabend her zu schönfärberischen Manifestationen. Im Garten brannten Windlichter und Fackeln. All das zusammen, Duft, Kerzen, Gesang und die oft wie aus anderen Jahrhunderten stammenden Gewänder, es war momentan sehr en vogue, versetzte mich in eine Marienandachtsstimmung. Sogleich tauchte Specht auf, kein Wunder! Ich war nicht fromm genug, um freundlich zu ihm zu sein, ließ ihn, die Bosheit packte mich unwiderstehlich, abblitzen. Kurz darauf beobachtete ich allerdings Merkwürdiges, und es ging mir auf etwas widerliche Weise zu Herzen. Specht, nun offenbar reichlich angetrunken und fortwährend schuldzuweisend an seiner Brille reibend, leistete als einziger der Chinesin galante Gesellschaft, nahm wohl nichts anderes mehr wahr. Plötzlich kniete er sich vor ihr hin und küßte vom über die Stuhllehne geworfenen Fuß an ihr Bein hoch, dabei redete er auf sie ein. Ich verstand ihn nicht zuverlässig, eine Mischung aus Werbung und Strafpredigt. Vielleicht deklamierte er auch seine Gedichte. Aber ich irrte mich. Es gab noch jemanden in einem Winkel, die kleine Räuberin im naiven Flügelärmelkleid. Sie studierte Specht. Lachte ohne Laut in sich hinein, blinzelte mir zu und streckte dann den Arm aus, nein, umgekehrt, sie zwinkerte mir erst nach dieser Geste zu, zielte jedenfalls mit gestrecktem Arm auf Specht, eine nicht vorhandene Pistole zwischen den Fingern haltend und auch abdrückend.

Da schaute der alte Dichter Bücken mit den vielen ungedruckten Werken zur Tür herein. Auch er betrachtete die Szene. Überall sei der Mythos am Werke, sagte er zu mir auf Anhieb. Er wolle sich verabschieden und noch arbeiten, seine Zeit werde immer knapper.

Ich hätte ihn gern gefragt, ob er auch zu den Autoren gehöre, die sich versagen, ein guter Mensch zu sein, weil sie das Böse mit gleißender Kraft glaubwürdig schildern müssen und daher das Gutsein solange vertagen, damit das Böse nicht allzusehr von ihm verwässert werde. Ich traute mich jedoch nicht. Fragte auch nicht, was er mit dem Mythos meine, welcher denn? Unter Umständen hätte ihn meine Neugier gefreut. Zu spät. Er ging. Wie den Ingenieur (beinahe!) sah ich ihn nie wieder.

Die Achtundsechziger seien jetzt also die alten Säcke rundum, ärger als die, die sie einst rausgeschmissen hätten, und von großer Komik sei der Zorn derer, denen sie heute die Stellen versperrten, und größer die Schadenfreude derer, die damals rechts und unten durch gewesen seien, zu sehen, wie ihre damaligen Feinde peu à peu peinlich démodé seien: Die Räuberin war entflattert, ich bespitzelte noch weiter Specht und nun auch noch zwei Herren, die sich im Flur unterhielten. Sie schwenkten über auf eine schwerleibige Kulturpolitikerin, die wegen des plumpen Körpers wohl besonders vergeistigt tue und intellektuell und abstrakt und experimentell. An der Universität von Coimbra habe kürzlich ein deutscher Autor Aufsehen und Empörung erregt durch seinen obszönen Text, Abscheu unter den portugiesischen Germanisten. Rührend sei gewesen, wie einer von ihnen, der schönäugige und schöngeistige Barrento nämlich, offensichtlich mit und gegen sich gekämpft habe, und zwar mit seiner Überzeugung von der Zensurfreiheit einerseits und der vererbten Abneigung seines Volkes vor allen Darstellungen körperlichen Verfalls andererseits, um die es in diesem Text vorzugsweise gegangen sei. Ein schweizer Kritiker, der diese Gegensätze sehr eindrucksvoll expliziert habe, sei nun allerdings selbst endgültig verfallen, nämlich in der Eiger-Nordwand abgestürzt. Eine ältere und eine junge Stimme. Da erschien Zara, schickte Specht energisch ans Büffet und trat zu mir.

»Die beiden haben sich gefunden. So war es geplant. Bildungspotentaten. Dieser Menschenschlag stellt die kultivierte Lebensart über alles. Maria, merken Sie sich das. Er zeichnet sich nicht eigentlich aus durch Finesse, Takt, Diskretion, vielmehr einzig und allein durch ein scharf entwickeltes Gefühl für Machtverhältnisse auf seinem Terrain und ein tadelloses diesbezügliches Reaktionsvermögen in allen Abstufungen, meist begleitet von der Strategie, anderen im Gespräch das Wasser abzugraben durch Wortabschneiden, Nichtbeachtung zwecks Ausdehnung des eigenen Regierungsbereichs.«

Ich sah in den Flur. Es handelte sich um den Grauhaarigen, der so sanft und kühl zugleich in eine dunkle Sonnenbrille sehen konnte, und den jungen Hochbegabten. Die beiden lachten gerade schallend böse auf.

Was sie von anderen unterscheide, so Zara, sei ihr Gedächtnis und daher auch Wissen, aber vor allem, wie sie ohne die geringste Dezenz damit prahlten. Habe man etwa von einem Dichter praktisch das Gesamtwerk gelesen, könne man todsicher sein, daß sie ausgerechnet familiär von der einen kleinen Mindernovelle sprächen, die man nicht kenne. Über jedes einzelne Werk redeten sie mit jeweils individueller Stimmfärbung. Pure Afferei. Es werde einem von ihnen noch mal geschenkt, mit seelischer Zutat. Man solle glauben, darin spiegele sich ihr differenziertes Verhältnis zu den betreffenden Büchern. Alles Quatsch, die kennten viel zuviel, um noch Gefühle dafür zu hegen. Aber der Genuß, sich zu spreizen als Verwalter ganzer Nationalliteraturen! Das sei ihr Harem, ihr Regiment, ihre Schildwache. Ob alt oder jung, derselbe Typus. Sie kenne ein Dutzend davon. Eine Unterhaltung mit ihnen sei unmöglich, man tippe sie an, es platze die Springkapsel, und der Samen, hier das Kulturwissen, schwärme auf die erlösende Parole hin aus. Zusätzlich sei dem jungen und also zukünftigen alten Mann seine gegenwärtige Jugend als maßlos Exquisites zu Kopf gestiegen.

Zaras nicht gespielter Zorn überraschte mich. Sogar das leuchtende Fischmaul verkümmerte vorübergehend vor Ärger. »Hören Sie, Maria, hören Sie nur! Sie verständigen sich in Zitaten, ihr Liebstes auf der Welt!«

»Links um! Da siehst du zwanzigtausend Haarzöpfe, einen wie den anderen. Rechts um! Da siehst du zwanzigtausend Schnurrbärte, das geht alles, als kehrte sich die Welt um.« Meinten sie die Obstplantagen? Der junge Mann parierte: »Ist das nicht schön? Und dabei der rasende Lärm mit Trommeln und Pfeifen. Dann die Kavallerie, da ist der Mensch wie das Pferd und das Pferd wie der Mensch.«

Zara strich mir unerwartet mütterlich übers Haar: »Liebes ungebildetes Kind. Das ist Brentano, Brentano und kein anderer.« Sie werde den beiden jetzt etwas aus dem ordinären Leben präsentieren, dort hinten, die alte Frau Engelwurz, und sie prophezeie, was der eine oder der andere zu ihr sagen werde. Tatsächlich, sie holte die in einer Fensternische eingenickte Frau von ihrem Stuhl und stellte sie ohne weitere Rücksichtnahme den Männern vor. »Engelwurz?« Es war der Hochbegabte, der sprach, sehr leutselig zu dem greisen Weiblein. »Angelica Archangelica. Gut gegen Magenfunktionsstörungen.« Zara hatte sich nicht getäuscht! Ergänzte hier aber noch: »Und gegen Darmbeschwerden, junger Mann.« Dann, eine Botschaft nachdrücklich verschwiegen weitergebend, offenbarte sie dem Kritiker, die Blonde mit der Sonnenbrille, Helena, sei enorm beeindruckt von ihm. Sie führte zärtlich die schlaftrunkene Frau fort und rief in den Flur zurück: »Ich bin extra hergekommen, um es dir zu sagen, Schätzchen!«

»Ungebildet«? Zara hatte ja recht. Gewußt hätte ich gern von den beiden Gescheiten, ob die offiziell überlieferte Abfolge der Kunstepochen zu verstehen sei als Resultat anfangs fast zufälliger Idolisierungen jeweils einer der vielen simultan vorhandenen kollektiven Stimmungen. Ich konnte es nicht besser ausdrücken, fragte also auch in diesem Fall nicht und ging woandershin. Die zwei Überflieger hätten mich womöglich abgekanzelt mit einem: »Unsinn!« oder süffisant geäußert, der Gedanke sei nicht neu. Er war aber schon länger mein eigener und in der Nähe dieser Männer frisch aufgeflammt.

Immerhin hatte ich schon zwei ziemlich sichere Kundinnen gewonnen, ohne mein Zutun, nur durch Zaras Hilfe, der ich hoch anrechnete, wie sie mich allein gewähren und umherstreifen ließ und nicht in Gesellschaft zwang. Was aber war mit ihren Behauptungen über die Paare? Viel früher, Sie wissen es ja nun, gehörte ich auch dazu, in meiner Vergangenheit, war Teil eines »Zweirads«. »Funktionierten« wir denn? Jetzt befand ich mich genau dazwischen, nämlich in der Bewegung auf ein Paardasein zu, auf Leo zu, unzweifelhaft. Deshalb überstand ich ja alles, so weit von Leo weg, ohne Schmerz. Letzten Endes waren mir hier alle lieb, lieber, als irgend jemand außerhalb des Hauses, denn sie, sie hier, hingen mit dem zusammen, der mir gewiß war!

Gerade hörte ich ja ein halbiertes Paar auflachen, eine Paarruine. Frau Hage, von Zara mir bereits vorgestellt, Witwe wie ich, wenn auch noch nicht so lange. Ich durchschaute den Radau sofort, jenes vorgeblich exzellente, lärmend untermalte Spitzenamüsement, das Vorgaukeln hundertprozentiger Übereinstimmung zwischen Geselligkeit und eigenem Leib, um die leere Stelle neben sich wettzumachen. Sie stand bei Sophie, beim Nachtvogel Sophie, Frau Hage, die gellende, scheppernde Person. Sie lachten jetzt beide, vermutlich im trotzigen Eifer über das blanke Nichts, und Specht, endlich, der, angelockt von so viel falschem Getöse, eine Chance für sich wankend witterte, war in der auch gegeneinander gerichteten Verzweiflung der Frauen verdutzter, wenn auch verachteter Hahn im Korbe. Er ahnte nicht, wie sie doch in ganz andere und unterschiedliche Richtungen lauschten bei ihrem Schmierentheater greller Erregung über dies und das. Ich kannte das ja, kannte das alles nur zu gut, ich konnte die Augen schließen und sah es doch, dieses Konkurrieren im Präsentieren überschäumender Lebenslust. Aus jeder Silbe hörte ich ja ihr Gefecht, bei dem sie scherzhaft Front machten, zwei Rheintöchter beim Necken des schlammigen Alberich, schwesterlich Front machten gegen die schwankend bescheidenen Attacken Spechts, der sich wohl nur festhalten wollte an etwas lebendig Weiblichem, um nicht wieder zur bösen Chinesin zu müssen.

Warum ging ich nicht zu den Vögeln? Man sollte ihnen ein bißchen die Zeit vertreiben! Ich fühlte mich angesichts dieser Frauen selbst verloren, der feste Standpunkt, unerläßlich an diesem Abend, geriet ins Schwimmen. Daher meine Strenge, ich weiß. Sie begreifen also meine Unterstellungen?

Jedenfalls kapierte ich noch rechtzeitig, daß ich mich schleunigst von ihnen entfernen mußte, und begann, mich durch das Gedränge zum Vogelsalon durchzukämpfen. Es sollte meine sich regende Bangigkeit hinterrücks vertreiben durch unvermeidliche Körperkontakte.

Natürlich erhoffte ich auf dem Weg, den ich, um meine Schritte energisch wirken zu lassen, mit übertriebener Zielstrebigkeit antrat, wenigstens einen Blickwechsel mit Leo, wenn nicht das, dann das Ansichtigwerden eines Fetzchens von ihm, aus der Ferne, aus der Ferne, die keine Rolle spielte. Aber, als ich schon den leisen Tumult der Vögel hörte, versetzte mir jemand einen Stoß. Ein absichtlicher Versuch, mich zu Fall zu bringen! Ich wäre auch gestürzt, denn vor Schreck über das Vorsätzliche des Angriffs bemühte ich mich gar nicht – und sei es reflexhaft – um sicheren Stand. Es war also eigentlich nicht der Schlag, der mich zum Taumeln brachte, sondern die unbestreitbar feindliche Absicht. Jedoch zum Glück fing mich jemand auf mit zwei Armen, die mich ohne Fremdheit umfaßten und unbedenklich festhielten. Gefiel mir das, gefiel mir das nicht? Keine Zeit zur Entscheidung. Leo sagte: »Ich war's. Zum dritten Mal das Leben gerettet, diesmal von langer Hand geplant.« Ich befand mich in der bodennahen Schräge einer Tangotänzerin. Er änderte meine Situation nicht, im Gegenteil, hinderte mich sogar gewaltsam daran, eine korrekt aufrechte Position einzunehmen. Jeden Augenblick, wenn er nicht achtgab, konnte ich auf den Fußboden rutschen. Das dauerte exakt so lange, bis die Berührung durch alle meine Gliedmaßen hindurch in die äußersten Spitzen gewandert war. Dann – »Ich überlasse Sie Zara!« – holte ihn jemand weg.

Ich hätte mich gern hingesetzt. Ich hätte mich am liebsten an ein offenes Fenster gesetzt oder, noch besser, in die feuchten Gartengerüche, nichts weiter als gefühlt, Wellen über mich hinweg- und durch mich hindurchfluten gefühlt. Die Zerstreuung in alle Winde, das dann aber noch immer weiter gespürt, über das Auflösen hinaus. Ein Zerrieseln mit dem Laub hoher Bäume in unendlich geweiteter Kontur.

»Ich überlasse Sie Zara«? Ich befand mich ja nicht im Garten, torkelte noch immer zwischen den nun auf einmal lockeren Menschengruppen, und obschon ich Zara nicht sah, erläuterte mir bereits ihre Stimme, wie die Leute mit einem Schatten lebten, wie die dämonischen Mächte durch uns, die Einzelfiguren, Eintritt verlangten in die Wirklichkeit, banale Masken, die ihnen gestatteten, unter uns zu existieren, mittels unserer Körper. Frau Hage, diese Möhrennasige zum Beispiel, diese Gestalt mit einer Stimme, als hätte man

Silber abgeschmirgelt! Mit dieser Stimme schwelge sie noch wie eh und je in den menschenfreundlichen Welten ihres Mannes, im nächsten Augenblick aber sei er der Verkenner, der Zerstörer ihrer Lebenspläne gewesen, welcher genau, wisse sie jedoch nie zu sagen, irgendeiner Berufung zum ominösen Höheren gewiß, mit schrillem Organ um unseren Glauben flehend, den wir ihr aber versagen müßten. Kaum trage sie ein nettes Blüschen, ergieße sie ihren Spott über die reizlosen Frauen. Fühle sie sich häßlich angesichts einer schöneren, was freilich der Regelfall sei, verachte sie laut-stark die dummen Weibsbilder mit ihrer Modetorheit und Koketterie. Diese Frau und ihr ungeschmeidiger Gang, diese dünnen Lippen, die den scharfen Ton, den Essigton, der aus ihnen hinausdränge, kein bißchen polstern könnten, so gar nicht ein wenig besänftigen! Ein hochnäsiger Schneemann sei diese möhrennasige, wurzel-, karottenartige Person. Ihr gutmütiger, bärengutmütiger Mann habe die Stürme ihrer strohigen Seele, ihres Automatenhirns und Papageiherzens bestaunt, bewundert, aber tief erschrocken. Was für Empfin-dungen doch jemand haben konnte! Noch dazu eine eigene Frau! Unters Grab habe sie ihn damit gebracht, mit ihren menschenfeindlichen Hysterien. Immer die Messer gewetzt, um die eigene Haut zu retten.

Ich weiß nicht, wann Zara es mir zugeflüstert hatte. Sie plauderte mir in den Kopf herein, während ich meine Au-gen eisern auf die mit Sophie daherschlendernde Schnee-männin richtete. Sie imitierten kichernd Sambatänzerinnen und mochten einander überhaupt nicht leiden.

»Ein Monstrum im Grunde«, sagte Zara wörtlich zu mir, Zara, alterslos im glänzenden Abendmantelkleid, beide Sei-ten flügelartig über den oben sich hell ankündigenden Leib geschlagen, »eine Frau, die sich langsam selbst zersetzt, auf-frißt in ihrem Wahn, eine Königin, Kaiserin, Päpstin über allen Wesen zu sein, die, kaum verläßt sie der Höhenrausch, jedesmal jämmerlich zurück muß in ihren Pißpott. Setzt sie da wieder Fett an, geht es neu los mit dem krächzenden, fundamentlosen Hochmut, einer rasend ins Kraut schießenden Arroganz auf tönernen Füßen. Seit sie eine halbe Person ist, Verzeihung, eine Paarhälfte, um so schlimmer. Nun hat ihr das Leben auch noch den arglistigen Streich gespielt, im letzten Februar ihren Vater – sie nimmt ihm den ihr angetanen Tort über den Tod hinaus übel – ausgerechnet beim Karnevalsumzug mit einer Narrenkappe auf dem Koppe im Rheinland vom Wagen fallen zu lassen. Er ist noch an Ort und Stelle gestorben.«

Mein Blick blieb inzwischen an Sophie hängen, die jetzt bei Leo stand. Sie war fast so groß wie er. In seiner Nähe völlig zu Ruhe gekommen, hatte sie ihr Gesicht mit den dämmernden, licht- und lautschluckenden Augen dicht an seins herangeschoben, und ich sah es gern an. Es ging etwas, wie soll ich sagen, Velourssanftes von den beiden aus. Während Zara Schicksalsblitze schleudert, durchfuhr es mich damals ohne direkten Anlaß, brütet Sophie das Verhängnis aus. Ich sollte mich nicht täuschen, o Gott. Aber damals, ich bleibe dabei, ging etwas Samtiges, beinahe würde ich sagen, Balsamgleiches von ihrem Dastehen und Wortwechseln aus.

Frech fragte ich da Zara: »Und Sie, wie sind Sie eigentlich?« Es war durchaus zurechtweisend nach ihren Bösartigkeiten gemeint. Wie sie sei? Sie wolle mir sagen, wie sie einmal gewesen sei, antwortete sie und zog kurz und schmerzhaft an meinem Haar. Eine Schönheit, eine junge dreizehnte Fee. Leider habe sie es nicht begriffen und die Reaktionen der Männer nie goutieren können wegen ihrer elenden Schüchternheit. Jede Galanterie habe sie für Spott, Attacke, Verhöhnung gehalten. Schade, nicht wiedergutzumachen!

Im Gegensatz zu mir aber habe sie diese Untugend vollständig abgelegt. Um dazuzulernen solle ich nicht hier herumdösen und Reißaus nehmen, wo es nur gehe. Ich solle die Augen offenhalten. Etwa drüben, Ehepaar Ebelsohr! Dieser immerfort schmunzelnde Mann, ein Sparkassenleiter oder kleiner Bankdirektor, er selbst hochgewachsen und mager, aber die Stadt, wo er verwalte oder regiere, sei klein und vor den Toren Hamburgs. Dieser Mann Ebelsohr habe beruflich

das Äußerste aus seiner Begabung herausgeholt, eine gefährdete Existenz, so hart stets an der Grenze, am Abgrund seiner Fähigkeiten bzw. zu seinem Versagen.»Er möchte, unschwer zu erkennen, auch für Sie, Maria, so menschenscheu, so menschendämlich, überhaupt nicht mehr lächeln, hat es heute abend schon zu oft getan. Aber er denkt: Dieses eine Mal nicht zurückgegrinst, und schon könnte ausgerechnet dieser Fall sein Verhängnis werden oder die verpaßte Wahnsinnschance seines Lebens. Jedoch auch diese tolle Gelegenheit will er in Wahrheit ja nicht, betet darum, daß alles so bleibt, wie es jetzt ist. Aber tut das je die Welt? Das Zittern der Verhältnisse, ihr bestialischer Veränderungstrieb bebt auch in seinem Gesicht als Schrecken und Furcht. Man möchte ihm eins in die Fresse hauen, wenn man ihm länger zusieht. Wie ungerecht! Wie herzlos, nicht wahr? Maria, die Frau ist es, auf die es hier ankommt. Diese massive, untenrum massige Kreatur. Ich, Zara Johanna Zoern, habe, ich weiß es nur zu gut, selbst keine eleganten Beine, aber doch nicht solche Eichensäulen. Das ist kein Charakterfehler, auch wenn man es manchmal glauben möchte. Denn betrachten Sie bitte das feste, schmale, hübsche, ja bildhübsche Gesicht und Frätzchen der Frau, diese Energie und Pikanterie, diese Aufsässigkeit, dieses Schnippische, Kesse darin. Kein Zufall! Jemand müßte sie jetzt zum Lachen bringen. Sie müssen sie, Maria, unbedingt lachen hören. Dann hat Frau Ebelsohr bei Ihnen gewonnen und mit ihr der Mann. Weil er ihr Mann ist!«
Schon trieb Zara davon.

Und wirklich lachte die Frau in diesem Moment los. Lachte wie dafür bezahlt aus einem ganz anderen Körper heraus, ein rauhes Tosen, das sich Ton für Ton den Raum unterwarf und dabei mit generös verschwendeter Wärme, mit ungezügelter Herzlichkeit betörte. Ein Schlund tat sich auf, in dem Etikette, vielleicht auch Scham und Anstand unversehens verschwinden konnten. Es war ein Rumoren, von dem wir, ging uns erst jetzt auf, den Abend über gehofft hatten, es würde eintreten und uns in eine ausschweifendere Welt hinüberschwemmen.

Unmittelbar darauf, im Windschatten der Ebelsohrorgie noch, kam Leo vorbei und vereinbarte mit mir ohne Umschweife etwas. So beiläufig wir dieses Arrangement getroffen hatten, zwei Beobachter antworteten darauf mit Blikken, die ich bis jetzt nicht vergessen habe. Zara, die zu weit entfernt stand, konnte nicht den Wortlaut gehört, mußte aber das Mimische des Ereignisses gelesen und begriffen haben. Sie verzog die breiten Lippen vor – – Zufriedenheit, besser noch: Befriedigung, und eine Sekunde später stieg, wie unkontrolliert, ein zorniges Unwetter, sehr kurz nur, unterhalb ihrer Brauen auf. Wie sollte ich das bewerten? Damals hätte ich es auch nach einer Stunde Grübelei, nach der mir nicht zumute war, keinesfalls erraten können.

Auch Specht hatte unsere Absprache eindeutig richtig identifiziert. Er nahm die blinkende dicke Brille ab. Warum mußte ich bloß anschließend in seine Richtung sehen? Leo war bereits wieder verschwunden, als hätte er überall Aufträge zu erledigen. Um so prompter konnte Specht mit seinem Spechtblick über mich herfallen! Benommen? Zerfasert? Zerfleddert? Etwas schlimmer, leider. Nämlich traurig, betrübt, trauernd sah er zu mir herüber, ein paar Meter weg von mir, und er rührte sich nicht und schwieg.

Sie werden doch begreifen, daß ich ihn dafür hassen mußte? Ausgerechnet in diesem glücklichen Zustand, dem ich so lange zugestrebt war, tat er mir diesen Blick an. Ja, wehr- und schutzlos war ich doch gerade, als er mich derart bestarrte, mit solcher Klage behängte und konsternierte. Und bedrückte, einschränkte und beschwerte. Nur, damals vergaß ich das dann fürs erste doch schnell.

Gehorsam Zaras Anweisungen folgend, redete ich in der nächsten Stunde mit einer alten Sängerin und einer jungen Kostümbildnerin, einem Zeichentrickfilmer plus Begleitung, einer Fotografin mit schrägem Seidenhut und Herrn Ebelsohr, der mir vertraulich berichtete, wie viele prominente Geschäftsleute der Hansestadt, sogar hier sehe er welche, mit einem Fuß im Gefängnis ständen und mit beiden schon drin gestanden hätten. Oh, hoho, wenn er auspacke! Ein junger Doktor der Mathematik, der jedesmal, wenn er eine Zahl aussprach, sanft verzückt lächelte, versuchte mir seine Vision von einer natürlicheren Maschine, als herkömmliche Computer es sind, zu erklären. Informationstechnologie mit mentaler Dynamik. Ich sollte es sicher nicht, aber dachte eben doch an bastardische Techno-Ungeheuer. Vielleicht lande er aber am Ende in einem interdisziplinären Beraterteam. Frau Hage gab eine Margerite in Auftrag. Bitte! Erhoffte sich wohl Stabilität davon für ihre labile Seele. Ich wollte mich aber höchstens – so wählerisch zu sein konnte ich mir leisten – auf ein Büschel mit sich überschneidenden Blüten einlassen. Kurz stellte ich mir vor, die Broschen usw. würden sich in eine gefräßige florale Kennzeichnung verwandeln und bis auf die Knochen der Trägerin durchbrennen.

Zwei Leute waren an diesem Abend unentwegt zum Vorteil des Festes unterwegs. Zara und die kleine Räuberin. Auf die Schuhe hatte sich die Delinquentin Federn, wohl aus Zaras Volieren, geklebt. Ein neues Leben? Und nach welcher Buße eigentlich? Wo sie auftauchte, entstand, ob zufällig oder nicht, bald eine Bombenstimmung. Zur Belohnung für die Kleine, die ihre Sache so animateurinnenhaft, amorettenartig bravourös machte, unterhielt sich jetzt Zara sehr huldreich, ihren Schlafmantel großzügig über eine nackte Schulter rutschen lassend, wieder mit dem Freund, der einzigen Habseligkeit der Minderjährigen, die von Rechts wegen in einer Jugendstrafanstalt hätte stecken müssen, oder nicht?

»Sie haben sie also lachen gehört?« Da stand Zara höchstpersönlich bei mir, und bevor sie wieder davon war, flüsterte sie mir noch zu:»Haben Sie aber auch begriffen, was das Gegröle soll? Nein? Hat Sie, Sie Dummerchen, sympathisch berührt? Ist es ja auch, aber doch reichlich ostentativ, unter stilistischen Aspekten gesehen! Ein geheimes Reservoir will sie auf Umwegen damit skizzieren, einen Prostest gegen die windelweiche Verneigungssucht des Ehemannes, der sie offiziell beipflichten muß. In Wirklichkeit droht sie ihm damit in aller Öffentlichkeit, ihm, der ihr wahres Rebellentum, die großartigen Möglichkeiten der Ausreißerin im Geiste untergraben, ach was, beerdigt hat!« Überschnitt sich hier Zara nicht ein wenig einfallslos mit ihrer Version von Frau Hage und sogar Heinrich, oder waren das jetzt die Kolonnen hinter der Leitfigur, von denen sie gesprochen hatte?

»Nicht nur Ausbruchsvisionen, die Ebelsohr niemals mit vollem Risiko wagen würde. Nicht nur das! Rein physiologisch will sie mit der lodernden Orgiastik dem schwerfälligen Unterbau entfliehen ins, wie sie es versteht, Geistige, jedenfalls Immaterielle.« Kopierte Zara nun nicht interpretatorisch die erdleibige Kulturpolitikerin, die zum Ausgleich Avantgardistin war? Aber nein, das hatten ja der Grauhaarige und der Hochbegabte behauptet. Also gab es tatsächlich diese Trupps von Menschensorten, die hinter vier, fünf Schemata paßten? Ihre Töchter habe die kühne Frau Gloria bzw. Viktoria genannt, den Sohn Maximilian, den Hund Alexander oder umgekehrt. Alle mit Nachnamen Ebelsohr.

»Übrigens«, sagte Zara noch, »machen Sie es sich nicht zu einfach! Frau Heinrich, die zierliche Ehewächterin, eine Praline, eine Zauberin. Der Mann wäre nie auf deren charmante Rollenverteilung gekommen. Ein Engel ist sie mit artigen Capricen, ein Glück, die reine Seligkeit für ihren Mann, der die Führung ins Eheparadies benötigt. Wenn ich nachdächte, Maria, würde mir vieles zum Lobpreis dieser Frau einfallen. Das kurze Näschen, fast so hübsch wie das Ihrige, die Bescheidenheit, lieber für dumm als für langweilig zu gelten, dieser atemberaubend sich wandelnde, umspringende Sinn und Widersinn ihres Köpfchens. Mal fragt sie den Mann dies, dann das, meist weiß sie es längst selbst. Denken Sie nicht, Maria, ich würde spotten! Sie, Frau Heinrich, beherrscht das geheimnisvolle Rezept, hütet und beherzigt es seit Ewigkeiten. Immer älter werdend und noch immer so kindlich, daß es den zum Drögen neigenden Mann ergötzt wie der Tau auf den Wiesen. Eine Heldin und Hohepriesterin der langen und glücklichen Ehe, Frau Heinrich, die sich nie entmutigen läßt, die Naive zu sein und doch im gefährlichen Moment eine Tigerin.« Zara verflüchtigte sich in einem halbmilden Licht.

Die Schwester der Wirtin, Frau Engelwurz, stieß in meine Seite. Sie hielt mir ein Tablett hin, ich müsse essen. Ob ich noch wisse, wie ich damals so viel gefragt habe? Natürlich erinnere sie sich an ihre Schwindelei, Zara ließe niemanden in ihr Haus. Nur, um mir Respekt abzuzwingen. Wir seien ja gar nicht zu verblüffen gewesen. Und sie wisse, wie man Leute neugierig mache! Ihrer Mutter gefalle es mächtig auf diesem Fest, obschon sie jetzt noch lieber sich vor das Fernsehen kuscheln würde. Schalte man es ihr ab, meine sie, die liebe Sonne würde aus dem Zimmer gesperrt, das warme Leben, und es gäbe draußen auch gar keine Welt mehr. Eine alte Frau eben.

Hatte mich Zara angesteckt? Ich sah die Mutter auf einem Stuhl, sah auf ihren nackten, dünnen Mund. Stimmen Sie mir zu? Je weniger diese Alten mit der praktischen Sexualität zu tun haben, desto starrsinniger lauern sie auf das Zweideutige, ersehnen es unter Kopfschütteln. Die Tochter redete noch auf mich ein, mit dem Tablett, das nur als Vorwand diente. In sich eingeschlossen haben sie die immer höher wachsenden Dome alter Erlebnisse, neben denen das Leben der Gegenwart im Boden versinkt, immer weniger Dome durch die Vergeßlichkeit, aber immer höher die restlichen für die Andachten ihrer Erinnerung. Frau Engelwurz puffte mich an. Ich machte verständige Laute. Hmhm, jaja, es genügte ihr.

Als müßte ich diese Gedanken vor Leo verstecken, dachte ich noch heimlich, aber für immer mit dieser Greisin auf ihrem Hocker verbunden: Sie werden aus diesem duftenden Juni ausgesondert, aber zum Trost keimt stärker und wilder das strahlende, schäumende Grün der Erinnerung hervor – Entschuldigung – , überblendet von der allmählich ausbrechenden Unendlichkeit. Adieu, pardon: Verzeihung!

Was ist das plötzlich? Der merkwürdigste, unvergeßlichste Teil, kleiner Liebesvogel, im glänzend anliegenden Helm,

Wahrzeichen, Wetterleuchten. Warten Sie! Noch einmal von vorn: Und dann begann der merkwürdigste und mir wohl unvergeßlichste Teil des Abends, ich meine selbstverständlich: der mir, wäre nicht Leo gewesen, der unvergeßlichste sein würde. War es gerade erst als Auftakt passiert, Rositas »Kleiner Liebesvogel« wiederholt und Zaras veränderte Frisur und Haarfarbe? Sie schien einen schwarzen, eng anliegenden Helm übergestülpt zu haben, nichts sollte mehr ablenken von ihren Insignien. Brauenbögen, Froschauge, Fischmund.

Sie wundern sich, weshalb Zara auf diesem Fest so viel Zeit fand, mich ausführlich über einen gewissen, kreuzsoliden Teil ihrer Gäste aufzuklären? Erstens sind ihre Ratschlüsse stets unerforschlich gewesen. Zweitens ließ sie mir wohl nur knappe Signale zukommen, die ich mir selbst ergänzte. Möglicherweise hatten alle Gäste den Eindruck, eine Weile mit ihr gesprochen und viele Männer das Gefühl, mit ihr getanzt zu haben obendrein.

Da fällt mir ein, das noch schnell, diese Manie mit den Paaren: eine Abschreckung, ein prophylaktisches Warnmanöver, mich mit Leo einzulassen. Das dachte ich nach dem Abend. Heute weiß ich, es war eine Art Selbstgespräch. Oder wollte sie mich bloß trösten in meinem Einzelpersondasein?

Als sehr unerwartetes Geräusch drang damals auf einmal ein – ja, was hätte abwegiger sein können als dieses erzürnte Quäken? – helles Säuglingsweinen durch den üblichen Partylärm, der daraufhin beinahe verstummte. Dann lachten einige Gäste, vermutlich in der Annahme, jemand hätte dieses Kleinkindgequengel künstlich mit einem Blechapparat, wie das Blöken von Lämmern, Krähen, Wiehern, Muhen erzeugt. Alle Mütter freilich, Sie wissen es ja, auch ich, wurden jedoch nicht irregeführt, hoben witternd den Kopf. Die richtige Wirklichkeit setzte mit unverkennbarem Fanal wieder ein!

Es war das Landmädchen, die frühere, von ihm geprügelte und fast umgebrachte Freundin des Anlageberaters mit der rosa Krawatte, die sich hier als glückliche Mutter zu erkennen gab, ja blühend vorstellte, zu später Stunde in frühlingshafter Frische, in einer kleinen Sorge, die ihr aber kaum die Stirn runzelte, das schluchzende Wesen wiegend und angesichts der Verehrung, die ihr von überall zuteil wurde, vor Wonne aufleuchtend, das wegen der allgemeinen Hitze in perlmutterner Fleischlichkeit und leise schimmernder Feuchtigkeit auch sich zeigende, niedlich pralle und mit Kerben an den speckigen Einschnitten versehene Geschöpfchen allen darbietend. Man begann vorsichtig zu klatschen, tatsächlich, zu klatschen wie bei dem alten Dichter, aber behutsamer, denn schon war das Kleine dabei, die eben noch erbittert verschlossenen Augen, die viele Tränen hervorpressen wollten, zu öffnen und die Schreistöße verebben zu lassen, einfach zu vergessen. Der Kummer entfiel ihm geradezu.

Das aber mußte ein Wunder ohnegleichen sein! Es sei ein Junge, sagte das Landmädchen der gerührten, staunenden Menge. Nur irgend jemand rülpste von hinten, er wurde sofort verachtet. Noch schwieg man, Mutter und Kind beäugend, angesichts eines Schmerzes, der sich zur Ruhe legte im winzigen Gesicht und Körperchen und in ein erstes, huldvolles Lallen wandelte. Das Publikum setzte dazu an, so mein Eindruck, ich schloß mich mit ein, ebenso vegetativ zurückzustammeln.

Dann der Umschwung. Nämlich der Ausbruch, nun komplett den Frauen überlassen, einander übertrumpfender Entzückensrufe höchster Kundigkeit im mütterlichen Fach, in der Materie und Disziplin »Mutter und Frau«. Selbst die rothaarige Doktorandin und die junge Kostümbildnerin taten mit. Es spielte außerdem die Erleichterung mit über die Wendung zum Guten schlechthin und die Freude über die Beseitigung des Handlungsmangels, ein Manko vieler Feste, wenn man ehrlich ist. Hier war ja nur ein Tablett mit Gläsern, glaube ich, bisher zu Bruch gegangen, und ein Arzt und ein Jurist hatten zusammen Kopfstand gemacht, sehr respektabel. Der Ohrfeigenmann sah indessen als einziger rachsüchtig auf seine ehemalige Freundin und das Kind. Jetzt waren ihm die Schlägerhände gebunden.

Sie solle sich schämen! Der eine Mann noch hier und schon das Kind vom neuen! Die alte Frau Engelwurz, zunächst an der äußersten Peripherie der Umstehenden, klärte uns schimpfend auf. »Das Ding auch noch hier anzuschleppen!« Erboste sie nur, nicht recht was sehen zu können? Je weiter sie nämlich in der Gasse, die sich vor ihr auftat, zum Mittelpunkt vordrang, desto stiller wurde sie. Ob ihre Empörung sich auf den hier in Erinnerung gebrachten Vorgang der Zeugung als zum Unanständigen gehörend bezog? Wie auch immer, als nun das Kind blindlings, mit den Augen vermutlich noch gar nicht unterscheidungsfähig, erstaunlich genug, seine Arme nach ihr ausstreckte, war es um sie geschehen.

Das Landmädchen hatte sicher die garstigen Worte der alten Frau nicht gehört. Sie hielt ihr den Kleinen arglos entgegen. Jeder, sogar die vier hübschen Kellner, hätte ihn gern angefaßt und getragen, nun reichte sie ihn ausgerechnet der bösen Frau! Die ihn nahm und mit runzligen, verdorrten Händen, aber doch zuverlässig hielt, sogleich den süßen Milchgeruch einatmete und das Schwitzen erkannte am Glanz der zierlichen Nasenflügel. Sie preßte das Wesen zunächst, als hätte man einem kleinen Mädchen eine Puppe geschenkt, gierig an die flache Brust. Hoffentlich gab sie es wieder her. Das Landmädchen lächelte weich verträumt in seinem fleischlich heiteren Schein. Es sorgte sich nicht. Zu Recht! Das Kind fügte sich den harten Fingerstöcken ohne Beschwerde. Und wir, wir Zuschauer, atmeten auf. Sie lockerte ja schon den Besitzergriff, um es ein bißchen von sich abzurücken und zu betrachten. Das Kind bezwang die alte Frau, ob sie wollte oder nicht, wohl oder übel, zwang sie, die Gesichtszüge zu einem Lächeln, einem milden und seligen Scheinen der Güte auseinandergleiten zu lassen, krähte sogar in unbegreiflichem Entzücken, sie ansehend, und patschte, noch zielunsicher, nach ihrem haarigen Kinn. Die Greisin ertrug es auf dünnen Armen, begann, es sachte zu schaukeln, auch leise zu summen dabei, wiegte sich versunken mit dem Kleinen. »Mutter schaukelt im Sommer so gern draußen im Garten, immer vorsichtig auf und ab unter den Bäumen, wie ein Kind, ganz für sich«, flüsterte die Tochter, etwas indiskret, uns zu. Die Alte tat zunächst, als hörte sie das nicht, sagte dann aber: »Wärst du noch so klein wie das hier, da hätte ich mehr Freude an dir«, hob den Säugling hoch, dem das gefiel und der, als sie ihn wieder senkte, das Mündchen nach unten zog, mit neuem Weinen der Gesellschaft drohend. Unverzüglich stemmte die Frau ihn in die Höhe.

Sie wankte, taumelte, aber anfangs doch zuverlässig von einem Bein auf das andere sich stützend, der Last des kräftigen Jungen durchaus gewachsen, selbst sogar an das Kind geklammert und sich an ihm stärkend, so daß wir reglos, in einer Betäubung, ruhig zusahen, einschließlich des Landmädchens, wie ihre Arme Stück für Stück einknickten und sie selbst, noch immer im Versuch, das Kind über dem Kopf schweben zu lassen, von dessen Gewicht zusammengedrückt wurde. Anstatt es aber abzusetzen und der Eigentümerin zurückzuerstatten, kämpfte sie um das Gleichgewicht, während ihr Körper jämmerlich einschrumpfte und sogar ein Stöhnen aus ihrem Mund hörbar entwich. Das sorglose Kindchen hopste, inzwischen nur noch auf Brusthöhe der Ermatteten, die es anstarrte, als wisse sie nicht mehr, wie es in ihre Arme gekommen und wer es eigentlich sei (das Geschöpfchen aber trotzdem nicht freigeben wollte!), und ob sie vor ihm erschrecken oder von ihm begeistert sein mußte, dabei das Kind tiefer und tiefer sinken ließ, es mit äußerster Anstrengung, wahrscheinlich sogar mit Schmerzen wieder hochriß, dabei richtig ächzte. Auch diese Laute schienen dem Kind zu gefallen, das Keuchen der alten Frau Engelwurz unter ihrer schweren Last behagte ihm, es machte sich sehr vergnüglich noch schwerer. Erst als sie zu stolpern begann, löste sich das Landmädchen aus dem Bann, und indem sie ihr Kind rettete, rettete, aus seiner Verzauberung erwachend, einer der Kellner die stürzende Frau.

Sofort war man jetzt einig und entschlossen, die verlorene Zeit und die entstandene Stille durch Bewegung und Lärm wieder einzuholen, wettzumachen usf. Man machte sich die steifen Glieder gelenkig, stellte allerlei Festgeräusche her, geriet ins Strömen und – verglichen mit der Starre eben – ins Verflüssigen. Aber so schnell, wie man bestimmt wollte, schüttelte man die Ertaubung und Einschläferung doch nicht ab. Wir tauten, entgegen unserer Absicht, nur langsam auf und wollten kaum glauben, wie zögernd das vonstatten ging.

Allerdings verwechsle ich hier vielleicht etwas, und es geriet mir damals durcheinander, oder es passiert jetzt. Ganz gewiß war es, als die alte Frau unter der Last des Säuglings stückchenweise zusammenbrach, zu irgendeiner Verfestigung gekommen. Jedoch könnte es ja auch die Luft gewesen sein, gar nicht die Frau oder wir, das Publikum. Ein sonderbarer Eingriff widerfuhr uns allen, der eventuell darin bestand, daß eben die Luft, nicht wir selbst, um uns herum gelierte. Wir wurden arretiert und eingeschlossen von einer Art vollkommen durchsichtiger Sülze. Auch unsere Augen, die sich alles einprägen wollten, waren fixiert in ihrer Position, und anschließend mußte von uns das, was uns so zäh und zum Stillstand pressend umgab, flüssig und luftig gestrampelt werden?

Ich für meine Person verzog mich, in der hier möglichen Eile, in den Garten, in den schönen, nächtlich feucht duftenden, um wieder in aller Verborgenheit zu meiner eigenen Lust ein bißchen überzuschnappen. Was trug ich eigentlich? Ein denkbar simples Fähnchen, in Goldlackrot jedoch, ich glaube, einigermaßen raffiniert zu meinen rötlichen Locken. Damit fahre ich immer noch am besten. Kein Schmuck, extra nicht!

Draußen, in der lebhafteren Atmosphäre, würde sich die Munterkeit aller Gliedmaßen flotter einstellen. Oder hatte ich einen Hintergedanken? Ach, hören Sie! Es gab bei mir, speziell an jenem Abend, nichts anderes als diesen einen Hintergedanken! Das schlug doch immer wieder durch. Es war nun auch außerdem insgesamt vorbei. Überall neugeborener Krach und alberner Lärm.

Ich stand schon tiefer im Garten, als ich auf ein Geräusch hin herumfuhr und Leo auf der Terrasse entdeckte. Es kam mir so vor, als hätte ich ihn als Scherenschnitt vor dem Licht dahinterliegender Zimmer an der Schmalheit der Hüften erkannt. Es fiel mir besonders dadurch auf, daß seine beiden Hände in den Hosentaschen steckten. Trotz dieser Verbreiterung der Kontur blieb nämlich eine erstaunliche Enge, ins Auge springend, über dem Beinansatz bestehen. Er unterhielt sich mit einem mir fremden Mann. Ich verstand nur so viel: Leo sagte eine Reihe von Namen auf: Rasmus, Jungmepp, Bering, Köcher, noch einige mehr, ich hörte es nicht deutlich genug. Offenbar handelte es sich nicht um eine Litanei der Reichsten Deutschlands, sondern, im Gegenteil, um Maler, die von jenen beiden, dem Juristen und dem Mediziner, gesammelt wurden, aus Leidenschaft oder spekulationshalber, im Widerstand gegen den allgemeinen Kunstbetrieb und allen Kunstfeuilletons zum Trotz, ein verrücktes Unterfangen, deshalb wohl auch der Simultankopfstand. Denn die Bilder seien teuer, was seinen Grund darin habe, daß die Maler monatelang, manchmal jahrelang daran arbeiteten. Es gebe noch einen Lebensmittelgroßhändler und einen Haarwaschmittelfabrikanten, die eifersüchtig die Produktion der Genannten überwachten. Mir entging nicht Leos Spähen in die Dunkelheit. Schon wollte ich ihm zuwinken.

Da stoppte mich etwas mitten in der Bewegung, etwas, das weiter in der Tiefe stattfand, vor den gezackten Abgründen, die unheimlich taten, aber nur Abstände waren oder aber Zacken des helleren Himmels, geschnitten um die dunklen Baumleiber.

Auch dort beschäftigten sich zwei Personen miteinander, der Grauhaarige mit dem Erobererblick und eine zweite Gestalt. Der Hochbegabte? Leo entschwand mir in diesem Moment von der Terrasse. Ich verhielt mich ohne eigentliche Absicht ganz still. Es war die Blondine! Sie trug auch hier draußen, am späten Abend, ihre Sonnenbrille. Was für ein – – Zufall, finden Sie nicht? »Infantile Sexualisierung«, verstand ich. Sprachen sie von der alten Frau und dem Kind?

Sie standen einander gegenüber, dicht zusammen, aber mit einem kleinen Graben dazwischen. Das hörte jetzt auf. Der Kritiker, womöglich aufgestachelt von Zaras andeutenden Worten über die Zuneigung der blonden Frau, riß sie unverschämt, plötzlich, ohne Übergang, in seine Arme. Die gespreizte breite Hand auf ihrem Rücken zog dabei, für mich gut erkennbar, kalkuliert ihr Kleid demoralisierend in die Höhe. Auf diese Art preßte er unweigerlich ihren Bauch gegen den seinen und versuchte nun, ihr die Sonnenbrille vom zurückgeworfenen Kopf zu nehmen. Die Schocks sollten sie wehrlos machen. Übrigens weiß ich nicht, ob ihr damals ein kurzer Schrei, wenn auch kein direkter Hilferuf, das gewiß nicht, der Verblüffung, entfuhr. Sie verteidigte sich nicht gerade aus Leibeskräften. Doch jetzt, als er ihr mit der freien Hand die schwarze Brille von den Augen hoch auf die Stirn schieben wollte, griff sie danach wie in Panik, drückte auf die Gläser, und ihm dämmerte wohl umgehend, daß sie eher einen sogenannten Skandal riskiert hätte, als sich die Brille wegnehmen, genauer: die Augen entblößen zu lassen. Zu ihrer Bestrafung und seiner Entschädigung gereizt, streifte er ihr daraufhin ruckzuck das Oberteil des Kleides bis zur Taille nach beiden Seiten ab. Es war wie gemacht dafür. Und nun hielt er sie also halbnackt in den Armen. Selbst ich, aus der Entfernung, sah einen Teil der kindlichen Brüste, kindlich, obschon sie doch drei große Söhne hatte! Man konnte das ausführlich studieren, denn der Mann wich etwas zurück, ohne sie freizugeben, um sie in der Nähe eines breiten Lichtscheins, der von den Gartenfackeln ins grüne Dunkel fiel, zu betrachten. Der Mähnenwolf auf südamerikanischer Palastterrasse: eine vorweggenommene Übersteigerung – weg war der Gedanke, denn schon zog der Mann die langbeinige Frau an den Hüften eng zu sich, aber nur, um den oberen Teil ihres Körpers nach hinten zu biegen, eine Prozedur, von der er wissen mußte, daß sie von einer bestimmten Neigung an schmerzhaft sein würde. Es störte ihn nicht, hielt ihn nicht auf. Auch sie, im feuersalamandrischen Licht, hinderte ihn nicht. Er bog die Frau kontinuierlich nach hinten, genoß offenbar den Übergang in eine sachte Folter, begierig oder zumindest neugierig, wann sie aufschreien würde. Sie tat es nicht. Wollte er sie demütigen? Zerbrechen? Staunte er schließlich nur noch männlich über das technische Wunder einer ungeheuerlichen Verbiegungsfähigkeit und Selbstherrschung? Ich selbst empfand gar nichts, ich erinnere mich nicht. Die Bäume schwappten mit ihrem noch jungen Laub träge auf und nieder, ein wenig nur, wiegten sich in ihrer eigenen Benommenheit. Wir drei im Garten blieben stumm.

An einem äußersten Punkt, den zu überschreiten er nicht wagte, um nicht das Gleichgewicht zu verlieren – ein dann vermutlich sehr lächerlicher Vorgang –, riß der Kritiker die Blondine wieder an sich heran, so brutal, daß ihr Kopf zur Seite schleuderte und sich der Hals, wie der Mann wohl wünschte, genau vor seinem Mund anbot. Schluchzte die Frau einmal auf oder seufzte sie? Hörte ich einen Vogel in seiner Betrübnis? Schon hatte er seine Lippen auf die so bequem offerierte Haut gepreßt. So standen sie dann.

So stand auch ich, in meiner Geistesabwesenheit sah ich das versteinerte Paar als Gartenplastik, den Mann, dessen sanft kalten Blick ich kannte, und die Frau, deren drei Kinder und Ehemann in Brasilien auf ihre Rückkehr warteten in gefährlicher Umgebung, hier im abgerutschten Abendkleid, seinen bösartigen Kuß hinnehmend, ja gewissenhaft akzeptierend. Ob Zeit verrann oder nicht, wir fühlten es nicht. Sie war mit uns in ihrem Fluß gelähmt. Wurde hier ein Verrat begangen, zelebriert und dargestellt von den auf Befehl in hypnotischen Schlaf Gefallenen, schwaches Herzklopfen und Leben, Atmen und Pulsschlag noch eben von fern bekundend. Somnambulisch Ausführende eines endlosen, eine Ewigkeit dauernden, plötzlich ins melierte Nachtdunkel gravierten Kusses.

So blieben sie, so blieb ich. Bis man aus dem Haus nach

ihnen rief. Der Mann richtete sich auf, stieß noch ein einziges Mal, regelrecht Schwung holend, besiegelnd gegen den Bauch der Frau und ging, ohne sich umzusehen, los, schneller gefaßt als sein Opfer, und sich streckend, in das festliche Gewoge zurück.

Die Blondine aber verhielt sich weitaus ungewöhnlicher. Sie rückte ihre Brille, noch schläfrig, ja ein bißchen plump, zurecht, schritt dann mit seitlich herabhängendem Oberteil aus, halbnackt, die Kinderbrüste frei in der Nachtluft, zur hellen Terrasse, zögerte, schon beinahe im Licht stehend, etwa fünf Sekunden, schob dann – halten Sie für möglich, daß es eine verächtliche Geste war? – das Kleid in Anstandsposition, schüttelte den gesenkten Kopf wie ein Schwimmer, der, aus dem Wasser kommend, sich die Tropfen aus den Ohren treibt, um wieder zu hören.

Auch ich zögerte etwa fünf Sekunden. Die übliche Wehleidigkeit nach einer Entzauberung. Was mochte die Frau aus Lateinamerika hinter den schwarzen Gläsern verbergen? Ich folgte ihr, etwas zog mich nach drinnen, Leo natürlich, das mir zugeneigte Fremde! Das »zugeneigt« und das »Fremde« waren mir gleich viel wert, damals.

Und da gingen und standen, murmelten und lachten sie ja alle auch wieder, und keiner fehlte offenbar. Frau Heinrich und Herr Bolz, Zara, die Kostümbildnerin und der Mathematiker, Frau Bolz, die Frau des Aktentaschenmannes, auf spitzen Schuhchen das Wänstchen rosig feist, die Kopfstandmänner und all die anderen. Leo wurde halb verdeckt für mich von einer überaus schlanken Frau, jung oder alt, aber mit einer Jünglingsgestalt. Das Eigenartige: Wie Herr Bolz trug sie ständig, es wurde mir jetzt bewußt, etwas mit sich herum, noch erstaunlicher in Räumen als die permanente Aktentasche. Einen Regenschirm! Auch hier drinnen, zwischen Kerzen und Blumen, Büffet und Gästen in Sommerkleidung hielt sie, wie ein Soldat sein Schießgewehr, ihren Schirm bei sich, treu an ihrer Seite. Da sie mich an der Aussicht auf Leo hinderte, dachte ich über sie nach. Dann wußte ich es. Es war einfach ihre eigene

Stockschirmhaftigkeit, deren Wahrzeichen sie ritterlich bei sich haben wollte.

Wie Leo seine immer leicht hängenden Augenlider? Zeichen für was? War es möglicherweise das, was mich provozierte: die Lider wenigstens für Momente zu straffen, ihm also eine Eigenart zu entwinden?

Gerade hier trat mir sehr lästig Spechts trauernder Blick mit und ohne Brille in den Sinn, seine lichtlos gefräßigen Trauerteiche.

Da waren sie ja alle wieder, fast alle auch eine Spur gealtert im Verlauf des Abends und meiner Abwesenheit. Wegen seines Schwankens fiel mir besonders der korpulente, gelbe Herr Tetzelmann auf, der Gastronom, der wohlhabende mit der quasi Prostituierten, die jetzt aber nicht bei ihm war in ihrem schwarzen Slipkleid, dem durchsichtigen, vielleicht auch braunen, bis dorthinaus. Jemand hatte mir von seinem Haus erzählt auf der anderen Seite der Elbe, sozusagen gegenüber von diesem hier, mit Spiegeln an den Außenwänden und einer badezimmerartig gekachelten Auffahrt, an der Legionen von Blumen je nach Jahreszeit aufs häßlichste plantagenartig paradierten, ein Bungalow zwischen Elbe und Hang. Spaziergänger kletterten manchmal in die Kastanienbäume der Promenade, um über die Mauer zu gaffen und ein Lotterleben auszukundschaften. Das aber spielte sich dort keinesfalls ab. Dort wohnte er ja viereckig mit seiner viereckigen, bejahrten Ehefrau, bejahrt, beleibt wie er, im biederen Traumschloß, mit Königssäulen grimmsmärchenhaft ausgestattet das Domizil. Die Konkurrenten in Hamburg aber arbeiteten verschworen an seinem Sturz. Vor Verdacht und Nachweis der Steuerhinterziehung würde er sich ja auf Dauer nicht hinter Rhododendron verschanzen können. Jeder hier wisse darum, ein offenes Geheimnis. Alle Hoffnung aber habe er, seinen Fall damit, wer weiß, sogar beschleunigend, sogar absichtsvoll beschleunigend im Destruktionsrausch oder gegen ihn antrotzend, auf das blondzopfige, Dynamik spendende Flittchen gesetzt. Wie man Champagner trinkt und das Glas anschließend gegen die Wand wirft oder auf der Insel Thule ins Meer?

Er hatte etwas ins Auge gefaßt, das sich, über den Flur hinweg, in der diagonal ihm gegenüberliegenden Ecke eines anderen Raumes aufhalten mußte, stierte dorthin, wo sich aber nur eine der unglaublichen Blumenpyramiden befand. Tetzelmann machte sich auf den Weg. Erst jetzt, als er lostapfte mit seinen gedrungenen Beinen, der Vierschrötige, sah ich, wie betrunken er war, stumm besoffen. Er stampfte auf den Boden, um ihn bei jeder Sohlenberührung mit dem Wort Tetzelmann zu stempeln. Ging hier nicht unerschütterlich, kerzengerade schräg der reiche Gastronom Tetzelmann, der die korrupten, aber noblen hansestädtischen Gegner das Fürchten gelehrt hatte mit seinen vor allem bei Jugendlichen und Touristen so erfolgreichen Kettenläden?

Tetzelmann marschierte, wenn auch nicht zügig, in eine Richtung. Man erriet sein Vorhaben, aber er schlug nach rechts und links beim Torkeln aus, glotzte entgeistert ins Leere, und dabei blieb es. Wir Zuschauer hörten ihn laut rülpsen, er sich selbst offenbar nicht mehr in seinem lädierten Zustand. Das ruckhafte Vorwärtsschießen auf die Blumenpyramide zu, das ließ er aber trotzdem nicht, dafür reichten die Kräfte noch, dahin trieb es ihn mit großer Sehnsucht, die ihm im Gesicht geschrieben stand, beinahe als Not und Qual, als er jetzt, mit den Armen rudernd und an der verrutschten Brille vorbeigreifend, so daß er sich auf die Backe schlug, gegen einen nur für ihn existierenden, ihm feindlich gesonnenen Sturm ankämpfte und in unsichtbare Lebensgefahr geriet.

Da löste sich der kleine Herr Bolz, im zarten Gesicht leicht errötend, von uns. Er legte seine Aktentasche, was er nicht mal beim Tanzen getan hatte, auf den Boden und ging mit ausgestreckten Armen schnell auf den ertrinkenden Herrn Tetzelmann zu, der sich sogleich, den Retter erwitternd, mondsüchtig auf ihn zubewegte.

Und es waren nicht diese zwei allein, die in Nachtwande-

lei verfielen. Auch wir anderen gerieten in eine Verzögerung, ja, das am ehesten, eine Dehnung. Wir stockten einige Augenblicke mit unsrem Leben. Unter Umständen
waren wir es, die beide länger als nötig voneinander fern-
hielten, gegeneinander die Gliedmaßen strecken ließen, hilfesuchend und -gewährend, um es uns einzuprägen, wie
Tetzelmann bereits in die Knie ging vor Schwäche und sich
noch so eben aufrichtete an der Energie, die ihm Herr Bolz,
auf ihn zueilend, schon im Voraus entgegenschickte. Die
Annäherung dieser eher kleinen Männer in einer plötzlichen Einsamkeit, der eine massig, der andere schmächtig,
wurde von der stillstehenden Zeit um ein paar Maße und
Einheiten überzeichnet. Wir alle unterlagen der Behexung,
bis Herr Tetzelmann mit einem Schluchzer Herrn Bolz an
die Brust sank, der ihn aufgefangen hatte mit seiner schwachen Kraft.

Das Scheuermilchlachen der Frau Hage, zusammen mit
der trippeligen Frau Bolz weckte mich auf. Ich erinnere
mich, dieses Lachen damals für einen Charakterfehler der
beiden gehalten zu haben. Frau Bolz faßte resolut die Aktentasche ihres Mannes.

Gerade als mir die kleine Räuberin, wo steckte sie bloß?
einfiel – war sie auf Raubzug? –, entdeckte ich sie allein auf
einem kleinen Sofa sitzend, mit einem ungetümen Karton
auf dem Schoß, in den sie beide Hände vergraben hatte, bei
leicht offenstehendem Mund durch Entrückung zu einem
fünfjährigen Kind geworden. Wie alt war sie? Zehn? Zwanzig? Und Zara? Dreißig? Sechzig? Die bösen Augenlöcher
hatte sie unter den niedergeschlagenen Lidern verborgen.
Ob die weiterhin einer abgebrühten Schlägerin angemessen
waren? Sie werden erraten, welchen stupenden Fund sie in
dem Behälter machte. Da zog sie auch schon ein Paar, ich
glaube, zunächst pastellfarbener, hochhackiger Sandaletten daraus hervor. An den Bändern hielt sie das leicht gebau-
te Schuhwerk staunend in die Luft, setzte es wie ein Tierjun-
ges auf ihre flachen Handteller und sah es an, als erwartete
sie tatsächlich einerseits, es würde gleich zu rennen anfan-

gen, andererseits breitete sich ein verlegenes Schmunzeln in ihrem Gesicht aus, geradezu über die Schultern weg. Ihre Spezialität waren ja Stiefel, und so luftiges Schuhzeug stellte im Grunde eine rufschädigende Zumutung an sie dar. Dessen wurde sie sich nach dem ersten Entzücken bewußt. Handelte es sich um Leihgaben oder sogar Geschenke von Zara, den Grundstock für eine eigene Sammlung aus Second-Hand-Exemplaren? Es konnte aber auch eine frisch eingetroffene Sendung sein, und Zara erlaubte der kleinen Besessenen großzügig, die Kostbarkeiten auszupacken.

Eine Gruppe von Leuten beendete das Betrachtungs-stündchen. Das Mädchen hatte Publikum gekriegt, das sich meine Fragen stellte. Sie sahen nicht mehr das einfältige Staunen auf dem Gesicht, aber doch noch das verblüffte, ge-nierte Hingerissensein der vom Schuhluxus überwältigten jungen Kriminellen. Zara fädelte ihr Spielchen, welches es auch sein mochte, schlau ein.

Die geflügelte Kleine – auch das Kleid von Zara gestif-tet? – also inmitten der bei ihr eingetroffenen Frauen. Die Doktorandin mit der roten Mähne, die Fotografin unter ih-rem Hütchen, Frau Bolz, Sophie, ganz im Hintergrund Zara, die unter der Schminke konservierter Mädchenhaftigkeit angeblich tyrannische Frau Heinrich, alle standen um sie herum und begutachteten, was sie zutage förderte, sitzend, gebückt, in der Hocke, vornübergebeugt.

Es glich der Aufstellung zu einem Gruppenfoto. Denn um diesen inneren, brav geduckten Kreis der Frauen bildete sich, sie umschließend, eine Kongregation aufrechtstehen-der Männer, sogar der Hochbegabte war darunter, auch ein honorig wirkender bärtiger Professor, Fakultät und Univer-sität vergessen. Leo nicht. Leo nicht dabei. Während die Frauen aber die Hälse nach den Modellen reckten, im Kar-ton und neben dem Mädchen deponiert, sahen die Männer auf dessen nackte Beine, die weit übers Knie hinaus sicht-baren, als die – interessanteren – Ansprechpartner der Schuhe.

»Zier dich nicht, los, zieh sie an!« rief der Hochbegabte

und blies großspurig eine starre Linie Zigarrenrauch gegen sie. »Halt die Fresse!« Es kam postwendend, aber geflüstert, merkwürdig eingeschüchtert von dem Mädchen zurück.

Besonders merkwürdig eigentlich doch nicht. Man brauchte nur diese wurschtigen Beine mit ihren Schuhen dran und die erlesenen Stücke, die sich auf dem Sofa inzwischen die Ehre gaben, miteinander zu vergleichen. Es hätte mich nicht gewundert, wenn die klobige Kleine aufgesprungen und davongerannt wäre vor dem drängenden Ansinnen, das an sie gestellt wurde. Ihr ganzes, noch oder für alle Zeit plumpes Untergestell bildete einen schreienden Kontrast zu den komplizierten Schuhbauwerken. Und sie wußte es natürlich, tastete mit den Händen ängstlich prüfend – alles Amorettenhafte verflogen –, eine trotzige Schnute schneidend, ins Innere und stieß dort jedesmal auf die gleiche Schmalheit, das Nein! des engen, eleganten Schnitts, der gar nicht zuließ, daß sie mit ihren Zehen zur Spitze vordränge. Dabei tat sie, nicht ungeschickt, als erwöge sie, welchem Modell sie den Vorrang geben solle, als fiele mit der Anprobe eine Entscheidung über den Besitz oder sogar ihr ferneres Schicksal. Kurz, sie versuchte Zeit zu gewinnen, gab vor, keinen der Schuhe zu bevorzugen, markierte die Wählerische, nahm jeden schüchtern auf und legte ihn aggressiv beiseite, hob sie alle, und von Mal zu Mal verzweifelter – was halfen ihr da die dämonisierten Pupillen! – in die Höhe, flüsterte »Verdammte Scheiße«, war sehr blaß geworden, die Augenlöcher immer kriegerischer, in die Defensive getrieben von den ausschließlich verrückt steilen Sandalen, durchsichtig an den Absätzen, so daß sie zu schweben schienen, schwarz-weiß gepunktet mit rot-weiß gepunkteter Umrandung der Sohle, prunkend rot und im Absatz dreifach golden unterteilt, weiß mit Perlornamenten, scharf in schwarzem Lack und silbernem Kunststoff, Gläser auf fragilen Stielen der hintere Teil, der Hackenteil der Schuhe, vorn dann allerlei Spangen und Riemchenkrimskrams der allerschönsten, irrsinnigsten Art. Das bleiche, asoziale Gesichtchen verfinsterte sich schrecklich. Schon fürchtete ich, sie würde, derart in die Enge gedrängt, mit den edlen Stücken nach uns feixenden Zuschauern werfen.

Zara, unverantwortlich, war verschwunden. Es interessierte die vorübergehend Wohltätige nicht länger.

Als sich dann die Blondine neben sie setzte, keine Spur der Gartenaffäre mehr an sich tragend, fuhr der Kopf der Schuhräuberin vorsorglich bitter zu ihr herum. Die Frau, das ehemalige Model für exquisite Fußbekleidung, was der kratzbürstigen Kleinen sicher wohlbekannt war, murmelte, für uns kaum hörbar, halb zu den Schuhen, halb zum Mädchen hin. Ihr Blick war durch die verdunkelnden Gläser hindurch nicht zu erraten. Aber was wir ohne Mühe feststellten: Das Mädchen begann sich zu entspannen und den Kopf schräg gegen die Blonde, deren verwittertes Gesicht hier, im Hellen, wieder keine seiner Kerben verhehlte, hinzuneigen, wenn auch noch sprung- und fluchtbereit.

Plötzlich hielt das Model ein bisher noch nicht in Erscheinung getretenes Exemplar in der Hand, in einem hellen Beige, nein, es war die Farbe des glänzenden Himmels vor Sonnenaufgang, die Form makellos, vermutlich das teuerste Modell von allen. »Tacco a spillo«, sagte die Frau zu sich selbst und legte den Schuh kurz zärtlich an ihre Wange. Auch sie setzte diesen, wie vorher das Mädchen andere, auf ihren flachen Handteller. Noch nie war mir das Idealweibliche dieser Schuhart so aufgefallen in seinen melodischen Verengungen und Bauchungen. Er schien sich über seinem festen, geschwungenen Standbein auf Fersenhöhe in den Hüften zu wiegen. »Den«, sagte sie zu der Kleinen. Die schüttelte den Kopf. Verständlicherweise. Dieser Schuh ausgerechnet paßte ja am wenigsten zu ihr. Im Argwohn, verspottet zu werden, schwärzten sich ihre Augenhöhlen fast wie die der Blondine.

Da aber, in Bernstein eingeschlossen diese Sekunde, kniete sich die Frau rasch vor das Mädchen hin, die große schlanke Frau aus Brasilien, wohlerfahren im Umgang mit teuren Schuhen und armen Kindern, hockte auf dem Boden in Anmut und Selbstverständlichkeit, vor dem nun ausgestreckten, von seinem eigenen Schuh befreiten Fuß, um ihm den anzuziehen, der am höflichsten, galantesten den unausgewogenen Körper tragen und anheben würde. Ich sah es nicht in den Einzelheiten, ich nahm nur noch dieses mitten ins Zimmer gestellte Bild wahr, die Sitzende und die Kniende, die kleine rohe Schlägerin und die Fremde, ja Mysteriöse, die sich über den Fuß schlicht und nonchalant tief beugte. Mir war, als hätte ich das Klicken und Surren einer Kamera gehört, mit dem die Zeit arretiert und, schwerer werdend, unvergänglich in eine viereckige Fläche gepreßt wurde.

Etwas lullte uns ein. Geschah noch immer nichts? Bis mich irgend etwas aufschreckte. Ich erinnere mich nicht, was es war, aber wohl, was ich dann sah. Leo, aufreizend unnahbar, am Türpfosten lehnend. Und schon von vorüberziehenden Wolken verborgen, hinter denen er sich auflöste.

Die Wolken, die ihn mir entzogen, bestanden aus drei Teilen. Specht, der honorige Professor und in der Mitte, von beiden verblüffenderweise untergehakt, das Liebchen des Herrn Tetzelmann, die knallgelben Pippi-Langstrumpf-Zöpfchen schwarz durchbändert. Der Ausschnitt gab mittlerweile einen Teil der Büstenhalterträger frei, der Lippenstift (ohne Angst vor dem Klischee!) – man konnte in diesem Gesicht mal wieder bestaunen, wie bezwingend einmaleinshaft die Hübschheit daherkam, zwei dunkle Augen, ordentlich nebeneinandergesetzt, eine kleine Nase wie bei mir, ein voller Mund und eine glatte Haut über korrekt sitzenden Knochen –, was sagte ich? der Lippenstift nicht sehr, nicht allzu gravierend, aber doch deutlich nach unten hin verschmiert. Das sorgte für einen patzig schmollenden Ausdruck des netten Frätzchens. Im niedlichen, leicht besäuselten Kummer ruhte sie aufrecht stehend in den hilfreichen Armen der beiden Paladine, dabei, wie ich erst jetzt konstatierte, barfuß, zehnmal dort unten auf kleinen Vierecken das Rot der Lippen. Die Männer an ihren Seiten starrten an ihrem schwarz oder braun umflorten Unterleib entlang dorthin. Specht strich eben überall herum, aber der Professor hatte doch noch gerade die Räuberin studiert. War so viel Zeit vergangen?

Abrupt ließ das Tetzelmannschätzchen jetzt die Männer stehen, schüttelte sie von sich ab mit einer Drehung, bei der man die Einschnitte ihres Slips diagonal übers Gesäß laufen sah. Specht und der Professor, eben noch so stolz auf ihr hälftig geteiltes Spielzeug, wichen brüskiert zurück. Die Frau hatte ihnen ja einen richtig vulgären Schubs verpaßt! War etwa ihr Besitzer aufgetaucht?

Sie war, parallel zum Gastronomen, betrunkener, als man zuerst glaubte. Nun, ohne Stützen, konnte sie es nicht mehr kaschieren, strengte sich trotzdem an, bereute schon die leichtfertige Entlassung ihrer beiden Kavaliere aus dem Minnedienst. Die waren fort. Specht mochte sich in einem anderen Raum an der Illusion erbauen, ich würde ihn dafür bewundern, daß er mit dem Zopfmädchen eine Minute zu 50 Prozent hatte turteln dürfen. Sie lehnte sich gegen die erstbeste Tischplatte, die einen soliden Einruck machte, und sah glasig-dösig in Richtung der Räuberin. Die saß, mit den Pumps an den Füßen, neben den ihr anvertrauten Besitztümern und bewachte sie. Ihr Blick zum beschickerten Liebchen? Indigniert.

Ein jämmerliches Kichern sickerte aus der Schwankenden hervor. Wir sollten annehmen, alles sei ein tänzerisches Reagieren auf ferne Musik und das bröckelige Schluchzen dazwischen nur ein Summen der Melodie. Dazu hätte viel guter Wille gehört, den wir überhaupt nicht besaßen. Wollte Tetzelmann sie nicht in seiner Villa am Elbufer wohnen lassen, weil dort die Rotbackige das Polieren der Spiegel kontrollierte? War es sein Besäufnis, das sie zur loyalen Nachfolge zwang, oder, einleuchtender und mitleiderheischender für mich: Ertrug sie nicht länger die klammernde Demütigung, die ausging von Tetzelmanns Hilferuf an ihren unbekümmerten Körper, der das bleiben wollte, nicht mehr die gierige Hoffnung, die der Gastronom auf sie warf? Hatte einer der Gäste sie gekränkt? Ich vermute, niemand hätte sich erkühnt, jemanden von Zaras Besuchern zu kompromittieren, zumindest nicht nachweisbar. Andererseits hatte Zara ja selbst das stichelnde Wort »Prostituierte« gebraucht.

Gerade fallen mir riesige Rosengebüsche, Wildrosen unter Regenwolken ein, drohende Rosengebirge voller schreiender Vögelchen. Rührt das noch her von den Düften der Sträuße und dem Parfüm, das Tetzelmanns Mitbringsel und Leibmedizin so reichlich, zusammen mit dem Geruch nach – leider – Bier verströmte? Sie stand aufgestützt und vertikal, aber Wellen durchliefen ihren Körper und verursachten ein Torkeln im Stehen. Unzufrieden mit diesem Mißgeschick knurrte und fauchte sie unterdrückt und zog sich, durch ihr dünnes Kleid hindurch, ihren Slip etwas höher. Vermutlich wäre ihr jeder der Männer allzu gern beigesprungen, vielleicht auch nicht, traute sich immerhin nicht, das unter die Räder gekommene Gänseliesel zu berühren, mit seinen nun beidseitig runtergezogenen Mundwinkeln, leicht bebend schon, echten Tränen nahe, aber auch mit warnendem Brummen. Der Reihe nach nahm sie die Leute in Augenschein. Daß sie Zuspruch benötigte, war offensichtlich.

Ihrem benebelten Zustand nach zu schließen, gab nicht Scharfsinn, sondern Instinkt den Ausschlag für Frau Ebelsohr, Frau Ebelsohr mit pikantem Gesicht und wuchtigem Unterbau, mit dem allzeit lächelnden Sparkassenmann und den sporadischen Ausbruchsvisionen, die sich an diesem Abend auch schon in ihrem berühmten Rebellenröhren entladen hatten. Diese Kaskaden, dieser Tumult, den Tresor des Brustkastens sprengend in einer Tabula-rasa-Ekstase!

Tetzelmanns Gespielin – er selbst tauchte noch immer nicht auf, schlief wohl an einem stillen Plätzchen mit beschwichtigenden Träumen – entschied sich für die Person, die damit ihre Stunde der Wahrheit, ihre große Bürgerverachtungsminute erhalten würde. »Maria!« rief da der Graupapagei aus der Ferne. Als ich hochblickte, sah ich in Leos Augen, weit weg, aber es reichte, um mich abzulenken vom Start der Tetzelmann-Nebenfrau. Wahrscheinlich hatte sie sich einfach von der Tischkante abgestoßen, zielsicher auf

Frau Ebelsohr zuswingend. Sonnenklar, wer die erwählte Figur und Instanz sein würde. Die Blicke aller wetzten jetzt hin und her zwischen den beiden Frauen.

Hatte das Flittchen Frau Ebelsohr nicht präzise als letztlich ihresgleichen bestimmt?

Frau Ebelsohr traute ihren Augen nicht! Was, um Gottes Willen, kam da unweigerlich und untragbar auf sie zu? Eine gleich an ihren Mutterbrüsten zusammenbrechende, schniefende, wein- oder besser bierselige, nach allen möglichen Ausdünstungen, durch knappste Textilien kaum gestoppten Sekreten riechende Frauensperson, der es womöglich sogar die Beine wegreißen würde, sobald sie sich in schwesterlicher Sicherheit wähnte.

Die Frau des Sparkassenleiters präsentierte ihr helles, hübsches, diszipliniertes Gesicht dem viel jüngeren, aber zerlaufenden, das sich Schritt um Schritt über ansehnlichem Körper näherte. Die ganze Zeit über spürte ich Leos Blick als verzauberndem Gegendruck zu allen Bewegungen im Raum. Die Betrunkene war nun fast bei der Nüchternen angelangt, die ihr mit keiner das Ankern erleichternden Geste half, streckte ihr, wobei sich die Rinne zwischen den Brüsten, den freimütig hochgepusht offerierten, vertiefte, die Arme entgegen, die Lippen wie zu tränenreichem Kuß vorgeschoben. Da fuhr auch die Angepeilte Tentakel aus, allerdings nicht heranwinkende, kein entkrampfendes Lärmen, nicht mal sanft rebellisches Lächeln. Abweisend richtete sie eine Handfläche am steifen Arm als Blockade gegen die Andrängende, die fassungslos, unmittelbar vor der Erlösung, die Schneckenzaungeste zu begreifen suchte, erstarrend, gerinnend. Zwischen Anziehung und Abstoßung verharrten sie so, die Finger 2 cm voneinander entfernt, in magnetischer Trance.

Eine Hochhaussprengung, das Erbeuten eines Fisches durch einen Seeadler in Zeitlupe konnten nicht atemberaubender sein. Wie stand diese Fingerlücke zwischen Frau Ebelsohr und Tetzelmanns Schatz für alle Zeit ungeschlossen, ungelöst sekundenlang da!

Einige Male tanzte ich, recht und schlecht. Jemand zog an meinen Haaren, ich drehte mich um, zu spät. Die Schuhräuberin saß noch immer auf dem Sofa mit den beigen Pumps an den Füßen, die Spitzen o-beinig, erhob sich, setzte sich sicherheitshalber sofort wieder. Mit Leo tanzte ich nicht. Es ergab sich nicht. Gut so, ich hatte ja den Beweis seiner Umarmung im Korridor, niemand konnte es bestreiten oder mir gar nehmen. Eine prima Idee, das Glück sich vorzustellen als dicken, dummen Goldknubbel, unversehrt durch die Welt rollend, der uns ab und zu am Rand streift und versengt und zurückläßt. Selbst aber immer weiter kugelnd, kantapper, kantapper und fidel.

Die geflügelte Kleine auf ihrem Sofa saß wie in leichter Narkose. Der Raum, kurzfristig nur mit ihr und mir gefüllt, dehnte sich wüsten-, zumindest einödartig. Dann plötzlich Leute, ich kannte sie alle, die Blondine, Zara, der Grauhaarige, die Möhrennase Hage, von den Kopfständlern der Mediziner. Leo nicht, Sophie nicht. Ja, als die Frau aus Lateinamerika, unverändert mit Sonnenbrille, sich neben die Raubsammlerin plazierte, waren wir sieben insgesamt. Jemand schloß sogar die Tür, und so blieb das Murmeln, Kichern, Klirren ausgesperrt. Zuerst bemerkte ich nur, wie sie den hellen Kopf bereits nachgiebig schüttelte, dann ein abwehrendes Wischen der Hand in der Luft.

Da nun alle den Kritiker ansahen, mußte er eine Frage, Beleidigung, Bitte geflüstert haben. Etwas, was sich aber nicht auf die ostentative Brille bezog. Es galt den Füßen, dort wanderten alle Blicke als nächster Etappe hin. Sie trug andere Schuhe als zu Beginn des Festes, flache, perforierte Stiefel bis zum Knöchel, fast nur weiche Lederlappen, um die Fesseln gebunden. Ich hörte zu dieser Zeit schlecht, man bewegte hier und da die Lippen, ich verstand keine exakten Wörter, aber alle musterten die Schuhe, und sie, die Blondine, die schlanke Riesin, lächelte ein wenig resigniert oder müde und verneinte etwas wie schon eben. Sollte sie den Preis der Schuhe nennen oder die Herkunft? Offen gesagt, mißfielen mir die Dinger, aber ich dachte natürlich, man müsse einer so berühmten Spezialistin in Fußbekleidung folgen bei Geschmacksfragen. Der Grauhaarige experimentierte erneut mit seinem samtig kalten Blick. Ich hatte den Eindruck, er prallte von den dunklen Gläsern diesmal ab. Die Blonde ließ seine Befeuerungen, sein routiniertes Eisfeuer schlichtweg nicht durch.

Da sagte Zara, die sich noch nicht gerührt hatte: »Komm!« Die Blonde sah zu ihr hoch, stutzte und nickte dann auf eine lustige Weise, indem sie den Kopf statt nach vorn ergeben? mutwillig? in den Nacken fallen ließ.

Sie machte es spannend. Keine Amateurin eben! Nachträglich schloß ich aus dem Ritual, daß der Grauhaarige sie aufgefordert hatte, doch uns allen einmal ihr Kostbarstes und Famosestes – und, dachte er vielleicht im stillen, am wenigsten Alterndes –, die Füße also, mit denen sie Bewunderung und viel Geld an Land gezogen habe, vorzuweisen. Sie schickte sich nun auch tatsächlich an, ihm – nein, ausschließlich Zara! – diesen Wunsch zu erfüllen, und auf dieses Signal hin ergriff er ein Glas und hielt es uns spaßeshalber hin für eine Spende.

»Nach Haus, sofort nach Haus. Alle nach Haus. Schlafenszeit! Hast mich vergessen hier, so ergeht's dir auch noch mal.« Unverkennbar die Stimme der alten Frau Engelwurz vom Flur her. Die Tochter erschien in der Tür. Sie verabschiedete sich von Zara, sah verstört in das Glas des frivolen Grauhaarigen. »Ich könnte sie manchmal ermorden«, sagte die stämmige Hausfrau und Staderin beinahe weinend und verschwand.

»O fürchterliche Macht der gebrechlichen Mütter!« kommentierte Zara, mitfühlend, genervt, ich kannte die Mischung an ihr. »Selbst ich weiß kein Kraut dagegen.« Der Mediziner stimmte ihr zu. Ich aber dachte, unberührt davon – meine Eltern sind lange tot –, das heißt, jetzt, jetzt erst denke ich daran, wie in den Fingerhutblüten die Hummeln poltern und an einem feuchten Abend das schwindende Licht als eine Art Heiserkeit, heiserer Glanz im Nebelgrün von Laubmassen, zugrunde geht. »Die alte Frau«, ergänzte

Zara, sich im Morgenmantelkleid dekorativ grausend, »hat ihr jede Liebschaft und den Geschmack an der Liebe überhaupt zerstört. Schluß mit der Unterbrechung!«

Ich bin nicht sicher, ob ich nicht doch etwas zu viel getrunken hatte. Es kam mir auch so vor, als hörte ich eine ziemlich schwüle Musik, denn was hier vor sich ging, war ein Striptease mit Schuhen und Füßen. Wo ist Specht, fragte ich mich. Bei seiner Chinesin? Bei der Zöpfchenblondine? Bei der Rothaarigen? Die Frau auf dem Sofa neben der Kleinen tat objektiv betrachtet nichts anderes, als ihre komischen Stiefel abzustreifen. Sie tat es aber so anspielungsreich verzögert, wie man Dessous auf einer Bühne vom Körper entfernt. Zwei Schritt vor, einer zurück, eine Entblößung vor, eine halbe retour. Wunderbar erwiesen sich die Stiefel, sehr geeignet fürs Auswickeln und reuige Wieder-Verstecken, einmal, als würden Juwelen aus einem Samttuch, dann wieder, als würden Kiesel aus einem alten Taschentuch gepackt. Sie knotete und deckte auf, aber noch immer sah man nichts von den zentralen Wundern dieser Füße jener lächelnd, nun sehr heiter spielenden Frau. Das Besondere: Sie mußte ja Zwillinge enthüllen, es ging also alles doppelt und gleichzeitig vor sich. Sie jonglierte mit der Simultanaktion und erlaubte sich einige Abweichungen, bis sie schließlich, mit einem einzigen Ruck, so wie man in Restaurants vier silberne Glocken von den vier Tellern der vier Gäste durch zwei Kellner in genauer Absprache, des Effekts wegen, hochziehen läßt, ihre Füße nackt vorzeigte.

Man hätte das unterschiedliche Entsetzen der einzelnen Zuschauer archivieren sollen. Ich selbst sah, nach dem ersten Blick auf diese offenbar von Brandwunden verwüsteten Füße, deren ehemalige Schönheit nicht einmal mehr in den Konstruktionslinien ahnbar war, nur den Grauhaarigen an. Dort fand die noch interessantere Entstellung statt. Heutzutage würde ich es als Kleinkinderprotest bezeichnen. Manche hatten im ersten Schrecken einen Seufzer getan. Er, glaube ich, nicht. Bei ihm trat sofort eine jüngelchenhafte Beschwerde über den verdorbenen, taktlos vermasselten

Spaß zutage. Sein Gartenintermezzo stand ihm auf einmal als ein scheußliches vor Augen, denke ich mir. Als er ihren Hals küßte, hatte er in Wahrheit ja die prominenten, internationalen Füße gemeint. Fehlgriff also, Patzer, Irrtum, Geschmacksverirrung. Die Frau entpuppte sich als Molch oder Salamander. Böse starrte er zu Zara, der Schuldigen, hinüber. Sie lächelte ihn befriedigt an.

Dann kniete sie sich rasch neben die bloßgestellten Füße und hielt sie behutsam in ihren beiden Händen, obschon die Wunden ja längst vernarbt waren. Wieder geschah, für den, der es wahrnehmen wollte, eine Kristallisation, eine zaubrische Erstarrung. Sie konnte gar nicht so eilig, wie sie vielleicht wollte, die Füße wieder in deren Zuflucht, den weichen Stiefellappen, bergen. Es gab einen Widerstand in der Zeit und der Anschauung, eine Verlangsamung, ein Stottern und Stammeln der Bewegung. Es wurde diesen Sekunden ein Stempel und ein Wappen geliefert.

Ein irreführendes Bannerzeichen, ein exaltiertes Signet: Zara, in ihrem sich vorn öffnenden Mantel, man erkannte es an der Rückenkontur, tief und schmerzlich gebeugt über die geschundenen Füße des Models, das weiterhin seine Augen hinter den schwarzen Gläsern vor uns verbarg, zu der jungen Räuberin an ihrer Seite aber eine kleine pointierte Bemerkung machte, damit deren Entgeisterung aufhörte.

Im Rausgehen hörte ich Frau Hage, die prekäre Möhre, es schien mehr ihrer Nase als dem mickrigen Mund zu entweichen. Die Leidenschaft, meinte sie, für die Fernsehserie »Gute Zeiten, schlechte Zeiten« usw., sei das, was Hauptschüler und Greisinnen, die einmal sogar Rilke und Kafka gelesen hätten, umweglos verbinde. Keine Spur von Generationenkluft. Ebenso die Telefoniersucht. Die Alten sähen sogar fern dabei, diskutierten die laufende Sendung mit einem ebenfalls betagten Zuschauer am anderen Ende der Leitung.

Frau Engelwurz aber, das bitterböse Mütterchen, hatte mit ihrem Spruch und Befehl mehr Erfolg und Wirkung erzielt, als man zunächst glauben mochte. Das Fest näherte sich von jetzt an rapide dem Ende. Zara unternahm nicht die geringsten Anstrengungen, das zu verhindern. Natürlich nicht! Was ich als den jeweiligen wandernden Mittelpunkt der Versammlung empfunden hatte, war immer von einer summenden und gelegentlich klirrenden Peripherie umgeben gewesen. Dieser Horizont wurde nun schütter. Warme, diesige Juniabende im Botanischen Garten sind so, wenn sich die Besucher an Stauden und hohem Gras entlang zum Ausgang hin sacht verträufeln.

»Gut und schlecht«. Irgend jemand sagte es kurz darauf noch einmal, in anderem Zusammenhang. Gute und schlechte Menschen, die man so pathetisch von Rechts wegen bezeichnen dürfe, gebe es kaum noch. Die seien praktisch ausgestorben. Bei den meisten handele es sich allein um eine Frage der Nerven. Mit ihrer »Nervosität« redeten sie sich ja auch fast alle rechtfertigend heraus. Wer dieser Schlaumeier wohl war? Keine Ahnung.

Auch Sie wirken erschöpft. Und ich? Aber damals waren plötzlich die Vogelstimmen wieder da, die Räume schaffenden Vögel, die es stets vor einem großen Regen gibt, dieses Rufen und Echorufen. Auch die Zimmer von Zara: mit ihren Stimmen noch einmal erstellt.

Zara, die damals vor den Füßen, über den armseligen Füßen der Blondine gekniet hatte! Die Szene, mitten im Blühen festgehämmert und unveränderbar für alle Zeit.

»Viktoria!« wurde ins allgemeine Leiserwerden gerufen. »Viktoria! Alexander!« Frau Ebelsohr hastete an mir vorbei. Eine ihrer Töchter und der Sohn oder der Hund mußten eingetroffen sein, vermutlich, um die Eltern nach Hause zu fahren.

Diese Mutter nun machte einige Minuten lang den Eindruck, als sei sie verrückt geworden. Noch sah ich die Kinder nicht, aber ich wußte, sie waren nicht aus Amerika angereist, weder die Tochter noch der Hund. Sie wohnten ja alle zusammen. Die Trennung hatte ein paar Stunden gedauert. Kein Grund also für Frau Ebelsohr, dermaßen die Herzblutvergießende uns und sich vorzuschwindeln. Die Kinder stößt es ja sowieso ab. Im übrigen durchschaute ich ihr schäbiges Gaunerstück – Sie merken, ich komme zu später Stunde noch einmal in Fahrt –, während sie aus ihrem derben Unterbau ständig neue Wellen dampfender Mutterliebe hochschwellen ließ ins davon verzerrte, bisher ganz zivile Gesicht. Sie wollte, nach ihrer Blamage gegenüber Tetzelmanns Liebster, der angeknacksten Trunkenboldin, die aber sie, Ebelsohr, als reguläre Kaltmamsell in all ihrer Feigheit vorgeführt hatte bei der harmlosesten Probe aufs Exempel, wenigstens jetzt der Welt ein butterweiches, semmelwarmes Herz vormachen.

Richtig, ich übernahm allmählich Zaras strenge Urteile, im Laufe des Abends und für seine Dauer. Letzten Endes war es nur eine geistesabwesende Nachahmung. Letzten Endes dachte ich ja an anderes.

Dann erschien das Geschwisterpaar. Kein Hund also, die restlichen Familienasse, Gloria und Maximilian, waren zu Hause geblieben. Da standen sie, ebenerdig, doch wie auf einem Podest dargeboten. Sie erwiesen uns die Ehre in ihrer schmetternden Jugend, ganz anders als das Landmädchen, das jetzt gewiß bei Säugling und Freiwilligem Feuerwehrmann – Zara: »Hat einen dicken Kopp und einen Blumenladen!« – schlief, anders als die Räuberin, die feindselig äugte zu dem Traumpaar und Triumphpaar, schmuddlig im Flügelkleid, linkisch in den Pumps. Wir anderen alle, im grellen Licht, das von den beiden trompetenstoßartigen Neuankömmlingen ausging, wurden ins Unrecht gesetzt, schrumpften, krümmten uns und alterten – ein Scherz – wie der Blitz. Wer noch fehlte, kam dazu. Sogar die Mimik der Rothaarigen verschärfte sich ins Unerbittliche. Wie gut, daß Leo abwesend blieb!

»Unsere Kinder!« schrie die Ebelsohr Herrn Ebelsohr zu. Ich stand zufällig neben ihm, und mir entging deshalb nicht sein zähneknirschendes: »Niemand bezweifelt das.«

Ihre Ähnlichkeit war überwältigend. Zweimal die gleichen schmalen, leicht geschlitzten und etwas tief liegenden Augen, aus denen sie, vielleicht unbeabsichtigt, notgedrungen, weil man aus solchen schrägen Spalten nicht anders kucken konnte, mit trotzigem Vorbehalt in die Welt, speziell in dieses untergehende Fest sahen. Zweimal die kurzen, kindlichen, ausdruckslosen und an den Enden sogar leicht kugeligen Nasen, was ihnen etwas reizend Unbeschwertes, völlig Unintellektuelles gab. Darunter zweimal der Mund mit vollen Lippen, weich, bei dem Mädchen einen Hauch aufgeworfener. Natürlich war das übrige, wie es sein sollte, ordnungsgemäß verschieden. Ob dieses Prunkpärchen wohl insgesamt hübscher war als Schwester Gloria und Hund Maximilian? Womöglich abgekartet das Ganze, um dem Vater beruflich zu assistieren? Alexander also: etwas stämmiger der Hals, weniger verschleiert in ihrer netten Aufsässigkeit die Pupillen, entschiedener die Arme untergeschlagen als das Mädchen, das graziös und Schüchternheit andeutend, eine Bügeltasche vor die Brust hielt.

Beide wunderbar glatt und von allseits gespannter Haut umgeben und verschlossen. Ihre charakteristischeren Züge mußten wohl noch ausgewickelt werden von der Zeit. Beide wiesen auf in großer Vollkommenheit: das schläfrig Aufwachende, langsam seine Lider Hochhebende, Neugierig-Träge der Jugend und zugleich das Durchflammtsein, das Glühen von Lebensidee und Naturwillen.

Wir sahen sie an, wie ich es von meinem Vater in dessen Alter kannte. So lächelte er mich damals an, als sähe er vor allem innerlich schlecht. Damals begriff ich dieses aufreizend schwerfällige, wie mir schien: skeptische Lächeln nicht. Er bemühte sich aber nur, durch einen Nebel zu spähen, hinter den ich als Jugendexemplar weggesperrt war. Seine einzige Möglichkeit, das Fremdeln zu besiegen: sich an die eigene Jugend zu erinnern. Aber die schien etwas ganz und gar anderes zu sein als meine. Jetzt also blickten wir anderen in der Dämmerung des Festes so auf das Geschwisterpaar.

Sahen sie auch so interessiert zurück? Eben nicht. Sie identifizierten uns kaum als Lebewesen. Wir stellten für sie das gesättigte und trauernde Fleisch dar, wir ihnen noch viel fremder als sie uns und, schlimmer noch, sie witterten in uns sehr präzise den Feind. Denjenigen nämlich, der ihnen ein unbesiegbares Wissen voraushatte. Uns war bekannt, daß jedes erste Mal vergänglich ist, singulär, nicht wiederholbar. Und doch im restlichen Leben immer wiederholt und immer gröber repetiert. Wir kannten, was sie noch nicht kannten, und entweihten damit ihre hochheilige, einmalige Zukunft, vergingen uns schändlich an ihrer Fleckenlosigkeit.

Sie ahnten das, starrten uns in Wirklichkeit, unter dem wohlerzogen hübschen Mißtrauen ihrer Physiognomien, unversöhnlich an. Sie mochten selbst recht durchschnittliche Ausgaben ihrer Generation sein, gewöhnlich dumpf strahlend jung eben. Wir aber sahen sie blitzend dort stehen, wohlweislich beieinander bleibend, schimmernd, aus einer anderen Sphäre, in den funkelnden Rüstungen ihrer herrischen Jugend mit den abwägenden, schwertlilienhaften, schwertergleichen Blicken:

Etwas richtete uns durch diese sympathischen, fotogenen Gestalten hindurch. Ein donnernder, unverständlicher und gerechter Richterspruch traf uns, eine strenge Verdammung und Belobigung, und er schnitt mitten durch jeden einzelnen von uns und teilte ihn auf. Es analysierte und paralysierte uns, es ließ zwei emphatische Figuren als Marmorstatuen aus uns wachsen mit sowohl klagend und wie auch jubelnd erhobenen Armen. Übertriebener Stillstand. Wir alle unterlagen dieser Beschwörung und Versteinerung. Nur die Räuberin blieb federnd und elastisch. Sie schoß haßerfüllte Augensalven auf die beiden, unheimlich wie nur auf dem Überwachungsfoto, schleuderte die Pumps von den Füßen und ging, unverstellt plattfüßig, so lange, bis sie eine Tür fand, die sie laut hinter sich zuschlagen konnte.

Und Sie aber, so still dasitzend, kennen Sie das Gefühl? Ich sah das alles an, war Augenzeuge hundertprozentig und ging trotzdem in Seide und Freude. Das raubten mir auch die gestrengen Jugendlichen Viktoria und Alexander nicht. Die Liebe spann für mich ein Kleid (»spann mir ein

Kleid von Seide«), das konnten die mir nicht vermasseln. Da brach Zaras Händeklatschen über uns herein, unhöflich, erst recht das erläuternde: »Schluß jetzt!« Natürlich, sie wollte einen gewissen Mann endlich für sich allein haben.

Noch stand aber ein anderer bei ihr und beugte sich tief über ihre Hand. »Passen Sie gut auf!« hatte Zara vorher zu mir hingeflüstert. Sie sagte laut, ein wenig leiernd rezitierend: »... denn es zerriß mir das Herz, daß die Farben so schnelle verschwanden, und nicht warteten ...« – »... bis wohl die Arbeit meiner Mutter vorüber sei«, vollendete blitzschnell der Kritiker. Und doch, es war wohl nicht nur der Stolz, das Losungswort gewußt zu haben! Dem grauhaarigen Erfolgsgewohnten standen Tränen in den Augen, Tränen in den kalten Samtaugen. Das hatte Zara mir offenbar zeigen und vorführen wollen. Weinte er aus Glück über die Stelle, über das Zitieren an sich, oder spielte er nur den Bewegten und konnte für solche Zwecke das Wasser automatisch in die Augen springen lassen?

Zara, immerhin schuld an dem literarischen Tau, antwortete ihm auf ihre Weise. Ganz kurz ließ sie ihren Morgenmantel auseinandergleiten. Und tatsächlich! Keiner außer dem Mann und mir kriegte es mit. Wir jedoch, von einem weißen Blitz in der Nacht getroffen, der den schwarzen Mantelstamm grell spaltete, sahen es genau. Sie offenbarte sich ganz nackt eine Sekunde lang. Hier nun begriff ich sofort, was den Kritiker so entzückte, daß er unverzüglich tränenlos und leicht verfärbt dastand. Sie hatte für ihn die berühmte Münchner Darstellung der »Sünde« zitiert!

»Der ist nun selig«, sagte sie, als er gegangen war. »Hat Ihnen vorhin meine Scharade in sieben Bildern gefallen, ungebildetes Kind?« Bevor ich antworten konnte, näherte sich Leo.

Wir verabschiedeten uns förmlich. Es gefiel uns so, die notwendige Verstellung bekräftigte Entscheidung und Entschluß. »Wir hören dann voneinander«, sagte Leo laut. Richtig, man mußte die Zuschauer nicht mutwillig enttäuschen.

Das änderte sich für mich in Windeseile. Die Seelenruhe, meine ich. Noch einmal sang Rositas kleiner Liebesvogel sein süßes Lied. Sophie trat dicht an mich heran. Ich entdeckte im sehr eng die großen Brüste umfassenden Oberteil ihres Kleides ein Loch, durch das man sogleich hindurchsehen mußte. Es war sicher im Laufe des Abends entstanden. Leo und Zara beschäftigten sich mit den Verabschiedungen, Specht mochte längst beleidigt das Weite gesucht haben, da eröffnete sie mir, Leo habe sie vorhin in die Arme genommen. Zum ersten Mal, doch, so drückte sie es aus, eine Umarmung mit ihm. Er habe sie aufgefangen auf eine Art, wo man sicher sei, nicht nur vorm Hinfallen gerettet zu werden.

Die beklemmende Empfindung zu erbleichen, hat andererseits etwas sirrend Berauschendes. Vielleicht kommt man nur wegen dieses Effektes dann doch über den Schrecken weg. Nachträglich, kein Wunder, spüre ich bei dieser Szene an Sophie nicht nur die Verliebtheit und das bißchen boshafte Freude über mein Erblassen. Es zeigte sich ja schon ein erstes Glimmen, eine Drohung und Wildheit, Vorboten einer Raserei.

Der Liebesvogel tirilierte. Schon überkam mich Bangigkeit wegen unseres kühlen Abschieds. Allzu sicher hatte ich mich gefühlt und doch gar nichts in der Hand, nun, als Sophie mein einziges Unterpfand mit einem Satz – ob Wahrheit oder Lüge – einebnete. Ich weiß ja nur zu gut, wie im Handumdrehen alles Glück von der Bildfläche verschwinden kann. Bevor man sich wegen meiner Blässe bei mir erkundigen konnte, lächelte ich aber schon wieder, nur anfangs mit Anstrengung, dann war es wieder echt. Ich, rief ich mir zu und glaubte es wieder felsenfest, bin gewappnet, gehe in Seide und in Freude! Um keinen Preis ließe ich zu, daß die Welt wieder auseinanderspränge in Zufälligkeiten. Ich war nur eine unbedarfte Schmuckentwerferin und keine Philosophin (gottlob!), aber eins war mir vertraut: besser eine fixe Idee, koste es was es wolle, als das Grauen der gewöhnlichen Nüchternheit. Lieber den Hokuspokus einer

Leidenschaft als kopfoben in die Buchhalterei des vernünftigen Augenscheins.

Noch eine Minute bitte, dann falle auch ich vom Stengel. Durch die Wohnungstür hörte ich schon das Telefon. Insgeheim befremdete mich, daß Leo es nun so eilig haben sollte. Aber selbstverständlich war es nur Wolf Specht! Ohne Umschweife teilte er mir mit, am Abend nach dem Besuch von Julias lärmendem Balkon in Verona, aus einer Statistik in einem italienischen Magazin folgendes erfahren zu haben: von den sexuellen Praktiken (sich fesseln lassen, Sado-Masochismus, Sodomie, lesbische Liebe, Gruppensex) werde die »sodomia« von den befragten Italienerinnen am häufigsten ausgeübt. Von den Möglichkeiten, zum größten physischen Vergnügen zu gelangen, bei folgender Auswahl, lachte Specht höhnisch, Vorspiel, Stimulation der Clitoris, Vaginalpenetration, cunnilingus, hatten, wie zu erwarten, die meisten für Clitorisreizung votiert, die wenigsten für cunnilingus. Vor dem Partner masturbieren, Specht schnalzte, würden fast die Hälfte nie, aber doch ein Viertel hin und wieder. Bei den sexuellen Phantasien würde der größte Teil von einem anderen Partner träumen als von dem, mit dem sie zugange seien. Jedoch, jetzt brummte er hummel-, ja, ingenieursartig, falls er es wirklich kapiert habe, die meisten, mehr als drei Viertel der Signoras und Signorinas, kämen bei ihrer Amoremacherei völlig ohne solche erotischen Träume aus oder kennten sie überhaupt gar nicht. Sofern er die Art der italienischen Verneinung nicht mißverstanden habe. Sonst eben umgekehrt. »Gute Nacht, Maria«, hängte er noch schnell, plötzlich bürokratisch geworden, an. Auch Ihnen hier: Gute Nacht! Morgen also endlich Holunderburg, Leo und ich! Auf welche Rechte pochte der Idiot mit feuchten Händen und nassem Blick? Aber dieser Blick, da war er wieder und raubte mir, wenn auch nicht den letzten Nerv, so doch die reine Freude. Gute Nacht!

Was ich eigentlich gern von Ihnen wüßte: Was meinen Sie, muß man seine Zeit, wie pausenlos gesagt wird, tatsächlich verstehen und mit ihr auf einer Höhe sein, als Jugendlicher, Greis und in voller Blüte? Man ist die Zeit doch selbst. Und wenn man sich in einen Pappkarton setzt und schmollt, so gehört man doch dazu und soll sich nicht solche Sorgen machen. Abdriften? Wenn man nur treu in seinen Manien haust, kann einen die Gegenwart doch gar nicht absondern. Sie muß sich erweitern und ausbeulen um diesen interessanten Ausleger herum. Sonst ist sie ja nur eine Krüppel- und Torso-Gegenwart, ohne das sehr Spezielle: mich!

Warten Sie! In der vollen Blüte erst recht? Sagte ich das? Ich stelle mir nämlich gerade vor, ich erinnere mich, mir das wohl damals vorgestellt zu haben, wie es ein Büschel, eine ganze Dolde von Leuten gab, die alle meine Schmuckkinkerlitzchen trugen, hervorgesprudelt aus meinen Händen und meinem Kopf. Die Einzelstücke, eng beieinander auf meinem Arbeitstisch, stäubten auseinander in die Häuser meiner Wohngegend, legten sich als metallische Blättchen und Baumfrüchte auf die Leute und schwebten inzwischen sogar viel, viel weiter.

Endgültig für heute gute Nacht!

5. Abend

Ein Springbrunnen, um präzise zu sein, rann und rauschte unterm Holderstrauch. Blütenscheiben wie Vollmonde im Hellen – Leo und ich, wir waren Zara, Sophie und Specht entwischt –, darüber die Sterne, geordnet zu riesigen Holunderrispen. Es sangen weder Lerche noch Nachtigall, ein anderer Vogel tat es, treulich bis an unser Bett. Ein zwitschernder Zeisig? Mir war ein bißchen traurig zumute, es lag am weinerlichen Blütenduft. Im süß duftenden Holunderstrauch hatten wir unser Nest, nicht ganz, gebaut. Sie kennen die Stelle? Die Passage kennen Sie, aber nicht unseren Platz, wo mein Blick unter einer Lampe, die mit meinem roten Nachthemd umwickelt war, auf Leos etwas zur Seite gekipptes oder gelehntes, halb angespanntes Glied fiel. Fast eine Laube, wenn die altmodischen Zimmerwände, hoch, mit Stuckgirlanden an der Decke, nicht gewesen wären. Eine Truglaube, umwachsen von lauter Trugdolden des »Gemeinen Flieders«, der alles darunter schützt gegen Krankheit, Feuer, Verhexung.

Also nicht direkt ein freundliches Rasenplätzchen unter einem Holunderbaum, in dem womöglich Schlangen auf- und abgleiten, zischelnd und flüsternd, kein grüner heimatlicher Rasenfleck, aber der Duft umhüllte uns ja, Duft ist seine Sprache, Hauch und Glut sind seine Sprache, wenn die Liebe sie entzündet. Die »holde Geliebte« aber war ich unter dem kühlen Nachtwind, nur mit einem kleinen Blütenanhänger bekleidet. Leo atmete, als schliefe er und träumte überaus Angenehmes. Ich konnte ihn endlich ansehen, soviel ich wollte. Er lag auf dem Rücken, Arme und Beine zur Betrachtung freigegeben, der »Mann an sich«, in hier etwas zweideutiger Beleuchtungsschmeichelei, der Körper viel jünger als das abgewandte Gesicht. Hörte ich nicht doch die Nachtigall, den »Wasserfall mit hellem Schall« von draußen, aus dem gegen den Berg ansteigenden Garten, während meine Augen weiter aus Trägheit auf Leos schläfrigem Glied träumerisch ruhten? Mehr fällt mir dazu nicht ein. Mein Gott, Sie kennen das doch auch, wie es sich von außen und von innen anfühlt, samtig und stumpf und natürlich blind. Letztlich spürt man, es ist blind. Stürzte er nicht, der Nachtigall Wasserfall, mit dem warm weinerlichen, kühl weinigen Duft zu uns herein, witterte uns, Liebe, Dein Wittern, Leo, mich, im entrückenden, idealisierenden Schein der Lampe, durch die rote Drapierung hindurch? Ich hatte das Nachthemd angehabt, im nächsten Moment schon nicht mehr. Jemand hatte es gegen die Lampe gefeuert, vielleicht nicht aus Leidenschaft, vielleicht bloß, um danach zu zielen, und dann nicht zurückgeholt.

Muß alles mit Feuer gesalzen werden? Offen gestanden hatte ich eine Stunde nach meiner ersten Begegnung mit Leo angefangen, an diese Situation zu denken, verwerflich unablässig im Grunde. Jetzt war sie da, und Leo lag neben mir, zufrieden wie die Bäume draußen, die statt seiner flüsterten, verbarg nichts von seinem Körper vor mir, der fast kindlich wirkte, ein nackter Junge, der sich bemüht und darauf beschränkt, an den richtigen Stellen – und das sehr gut macht – als Erwachsener zu überzeugen. Drehte er das Gesicht in seiner faltigen Verächtlichkeit absichtlich weg? Wie komme ich denn da drauf! Verachtungsvolle Faltigkeit ist gemeint, oder wie?

Auch ich hatte also meinen Willen gekriegt, nämlich ihn, Leo. Der Geruch des Holunders mischte sich mit unserem. Ich befand mich in der wohligsten floral-faunischen Ausdehnung, aber etwas traurig war ich gestimmt, und einmal dachte ich sogar, irgendwann würde es sicher entsetzlich werden. Sonderbar, ich wagte nicht, ihn zu berühren. Ob ich es wollte? Ich erinnere mich nicht, dachte aber an die Holunderbüsche, die grünen Ausgeburten, jetzt über die

Gärten in Wellen hinwegschwemmend, von Norden nach Süden und zurückflutend mit millionenfach schwachem Mondglanz rund um die Uhr, erhellend und dämmernd, überall angeschliffen. So konnte der Glanz in lauter runden Flächen austreten aus kreisrunden Fensterchen. Man sah durch Löcher auf eine bleiche Sonne, die im Inneren der Gebüsche hockte und nicht unterging. Die Büsche riefen mit fahlen Telleraugen: »Freu dich!« Wie oft? »Vieltausendmal!« Schrien aus hell markierten Nachtigallenkehlen: »Füttere uns!« Womit? »Her mit dir!« Weiß? Grün? Die Blütenansammlungen schienen immer nur auf ein energisches Kommando zu warten, blieben aber statt dessen, klug und aufreizend, beim mondlichthaften Dauerschwanken zwischen den Farbtönen. 3 Uhr 20. Dieses eine Mal sah ich aufs Zifferblatt an seinem Handgelenk. Oder ich täuschte mich. Ich traute mich ja nicht, seinen Arm zu drehen. Diese Zifferblätter an Männerarmen haben mich, solange ich zurückdenken kann, erregt, mehr als die Ansicht ihrer geschlechtlichen Hauptspezialität ohnehin. Verstehen Sie, ich hätte ihn eher erschießen, mit einem Messer stechen, ihm seinen selbstgefälligen Säulenhals abschlagen können – alles Gott bewahre! – eher, als ihn mit meinen Händen anzutasten. Zwischenvertraulichkeiten waren bei Leo nicht gestattet in dieser Nacht. Ich begreife es nicht. Etwas wurde hier nicht erlaubt, ohne extra ausgesprochen zu sein. Setzte ich mich später einmal über eins dieser stillschweigenden Verbote hinweg, gegen die hell schrillenden Warnglocken, mußte ich es stets bereuen. Zaras Zauberspäßchen?

Aber was verlangte ich denn? Unser Bett war das Zentrum, in dem die Welt abstarb und von dem sie erfrischt auseinanderstäubte, zu dieser Stunde, 3 Uhr 20.

Es war nicht unsere erste gemeinsame Nacht in diesem Zimmer, aber die letzte, in der es nach Holunder duftete. Ein Abschied lag in der Luft, man wußte nicht, wovon, irgendein »Addio«, wehmütig, festlich gedämpft, wurde von einem Nachtvögelchen gesungen. Dieser Abend, diese Nacht schloß uns mit ein in eine Abschiedsfeierlichkeit, ohne daß man Genaueres in Erfahrung brachte. Aber ich schwamm ja im Glück! War nur vorhanden, wenn eine größere Bewegung, eine Reibung mit Leos Körper entstand, ein sporadischer Leib, ein Bewußtseinspunkt des Zimmers, das, wie die verhüllte Lampe, mit rotem Teppich fürchterlich altbacken die Leidenschaft illustrieren wollte. Ich war vor langer Zeit über grüne Hügelkuppen gefahren. Wo sie zusammenstießen, hatte sich eine wulstig schäumende Naht aus blühenden Apfelbäumen ergeben. Wir, ein Mann, ein kleines Kind und ich, fuhren, noch für sehr kurze Zeit alle drei lebendig, ohne es zu ahnen auf unserer Abschiedsfahrt, flogen, wehten, alle drei laut singend, unter der Blütengischt dahin. In der Nacht damals stand es plötzlich wieder vor mir. Deshalb sah ich auf Leos Uhr.

In dieser Nacht sollte die abnehmende Mondsichel am Ringplaneten Saturn vorbeiziehen. Jetzt, gegen halb vier, mußten beide Himmelskörper schon knapp über dem östlichen Horizont stehen. Es fiel mir ein, als ich die Uhrzeit ablas. Leo schob seine Hand in meinen Nacken. Ich lag bei einem völlig fremden Mann, ein unbekanntes Gesicht näherte sich mir. Einen Augenblick empfand ich die abstruse Situation, mich in so geringe Distanz zu einem vollständig anderen Lebewesen zu begeben. Es war kurzfristig beinahe lächerlich. Schnell mußte ich die Augen schließen, um über die Lücke, über die Feindlichkeit des fremden Stoffes hinwegzuspringen. Ein Kuß, was ich doch die ganze Zeit, wach den Holunder einatmend, wünschte, ah, ein Kuß, ein langer, nachdrücklicher, ich schmiegte mich an, ich übertrieb sofort, um meine grundsätzliche Verwirrung über die andrängende Materie abzuwehren. Verlieren Sie bitte nicht die Geduld! Ich habe es damals gespürt, mir aber nicht klargemacht, was die Materie namens Leo betraf, das empfindliche, jetzt schwarzäugige, mitten in der Nacht kohleäugige Verbrechergesicht. Die Liebe! rief ich mir zu, um mich munter zu machen. Schon fuhr sie feurig in die Objekte und beflügelte uns, und alles war gut, wie es die Überlieferung vorschreibt und verspricht in unserer Lage.

Übrigens vermute ich viel eher, daß ich hier Leos Gefühle schildere! Erst jetzt, von hier aus, gestehe ich mir ein, was sich, schnell annulliert, in mir rührte. Wie ich mein Glück ja so heiß liebte! Oder hatte mich Leo damals schon angesteckt? Aber noch wehrte ich mich sehr gegen seine – – Müdigkeit und ging jetzt, als ich seinen Mund deutlicher spürte, entschlossen auf in einem Schauer und trieb dahin in einem Strom.

Er zog allerdings über den Wangenknochen meine Gesichtshaut schräg nach oben. Ich hielt die Lider gesenkt, während er sich an meiner erzwungenen Grimasse weidete, längst wieder abgerückt von mir. »Javanisch«, sagte Leo. Sofort hörte ich das japanische, koreanische Touristengetrappel, das in einigen Stunden losgehen würde, an unserem Fenster vorbei. Noch präsenter aber wurde der Grauhaarige von Zaras Fest, wie er den Kuß an der großen Frau durchsetzte und ihren Körper, um sie zum Schreien zu bringen oder ihren Widerstand zu brechen, dabei verbog. Als ich die Augen aufschlug, war im rötlichen Dämmer nicht zu erkennen, wen Leo anstarrte, mich oder die Javanerin, die er sich auf die Kissen gezaubert hatte.

Er wiederholte: »Javanisch« und sagte: »Lächeln!« und zog meine Lider noch schräger. Ich schmunzelte, beunruhigt, aber wie befohlen fernöstlich vor mich hin. Er stelle sich gerade Tetzelmann vor, den Steinzeitganoven, das strotzende Monstrum, jede Wette kurz vor seinem Untergang, mit seiner blonden Herzensdame. Was das Pärchen wohl jetzt treibe? Dasselbe wie wir? Tetzelmann begreife nicht, daß man heute selbstverständlich unmoralisch sein Geld verdiene, aber nicht so offensichtlich illegal wie er. Das sei gar nicht nötig, dafür habe ein zuvorkommender Gesetzgeber gesorgt. Zara etwa arbeite mit ihrem Zaster durchaus rechtmäßig unseriös. Er, Leo, mache das für sie. Sie aber tue dann wieder Menschenfreundliches, teilweise, mit den Gewinnen. Tetzelmann habe schon als Kind auf dem Bau für seinen Lebensunterhalt geschuftet, sei auch Kraftfahrer beim Otto-Versand gewesen. Leo lachte leise in sich hinein.

Fahre nach Polen zur Jagd, schieße dort nach zwei Wochen was mit einem Zacken zuviel. Dann müsse er Aufpreis zahlen und sein Wildbret trotzdem dalassen. Jedoch wie in Zara solle ich mich auch in Tetzelmann nicht täuschen. Er sei andererseits ein gerissener Fuchs und verstelle sich womöglich nur, um seine Gegner in Sicherheit zu wiegen. Leo beobachtete mich währenddessen. Er testete, ob mich sein ausgesucht deplaziertes Bettgeflüster kränkte.

War es draußen doch die Nachtigall? Ob er wisse, konterte ich ostentativ, ohne mit der Wimper zu zucken, unterbrochen von der Annäherung und Entfernung seines Mundes, schlängelnde Fahnenseide, durch die das Licht lief, der Wasserfallreim stand wehend und erschauernd in der Luft, ich lag dicht und wieder abgerückt bei ihm und antwortete, ob er wisse, daß die Putzfrau Zaras, Filomena, genannt Maria, neuerdings ihre neunzehnjährige Tochter in Porto studieren lasse. Der Vater helfe ihr bei der Eingewöhnung ins portugiesische Leben, da er selbst seit zwei Jahren ohne Arbeit sei, ehemals Werftschlosser bei Blohm & Voß, fast sechzig. Sie, Filomena, die Mutter, bleibe in Deutschland, um Geld zu verdienen, aber grusele sich nachts so allein im Bett und draußen immer Regen, Regen.

Etwas, eine Frage? Bedauern? gar Reue? entfernte sich aus seinem Blick. Dann wanderte dieser veränderte Blick abwärts. Ich bin nicht der Meinung, es gäbe viel über meinen Körper zu sagen, hoffte jedoch, es existierte für Leos Augen ein konventionelles Ziel, dem erotischen Brauchtum gemäß ein Stop in Höhe jener dunkel markierten Zentralzone, die ich ihm, glaube ich, mit instinktiver Höflichkeit leicht entgegenhob. Vergeblich allerdings, und so bemühte ich mich, durch eine Bewegung der Hüften sie doch noch im letzten Moment als unweigerlichen Blickfang zu offerieren.

Ich konnte Leo nicht aufhalten. Es würde weitergehen, in sachlicher Wanderung, bis zum Endpunkt. Die Endstücke versuchte ich nun, in schlecht geschauspielerter Beiläufigkeit, noch rasch vor ihm zu verbergen. Mit den Zehen angelte ich nach dem gestauchten Laken. Ich hatte es von Anfang an befürchtet, ein Wunder, daß es erst jetzt geschah. Allerletzte Bemühung, meinen vermaledeiten Füßen einen Schutz vor der Inspektion durch Fremde zu bieten.

Das hatte es für Leo um so interessanter gemacht. Natürlich irrte er sich. Es handelte sich hier um alles andere als ein neckisches Spiel. Er konnte es nicht wissen, wissen nicht, wittern schon. Was hätte ihn sonst gereizt, ausgerechnet dort nach mir Ausschau zu halten, am abwegigsten Ort?

Leo betrachtete also ein Weilchen die beiden weiß überstülpten Zwillingserhebungen, um sie dann, mit einem einzigen Ruck, wie man von Tellergerichten in Restaurants die silbernen Glocken nimmt, um dämlichen Gästen zu imponieren, von ihrer Schutzhaut zu entblößen. Es gefiel ihm so gut, daß er es gleich noch mal probierte. Zudecken, aufdecken, zudecken, aufdecken, immer parallel. Es wäre ganz vergeblich gewesen, mich zur Wehr zu setzen, auch wenn ich am liebsten: Tu's nicht, tu's nicht! gerufen hätte.

Zu spät! Keine milchweißen Täubchen flatterten auf. Er studierte meine Füße – ohne Anzeichen von Entsetzen oder Spott, mit nüchternem Interesse nur, aber auch keine Zara weit und breit, um sie gnädig zu verhüllen –, die Unglücksvögel, Pechvögel, Unglückswürmer, als sähe er ausführlich, kommentarlos einen nicht behebbaren Charakterfehler an. So fühlte ich mich ja auch zeitlebens: bei einer geheimen Sünde ertappt, die ich allerdings erst beging, wenn die Füße dingfest gemacht wurden.

Keine Sorge! Flossen habe ich nicht da unten. Ich will nicht auf einen abgetakelten Undine-Schmarren raus. Ebensowenig vermute ich, in Wahrheit ein Mauersegler zu sein, der bloß zu Luft brilliert. Und keine Angst, ich will meine Füße Ihnen auch nicht beschreiben. Sie sind eigentlich völlig normal, mit je fünf Zehen dran, lediglich, seit meiner Kindheit, von chronischen Frostbeulen verunstaltet. Das ist nicht hübsch, sie sehen deshalb viel älter aus als der Rest. Äffisch. Etwas anderes kommt hinzu, auch das von früher Jugend an. Die von mir selbst vorgenommene Mißhandlung durch viel zu hohe Absätze, verrückte Schuhformen, die das empfindliche Fleisch zwängten und klemmten und sehr leiden ließen, ohne daß ich mit ihnen oder mir Erbarmen gehabt hätte.

Ungerührt, wortlos, nahm Leo meinen Offenbarungseid zur Kenntnis. Mit jeder Sekunde mehr würde er die Häßlichkeit dieser zwei Kellerkinder, der beiden verstoßenen und nur, wenn ich für mich allein war, nicht von mir verleugneten, erkennen. Er hatte die beiden Füße unerschrocken in seine Hände genommen, längst begriffen, daß hier und nirgendwo anders meine schwächste Stelle war, ließ sie deshalb auch nicht gleich los. Hielt sie ohne Takt durch einen Doppelgriff um die Fersen herum. Seine Finger umschlossen meine Hacken wie die Hälfte eines Schuhs.

Eine Bekannte von Zara, sagte er, eine nebelgraue Person, tüchtige Juristin ohne Ornamente, boshafter Rattenhaarschnitt – er habe sich in ihrer Gegenwart gewöhnlich gleich mit läppischen Ausreden verkrümelt –, sei eines Tages in der Abwesenheit von Zara sturmklingelnd an der Haustür erschienen, aus einem Gewitter und Wasserfluten flüchtend. Unter dem Regenmantel sei ihre Kleidung, ihr schmuckloser Juristinnendreß, noch trocken gewesen, im Gegensatz zu den Schuhen. Nicht ganz zufällig, mit der gemeinen Absicht, sie in Verlegenheit zu bringen, habe er ihr, angeblich, weil sie schön warm seien, ein Paar Tigerfellschuhe von Zara angebracht. Nach ausgefallenen Exemplaren brauche man bei ihr ja nicht lange zu wühlen. Sobald die Frau aber die Schuhe an ihren Füßen gehabt und, widerwillig, auch das habe er provoziert, damit einmal vor seinen Augen durchs Zimmer gegangen sei, habe sich der Spieß gewissermaßen umgedreht. Es sei zum einzigen wirklichen Seitensprung gekommen, seitdem er mit Zara lebe, und zwar nicht, weil ihn die Schuhe an sie erinnert hätten, er sei sicher, sich da nicht zu täuschen, vielmehr, weil dieses raffinierte oder seinetwegen aufdringlich exaltierte Raubtierzeugs an den unteren Ausläufern dieser wasserklaren und hölzernen Richterin, ja Richterin sei sie wohl gewesen, schreiend sexuell, regelrecht unanständig offensichtlich nach ihm, Leo – er lachte kopfschüttelnd fröhlich vor sich hin –, gerufen habe.

Jetzt also doch orthodoxes Bettgeflüster! Er sah mich an, die Füße konnten verschwinden. Schwarz standen die Augen in einem Gesicht, das weiß war wie Mondlicht und Holunderblüten, weiß wie der Maskenkopf der Zebuschwalbe, pardon, Seeschwalbe, pardon, Feenseeschwalbe, ohne den Anflug eines Lächelns. Sie merken, worauf ich hinauswill? Richtig. Keine Teichaugen wie die von Specht und Sophie und doch welche, in denen ich versank? In die ich hineinbrauste, ja, ich fuhr und fiel in diese beiden Tunnelschächte einer sehr hell kontrastierenden Öffnung entgegen.

So makellos blaß war die Haut nur zum Teil. Schon jetzt, vor dem frühen sommerlichen Sonnenaufgang, verfremdendes Grau in den Falten und Mulden, diese zusätzliche, unbekannte, entrückende Zeichnung in den mir ohnehin kaum vertrauten Zügen des unrasierten Leo, nicht aus dieser Nähe vertraut. Es gefiel mir. Wie gesagt, verlieren Sie bitte nicht die Geduld, aber wenn ich schon davon spreche, soll es mir auch eine Lust sein. Diese aschfarbenen Schattenzonen gaben trotz des Scheins der rot verhüllten Lampe auch seinem übrigen Körper ein mondänes Flair. Heiß liebte ich ja dieses Äußere. Innen war vielleicht alles anders. Na und? Es lockte mich aber diese Außenerscheinung, gerade der mutmaßlichen Täuschung wegen!

Alles Quatsch und Verzögerung?

Es verhielt sich eben nur so, daß gegen 4 Uhr morgens, Holunderduft unbestreitbar, Mondlicht dazugedichtet, der war ja viel zu schmal dazu, allmählich ein herausfordernder Ernst in Leos Augen stand. Er, Leo, war weiß vor Ernst und Anstrengung, womit ich einfach nicht gerechnet hatte. Ich wollte aus seinem Blickfeld flüchten, ich hatte keine Ahnung, wie ich mich in Positur werfen sollte. Mich einfach stur auf sein Mahn- bzw. Muttermal am linken Ohrläppchen konzentrieren? Es herrschte plötzlich eine Trägheit und Schwere, eine Verlangsamung der Gesten unter dem Gewicht des übertrieben Bedeutungsvollen, wie ich es sehr wohl kannte, die noch weiter anschwoll, und sogar seine Zunge beim Sprechen lallte nur noch. Energie und Inspiration hatten sich woandershin zurückgezogen. Ich empfand mich als zu leicht, zu fröhlich und hätte gern Reißaus genommen in luftigere Zonen, hätte wenigstens gern losgelacht.

Statt dessen strömten wir nun aber, wie soll ich sagen, der unvermeidlichen Schlüsselszene zu, vor der es keinen Ausweg gab. Erinnern Sie sich an Ähnliches, wenn Sie lange zurückdenken? An dieses Aufquellen der Konturen, bis die Oberflächenspannung an ihre Grenze kommt?

Es war nicht das erste Mal, nicht unsere erste gemeinsame Nacht, aber diese ist es, die mir einfällt, dieser Augenblick einer leidenschaftlichen Lähmung, bevor das geschah, was ich erbittert gewollt und vom Schicksal verlangt hatte. Und wenn ich gestorben wäre dafür: Es durfte hier keinen Irrtum geben im Weltgefüge. So viel Zirkus wegen eines Beischlafs? Was soll man machen. Es ist eben kein anderes Finale überliefert, nicht für die Vögel, nicht für die Affen, nicht für uns, nichts für uns bereitgestellt als diese schwarze Mitte in der Zielscheibe. Wir ließen uns ja Zeit für die Abschlußfiguration, die unerläßliche.

Wir hatten uns ja weiß Gott Zeit gelassen! Ich weiß nicht, wie lange, sah nicht auf die Uhr, mußte Leo ansehen, bis ich die Augen zuschlug, als schlüge man einen Klavierdeckel auf fürs Klimpern oder Musizieren, und alle Spekulation und Verästelung, aller Zierat verschwand im althergebrachten Bild und – ich hörte peinlich berührt mein eigenes tiefes Aufseufzen – in der Tat und Widerholungstat.

Am stolzesten ist man wahrscheinlich auf das Gelingen gelegentlicher Aufenthalte im rein Animalischen. Ja? Erinnern Sie sich an die beiden Vogelgeister in Schwarz-Weiß? Und das Schönste: Man weiß ja, gerade die zeitlich abgezirkelte Begeisterung für das sexuelle Kollaborieren ist das Animalische! Ich sah währenddessen ein langgezogenes Tal, es schlängelte sich gerade so viel, daß es, im leichten Ansteigen, in seinem Endpunkt verdeckt blieb. Ein Hochtal, mit Sicherheit war am Schluß ein kleiner Wasserfall und dann die Quelle, noch höher. Nur konnte man nicht sicher sein, ob man bis dahin vordränge, pendelte nur zielbewußt und zielgierig keuchend voran.

Es wundert Sie, wie ich beim Ko-ha-bi-tieren aus Liebe den Nerv für solches Ausschwärmen in noch dazu eher maskulinen Bildern hatte? Es ist auch diesmal nicht kinderleicht gewesen, tadellos präsent zu sein. Entweder man ist geistig zerstreut oder körperlich, eine Hälfte will sich aus dem Staube machen. Mit beiden Teilen genau fifty-fifty lieben in diesem Moment: Das ist das Ideal, und man gibt sich auch redlich Mühe, solche Vollkommenheit stattfinden zu lassen. Es dreht sich ja nicht darum, wie in den Normalfällen, sich auf vergnügte Weise zu bestätigen, wie schön das Leben ist.

Keine exotischen Stellungen, nicht nötig. Die Gedanken hörten auf zugunsten einer Gefräßigkeit, die sich am liebsten noch gegen sich selbst gekehrt hätte, Sie kennen das, Sie erinnern sich? nur mit sich selbst beschäftigt, zugleich in der Wollust völliger Abhängigkeit. Und endlich ein Schweben, tief unter uns die ineinanderdringenden Zuckungen unserer Leiber, seekuhhaft taumelnd da unten, und wir sahen uns zu im luftig schwelgenden Schaukeln, wie wir in der Tiefe uns mühten, unsere rohen Erdenkörper. Gut! sagte die Welt zu uns, und: Gut! Sehr gut! seufzten wir wahrheitsgetreu zurück.

Trotzdem blieb ich dem mittelamerikanischen Scheinkriminellen zu einem Rest feindlich gesonnen. Das war mir mehr wert als jede angebliche Vereinigung. Das heißt: Dieser Empfindung traute ich mehr. Ich umschlang einen speziell fremden Passanten, und dieser Akt war nicht geeignet, ihn in einen todsicheren Freund umzuschmelzen. Ich konnte ihn zum Spaß, aber auch zur Not, wieder von mir stoßen. Dieses Gefühl zählte aber nur, wenn es von einer Umarmung, an der nichts zu deuten war, versiegelt wurde. So eine war's!

Wollen Sie das wirklich alles hören? Ihr langmütiges Zuhören möchte ich mir mittlerweile keinesfalls verscherzen.

Es gab das auch umgekehrt, von Leos Seite. Nicht Feind-schaft, das nicht gerade, das wäre für ihn auch eine viel zu emphatische Wallung gewesen. Es existierte ein körperlich, daher untrüglich zu spürendes Nein! Halt! Was läßt sich nicht alles über Seelenschwankungen faseln! Aber dieser leichte und ständige, in jeder Phase unserer leiblichen Durchdringung wohl beachtete Vorbehalt war keine Spinti-siererei. Natürlich tat Leo alles, was zu tun war, jedoch mit einer Reserve, die ich unter Umständen sogar ausdrücklich registrieren sollte. Ich zwang mich, es so zu verstehen: klei-ne Vertauschung der Rollen. Leo, der eitel und faul der Umworbene sein will und, liebeserfahren, mich dabei voll-ständig aus der Deckung lockt. Keine männlichen Kontroll-verluste, obwohl die im Prinzip sehr wohl denkbar waren. Hätte ich sie mir gewünscht?

Mir gefiel die Fortsetzung – nun eben in handgreiflicher Weise – des beim ersten Zusammentreffens seelenruhig durch mich hindurchgehenden Blicks, ja, gefiel mir sogar. Klar, worauf es hinauslief: Leo hielt, wider den Augenschein unseres Bettes, der Vogelstimme, des Holunderdufts und der rötlichen Beleuchtung einer anderen die Treue, indem er be-stimmte Liebkosungen, deren Abwesenheit ich spürte wie einen Widerstand, der mich erbitterte, aber auch sonderbar amüsierte, trotzig für sie aufsparte.

Erstaunlich, was einem, auch wenn man in dieses Hin und Her auf den Laken voll involviert ist, gleichzeitig bis auf eine kleine Lücke durch den Kopf geht, zumindest als simul-tane Grundstimmung. Das Bewußtsein von der Aufteilung seiner Zärtlichkeiten hätte mir den Eindruck geben können, Zara sähe uns insgeheim zu als stille Teilhaberin, wie ich damals in meinem Wachtraum, wo ich mit den beiden in einem Bett lag und zufrieden von ihren Mühen profitierte und nur das Vergnügen, nicht aber die Arbeit hatte.

Ich begriff erst nach einigen Stunden, ich glaube, vor ei-nem Schaufenster mit Briefmarken und verstaubten kleinen Silberdosen stehend, wie es sich tatsächlich verhalten hatte in der Nacht. Ich sah uns beiden, Leo und mir, fast ununterbrochen zu, konnte es nicht auslöschen, warum auch, eine Form der nachträglichen Steigerung. Aber das Komische – und ich kam mir etwas verworfen vor, dabei war ich doch zugleich, auf diese unverständlichen Briefmarken aus aller Welt sehend, völlig außer mir –: Ich beobachtete verstörenderweise nicht wortwörtlich uns, das Liebespaar Leo und Maria, vielmehr, als hätte es Zara per Hexerei verursacht, Leo und sie in einer Umklammerung mit allem Drum und Dran und Geräuschen und aromatischen Zutaten, obschon doch ich die Handelnde und Mitspielerein war, der sehr wonnevoll das Bewußtsein erlosch, und da hörte ich auch wieder fern den Vogelruf an meinem Ohr, zu all den alten Briefmarken jetzt.

Das rötliche Licht wurde ausgemacht. Es genügte die Morgendämmerung. Übergangslos, nachdem wir eine Weile und angenehmerweise rauchend, nebeneinander gelegen hatten, beugte sich Leo über mich und schob mir alle Haare aus der Stirn, drückte sie platt an den Kopf, der also kahl, glatzen-, ja schädelartig zwischen seinen Händen stecken mußte. »Wolf Specht«, sagte er, »was haben sich die Eltern bloß bei dem Namen gedacht! Oder ist es sein Künstlername?« Ich hörte in meiner Verblüffung »Küstername«. Das hatte er von Zara. Seinen gründlich forschenden Blick verstand ich aber richtig und die anschließende, nicht ganz von ihm unterdrückte Zufriedenheit. Er sah länger als schicklich hin, mit Absicht, das Gegenstück zur Betrachtung meiner Füße, ich weiß. War es mir diesmal recht, so studiert zu werden? Nicht recht, und zwar deshalb, weil ich lachen mußte. Wieder das deplazierte Gefühl. Sollte ich etwas Wichtiges zwischen Mann und Frau nicht begriffen haben, schlichtweg noch immer nicht reif für den Geschlechtsverkehr?

Leo – er sah genauso becircend müde aus wie am Vorabend – stand früh auf. Ein bißchen grauenhaft war es, so ruckzuck allein zu sein. Vielleicht nur durch die Kühle? Ich hatte kaum geschlafen, das macht anfällig für die Schwächen der Phantasie oder was es eigentlich ist. Man erleidet eine Verrückung, die jetzt gar nichts zu tun hatte mit der Nacht und der Liebe und dem Wohligen danach. Eine vorübergehende Zeitbeschleunigung, die zu fatalen Änderungen der gesamten Umgebung führte, vom eigenen Gesicht ganz zu schweigen. Fast glaubt man, nichts mehr wiederzuerkennen wegen Erosion, die nette eigene Nase und die Tapete nicht, den Koffer nicht und nicht die Fernbedienung. Auch der Weg vom Bett ins Bad ist nicht der alte.

Nichts Schlimmes! Nur Schlafentzug in der Morgenkälte. Spalten laufen flink über die Oberflächen, ein schnelles, boshaftes Altern des Zimmers. Man ist in der Fremde und begreift die Nachtstunden nicht mehr. Alles kommt nur darauf an, daß man die Fasson behält, gerade liegt, aufrecht steht, ein Liedchen pfeift und sich nicht um das kümmert, was sich einem hier zeigen will. Herz, sagte ich mir, tapfer zitierend, träume fort und liebe Deinen Traum!

Durch die Flurfenster des Hauses (an den Hang gebaut, zur Straße hin mit Glyzinienpergola und vielen Stufen hoch zur Eingangstür) sah man nicht nach draußen. Sie bestanden aus dunkelbunten Scheiben mit Tiermotiven. Ein roter Fuchs, ein Rotkäppchen, eine Gans oder ein Schwan. Alle Böden sehr glatt gebohnert, Rutschgefahr jederzeit. Zu jeder Zeit aus dem Keller Geschirrgeräusche, Kaffeeduft. Stimmen seltener. Wir hatten einen kleinen Wohnraum mit Veranda. Dann gab es die große Überraschung. Geradeaus sah man direkt aufs Nachbarhaus mit großem Holunderbusch in voller Blüte. Der Blick nach rechts auf die Straße durch Vorbauten abgeschnitten, aber links, ein Stück nur über dem Grün: Da! Da thronte, grüßte und drohte das rötliche, riesige, aufwendig zwiebackartig erodierende Renommiergeschöpf der Stadt, ihr exzentrisches Herz, Magnet, Kern, zu dem all die japanischen Touristen hindrängten, aus Asien, aus Fernost. Jede Minute lag es da, so nah, so deutlich, nichts entging ihm. Manchmal erweckte es den Anschein, es wolle sich herabstürzen, auf einen lang gefaßten Entschluß hin, aus einem jahrhundertealten Brüten heraus. Nur war es wohl nicht gesonnen, so viel mit Pomp besetzten

Platz zu räumen, arbeitete sich aber, wer weiß, faultierhaft langsam in angeblich vegetativen Ausuferungen und Tarnungen zur Stadt hin vor, um noch ausschließlicher ihr Hauptmedaillon ohne Ablenkungen zu sein.

Von der unsichtbaren Straße her gab es schon lebhaften, klingelnden Morgenlärm, unterhalb der Terrasse auch Schritte auf Kies, das Flöten eines Gärtners oder Hausmeisters, und Leo erledigte unten, im Büro, inzwischen Geschäftliches, verriet vielleicht gerade Zara unser Versteck.

Jetzt konnte er mir nicht widersprechen, überhaupt gar keinen Einspruch erheben, stand vor mir, zeigte sich von vorn und hinten gleichzeitig. Das war nach meinem Geschmack und Wunsch. Noch einen Moment also sah ich die einzigartige Gesichtskonstellation. Breite, bleiche Stirn, gleichmütige Verschlagenheit zwischen Brauen und Kinn. Es bezauberte mich wie sonst nichts auf der Welt und dann schon – als er nämlich ins Zimmer trat, leibhaftig, das sogleich zu schrumpfen begann, ein Schlottern, ein lachhaftes Einsacken der Zimmerwände – die nichtige, verwesliche Addition. Augen, Nase, Mund. Sogar bei ihm, bei Leo, als ich ihn anfassen konnte, was ich nicht tat. Ich hielt mich aber unauffällig an einem grauen Sessel fest. Kein Wort über seine Unternehmungen. Er drückte eine gerade angerauchte Zigarette in einem noch nicht benutzten Aschenbecher aus. Auch da noch schnell eine Spur hinterlassen! Und schon zog er mich fort, an Fuchs, Gans oder Schwan vorbei, auf die Straße.

Dort, in der frischen Sonne, dort, woher ich Gebimmel und Stimmen gehört hatte, war es in Wirklichkeit noch fast leer. Die kleinen Wirtschaften hatten alle ihre Fenster geöffnet, um den schweren Folkloredunst der letzten Nacht loszuwerden. Schliefen die Touristen, die sagenhaften, die ich in Gestalt zusammenhängender Schwärme und Umzüge erwartete, noch ihre Räusche aus? Leos Hände steckten sorglos neben seinen Hüften in den Hosentaschen. Ein durch nichts beschwerter Liebhaber. Er kannte sich hier aus, zögerte nicht, einen geplanten Weg einzuschlagen. Winkte auch jemandem zu und nahm das Bild ritterlicher Treue und feierlichen Abschieds ein, flüchtig und schon wieder entschwunden. Ich gestehe Ihnen, ich bemühte mich, so dicht wie nur irgend möglich neben ihm zu gehen. Auffallen sollte es ihm nicht. Ich erhoffte einen Hauch seiner Körperwärme, seines Geruchs. An einem Kiosk das bockige Hochziehen seiner Schultern, als sollte ich es nie vergessen und als wäre es mir von früher, viel früher bekannt. Sah ich hier in das Schaufenster des Briefmarkenladens? Wie hatte ich diese Stimme, die in gewohnter Weise auf den Verkäufer sirenenhaft einflüsterte, nur auf Anhieb nicht erkennen können, damals am Telefon! Kein Mann war in der Lage, verführerischer, ich trat absichtlich noch einen Schritt zurück, die Hände im Nacken verschränkt, geradezu gähnend, zu jenem Schaustück im Grünen hochzuäugen und es dann mit achselzuckender Drehung abzuschütteln. Es war ja überall anwesend, an jeder Stelle konnte man mit ihm Blickkontakt halten und sich von ihm observiert fühlen. Man spürte noch etwas Zusätzliches. Es forderte Respekt, bitte: Ehrerbietung vor seinem rosig rostigen Ruhm. Leo kümmerte sich nicht darum, kriegte das Überwachtwerden aber wohl aus den Augenwinkeln mit.

Er hielt neuerdings eine Zeitung in der Hand. Ich fragte mich verdutzt nach dem Namen unseres Außenministers. Vergebens. Wir gingen ein Stück am grünen Fluß entlang, dann über die Brücke, deren Schwung, das wußte ich ja noch und benutzte sie nun zum ersten Mal in meinem Leben, von Dichterseite bei einem Kurzaufenthalt, lange Beobachtung vortäuschend, mit dem des Waldvogelflugs verglichen worden war. Der Specht, stimmt's? O Gott! Leo war damit beschäftigt, eine zusammengedrückte Bierdose abwechselnd mit den Füßen vor sich herzustoßen. Er dachte weder an Teufelsbrück noch Ziküth und merkte auch gar nicht, in sein Spielchen vertieft, daß ich zurückblieb.

Oder tat er nur so? Hoch und tief glitten Schwalben übers Wasser, scharf gegen den Himmel gezeichnet die animierten Hügelketten rechts und links, nachzulesen mit den Augen. Am Ende der Brücke drehte er sich nach mir um. Mit ergeben ungeduldigem Aufseufzen? Dann machte er, rasch die Zeitung entfaltend, ohne weiteres Aufblicken – und doch stimmte etwas an der Glaubwürdigkeit seiner Geste nicht ganz, so dumm war ich nicht! – auffordernd einige Schritte auf mich zu, begegnete wieder der Dose, die sich unter das Brückengeländer vertrollt hatte, berührte sie aber nur mit der Schuhspitze, geistesabwesend, kurz abgelenkt vom Zufall.

Ich strengte mich sehr an, mir nicht das Geringste anmerken zu lassen. Aber kam er nicht auf mich zu wie eine Mannschaft und wandelnde Festung, so schön, daß einem das Herz stillstehen konnte davon, und so zerstreut? Kein leidenschaftlicher Liebhaber, oder ein höchst allgemeiner. Kann auch sein, daß er sich vor meiner Inbrunst verstellte. Wie sollte ich die aber verhindern, als ich ihn sah, leicht schlenkernd, die Zeitung im Gehen bändigend, den Kopf ablehnend gesenkt. Ich hielt sie für einen Charakterzug, die Herrlichkeit dieser vergänglichen Geste, für eine Tugend, für das überwältigend unwiderstehlich Wahre und Schöne auf einen Schlag. Und für das Gute obendrein.

Ich war so schrecklich gerne außer mir.

Alles, was ich verlangte, ließ sich auf ihm nieder. Wählten sich nicht noch immer die Geister Menschen aus, um in ihnen zu wohnen, laut Zara? Auch Leo war so ein Schauplatz. Sie hätten Leos Hüften sehen müssen, wenn er so ging, ein bißchen schlecht gelaunt, weil ich ihn warten ließ. Kurz bevor wir uns auf der Brücke trafen, wandte ich mich aber lieber doch ab und spähte, mit dem Rücken zu ihm, hoffentlich gekonnt weltvergessen, zur Reliquie hoch über uns.

Es paßte ihm nicht. Ich solle nicht so viel in die Höhe kukken. Also tat ich, als könnte ich mich nicht trennen von dem hohen Anblick. Ob es bei mir immer die großartigen Schinken sein müßten? Ausgerechnet da lief ihm ein schwarzrot geflecktes Hündchen mit dickem Milchbauch und zappelnd über den Weg, wollte an ihm hochklettern und ihm

die Finger abfressen, jammernd vor Entzücken, auf Leo zu
stoßen, auf dieser berühmten Brücke Leo kennenzulernen!
Er beugte sich auch schon zu dem Kleinen und feuerte ihn
weiter an, dieses Hundekrümelchen, an dem nichts stillhalten konnte und das alles zugleich wollte und Leos Gesicht
ablecken obendrein, in seine Schuhe biß und fiepend in seine Hosenbeine schaute. Leo schubste und kniff und rollte es
auf den Rücken. Fast weinte und schluchzte der Wicht,
schnappte sich Leos Zeitung, ohne sie aber fest mit den Zähnen packen zu können, und geriet vollständig außer sich,
als Leo, in die Knie gegangen, ihm nun noch näher rückte,
bis das dazugehörige Mädchen den Hund erreicht hatte und
der neue Begeisterungssturm das jauchzende Fellbällchen
sogleich davontrug oder ein Windchen es wegwehte. Mit
einem blöden Schrecken verstand ich plötzlich Leos unpassend grimmige Miene bei der Prozedur. Es war die Anstrengung, einen Trieb zu unterdrücken. Und zwar den, das
Hündchen zu erwürgen an seinem zarten Hals, als Antwort
auf dessen Zudringlichkeit.

Tetzelmann, sagte er, sobald wir zusammen gingen, er
wisse es seit heute – dabei zwang mich Leo jetzt zu beschleu-
nigtem Gehen und redete leise, aber mit großer Geschwindigkeit. Beides gab mir keine Chance, auf die Umgebung zu
achten oder auf ihn, Leo, bis aufs Zuhören, das erlaubte
er –, Tetzelmann habe es, wie gestern noch von ihm, Leo,
prophezeit und heute definitiv erfahren, unwiederbringlich
erwischt! Wir überquerten eine gut befahrene Straße und
stiegen eine steile Treppe hoch, wo sogleich Efeu und Moos
aus seitlichen Mauern stürzte und quoll, aber ich durfte ja
keinesfalls stehenbleiben, sah nur einmal blitzschnell aus
Bosheit über den Fluß weg hin zum rostroten Riesenwunder
am jenseitigen Hang. Tetzelmann habe einfach nicht kapiert, bei so einer Menge von geschäftlichen Neidern, Geg-
nern in einer Stadt, daß man entweder geschickt splitten
müsse, was manchmal schwierig sei, oder weichere Tour –
nicht mal das habe er versucht –, auf gemeinnützig zu machen, dezent dominierender Sponsor zu sein, die von Zara

so beispielhaft beherrschte Trennung von Staats- und Wirtschaftsbürgerin. Nur geschäftstüchtig ordinärer Verschwender und Parvenü, das reiche nicht, sei gerade in Hamburg das absolut Falsche und Lebensgefährliche, wenn auch nicht unsympathisch. Auch sei Tetzelmann leider in früheren Zeiten regelrecht derb Krimineller gewesen. Mit dieser zurückliegenden Geschichte sitze er nun am Haken, als er noch fürs Startkapital die Millionen gesammelt habe im internationalen Schwarzmarkthandel als Hauptdrahtzieher einer Hehlerbande. Operationen im gesamten Bundesgebiet, in Spanien und im Osten, jetziges Tschechien. Womit? Mit allem. Mit Bibeln und Bildern, mit gestohlenen Firmenschecks und Rubinen. Die Bibeln kostbare Stücke in englischer, lateinischer und hebräischer Sprache. Ehrlich gesagt, schade, daß es nun doch rausgekommen sei, denn ein gewisses Geschick habe er damals ja bewiesen. Besonders der Handel mit gestohlenen Bildern, sofern sie wertvoll seien, das heiße, einen vernünftigen Bekanntheitsgrad hätten, sei riskant. Von dieser wilden Vergangenheit habe sich Tetzelmann längst gelöst, aber nun hätten seine Widersacher, die feinen, fiesen Ganoven, erfolgreich die alten Geldquellen aufgespürt. Aus für die Tetzelmann-Gastronomie!

Schwarze Zeiten außerdem für die Ehefrau in Blankenese und das blonde Liebchen. Sitze da mit l'amour, tröste sich aber nach seiner Prognose flott.

Ich blieb nun doch stehen, ein bißchen lauter keuchend als unbedingt nötig, um nicht weitergezerrt zu werden, und sah hinüber zum Kronjuwel der Stadt. Es hatte uns seinerseits keineswegs aus den Augen gelassen, dämmerte vor sich hin und wachte dabei. Leo untersuchte die Mauer unmittelbar vor seinen Augen und in Augenhöhe mit einem Taschenmesser, etwas zu demonstrativ. Kurz dachte ich, das erhabene Knallbonbon dort drüben würde von ihm als Konkurrenz empfunden, weil ich eben doch heimlich bewundernd, mit touristischem Schmachten, hinschielte. Wir kamen dann an einer Folge wunderlich wuchernder Gärten vorbei, längs zum Fluß auf halber Höhe, reusenartig auf

Terrassen angelegt, handbreit endend, in sorgsamer Verwilderung überschwenglich und vorzeitig sommerlich blühend. Für Leo das richtige Ambiente, um zu rauchen.

Es gibt eine Weise, eine Zigarette aus dem Päckchen zu holen und die Flamme aus dem Feuerzeug springen zu lassen, jedenfalls, wenn es Männerhände machen, Sie wissen was ich meine? Kaum möglich, dem standzuhalten!

Leo merkte das sofort und fragte mich umgehend nach Blumennamen. Ich hätte ihm das Blaue vom Himmel heruntererzählen können. Er selbst kannte vermutlich kein einziges der hier wachsenden Exemplare, nickte aber ernsthaft und störrisch wißbegierig, nur, damit wir uns mit dem bunten, konkreten Firlefanz beschäftigten und mein leidenschaftliches Varieté unterblieb. Mir kam es so vor, als würde ich eifrig scheinheilig die Straßennamen meines Viertels aufsagen und außerdem meine Kollektion vorlegen und dem Interesse heuchelnden Leo Stück für Stück anpreisen.

Um mich an den Blicken zum mittlerweile im Licht fast schwerelosen, wie nur eben dort niedergelassenen Schaustück gegenüber zu hindern, ging Leo oft zwei, drei Schritte voraus. Manöver, die mich nervös machen sollten, meine alberne Verehrung für die gewaltige, sich mit unseren erlangten Höhenmetern ändernde Legende stören. Dabei hatte mich niemand anders als er, Leo, hierhergebracht! Ich hatte auf dem ansteigenden Weg eine kleine Stufe übersehen, strauchelte geringfügig, wurde aber durch den Minimalunfall meiner Füße auf eine Idee gebracht, nämlich einfach etwas ausführlicher zu stolpern, ja, warum denn nicht, notfalls einen – zugegeben – neckisch rekapitulierenden Sturz in Kauf zu nehmen. Die Distanz zu Leo war günstig. Wenn er sich beeilte, ich kannte ja seine Reaktionsfixigkeit, würde er mich noch vor dem Bodenkontakt auffangen oder eben, während es um uns zwitscherte, was das Zeug hielt, gemeinsam mit mir auf die Knie gehen, hier, in der Einsamkeit. Gesagt, getan, schneller geschehen, als zu Ende gedacht. Niemand vereitelte meinen Fall. Ich rutschte ab und sackte regelrecht um. Die erwarteten Arme, die mich retten sollten, blieben aus.

In einer abstrusen Halbhocke auf dem krummen Pfad sah ich zu Leo hoch, der sich nicht von der Stelle rührte. Er verweigerte Hilfe und Umarmung, Gott im Himmel, es riß mich hin, lachte geräuschlos, murmelte einschläfernd und schläfrig: »Verletzt?« und wartete, bis ich aufgestanden war. Durchschaute er mich wirklich? Ein solides Zeichen dafür, daß er die Situation wiedererkannt hatte, gab er mir nicht. Das konnte ich, leicht verzagend, halten, wie ich wollte.

Der Boden, auf dem ich mich befand, lag im Schatten, roch feucht nach Wald. Unergründliche Tunnel ins Grün, in die lockend wippende, winkende Pflanzenwelt, winzige Schneisen, die sich verloren in immer kleineren Moderwelten, grün golden, grüner Duft: funkelnde Waldlichtungen, über einen schwarzen Wasserspiegel hinweg der Blick in ein Dämonendunkel hinter bleichen Birkenstämmen, durch Farnstrudel stürzte ich auf die eine, rätselhafte, schimmernd grüne, gefleckte, gesprenkelte Stelle zu, den Rasenfleck, den heimatlichen, wo man auf wunderbare Weise endlich den Verstand verlor, ein großer, kindlicher Wald, nicht höher als bis zu dem Punkt, wo Leos Schuhe standen. Ich kippte weg, noch immer nicht aufgerichtet, Augenblicke zwischen Wurzeln, zarte Andeutungen blinkten in den Blüten der Moose, ein goldenschönes Krötenauge, Waldinneres, Waldeinsamkeit, Waldesnacht. Aus der Flüchtigkeit stiegen sie empor, die glänzenden, ritterlichen Käferrüstungen. Ich verlor mich, doch nur für Sekunden, stand ja schon auf, erinnerte mich an die sträflich unterbliebene Umarmung (kein viertes Mal also!), ging Leo entgegen, noch etwas betäubt. Er ließ mir höflich den Vortritt beim Steigen.

Kaum aber war ich an ihm vorbei, schob er mich mit beiden Händen so heftig in der Taille zusammen, daß ich aufschrie. Wenn ich will, kann ich den Druck noch heute spüren. Ich vergaß zu atmen bei dieser absichtlichen Schmerzzufügung. Er küßte sicher auch meinen Hals. Aber was ich fühlte und was mich kurzfristig beinahe umbrachte, das war die bösartige Zange seiner Hände. Ich konnte bei dieser Überrumpelung gerade noch einen zweiten Laut unterdrücken, da hörte ich von ihm, von Leo, dem Bagatellisierer – stellen Sie sich nur vor, er mußte ja wahrhaftig beide Hände aus den Hosentaschen genommen haben! – ein eilig abgeschnittenes Geräusch aus seinem Brustkorb.

Ich lauschte dem nach, mit dem Rücken zu ihm. Dann fragte ich, ob er mir den Namen unseres Außenministers sagen könne. Als ich mich umdrehte, hatte er sich schon, lächelnd, auf die Lippen gebissen. Er schien, alles in allem, sehr zufrieden mit sich, mir, uns, hatte die Lider niedergeschlagen und sah drunterher zur Seite. Es war – es langweilt Sie hoffentlich nicht – entwaffnend. Um mich nicht zu verraten, wandte ich mich ab. Er kriegte ja sogar bei geschlossenen Augen das meiste mit. Ich wußte: schräg hinter ihm, noch immer in Fortsetzung, aber schon tiefer als er, die Türme drüben, wie jeden Morgen neu gefaßte Entschlüsse des Mutes und des Hochgemuten.

Tetzelmann, sagte er kühl, sei peinlicherweise auch noch in einen anderen Skandal verwickelt, schon länger her, nämlich einem Anlageberater geschäftlich verbunden, der vor allem in Süddeutschland gewirkt habe. Auf dessen Konto gingen Untreue, Betrug, Steuerhinterziehung in großem Stil. Überziehungskredite in Millionenhöhe seien dem von zwei Vorstandsmitgliedern einer Sparkasse in Südwestdeutschland eingeräumt worden. Dafür habe er, nicht das Lamm Tetzelmann, die beiden Sparkassenleute häufig bei gemeinsamen Bordellbesuchen aus- oder freigehalten und mit wertvollen Geschenken verwöhnt. Möglicherweise werde die obskure Rolle Tetzelmanns in dem Trio, das vielleicht doch ein Quartett gewesen sei – Leo sagte es gedankenverloren und für sich selbst etwas fortspinnend –, nun auch noch einmal und zwar für ihn bedenklich beleuchtet, jetzt, wo offiziell sein Ruf dahin sei. Und wer weiß, was überhaupt noch ans Tageslicht komme. Nett wäre es, wenn er wenigstens einige seiner Gegner und zum Teil Verleumder mit in den Schlamassel risse.

Wir stiegen weiter, unentwegt. »Jetzt sind wir oben. Was nun?« fragte Leo in die Luft. Ein trivialer Gipfelpunkt. Falls es noch einen höheren gab, uns reichte dieser. Ein Denkmal betonte das Spezielle des Ortes. Typischer Weihegestank nach Urin, an allen Ecken Hundehaufen, wohl auch solche von Menschen. Wo der Kahlschlag aufhörte, setzten die Holunderzwielichtmonde ein, Vollmonde am hellen Tag. Was wollten wir hier?

Ich solle tun, was ich die meiste Zeit über getan habe, rübersehen auf die andere Seite. Jetzt schneide der alte Geier ein neues Gesicht. Deshalb seien wir vorher nicht umgekehrt, obschon es hier oben gewohnt scheußlich sei.

Tatsächlich, mein wüstes Prachtexemplar und Ungetüm war im Mittagslicht fast ausgelöscht, dunstig verschwommen, nur ein rosiger Schein noch, eine Einbildung und durch unseren Standort tief eingesunken, ja, nun wirklich abgerutscht – Leo: »Hat eins aufs Dach gekriegt!« –, aber vor Schwäche, degradiert. Man sah nicht mehr hoch, man sah hinunter. Der Abstand zur darunterliegenden Stadt war gleich mitgeschrumpft, alles gehörte derselben Besiedlung an. Wichtig waren nur noch die grün gebuckelten Hügel, die sich dahinter bis zum Himmel aufwellten, eine viel bedeutendere Masse, ein weiträumiges Träumen über der plötzlich lieblichen, zerbrechlichen Unerheblichkeit des Kronjuwels.

Leo überflog währenddessen den Wirtschaftsteil. Er hatte längst genug und gewußt, wie es ausgehen würde.

An solchen Denkmalmauern dünstet es immer staubig nach Ausscheidungen, Bier und Senf. Die Leute müssen sie nur im Visier haben, schon entledigen sie sich ihrer Flüssigkeit. Mir genügt der Anblick, schon rieche ich die obligatorische Zugabe. Jenseits aber das hingehauchte, das rötliche Nest in seiner Verhaltenheit und Entrückung. Leo hatte Spaß an seinem gelungenen Streich. Der Effekt blieb trotzdem ein doppeldeutiger. Aus der dräuenden Erhabenheit war ja nur eine feenseeschwalbenhafte Unwirklichkeit geworden! Er wiegte über seinem Artikel den Kopf. Er müsse zurück, jetzt gleich. Keine Fragen meinerseits. Ob ich noch ein bißchen hier allein schwärmen wolle?

Schon marschierte er los. Ich sofort hinterher. Um Gottes willen wollte ich hier oben nicht ohne ihn sein. Im Kellerbüro verschwand er dann aber nicht. Es ist komisch mit diesen Paarungen. Eigentlich beleidigend stupide das Hin und Her, Hoch und Tief, und ist man noch nicht komplett unterwegs und in Fahrt, sagt da nicht unweigerlich manchmal eine Stimme: »Wie blöd! Wie blöd«? Bis es zuschlägt, das andere, einschlägt und über einem zusammen. Dann ist ja gerade das kränkend Einfache, wie es simpler, nichtiger nicht sein könnte, der Weisheit letzter Schluß und ihr triumphalster obendrein. Oder nicht? Sie erinnern sich? Ich meine an Zaras zweite Maria, die Hirschin?

Einmal warf Leo pianistenartig dabei den Kopf in den Nakken. Ein sterbender Krieger! Ich hätte ihm nur noch den kräftigen Hals durchschneiden müssen. Kurz vorher hatte ich einen Zeichenstift in der Hand gehalten. Er machte die eben erst geöffnete Tür wieder zu, von innen zu und nahm ihn mir weg, zog ihn, hinter mir stehend, aus der Klammer von Daumen und Zeigefinger, legte ihn neben meine Hand, die zu zittern begann. Damals wurden alle Bewegungen zu Lettern, nein zu Wappen, in Blei gegossen. Leo verstand sich darauf, wie es sonst nur noch einer gekonnt hatte, mir in Herz und Seele, kurzum ins Körperinnere auf der Direttissima hineinzulächeln. Ab und zu machte er Gebrauch davon.

Als ich allein die Treppe hinunterging, gab man mir einen Brief, abgestempelt in Hamburg, die Adresse gedruckt, damit ich an der Schrift nicht sogleich den Absender erriete. Es sollte eine Überraschung sein und war auch eine.

»Schwein, Hummer und Löwenjunges.
Schlafen wir eng,
schlafen wir schnaufend eng umarmt.
Ich bin ein Schwein,
das arme Schwein von Drosendorf.
Wenn Ihr mir nicht freikaufen tut

die zarte, helle Haut
mit Eurem wunderschönen Fleisch
aus Schlächterhand, quält Euch mein Schrein
bis an Euer Lebens dunkles End.
Schlafen wir eng,
schlafen wir schnaufend eng umarmt.
Tu's nicht, tu's nicht, tu's nicht!

Ohne Anrede riet mir Specht dann noch, mich von dem
»Touristenscheiß« nicht ganz unterkriegen zu lassen. Er sitze gerade, meiner gedenkend, im EEZ und erfahre über
UBCs, das seien Urban Entertainment Centers, der deutsche
Markt vertrage davon noch zwanzig bis dreißig. Raum dafür finde man in altindustriell geprägten Stadtteilen wie
auch auf Recyclingflächen der Bahn, wolle das Ganze auch
ausweiten in Richtung Edutainment, also der Unterhaltung
Erziehung beifügen, in Wirklichkeit solle natürlich, umgekehrt, aus dem ursprünglichen Bildungsauftrag der Kultur-
instanzen allmählich schieres Hansaland werden. Mir aber
müsse er momentan wohl weder pädagogische Betreuung
noch Amüsement wünschen!
Das alles natürlich in Handschrift, Zierschrift. Spechts
Ironieanfälle.
Wer hatte uns verraten? Wegen Geldmangel konnte er
sich kaum leisten, mich von einem Detektiv überwachen zu
lassen. Sie sehen, aus guten Gründen trage ich alle diese
Zettel bei mir. Aber nach außen, selbst Leo gegenüber, behandelte ich den Brief wie nicht erhalten. Kein Kommentar,
auch später zu Specht nicht, ich hätte gar nicht mehr reden
dürfen mit ihm danach. Stieß er mich ab? Zerstreute er
mich? Er ließ mich gleichgültig, und das war das Einfachste
für mich. Trotzdem, trotz der Spioniererei, hätte ich Specht
Glück, wenn auch nicht bei mir, gewünscht. Diese schrecklichen Teichaugen!

Einige Male begegnete ich einem Blick Leos von solcher
Dringlichkeit, daß es mich fast umriß, oder er setzte sich,

mit stark eingekerbten Nasenflügeln, dicht neben mich auf eine Bank, ohne mich zu berühren, als probierte er etwas aus, er schien etwas zu testen, sagte aber nichts, faßte eine Locke von mir bei anderer Gelegenheit, rieb sie zwischen den Fingerkuppen, stand hinter mir, dicht, bei präzise vermiedenem Körperkontakt. Das dauerte nie länger als eine Minute. Danach ging er meist lächelnd, summend woandershin. Er setzte sich mir auch gegenüber und starrte auf meine Knie, schob unschlüssig meinen Rock fünf Zentimeter rauf, wieder runter und noch mal von vorn.

Ich fügte mich übrigens tadellos der nie ausgesprochenen Vereinbarung, keinerlei Fragen zu stellen. Es kam darauf an, allzu große Vulgarität zu vermeiden, die oft schon durch das Verlangen von Auskünften entsteht.

Zum Schloß ging es neben dem Haus einen kleinen Steinpfad hoch, an einer Wand wuchsen flammende Kletterrosen. Jetzt hatte man es direkt über sich und rückte ihm näher und näher. Es dröhnte geradezu. War es rostrot oder braun? Grau? Die ungetümen Mauerreste lagen dort, wo die Sprengungen einer verjährten Belagerung sie hingeworfen hatten, manchmal aller Würde beraubt, auf dem Kopf stehend. Sie ragten meist aus dem rührigen Efeu, dessen langfristige Absichten leicht zu erraten waren. In seinem harten, blanken Laub wohnten die Vögel. Sonst hörte man nichts, nur das eigene Atmen. Erst ganz oben begannen die Touristenströme, denn sie bewegten sich, von Personen geführt, die entweder einen aufgespannten Regenschirm oder eine Blume, der größeren Poesie wegen, ohne Unterlaß hochhielten, auf einem breiteren Weg her von der Stadtseite zum Schloßeingang.

Kopfschmerzen, Migräne, Narbenschmerzen, herabgesetzte Konzentration war für Empfindliche an diesem Tag, von dem ich Ihnen jetzt berichten will, in der Zeitung vorgesehen. So viel Sorge um den Einzelnen wurde unter der Rubrik »Biowetter/Pollenflug« zum zuversichtlichen Tagesanfang absolviert. Ein Trost, den jemand, dem nicht wie mir die Liebe ein Kleid aus Seide und Freude spann, zweifellos benötigte. Viele Schweine hatten, ohnehin auf dem bitteren Weg zum Schlachthof, einen Verkehrsunfall erlitten und schwerverletzt und schreiend zu flüchten versucht in ihrer Todesangst auf der Autobahn. Wie gesagt, ich selbst konnte mich ja im Handumdrehen auf mein gutes Schutzkleid besinnen, es machte nichts, nichts, daß ich es vor dem Weggehen rasch zufällig gelesen hatte.

Ich tat vor mir selbst, als sähe ich das Schloß zum ersten Mal, als stände es plötzlich und wunderbar vor meinen aufgeschlagenen Augen, auf einen Spruch hin aus der Waldestiefe aufgetaucht. Das Herz wurde mir schwer davon, es wurde so ritterlich und traurig-süß an sehr fernes, schön Versunkenes erinnert. Wie zerstört und geschmückt mit frischem Grün! Tapfer treulich hielt es aus und ertrug die Zeitgenossen in öffentlichen Unterhosen und Schlafanzügen, die durch das Tor drängten, ließ sie gewähren, in eigene Gedanken versunken. Statt Meute, Rudel, Horde und Rotte sagte ich versuchsweise zu ihnen: Dolde, Rispe, Traube, Ähre, Laub, denn störte mich die Menge der Blüten eines Holundertellers etwa im geringsten?

Unterschiedlich schleppten sie sich voran, auf klobigen Teenagersohlen, mühselig an Krücken, die Arme seitlich wegwerfend und rudernd, amerikanische Junk-food-Bäuche und Brüste, mit eigenen Körperlasten beladen, noch Ältere vornübergebeugt, die Hinterteile rückwärts rausgeschoben als Gegengewicht. Die Menschenzüge der Touristen, robbende Raupen, Mückenschwärme, die Nasen schnuppernd nach alten Liebesgeschichten erhoben, begierig sie sich erwitternd unter Torbögen, ein abgestandenes Überrestchen, dösend meschugge ihren Anführern lauschend, Legenden in Konsonanten und Vokalen abwechslungsreich verstümmelnd mit ihren ungläubigen Zungen, die romantische Formel: Go-e, Ma-a-e. »Überall reiße ich Rezepte raus. Koche dann aber doch nie welche nach!« Kurzes Staunen vor einer zersprungenen Säule auf Befehl ihres Leiters, Gebanntsein und Trotten in zügiger Pflichtausübung von Stein zu Stein, in Massen aus aller Welt, einem Ondit zuliebe und dem kostspieligen Fimmel namens »einmal im Leben«, Winterkönig und englische Prinzessin mit tragischem Ende.

Jedem aber tun doch die verdammten Füße anders und höchstpersönlich weh, sagte ich mir und sah endlich wieder, unter all den Haarschöpfen, Hinterköpfen einen, der mich spornstreichs erlöste und mich entbrennen ließ, den ich an einer einzigen Abweichung erkannte, hätte »unter Tausenden«, dann ein Ohrläppchen mit unverbesserlichem Kennzeichen. Er war mir abhanden gekommen, und jetzt wußte ich, wer Leo war, ja, hören Sie nur, Sie sollen, und sei es aus reiner Etikette, es anhören, ob Sie mögen oder nicht!

Zum Kobolzschlagen ist es, daß ein Ding die Macht hat (einfach nur eine Farbe, ein Schwarz unter vielen, mit schwarzen Haaren bedeckten Köpfen, etwas Plastisches und Konturiertes, kein Gesicht, nicht mal das, nicht Augen, Nase, Mund, nur dieser – Gegenstand, alles übrige verdeckt und abgeschnitten, nur das Symbol eigentlich des Mannes, Unfug, nicht Symbol, nur Teil vom Ganzen, Erinnerungszeichen, die Abkürzung, pardon), sofort unser Blut heiß und fröhlich zum Herzen stürzen zu lassen. Augenblicklich schoß mein ganzes Leben, meine Kraft dorthin, wo Leo stand. Es mündete alles dort hinein, von mir weg, in diese einzelne Figur »unter Tausenden«, band und ballte sich, als wäre Leo selber, der vollständige Leo ein Zeichen für eine ungeheure Gewalt wiederum, eine Zusammenpressung der Welt auf einen Punkt, der Leos Kontur, auf mich extra gemünzt, angenommen hatte. Ich weiß nicht, zugleich aber, während also meine gesamte Stärke in diese Gestalt flog und floh und dort Fuß faßte, passierte etwas Entgegengesetztes. Durch Leo, durch die Chiffre Leo, den Punkt Leo (er hört's ja nicht, o Gott, er hört's ja nicht) fuhr, verengt, gestaucht und sich wieder entfaltend, von der anderen Seite eine Energie und Gewalt auf mich zu, nein, wohl eher: Ich erspähte sie durch die Verengung hindurch am anderen Ufer, und dort blieb sie auch, in ihrer Üppigkeit nicht zu bezwingen.

Wir setzten uns auf eine kleine Mauer und mußten keine

intelligenten Gespräche führen, die fanden zwischen uns von allein statt. Mußten überhaupt nicht reden.

In meinem Glück machte ich die Augen zu.

Als ich sie wieder öffnete, sah ich ein anderes Bild als vorher. Leo lächelte, genauso wie er eben noch mich angelächelt hatte – biß sich dabei nur noch zusätzlich auf die Unterlippe –, voller Zärtlichkeit ein überaus schlankes japanisches Mädchen an, in einem Rock, so kurz, daß die alte Frau Engelwurz aus der Haut gefahren wäre, Zeter und Mordio schreiend, über blassen, irritierend weit auseinanderstehenden, noch knochigen und langen Beinen. Das Mädchen blinzelte ein bißchen erschrocken, ein bißchen verschwörerisch neben den vergilbten Eltern, die ihr aus Fremdenführern offenbar simultan vorlasen, Leo zu. Sie waren die beiden Komplizen zwischen zwei häßlichen Instanzen: den Eltern und mir. Mir graute in diesem Moment, mir graute wie in der Nacht, als ich einen Vogel oder ein unbekanntes Tier fürchterlich hatte schreien hören und mir auf diese Weise mitgeteilt wurde: Die Natur ist fremd und ohne Erbarmen, und sie erkennt Dich nicht! Ich welkte und erschlaffte. Da waren sie vorüber, Leo lächelte mich an in seiner zärtlichen Müdigkeit, dieses pfeilsichere Lächeln in mein Körperinneres hinein, flüsterte ein paar Worte in meine Körperzentralstation.

Ich schloß die Augen vor Glück.

Als ich sie wieder öffnete, sprang Leo auf und bückte sich nach einem Buch, das einer kleinen alten Reisenden in den Staub gefallen war. Er wischte es sogar an seinen Hosenbeinen ab, bevor er es überreichte und dann mit dieser murmelnden, stammelnden Stimme rätselhafte Komplimente, unverschämte Artigkeiten in ihr halb abgestorbenes Ohr einsenkte, denn sie hob, rosig erblühend, das niedliche, faltige Gesichtchen zu ihm hoch und drohte ihm mit lockendem Hexenfingerchen.

Insgeheim verstand ich es als gerechte Strafe für meine Anwandlungen von Menschenhaß. Liebesgeflüster als privater Verkehrston mit der Welt? Ich spürte die Kälte des

Steins unter mir auf mich übergreifen und hätte Leo am liebsten als Verräter weggestoßen. Gerade da legte er den Arm um mich, zog mich nur ein wenig an sich, der Druck einzelner Fingerspitzen wanderte gemächlich von der ersten zur zweiten Hüftseite.

Ich lächelte vor Schwäche einen Abfallkorb an.

Hier, beim Hauptobjekt angelangt, konnte man es, wenn man wollte, weniger gezielt betrachten. Es war ja überall, umklammerte und stützte, so, wie es Stein und Efeu vormachten, die Gegenwart. Hielt man an irgendeiner Stelle der Stadt Ausschau nach ihm, entdeckte man es sogleich. Es drängte sich aus jedem Fenster auf als rostigroter Fluchtpunkt. Hier aber bewegte man sich träumerisch auf den Kraftlinien eines Sinns, einer Bedeutung, ohne sich eigentlich darum zu kümmern. Man ließ sich davon durchtränken und schwamm annähernd gedankenlos voran.

Aus der Entfernung wirkte das Schloß immer menschenleer. Die Touristen, von denen alle sprachen wie in den winterlichen Bergen vom Schnee? Nein, kein verschollenes, legendäres Volk! Hier oben hatten wir uns unübersehbar versammelt. Für jeden gab es etwas Eigentümliches, speziell Geheimnisvolles. Der Hauptdaseinsgrund des Schlosses: Wahrzeichen eines Heranwinkens aus der Ferne und wehmütigen Abschiedsgrüßens vom Hang zu sein.

Natürlich auch das Alibi der Stadt, die Vorwand für das Schloß war, für das steinerne Gerüst, für das in Kolonnen hochzüngelnde Grün, dem es wiederum nackt entragte, wie in Verzweiflung über eine schreckliche Nachricht oder die machtvolle Bedrängnis der Vegetation, die sich aus seinen Gräben, Rissen und Steinschluchten nährte.

Die Touristen hatten Leo und mich schon wieder getrennt. Kein Kunststück augenscheinlich.

Ein zertrümmertes Zentrum, Auge, Ei im grünen Nest, Titel, Überschrift der Gegend, ein Einsiedlerkrebs in seiner Muschel, der Kopf mit jungen Bäumen statt mit Seeanemonen geschmückt. Und wenn man das Schloß aber nicht als festliche Krönung eines Liebesurlaubs, wie die japanischen, koreanischen Pärchen und eines Ehejubiläums, wie die viereckigen, zähen Paare es feierten, sondern jeden Tag sah und über sich hatte, in allen schwachen Minuten und langen Stunden, schadete ihm das nicht? Im Laufe seiner offiziellen Arbeitszeit von 8 bis 17 Uhr und dann noch einmal bis 24 Uhr, wenn die Beleuchtung erlosch und am tonlosen Morgen, aschgrau, mürrisch, ausgeräuchert?

Ich ging frohgemut für mich neben kolossalen Gewölbebögen, die eine Aussichtsterrasse trugen, einen kleinen Weg entlang. Unter mir Moos, links hinter mir das Schloß, glänzend in der Tiefe der Neckar gegen die Mannheimer Ebene, ein Grünfink hüpfte mir schrittchenweise voran. Ich ertappte mich bei dem Gedanken: So soll mein Leben sein, so soll es auf separatem Pfad voranlaufen in großer grüner Herzhaftigkeit. Über mir die Touristen, auf das Geländer des Schloßgartens gestützt. Das Schloß stumm und sichtbar, die Menschen laut und unsichtbar. Pflänzchen stürzten sich in Kohorten, bemooste Wasserfälle imitierend, aus den Mauerrissen.

Ob Leo da oben bei ihnen stand, in die schimmernde Ferne lugte, um irgendwann wieder mit mir zusammenzutreffen? Verfluchter Lump, dachte ich zum Spaß, müssen wir die Zeit nicht besser nutzen, dürfen wir die knappen Stunden vertun, ohne uns anzufassen?

Wie expressionistisch-existentiell aber der Blick von hier aus auf die Ostfront, wo die leeren Fenster in permanenter Nachkriegsklage gegen den Himmel standen, in kunstgewerblicher Verlorenheit, so daß ich lachte. Wie wüst, wie elegisch trauernd, was für ein bitteres Nein! aus jedem Fenster bis zum Jüngsten Gericht! Neben mir allerdings Holunder, Frühlingszwielicht mit Sommervollmondnächten zusammengeschmolzen, und das im hellen Mittagslicht.

Es gab hier einen in den Abgrund gebrochenen Koloß, ein Pulverturm vielleicht, von Franzosen, Krieg oder Blitz gespalten, ein walähnliches, gemauertes Felsenmonstrum, im Grün sich wälzend. Man sah hinunter auf einen Meeresgrund zu einem alten, gesunkenen Schiff, ganz mit Algen und Tang überzogen. Das machte die Umrißlinien noch schwerfälliger. Klüfte und Schluchten von grellstem Grün bis zur Finsternis reichend, aber auch Holunderscheiben, Lichtflecke einer fernen Sonne bis tief hinab nachahmend.

Jemand stieß mich von hinten an. »Leo!« rief ich sofort und fuhr herum. Ein Besucher aus dem Fernen Osten verneigte sich lächelnd und war nicht Leo. Wieder aber sah ich von einem Rosenrondell schräg durch die Fensteröffnungen der Ostfront. Rosige Füllungen plötzlich darinnen! Hatte man ein Feuer angezündet oder Vorhänge für ein lautlos fröhliches Fest eingehängt? Wenn ich nur drei Schritte vorwärts ging, änderte sich mein Standort so sehr, daß der sanfte Schein erlosch, alles verdüsterte sich, eine Schauerballade, katastrophale Botschaften waren über eine heitere Feier gekommen, rückgängig zu machen von mir durch drei Schritte nach hinten. Man konnte glauben, das Schloß wäre erbaut, um zu übermütigen Liebesfestivitäten zu entbrennen im Wechsel mit dem Empfangen von Schreckenskurieren, Gehäuse für Tragödien.

Kurze alpine Glockenblumen aus schrägen Mauerflächen. Warum beruhigte deren ungeheure Dicke mich so? Weil man früher einmal auf den sicheren Schutz so vieler Steine rechnen konnte. Weil der Augenschein einmal so wenig trügerisch gewesen war.

Wie es hersah in seinem adlerartigen Greisentum, zerbombt, aus den großartigen Ruinen seines Körpers großväterlich in ein zugiges Jenseits starrend!

Wie der Wind in langen Wellen das Efeu durchlief und den Mauern eine erbebende Seele andichtete!

Da sah ich Leo. Er lehnte an einer Mauer, die Arme vor der Brust verschränkt, die Beine an den Knöcheln übereinandergeschlagen, lehnte da bequem, das zurückgekämmte, glatte Haar teilte sich direkt über der Stirn im ersten Schwung. Er beobachtete mich, ohne sich zu rühren, wohl schon länger. Ich lief gleich auf ihn zu, erst unterwegs kam mir in den Sinn, daß ich hätte abwarten können und es ihm besser gefallen hätte. Ich rannte aber weiter dieser lächelnden, unverkennbar knochig gespannten und faltigen Müdigkeit zu, die ich nicht enträtselte, die mich so sehr bestrickte, wer weiß, warum. Kann sein, daß er so dastand, um etwas über die Distanz weg zu prüfen.

»Ein aparter Fall, eine Diva! Das ganze Verhängnis über all die Jahre exakt als Ruine, nicht mehr, nicht weniger, zu konservieren, kostet Unsummen.« Ob das ursprüngliche Schloß wohl bis zum letzten seiner verstreuten Trümmer reiche, fragte ich ihn, um etwas zu sagen (sein empfindlicher Mund, die schräg unter den Lidern zur Seite blickenden Augen, das unbekümmerte Lehnen, das grüne Würmchen, das sich selig auf seiner Schulter unbemerkt wand!). Um ihn nicht zu verdrießen, durfte ich nicht die Hollywood-Hüften lieben, nicht die Oberfläche, mußte vielmehr seinen Verstand und seine Seele preisen oder stumm bewundern. Sie kennen diesen Tick bei den Männern? Sie begreifen nicht, daß man ihren herrlichen Charakter mit der Verehrung ihres Rückens würdigt. Da war auch Leo nicht schlauer, auch er fürchtete nur die den Frauen zugemuteten Fallen der Passivität, beides nach wie vor. Aber als hätte ich geahnt, daß ich ihn wider Erwarten an diesem Tag nicht mehr lange so gierig und ungeniert begutachten durfte, ließ ich mich diesmal nicht beirren durch sein spöttisch ärgerliches Abwenden. Ich sah zwar zu Boden, aber himmelte ihn an zu meiner Lust! Ja, seinen Mund, seine Blässe, die elastische ... Und Sie hier, wissen Sie, ob ich ihn denn im Zwischenraum überhaupt geliebt hatte? War ich nicht bloß erleichtert, es jetzt, in seiner Gegenwart, wieder zu wissen? Besteht nicht zwischen den Phasen, wo man die Liebe deutlich fühlt, eine Ruhe, ein Nichts, eine leere Stelle, und man rettet sich da nur hindurch mit einem Signalfeuer im Blick, springt mit einem Namen auf den Lippen von Bruchstück zu Bruchstück, allein deshalb gegen die umfließende, reißende Öde der Welt und ihre schauerlichen Bilder gewappnet? Andersherum und nur Sie gefragt: Strahlt die Liebe nicht auch auf die Welt ab, so daß man den, der sie hervorruft, darüber vergessen kann?

Ich fragte Leo, den mit übereinandergeschlagenen Gliedmaßen lehnenden, um nachträglich den Anschein zu erwecken, ich sei wegen dieser Auskunft so eilig gewesen, die chevalereske Umgebung habe mich darauf gebracht, ob er den Film »Ivanhoe« kenne. Sogleich fuhren Arme und Beine in vier Richtungen. Ob er wisse, wie der schwarze Ritter antwortete, als ihm im Turnier gesagt werde, er solle mit seinem Schwert gegen den Schild desjenigen Normannen schlagen, den er zum Zweikampf verlange. »Peng, peng, peng, peng, peng«, rief Leo und hieb fünfmal in die Luft. Er wußte es noch genausogut wie ich! Ivanhoe, die letzte Turnierhoffnung der gedemütigten Engländer, fordert die gesamte Übermacht, alle fünf Franzosen, an ihrer Front entlanggaloppierend, im Übermut der Verzweiflung in die Schranken. Wie ich mußte Leo in einem anderen dunklen Kinoraum damals vor Freude gelacht haben, und jetzt, als uns derselbe Kindheitshimmel überwölbte mit einem Schlag, lachten wir wieder so. Wie die junge Tollkühnheit an sich und in vollkommener Person war Robert Taylor an seinen Feinden vorbeigeritten mit geschwungenem Schwert, obschon er doch bis zu diesem Moment viel zu faltig für die Rolle gewesen war.

Ich lachte, bis ich mein Lachen im Gesicht krustig zu spüren begann. Das war mir einige Zeit, nachdem ich die beiden für immer verloren hatte beim Hauptunglück meines Lebens, oft passiert. Ich hatte gehört, das pure Lachen würde fröhlich machen. Es gab dem Körper und der Seele in ihrer Not das sinnlose Zeichen des Glücks, und er gehorchte allmählich, kuschte, wurde wieder froh. Geduld, Geduld, jetzt kommt etwas Wichtiges, und ich, ich erinnere mich viel besser, wenn Sie zuhören.

Leo war schon wieder weggetaucht. Eine Abneigung, ausgerechnet an diesem Liebestraditionsort so brav pärchenhaft herumzuzockeln? Ich ging einen ganz von Laub überwachsenen Weg, eine von Licht und Schatten gesprenkelte Gasse, weggestemmt das Touristengemurmel, dann kam ein Abhang voll mit wilden Möhren, mit den schwankenden weißen Doldentellern. So uferte der Weg seitlich im Getüpfel der Scheiben aus. Büsche, wie mit Taschenlampen angeleuchtet, schossen aus den Finsternissen, funkelnde Strahlenkränze, gescheckt alles, wo ich hinsah, und dann noch ein halb verwehter Glockenklang, ping, ping, ping, ping, ping, akustisches Getüpfel, wie Flocken drüber hin. Nur das Schloß blieb ausgespart. Aus größerer Nähe kriegte man ja nur einzelne Teile mit, ein paar Fenster mit strengen Brauen, eine aufragende, klagende Wand im Dschungelton.

Sie fragen sich wahrscheinlich schon lange, was ich mir dachte bei meinem Abenteuer. Wie ich mich Zara gegenüber herausreden wollte, ob ich eine Vorstellung von der Zukunft meiner Exkursion mit Leo hatte. Die wilden Möhren, das Mauerwerk, die Lichtsprengsel, Leos plötzlicher Blick aus einer Menge heraus, schön und gut! Das alles interessiert Sie viel weniger? Ich habe keine Ahnung, was ich beabsichtigte. Die Seite war einfach lahmgelegt, taub, blind, unter Narkose. Gewissensbisse wären mir nur gekommen, wenn ich aus Ängstlichkeit oder Ehrgefühl verzichtet hätte. Bei aller Verehrung für die großzügige Zara.

Ich schwebte, schwelgte bedenkenlos, vergaß nach vorn oder hinten zu denken, bis man mich mit einem scharfen Knirschen aufscheuchte. Ich erkannte ihr Gesicht nicht, trotzdem gab es keinen Zweifel. Da drüben ging, als schwarze Rächerin, Sophie vorbei!

Die wilden Möhren bewegten sich sanft, fast singend auf ihren Stengeln. Was wisperten sie? Verhalte dich still, lauf weg, warne Leo? Alles mußte anders sein, als ich bisher annahm. Hatte Sophie mich gesehen, uns beide? Ließ Zara uns schon die ganze Zeit überwachen? Ich verhielt mich still, lief nicht weg, warnte nicht, rührte mich weniger als die Blütenkreise. Unglückskrähe! Die Ruine grüßte mit ausgesuchter Kälte herüber. Das Grün, die Mauern: ausgemergelte Körper. Ich stand. Jemand pickte an mir.

Kein Grünfink war's. Ein kleines Mädchen sagte schüchtern zu sich selbst: »Hallo. Hallo«, hatte das vielleicht schon zehnmal getan, zog an meinem Ellenbogen, in der anderen Hand hielt es ein Eis, sagte mit einem Mund, der von der Schokoladenumhüllung verschmiert war: »Hallo«, zuckte zusammen, als endlich Leben in mich kam. Es tröstete mich sehr, in das Gesichtchen zu sehen, so daß ich mich nieder-beugte, um nicht größer zu sein, gut, meinetwegen: um nicht so allein zu sein da oben bei mir selbst. Vor Aufregung und weil sie sich erinnerte, eben gerannt zu sein, vorsichtig gerannt wegen des Eises, keuchte die Kleine, und nur in Schüben teilte sie mir mit, auf der Brücke über den Schloß-graben warte eine Frau auf mich. Schnell! Schnell! Sie habe auch für mich ein Eis gekauft, so eins wie das hier.

Nicht schlecht ausgedacht von Sophie! Natürlich tat sie es nicht unter einem weniger symbolischen Ort. Dazu das schmelzende Eis als Zeitmesser, nicht schlecht, Sophie! Ich wollte nicht allein sein auf dem Weg dorthin und behaupte-te, ich kennte die Stelle nicht. Doch, sagte das Kind, das wis-se ich schon und auch, wer die Frau sei, und es könne sofort wieder zu den anderen Kindern gehen, denn ich würde jetzt auch ganz bestimmt laufen, damit mein Eis nicht wegtrop-fe. Das habe ihr alles die Frau gesagt.

Sophie saß auf dem Mäuerchen vor dem Brückenhaus. Als sie mich sah, riß sie das Papier vom Eis, ihr eigenes mit den Lippen fest saugend umschließend, und streckte es mir entgegen. Wie zart von ihr, wie bequem! Damit entfiel das Begrüßungszeremoniell. Wir leckten ein Weilchen. Ich über-legte, was ich als erstes sagen sollte: So ein Zufall? Oder: Ist Leo auch herbestellt? Aber verblüffend: Kaum erschien So-phie auf der Bildfläche, herrschte das Gesetz der Theatralik und, eben noch am Boden zerstört, genoß ich jetzt den Pomp der Lage.

Ich glaubte, an Sophies Blick – auf ihrem Kopf lag ein Fetzchen Spinnennetz, ich verriet es ihr aber nicht – oder ih-rer allgemeinen Ausdünstung dreierlei zu bemerken. Eine Art Triumph, uns hier zu erwischen und sich einzumischen und uns einen Strich durch die Rechnung zu machen, einen schweren Vorwurf über meine Schlechtigkeit und eine überschwengliche Befriedigung, ob die nun der hintergangenen Zara galt oder dem Umstand, daß darüber hinaus eine Bresche zwischen das Herrscherpaar geschlagen war, von der, wenn auch nicht auf dem Fuße, sie, Sophie, noch profitieren könne. Sie lutschte und leckte ausgiebig, wie in erotischer Vorfreude übertrieben lustvoll schmatzend.

Und dann, noch bevor wir eine Unterhaltung begonnen hatten, kam Leo von selbst herangeschlendert. Es durchfuhr mich, als er sich so sorglos näherte, die unwillkommene Einsicht, hier die einzig Ahnungslose zu sein. Ich spürte, da Sophies Arm dicht an meinem war, die Straffung. Sie schüttelte mich geradezu ab. Deshalb fiel mir das restliche Eis zu Boden. Sophie beachtete es gar nicht. Ich aber, meine Augen etwas diskreter als sie auf Leo gerichtet, der seinen Schritt nicht im geringsten beschleunigte, begriff etwas in Worten so klar, daß man sie für Zahlen hätte halten können: Was mich so angenehm verwirrte und fesselte, war das, was ich damals, noch ein kleines Mädchen und ohne selbst zu rauchen, an Männern als Zigarettengeruch wahrgenommen hatte, der mich abstieß, wie er Katzen abstößt, die doch in der Nähe bleiben, weil sie von den großen Händen dieser Lebewesen gestreichelt werden wollen. Und so geht es hin und her und gehört schließlich zusammen, und wenn es das nicht mehr ist, ist der Zauber verflogen.

Wie gern hätte ich dieses zaubrisch Fremde jetzt, als er herankam, festgehalten und an und in mich gepreßt. Etwas Weiches, zwischen Schwarz und Weiß bewegte sich eilig über seine Züge und verschwand.

Er blinzelte, reichte Sophie flüchtig die Hand, die aber listig alles Beiläufige unterband, indem sie sich bei der Begrüßung unbedenklich an ihm hochzog und seine Finger umklammerte, bis sie endlich stand. War Leo davon überrascht? Jedenfalls wirkte er keinesfalls verärgert. Er schlug, sobald sie ihn freigab, die Arme übereinander, musterte uns beide. Aha, zwei ihm ergebene Frauen! Es machte ihn um so männlicher und notwendiger. Ich saß noch. Er betrachtete das Eis neben meinen Schuhspitzen und schnitt eine Grimasse. Mein Pech freute ihn. Ob wir drei gemeinsam rüber zum Rondell beim Stückgarten am Westwall gehen wollten, da lasse sich gut schwätzen, zu dem weiten Blick.

Er ging, spielerisch einen Arm um jede von uns legend, in der Mitte, beschwingt. »Zara läßt grüßen?« erkundigte er sich bei Sophie. Die Touristen sammelten sich und trennten uns, aber so, daß Leo und Sophie beisammen blieben. Als ich sie wieder traf, hatte Leo ein Päckchen in der Hand, mit dem er sich gegen seinen trainierten Oberschenkel klopfte. Ich schielte sogleich nach dem Bein. Überprüfte dann Sophie. Sie tat es auch. Machte Leo das mit Absicht, um sich zu mokieren?

Wir ließen Sophie, der wortreich staunenden, beim Bedichten des Panoramas eine Weile freien Lauf und gaben uns hinter ihrem Rücken freundliche Zeichen. »Zitieren Sie ein bißchen, rezitieren Sie! Man erwartet es von Ihnen«, ermunterte Leo sie und verbeugte sich im voraus. Sophie reckte sich auf eigentümliche Weise. Sie schüttelte den schwarz umwallten Oberkörper, drückte die Brüste luftkissenartig heraus zu uns, es galt ja auch, der Trivialität zu entschweben, und atmete tief ein, zum Abstoß von der Erde, sackte dann aber in sich zusammen, schluchzte auf: »Ich kann's ja nicht. Ich genüge dem allen ja nicht.« »Los!« befahl Leo. Da schwang Sophie sich mit markerschütterndem Atemzug auf zur Poesie:

»Und herein in die Berge
Mir die reizende Ferne schien,
Und der Jüngling, der Strom, fort in die Ebene zog,
Traurigfroh, wie das Herz, wenn es, sich selbst zu
schön,
Liebend unterzugehen,
In die Fluten der Zeit sich wirft.«

Wieder der ferne Glockenklang, Ping, ping, ping. Fünf Japaner kicherten um Sophie herum und kreuzten was in ihren Heften an.

»Liebend unterzugehen,
In die Fluten der Zeit sich wirft.«

deklamierte Sophie, ganz arrogante Heroine, noch einmal
für sie, legte dann die Hände auf ihre Brüste und senkte die
Lider, eine Erschöpfte, eine restlos Verausgabte: »Ebne, in
die Ebne zog, nicht Ebene«, klagte sie sich an. »Jetzt einen
Schnaps«, bot ihr Leo zur Belohnung.

Wir tranken mehrere an dem Kiosk gegenüber der Brücke
im Gedränge und waren in Bombenstimmung. Öfter als
sonst berührte mich Leo unauffällig zwischendurch, jetzt, wo
nichts weiter daraus werden konnte, deshalb nur und zu meiner Entschädigung, weil er sich so unverhohlen wohlfühlte
in der größeren Gesellschaft. Ich grollte ihm halbwegs und
zur anderen Hälfte auch mir selbst. Auch ich spürte ja, wie
durch die Gegenwart der irgendwie klammen, in ihren Gefühlen so unentschiedenen, aber davon randvollen Sophie
eine erholsame Windstille eintrat. Wenn Leo, darüber hinaus, wegen Zara nicht beunruhigt war, warum sollte ich's
sein, versuchte ich keß zu denken. Jedoch: War ich am Ende
so unwesentlich für das Paar, daß unser Holunderburg- Zwi-
schenspiel gar nicht zählte? Her mit Kaffee und Schnaps! Da
gab es keine Fragen mehr, nur unsere Mordsstimmung.

»Sie nehmen den Zug um 18 Uhr 06?« fragte Leo aus heiterem Himmel. »Dann sind Sie gegen halb elf in Hamburg.«
Sophies Lippen entgleisten sofort. Sie hatte wohl, nach er-
ledigtem Kurierdienst, auf eine lange, lustige Nacht gerechnet, nickte aber mühsam, tapfer geschäftsmäßig. Wie
fröhlich ich wurde, keine Migräne, keine Kopf-, keine Narbenschmerzen! Wir brachten sie zum Zug. »Grüßen Sie
Zara!« sagte Leo im letzten Moment. Umständehalber hatte
Sophie keine Schuldgefühle ihr oder ihrer Chefin gegenüber
in mir zum Wabern bringen können. Das mochte sie auf der
Rückreise, circa neun Reisestunden an diesem Tag insgesamt, bereuen, winkte uns aber aus der Tür mit schwarzen
Flügeln, lächelnd dankend für den »köstlichen, köstlichen
Tag«, lächelte aufrichtig mit haßerfüllten Augen.

Als ich am Abend auf Leos Bitte ein Hemd aus seinem Koffer nahm, entdeckte ich, daß der Boden mit einer alten Zeitung ausgelegt war. Das Foto der strafverschonten Räuberin taxierte mich aus dem Koffergrund.

Er ging allein weg, im Anzug, das Päckchen unterm Arm. »Wenn schon keine Bordellbesuche mit Kunden, dann wenigstens kleine Bestechungsgeschenke«, erklärte er mir. »Zara möchte – für ihre Sonderzwecke natürlich – eine alte Villa retten. Dazu muß sie sich erst mal gegen die Konkurrenz potentieller Käufer durchsetzen. Das Schicksal will es, daß der Besitzer eine Art Schuhfetischist ist. Ich bringe ihm ein eigentlich unerschwingliches chinesisches Pantöffelchen.« Er zeigte es mir aber nicht. Mit einer solchen Kostbarkeit klopfte er sich gegen die Schenkel? Dann hatte Sophie vermutlich doch, als sie es gebannt beobachtete, nur Angst um den ihr anvertrauten Schachtelinhalt gehabt.

Ich saß an diesem Juniabend allein auf dem Balkon, links Nachtdienst des angestrahlten Schlosses. Vor mir, bis zum Brüstungsgitter hoch, der Holunder, der so plötzlich, von einem Tag auf den anderen, nicht mehr duftete. Kennen Sie das – unser Abend ist ja gottlob noch nicht um –, Anfang Oktober? Wie sich das Rot langsam durch das Grün des wilden Weins frißt, in Flecken, eine schöne Mauser und Räudigkeit, Simulation einer Wärmequelle. Aber das, was mich ganz rasend macht, ist das zunächst schmächtige, als Parole kaum hörbar geflüsterte, sich noch gegen allzu großen Widerstand der grünen Oberflächen kämpfende, hindurchbrennende Gelb! Erster Schein, scheinbarer Sonnenreflex, Anstimmen von etwas, was in einem allseitigen Lodern und Auf-den-Kopf-Stellen enden wird, früheste, kaum erkennbare Annoncierung, vor einigen Tagen noch ein Irrtum, etwas narrte einen, ein Lichtstrahl, eine Strähne, die Anzündung, die einzige in einem großen Baum, erste Feuergarbe, in den Birken unverkennbar. Eine untere, helle Schicht will ans Licht der Oberflächen und ist doch selbst die denkbar größte Helligkeit, langsamer Sonnenaufgang aus dem Inneren der Bäume. Manchmal passiert die Veränderung von einem

Hinweg zu einem Rückweg. Das ist vielleicht das Aufreizendste dabei, daß man glaubt, dabei zuzusehen, es sogar knistern zu hören, wie es raschelnd anschwillt. Diminuendo des Grüns und aufrauschendes Crescendo des Gelbs. Grün: poco a poco più piano, sempre meno forte. Gelb: f, ff, fff. Aber, alles in allem und nur das eigentlich (und warum?), dieses unentrinnbar Kommende und Siegende, unaufhaltsame Aufgehen des Lichts und Lächelns, ist die unweigerliche Bestimmung, bis es nach außen dringt, alle Partien erobert, sich aufpumpt mit Glück, auseinandergleitet, restlos entflammt, dieser Vorgang, gedehnt und doch wie in Zeitraffung, zum Zusehen, daß man rund um die Uhr Wache halten müßte, das immer verzücktere Sirren und Pfeifen in lauter Lust, immer steiler einen Berg hoch (Kennen Sie's?:

> »Alle Sonnen meines Herzens,
> Die Planeten meiner Lust,
> Die Kometen meines Schmerzens ...«

Brentano! Zara hatte ihn mir ja nahegelegt), bis schließlich ein einziger höchster Ton übrigbleibt, und man denkt, er wird von niemandem auf der Welt zu schaffen sein, nicht in Absolutheit, und wartet ängstlich beim vorletzten auf die letzte Steigerung. Warum die vielen Worte? Damit sich das Feuerwerk nicht unter einem einzigen Topfdeckelsatz zur ewigen Ruhe legt.

Aus dem Schloß wuchs ein Laubbaum, eine funkensprühende Buche brach aus Fenstern und Rissen, fraß und verzehrte die Feuerkrusten, explodierte als glühende Kastanie aus der steinernen Schale, ein golden aufgegangener Hefekuchen, die festen Teile auseinanderschiebend. Pünktlich mit dem Erlöschen kam Leo sehr angeheitert zurück. Die Krawatte, verführerisch gelockert, sah aus wie abgenommen und wieder im Dunkeln umgebunden. »Harte Konkurrenz.« Er warf sich aufs Bett, lachte und schlief ein. »Alle mit ein oder zwei Schuhen in der Hand angetrabt!« sagte er noch. »Perplex« oder »Parbleu« oder »Perfekt«.

Am letzten Abend saßen wir in einem italienisch zurecht-gemachten Hinterhof. Leo hielt eine israelische? neuseelän-dische? Feige in der Hand, weiß der Kuckuck, woher sie um diese Zeit kam, und rieb beim Sprechen den blau-grauen Hauch von ihr ab, geistesabwesend, und doch war das, was er sagte, genau darauf abgestimmt, oder das, was er tat, die Illustration. Und ich, ich wünschte mir, ich hätte ein enges Kleid an, das ich mir wie eine Folie, wie eine Haut abreißen würde. Leo sprach von Büchern, was er bis dahin nie getan hatte. Zara ersetze ihm eine ganze Bibliothek. Als ich, sofort eifersüchtig, nachfragen wollte, winkte er ab. Ich konsta-tierte mit Schrecken den zärtlichen Ausdruck in seinen Au-gen. Und nun: Ob nicht in den Romanen ein realer Gegen-stand ausgewickelt würde. Er liege zunächst vor einem, verwackelt, in halb durchsichtiger Umhüllung und Irrefüh-rung. Dann, im Verlauf der Lektüre – wie der Finanzmann nuschelte! – trete er nackt und plastisch hervor. Diese einge-bildete Entkleidung bis zum prallen schieren Dastehen des Objekts – nein, er spreche durchaus nicht von Kriminalro-manen –, das ja tatsächlich immer Fiktion sei, eben nicht echter Hammer, Himmel, Mörder, Hund, die gefalle ihm am meisten. Daß man sich so täuschen lasse! Ob das modern oder veraltet sei, interessiere ihn nicht die Spur. Aber Zara, alles was recht sei, Zara stelle für ihn die leibhaftige Litera-tur dar, erspare ihm das Bücherlesen, und jetzt sei es zehn, und wir müßten hoch zum Schloß.

Vielleicht lag es daran, daß wir diesmal, anders als sonst, von der Stadt aus hochwanderten. Ich hatte das Gefühl, auf unbekannten Wegen zu gehen, oder es rührte schon gleich zu Anfang von der Aufteilung der mächtigen Steinkörper her, nicht nach Masse, sondern allein nach Dunkelheit und Glut. Ein rot finsteres Gitterwerk war ausgelegt, eine zer-brechliche, zittrige Architektur aus Bögen und Balken, nur in der Fläche, die Gewichte alle weggeräumt, abgeschafft, schon am Torhaus, vorbei am Elisabethtor und der Brücke über dem Burggraben und Brunnen: Ich erkannte es nur über Namensnennung wieder und dachte immer, ich würde stolpern, mußte mich an Leo festhalten und schwöre Ihnen, es war kein Vorwand. Kauzig, wie er mich herumführte! Zuvorkommend, im Hellen und Dunkeln ohne die geringste Anzüglichkeit. War ich ein fremder Geschäftsbesuch? Was andererseits nicht verhinderte, daß er mich zweimal, ausdrücklich an beleuchteter Stelle, nicht im dunklen Winkel, an sich preßte, irgendwie an meinem Hals zu horchen schien auch. Ein knochenschmelzender Ruck und ein sachtes Ausgleiten, ich war bereit, die Öffentlichkeit völlig außer acht zu lassen. Das freilich wäre zuviel des Guten gewesen!

Im östlichen Schloßgarten, auf einer der ausgedehnten Parkwiesen, die fleckenweise angestrahlt war wie ein platter Bühnenboden, saßen und lagen, ohne ein Wort zu reden, in Gruppen düstere Gestalten, alle schwarz, von Hut oder Kapuze bis zum Fuß, und manche schritten auf den Wegen auf und ab in Troubadourumhängen. Waren wir in eine Totengedenkstunde geraten? Die malerische Versammlung von Kohlestücken, verkohltem Holz nahm äußerlich keine Notiz von uns, aber die Signale, die sie, bei unbewegten kreideweißen Gesichtern einander mit den Armen gaben – Geister vom Geiste Sophies –, bezogen sie sich warnend auf uns, die Störenfriede und Eindringlinge? Manche wurden auf den Schnittstellen von Licht und Finsternis halbiert. Manche gingen von Gruppe zu Gruppe und standen dann ganz steif, verschwanden auch vollends in der Nacht. Aber man spürte, daß sie nur eben wegtauchten und dort, im Schwarzen, warteten. Warteten sie alle auf eine Ankunft oder ein Entfernen, Entfernen von uns, den Unbefugten? Es konnten Schauspieler sein, eine örtliche Volkshochschule auch, die eine Pantomime einstudierte mit Arbeitslosen oder die Verbrecherring spielte, eine wichtigtuerische Loge, Geheimsekte, keine Farbe erlaubt! Ein Dealer-Kunden-Treffen, bei dem nach außen hin, bei Erscheinen nächtlicher Spaziergänger, längst abgesprochen für solche Fälle, ein schauspielerisches Happening markiert wurde?

Ohne Zweifel waren wir höchst unwillkommen, und wir beide hatten im allgemeinen Atemanhalten aufgehört zu sprechen, eine bedrohliche Anspannung ringsum, die uns den Rückzug sehr dringend ans Herz legte. Wir kehrten um, Leo steigerte unterderhand das Schrittempo in Richtung Schloßhof, wo Leute laut redeten und der jetzt nicht mehr von Kartenkontrolleuren bewacht wurde.

»Zufrieden?« fragte Leo. »Alles Verbrecher, schöne, geschmackvolle Kriminelle.« Er sah dabei zur Seite, aber ich erwischte noch, wie sich das Fleisch unter seinen Augen vor Vergnügen wölbte.

Wieder fühlte ich die Durchsichtigkeit an mir, kein Eindunkeln möglich in Leos Gegenwart, schlimmer noch: Verflüchtigen meiner Inhalte. Übrig blieb: nichts, null. Von der Vorderfassade meines Körpers stieß er, ohne auf überraschende, fesselnde oder gar rätselhafte Hindernisse, Blickfänger zu treffen, zur Rückfront und durch sie hindurch. Ich hätte mich gern mit schweren Backsteinen angefüllt, um ihn beim Durchgang zu stören, zu verblüffen, aufzuschrekken in seiner Geringschätzung. Was war es denn sonst! An diesem Tag hatte er mich zum Beispiel gekränkt durch Unterlassen jeglichen Kommentars, obwohl ich sechsmal vor seinen Augen eine Tablette geschluckt hatte, und am Abend vorher, weil er in einem Gespräch mit der Rezeptionsdame eine plötzlich von ihm an seinem Revers bemerkte hellgrüne Fluse, die sehr offensichtlich von meiner Jacke stammte, schnöde wegschnipste, als hinge Pest und Schwefel daran.

Aber natürlich, vor den rot leuchtenden Mauern, von den Schatten raffiniert zerlegt, zog er mich in seinem lächelnden, kühlen und ein bißchen unkonzentrierten Leichtsinn so schauerlich an. Das Gegenstück zu Specht eben. Ich wollte sagen: leichtsinnige Müdigkeit, in seinem nachlässigen Interesse an mir oder bei seiner Zuneigung zu mir, um ja ein bestimmtes Wort zu schonen! Auch wenn Küster Specht von Religion quasselte, blieb er hysterisch fixiert auf das dingliche Objekt seiner Leidenschaft. Leo aber – und jetzt, in diesem Schloßhof, mit Licht- und Schattenefeu, das auch uns umrankte, alles neu erbaut, neu zerstört, neu ziseliert, neu zersetzt, durchschaute auch ich vielleicht endlich Leo für einen Augenblick –, Leo war nicht aufzuhalten durch die Nichtigkeit der einzelnen Liebesgegenstände, nicht festzunageln in Stoff, Fleisch, Knochen, konnte es sich nicht in diesem Käfig bequem machen und erst recht nicht mit Lust. Nicht, daß er etwas gesucht hätte! Er war bloß einfach nicht zu stoppen im Schwung. Jetzt zündete er sich eine Zigarette an, und ich glaubte es ja auch nur, als wir dort herumgingen als Kunstgestalten, umgewandelte Personen im Beleuchtungs- und Bedeutungsschnitzwerk, auf vorgeschriebenen Linien balancierend, in dieser glimmenden, hinfälligen Architektur aus Lichtungen und Waldesnacht. Ich hatte jedenfalls das Gefühl, auf Trab gebracht durch das immaterielle Bauwerk, aus dem Moos und Fett meiner Person herausgerissen zu werden, indem ich in diesen Sekunden Leo ansah.

Auch Leos Konturen rissen auf. Ich sah etwas, das zu unseren Gestalten in lächerlichem Verhältnis stand, ich meine, wir beiden Figuren wurden, wenn der Blick auf uns zurückkehrte, belanglos, Anhaltspunkte nur, wie ein harmloses Wort, das eine Katastrophe auslöst, wie ein verbranntes Holzstück und die Asche am Rand eines hochbrausenden Feuers. Warten Sie, es dauert nicht mehr lange, zehn Minuten eventuell noch, dann sage ich ohne Umstände Gute Nacht, und Sie haben Frieden bis morgen abend zur gleichen Zeit. Sie werden doch kommen, auch wenn diese Liebesdinge für Sie wohl nur alte Kamellen, alte Kameraden sind? Stellen Sie sich nur vor, Sie sähen ein Stück Felsen, und dann wird eine dazugehörige Story oder Sage erzählt, und dann wieder sehen Sie den Felsen an. Ist es nicht so, daß er schrumpft als Ding, gemessen an der Geschichte, und doch riesenhaft anschwillt?

Dann traten wir auf unserer elektrisch glühenden Baustelle auf den Altan über dem Neckar und der Stadt hinaus, und ich hinterließ nicht nur Flusen, ich zerriß mir meine neue Jacke an der Brüstungsmauer. Sie zog mir Fäden aus dem Gewebe.

Der nationale Sonnenuntergang in Rot und Gold hinter schwarz im Gegenlicht stehenden Türmen war längst vorbei. Hinten, auf Mannheim zu, entschwindende Glutfarben und darunter noch einmal und glänzender im Fluß. Wie in Fortsetzung des Gedankenganges, ein diskreter Knalleffekt, zog mich Leo in einen Lichtkegel und holte aus seiner Jakkentasche, die Fäuste zur Verzögerung erst noch etwas geschlossen haltend, zwei Ohrringe hervor, Bernsteintropfen, Himmelsfarben, die sich eben noch westlich im Wasser gespiegelt hatten. Der eine Ton zwischen tiefstehender Sonne und Tageshelligkeit, der andere zwischen Sonne und Horizontbraun. Dunkelrot und Honiggelb, beide leicht geflammt, durchwölkt. Er habe sie einmal auf dem Danziger Markt gekauft, wo man vor lauter Bernsteinverkäufern nicht geradeaus sehen könne. Nein, nicht für Zara, er zeigte die untere Zahnreihe, für alle Fälle habe er sie gekauft. Ob er sie jetzt bei mir, obschon ich selbst ja Schmuckprofi sei, abladen dürfe, also Eulen nach Athen trage eigentlich. Er wolle die Dinger endlich mal los sein, sie beulten ihm schon lange die Taschen aus. Man könne sich kaum vorstellen, wie dort der Bernstein, übrigens seit 500 Jahren, eine Rolle spiele. Privater Besitz sei aber 300 Jahre lang vom Deutschen Orden, der alles kassiert habe, verboten gewesen. Ich könne sie auch in den Neckar schmeißen, wenn mir danach sei. Ich verstand schon, um Gottes willen runterspielen! Also weiter:

Sie beide, Zara und er, hätten in einem scheußlichen Riesenhotel in Jelitkowska, zwischen Danzig und Zoppot gewohnt, an der Ostsee, der Bau erbarmungslos aus der Horizontale donnernd, ehemals Treffpunkt für Parteibonzen, Führungselite, jetzt im Eiltempo auf westlichen Protz und Wellness zurechtgewurschtelt, was auch einiges Rührende habe. Nicht rührend: Abends im Speisesaal, als die Kellnerinnen und Kellner sich, schon von der Kleidung her, um eine geschliffene, internationale Atmosphäre geradezu desperat bemüht hätten, habe es zwei Tische mit Deutschen gegeben, vermutlich auf Exkursion zu alten Kriegsschauplätzen. Zwischen beiden Tischen ein offener Wettkampf ums Platzhirschgelächter. Dann sei über den Essensresten eine große schwarzrotgoldene Fahne entfaltet und den desillusionierten Kellnern jovial auf die Schulter geklopft worden, zwischen Sopot und Gdansk.

Leo war es, der mich hier rührte. Zum ersten und einzigen Mal. Ich sollte die Ohrringe über seinem Drauflosreden schon wieder vergessen. Aber dann verblüffte er mich mit dem Gegenteil. Zara habe ihn in dieser dicken und filigranen Stadt Danzig ins backsteinrote Nationalmuseum, ein ehemaliges Franziskanerkloster, geschleppt. Ich wisse sicher schon, daß sie, genauso wie für arschordinären Klatsch auch eine Schwäche für Heiligengeschichten habe. Es sei für sie kein Unterschied.

Schon wieder sprach er von Zara! Es fiel ihm ja immer schwerer, sie aus dem Spiel zu lassen! Wollte er mich absichtlich ein bißchen beunruhigen? Da legte er den Arm um meine Hüfte, reizte mich auf und schläferte mich mit derselben Geste ein.

In einem leuchtendblauen Kabinett gebe es dort das berühmte Jüngste Gericht. Richtig! Hans Memling! Zara habe sich gar nicht davon trennen können. In der Mitte halte ein golden geharnischter Ritter mit Flügeln aus Pfauenfedern eine Waage, beladen mit zwei Splitternackten. Der rechte hocke sehr frömmlerisch betend in der Schale auf dem Boden, der andere liege auf dem Rücken und schwebe, da die Schale ja in der Luft hänge, als zu leicht Befundener seinem Verhängnis entgegen. Ein Teufel mit Pfauenfedern am Hinterteil schnappe ihn bereits an den Haaren. Rechts ein gewaltiger Höllensturz, schwarze Lemuren, hochlodernde Flammen. Links der Zug milchig blonder Leiber ins elfenbeinerne Himmelreich. Kneife man die Augen zusammen, habe man die Farben meiner beiden Ohrringe vor sich, das dunkle, schleirige Rot und das neblige Honiggelb. Da ich den Schmuck schon trug, konnte Leo nun meinen Kopf hin- und herbewegen, so daß einmal die Verdammten und einmal die Seligen die Auf- und dann wieder die Absteigenden waren. Die Guten hätten alle so zierliche Nasen wie ich gehabt.

Ich fragte mich natürlich manchmal, ob es nicht nur gewisse Gesten gab, die Leo mir vorenthielt, sondern, umgekehrt, auch ausschließlich für mich reservierte. Eine seiner Eigenheiten war etwa die, stets Teile meines Gesichts zuzudecken, quer und längs. Erst in dieser letzten Nacht fiel mir auf, daß er mit meinem Körper gar nicht anders verfuhr. Nie war ich so vollständig nackt wie die Gerechten und Ungerechten auf dem Danziger Bild.

»Mission erfüllt!« Ja, ich bin sicher, es war: »Mission erfüllt!«, was er mir am Bahnhof noch zurief. Ich mußte zu einer Museumsboutique nach München. Einige Minuten später würde er, über ein, zwei geschäftliche Zwischenstationen, nach Hamburg reisen und Zara eine Erfolgsmitteilung en détail überbringen. Probleme bedrückten ihn vermutlich nicht. Er gab kein rechtes Abschiedsbild ab, wie er dastand, die Schultern hochgezogen, jetzt mit den Händen wieder in beiden Hosentaschen, etwas unausgeschlafen, nicht allzu sorgfältig rasiert (Sie wissen, die geschätzten Dämmerzonen!), ein bißchen an mir vorbeiblickend, weil da eine Sportzeitung auf dem Boden lag, nein, in Augenhöhe mußte was sein, eine Unterwäschenreklame oder ein Zugsignal von einmalig schönem Rot oder Grün. Aber – obschon wir uns danach ja noch oft sahen, und so war es ja auch verabredet und für die Zukunft felsenfest beschlossene Sache – es handelte sich trotzdem um die Generalprobe für eine Serie von Schlußzeichen, und meine Schulter oder mein Fuß, irgend jemand in oder an mir erkannte es und hob es für einen späteren Zeitpunkt treulich auf. Ich hatte jetzt die Haltung Sophies eingenommen, vom Zuginneren nach draußen sehend. Die Seligen und die Verdammten tauschten an meinen Ohrläppchen laufend ihre Positionen. »Mission erfüllt!« rief Leo und sah mir erst direkt in die Augen, als der Zug anfuhr. Viel zu ernst. Es entzückte mich. Warum nur so ernst? Es erschreckte mich.

Bis morgen! Lassen Sie mich ja nicht im Stich!

6. Abend

Was mir damals, bei der Fahrt nach München und zurück nach Hamburg, am meisten aufgefallen ist? Die Liebespaare auf den Bahnsteigen. Das leuchtet Ihnen sofort ein! Vier Beine, vier Arme. Alle in langes Küssen verfallen. Ankunftsküssen, Abschiedsküssen. Den Männern sah man die sexuelle Vorfreude, den Mädchen die sexuellen Nachwehen deutlicher an. Vor ein paar Monaten hatten sie sich noch nicht derartig geküßt, in ein paar Monaten würden sie es so nicht mehr tun, nicht so fanatisch, so bahnsteig- und gepäckvergessen. Daß denen von Stadt zu Stadt nie eine Variation einfiel! Jedesmal drückten sie ihre wildesten persönlichen Bedürfnisse aus. In Wellen lief die kollektive Begierde durch sie hindurch. Ein trügerisches – ich weiß nicht –, geheimnisloses Gestikulieren, Fuchteln der Biologie. Sagen Sie doch selbst!

Kein Rücken, kein einziger, wie der, den ich noch vor kurzem berührt hatte. Mißgünstig war ich nicht, aber froh, daß wir, Leo und ich, lakonischer auf räumliche Distanz gegangen waren.

In der Nähe von Celle fuhr eine andere kollektive Woge durch die Zuginsassen. Wir passierten eine Stelle, wo sich vor kurzem ein schreckliches Zugunglück ereignet hatte, bei dem in wenigen Sekunden viele Tote aus Lebendigen erzeugt wurden, Entschuldigung, eine verrutschte Formulierung, mir kam gerade der Gedanke, was für ein Theater, und zwar zu Recht wiederum in gewisser Weise, um diese paar Leute im Vergleich zu den geläufigen asiatischen, mittelamerikanischen Riesenkatastrophen. Wir können nicht anders, noch nicht, würde Specht sagen, kommt alles aber noch, dann lachen wir auf dem Friedhof mit den Toten noch lauter über die Nichtigkeit der Welt. Ich stellte mir streng genommen nicht den Schauplatz mit den dargebrachten Opfern vor, eher die einzelnen Todesnachrichten, wie sie von hier aus, wo alles beisammen war, in die verschiedenen Orte und Häuser sich zerstreuten, wie sie auf die einzelnen Familien stießen, die gemeint waren, explodierende Feuerwerkskörper, so sah ich es vor mir, und wie immer plötzlich dort Entsetzen beim Auftreffen entstand, jedes extra für sich. Ein Vater stritt bis kurz vor der Handgreiflichkeit mit seinem Sohn über die Zahl der Toten.

Haben sie schon einmal von dem Kanadischen Uhu und der Taschenratte gehört? Er nimmt auch die unter der Erde verborgene Beute wahr mit feinsten Ohren und ergreift sie bis zu 5 cm unter dem Erdboden! Wissen Sie das schon, wie das Verhängnis scharfkrallig über die Ratte hereinbricht, während sie läuft in ihrem dunklen Gang und sich sicher wähnt, wie es durch die Mauern ihres Hauses bricht und sie aufspürt ohne Vertun, sie, die Taschenratte, aus allen anderen heraus packt und zerhackt? In den Rocky Mountains?

Auch die Hüften, wenn Leo die Hände ohne Bedenken seitlich in die Hosentaschen steckte: Man wurde vom puren Anschauen auf den schärfsten Ton gestimmt.

Ich selbst übrigens habe immer gewünscht, wenigstens die Hälfte meines Lebens zu verstecken, ständig muß ein Teil im Dunkeln sein, sonst fühle ich mich nicht wohl. Zu hell, zu hell. Insofern störte mich das Nicht-Offizielle unserer Liebschaft überhaupt nicht. Aber jetzt, auf dem Weg nach Hamburg, wurde ich da vielleicht von Zara, die mich hatte beobachten lassen, von ihrem Froschmaul, nein, Fischmaul und den Froschaugen gegriffen, aus meinem Verschlag heraus?

Es regnete während der gesamten Fahrt. Ein Uhu war mir eingefallen, dann auch noch eine Schleiereule, fünf, sechs junge Schleiereulen, noch Nestlinge in verschiedenen Größen, wie im Overall aus dem Bett gesprungen, so zerzaust. Sie standen nebeneinander hinter einer Glaswand, die man wegen der Filmaufnahmen vor das Nest montiert hatte. Sie beobachteten einen von außen dagegengeflogenen Nachtfalter mit Neugier und Grauen, rückten die Köpfe rauf und runter, warfen sie fassungslos rechts- und linksherum, vor und zurück, aneinandergepreßt, das viel kleinere, unverständliche Monstrum studierend. Vielleicht irre ich mich an diesem Punkt, aber mir ist so, als hätte ich damals gefürchtet, ich könnte diese Motte, oder was es eben war, unter Zaras vieläugigen Spionen abgeben. Nicht logisch?

Dann, wie wäre es denn damit: Wir alle stellten die unerfahrenen Greife dar, ja, so geht es, alle Beteiligten als junge, uraltgesichtige Schleiereulen. Was wir beäugten, jetzt weiß ich es, war das Verhängnis hinter der Glaswand. Wir begriffen es aber nicht. – Und nun sind Sie, Sie hier, die Wißbegierige! Zieht doch verläßlich, der faule Trick.

In S- und U-Bahnen überfällt die Leute, die eben noch lebhaft in der Außenluft zugange waren, sofort eine Starre, in allen Städten ist es so. Sie stellen sich für den kurzen Transportzeitraum in der Enge einfach tot, um sich nicht an die Gurgel zu gehen. In den Fernzügen werden Zeitungen, Butterbrote hervorgeholt, Gespräche angefangen. Leos schöner, unbeugsamer – man dachte unweigerlich: unbeugsamer – Säulenhals! Man dachte: Er läßt ihn sich eher abschlagen, als ihn zu beugen, genauer: Er wird ihn nur beugen, um ihn sich abschlagen zu lassen. Wie er aus den Schultermuskeln herausgebaut war, ein bißchen protzig-proletenhaft, während draußen dicht an der Scheibe in Gräue die Heidelandschaft vorüberflog, hinten trudelte, in leisen Kreisbewegungen mit naher Stimmenbegleitung.

War nur die Kühltruhe, ohne daß man es bemerkt hatte, kaputt? Alles mußte im Galopp gegessen werden. Ein paar Tage Schlaraffenland, auch für Hund und Katze notgedrungen. »Meine Lammsteaks, die Rinderfilets, der Lachs, die Hummerschwänze, alles auf einen Schlag aufgetaut. Haben wir gut gelebt! Aber dann wurde uns übel davon.« So vollgestopft der Delikatessenbauch? »Tolle Rezepte im Eilverfahren mit Safran, Thymian, Knoblauch, Rosmarin, Champagnersauce, Samtsauce, Estragon. Italienischer Essig, englischer Senf. Irgendwann kommt man um.«

Schon am nächsten Tag, in Altona, sah ich auf einen hochbeladenen Einkaufswagen, waghalsig vollgepackt. Ein kleiner Türkenjunge bewachte ihn. Womöglich waren alle Grundlebensmittel wenigstens einmal in der Masse der Eßsachen vertreten? Der Junge stand da mit seinen orientalischen Augen und ließ keinen Blick von der überbordenden Zusammenkunft von Wurst und Waschpulver, Bohnen im Glas und Badeschuhen, vor allem natürlich Klorollen und Windeln. Ein Hund fabrizierte eine Pfütze daneben, eine alte Frau schob ihren Kinderwagen mit dem gesamten Hausstand darinnen zum Vergleich neben den Karren, zwei Bierdosen rollten im Plauderton vorüber.

»Die oben pfriemelt an ihren Anhängern rum, und wir haben den Scheiß vor der Nase.« Das hatte ich morgens durch die offene Balkontür gehört. Außerdem ein neues Geräusch. In meiner Abwesenheit waren in Hausnähe Abfallcontainer installiert worden, Sie wissen, Weißglas, Grünglas, Braunglas, was hinterher wieder alles zusammengeschüttet wird. Jede Farbe macht den gleichen Krach. Ich war davon geweckt worden, hatte deshalb zunächst nicht meine Umgebung erkannt, mußte dann aber, noch aus älteren Beständen, meine »gepfriemelten Anhänger« zu einem treuen Kunden bringen, ein Teeladen in Altona, wo man meinen Schmuck zwischen Teesorten und Teezubehör, ohne große Verkaufschancen ausstellte.

Ein ausgesprochen häßliches Ding, aber billig in der Miete. Drei Tischchen, an den kahlen Wänden, gegen die Ungemütlichkeit locker gestreut, Gestecke aus Plastikblumen, als hätte man ein modernes Grab geschändet. Den Schmuck tauschte ich nur hin und wieder aus, verkauft wurde, unter uns, überhaupt nicht. Man tat nur so. Ich hätte gern Schluß gemacht, wollte aber das junges Inhaberpärchen nicht kränken. Sie waren schon als Kneipiers, Floristen, vielleicht auch Drogisten gescheitert. Manchmal hasse ich den ganzen Trödel, haßte den Ramsch auch damals, angesichts des

Vitziliputzli an den Wänden, alles für den Müllcontainer. Weg damit! Haben Sie im Neuen Palais in Potsdam die Mineraliensammlung, die an den Innenseiten in die Mauern eingearbeitet ist, gesehen? Diese Brocken aus Quarz und Malachit, zusammengepreßt in ein Rechteck und tafelartig in die Wände eingelassen, das Ganze ein Grottenprunksaal, teilweise aus Idar-Oberstein? Die liefern an Profis und Laien ihre bunten Steine bis auf den heutigen Tag, im Namen der Verschönerung, der Pracht, der Poesie. Meist kommt nur Stuß dabei heraus.

Ich trat aus dem Laden, noch etwas benommen von dem Plunder und den Jasmintees, sah den Jungen mit dem bombastischen Einkaufswagen, mit all dem Essenskrempel, den schnurstracks seine große Familie wegfuttern würde, und schon mußte alles nachgehamstert werden bis in alle Ewigkeit. Da entdeckte ich Leo! Ich hatte bei meiner Ankunft ein Kärtchen vorgefunden, Inhalt bleibt mein Geheimnis, aber keinen Hinweis auf ein Treffen hier. Nein, doch nicht Leo! Wünschte ich ihn so sehr herbei? Er war es aber doch, war doch Leo, trat eine Zigarette aus, diese unbegreiflich charakteristische schlitzohrige Müdigkeit und Konstellation von Augen, Nase, Mund unter dem aus der Stirn gekämmten Haar, ein Schlendern, etwas Müßiggängerisches und Wachsames, vor allem seitlich die Welt Observierendes: war Leo und trat gerade seine Zigarette aus.

Er kam mir entgegen, erkannte mich, zog die Brauen hoch, lächelte bei etwas vorgeschobenen Lippen, schien nicht verblüfft, vielmehr ein bißchen – – resigniert zu sein. Nein, ergeben? Sich fügend, fatalistisch sich fügend in die Schicksalsmacht der Zufälle, ein Seufzen und Achselzucken nicht auszuschließen. So schnell, so schnell ein Wiedersehen? Er blieb stehen und sah mir bei der Annäherung nicht zu, beobachtete absichtlich etwas anderes. Eine Situation, die ich danach noch oft erlebte. Während mein Herz hämmerte und sich zusammenzog und ich jeden Schritt von mir hörte als einziges Zeitmaß der Welt, stand Leo, ohne sich zu rühren, angewurzelt, schlug die Arme vor der Brust übereinander, einem Unsichtbaren lauschend, der neben ihm auf ihn einsprach. Er wirkte nicht etwa schläfrig oder gleichgültig, das nicht. Ich hatte im Grunde den Eindruck, ja, ich fühlte es doch genau, daß er mich sehr wohl beobachtete, daß ihm nichts entging, obschon ich nicht weiß, wie er das schaffte.

Wissen Sie, was aber das Verrückteste ist? Er hatte ein Feixen im Gesicht, nur eine kleine Sache zwischen den Mundwinkeln und irgendwas unter den Augen, das mir den »Zufall« (»Was ein Zufall!« hatten wir beide gesagt) in die Schuhe schob. Er grinste so leichthin, ich glaubte plötzlich selbst daran und kam mir ertappt vor. Dabei wußten wir beide, es konnte gar nicht sein. Er hielt sich einfach an die Unterstellung, trotz der Tatsache eines unvermittelten Entschlusses seinerseits, vor einer Stunde gefaßt und dann ausgeführt, hier einen Geschäftsfreund zu besuchen. Vielleicht führte mich auch sein Gesichtsschnitt in die Irre, nur dieses Signal, das etwas völlig Entgegengesetztes bedeutete?

Ich ging neben Leo in der Menge. In den Betonquadraten steckten die Papptabletts von Würstchen und Fritten. Sie hatten sich zwischen Blumen und Grünzeug verfangen. Die Abfallkörbe waren nur noch ungefähre Zentren des generellen Unrats. Insgesamt eine große Entgeisterung schon zu vormittäglicher Stunde in fast allen Mienen. Aber ich sah nicht genau hin, ich nahm nur die Körper wahr, die sich manchmal an uns drängten und uns trennten, denn Leo und ich, wir berührten uns nicht. Wir gingen lediglich ein Stück gemeinsam, gingen locker und ließen uns die anderen entgegentraben als Gegenstände oder allenfalls Nebenfiguren, keine Gestalt, kein Gang so erfreut federnd, sinnlos voranschreitend wie wir, so, könnte man sagen, einen knappen grandiosen Ausflug in die Ferne, in das lachende Glück machend, wir beide, auf diesem Stück Fußgängerzone, in der alles Frühsommerliche längst im Staub unter einer allgemeinen Abgedroschenheit untergegangen war. Man freute sich hier höchstens noch über ein Paar billig erstandener Turnschuhe, riß den Preis ab und schlurfte gleich

damit los, trat schon bald in ein am Boden liegendes Eis-
hörnchen, es konnte auch schlimmer kommen.

Leo flüsterte. Was sagte er? Ich hörte der Stimme zu, die
einen permanent in Angst hielt, sie würde gleich schweigen,
man würde dieses verschwörerische, zerstreute Genuschel
nicht mehr spüren am Leibe, der sich ja schon wohlig zu rä-
keln begann im Gehen, auf der Straße, im geschickten Ausweichen vor Betrunkenen, Kampfhunden und gewaltigen
türkischen Müttern.

Da, die Verzögerung in seinem Sprechen, als wäre die
Zunge dicker geworden oder der Gaumen betäubt. Nicht
unbedingt ein Lallen, aber ich erinnerte mich sofort an die
Bedeutung, Haut und Kopf identifizierten das Symptom,
das Gehirn starb vorübergehend ab, und mir gelang noch
gerade, einen Seufzer zu unterdrücken. Ich ging in Freude,
ja, ich ging in einem Gehäuse und Kokon, ging in einem
Wasserfall, der mich perlend panzerte gegen das Taumeln
und Rempeln der Überdrüssigen, der welkend die Waren be-
starrenden Passantenmassen. Ich stampfte ein wenig mit
den Absätzen auf, wir liefen beinahe, ohne Verabredung.
Wohin? Nur die Straße rauf und runter.

Dann schwenkte Leo mich in einen schmalen Durchgang
und küßte mich blitzschnell unterhalb des rechten, ich
glaube, des rechten Ohres. Er biß dort kurz in meinen Hals.
Ich wurde rot vor Schmerz.

Schon marschierten wir aber, locker schwingend nebeneinander, das Blut verteilte sich wieder anständig, an einem
Apothekenschaufenster voller Heilpflanzen vorüber. Ich
sehe noch jetzt die gelbe Arnikasonne, gerade hervorge-
schossen, um die kleine Wunde zwischen Ohr und Schulter
zu heilen, die aber doch nicht und am besten niemals aufhören sollte, weh zu tun.

Ein vorzeitiges, ungeplantes Treffen! Ich konnte meist
meine Zeit frei einteilen und zur Verfügung stellen. Leo wurde erwartet von irgend jemandem in ernster, geschäftlicher
Weise. Die klassische Lage zwischen uns. Aber keine Angst!
Als ich es begriff, sorgte ich dafür, nicht ständig mit termin-

leeren Händen als die Dumme dazustehen. Schon bei der Fahrt von Heidelberg nach München hatte ich gemogelt. Ich war ja keine durch und durch blutige Anfängerin mehr. Ein Zufallstreffen also, glauben Sie mir! Kaum stattgefunden, schon vorbei. Noch aalte ich mich unversehens in lauter Honig und Butter, hatte ein dickes Fell gegen das Unglück der Welt und: Um war die Zeit!

Ist nicht das Schöne bei der Liebe, daß man sich überhaupt keine Gedanken machen muß, wie man sein Entbranntsein ausdrücken soll? Man wird dirigiert und gehorcht der unumschränkt regierenden Empfindung. Kein Zaudern, kein Wählen, kein Abwägen. Ach, von wegen! Ich spürte Leo auf der Zunge. Er ging neben mir, und ich schmeckte ihn ohne den geringsten Körperkontakt. Das kaum ahnbare Schürfen, das Heisere, Rauhreifartige der Stimme – ich dachte auch immer an Kartoffelfeuer dabei, an die Glutflecken in der Dunkelheit –, es zerlegte mich in winzige Kügelchen. Nichts war mir lieber als dieser angedeutete Vernichtungsprozeß.

Aber dann das Weggehen! Ich haßte ihn jedesmal in diesem Augenblick. Man (ich) nahm ihm übel, daß er sich entfernte von mir. Ein unverzeihlicher Fehltritt. Außerdem war sträflich die Art, wie er es tat. Mit schlenkernden Schritten, als schüttelte er einen Plagegeist ab. So legte man es sich in mir aus. Der befreite Leo sagte sich vermutlich bloß: Was soll man machen, macht nichts. Wäre er doch gestolpert, wäre ihm doch der allzu fröhliche Fuß einmal lächerlich umgeknickt! Nicht schlecht: Leo als Hinkender! Und wissen Sie was? Es hätte ihn wahrscheinlich nicht schlecht gekleidet.

Unmöglich, das Voreilige, Vorwegnehmende dieser Geste zu übersehen: Da ging er, beschwingt, davon, und ich kuckte konsterniert aus der Wäsche und vollführte, ebenfalls geschwind, ein paar Schritte zum Schein und um von der verfluchten Stelle wegzukommen. Dann drehte ich mich um. Wenn ich Glück hatte, konnte ich mir ein kurzes Winken einbilden. Plötzlich sah ich mich selbst im üblichen Abschiedsbild. Ich wurde einfach so zurechtgelegt von den Umständen und der Überlieferung, in eine steinalte Form gegossen. Unser Winken wirkte deshalb viel dramatischer, endgültiger als von uns beabsichtigt und gestattet. Ob er es deshalb meist unterließ? Um nicht erpreßt zu werden von der eigenen Armbewegung?

Die Passanten nahmen mich auf, schubsten mich zurecht auf das übliche Tempo, ein Knuffen in die Seite, ein Tritt auf den Fuß, ganz gutmütig, einfach das Reglement, eine schwere Tasche in die Kniekehle, Waschpulvergeruch aus den Dromärkten, aufwühlend und einlullend zusammen, Fritten und Parfüm aus kostenlosen Zerstäubern, aufgeteilt ursprünglich nach weiblichem und männlichem Duft.

Junge, grün- und weißhaarige Mütter trugen ihre Säuglinge mit dem Bauch zu ihren Brüsten, die Köpfchen an ihre bleichen Gesichter gelehnt, eine Hand fürs Kind, eine für die Zigarette oder Bierdose. Zu früher Stunde viele Betrunkene in Rudeln, Männer mit ihren bösgemachten Hunden. Die burgartigen Türkinnen wichen ihnen nicht aus, wiegten sich auf schweren Füßen durch die Gruppen hindurch. Man nahm keine Notiz voneinander. Man wollte hier bloß stehen und die Zeit verstreichen lassen oder nach Hause hasten. Manche natürlich reflektierten auf die reduzierten Turnschuhe und die Zwanzigerpacks von Klorollen oder auf eine Zigarette, an einem Mäuerchen neben einer Berberitze und einem gelben Hundehäufchen mit philosophischen Kleingedanken still oder der Welt Geistesblitze verkündend, auf eine Zigarette oder ein halbes Päckchen und nebenbei die Hand aufhaltend, mal sehen, was reinfiel, und nichts als an- und zuenderauchend.

Vor einiger Zeit war ich in der Oper. So schön Poppea dort sang und so amoralisch sie funkelte, ich mußte doch unentwegt über den Namen eines Tagesschausprechers grübeln, Wickert hieß er wohl. Leos Bild zerstreute sich unter den vielen Leuten, die mich nicht in Ruhe ließen durch ihre Anwesenheit. Erst als ich das Altonaer Rathaus sah, kreideweiß mit schwarzen Fenstern, zebuhaft aus der Ferne und Nähe, als ich auf die Elbe schon zuging, den Bahnhof längst in meinem Rücken, da sammelte sich wieder alles, und Leo erstand und formulierte sich, und nichts anderes war da, nur noch außerdem das tropen- und nonnenweiße Rathaus und dann das Schild, zwischen Gebäude und Chaussee, auf dem zu lesen ist, mit dem Pfeil nach links, untereinander:

Fischereihafen

Englandfähre

Warum nicht auf den Altonaer Balkon treten und etwas über das Elbwasser hinweg und schräg in die Richtung des Alten Landes sehen? Ich käme ja so oder so früh genug in meine Wohnung zurück.

Ein Stück flußabwärts gibt es ein Restaurant, in das mich später Leo und Zara eingeladen haben. Ich glaube, ich aß Zander auf Sauerkraut oder umgekehrt. Serviert wird auf durchsichtigen Tellern mit sich ringelnden Frauen darunter in Jugendstilmanier, wie unter gefrorenen Seen. Man schneidet, was zu schneiden ist, über ihren nackten Klimtbrüsten entzwei. Auch schob man zwangsläufig sein Essen hin und her auf den Gesichtern, Haaren und Brustwarzen dieser aufgedruckten Mädchen. Ob Zara, die mich beobachtete, erriet, was ich dachte, nämlich wie Leo Teile des Körpers abdeckte und an anderer Stelle entblößte?

Damals aber, mit Blick auf die klimpernden Wellen und den leeren Himmel über dem Wasser, stand Leo wieder intakt nach dem Gedränge vor mir. Sie verstehen: »Die Krönung der Poppea« ohne Tagesschausprecher. Von oben herab lächelte ich dem Fischereihafen zu.

Was sollte ich groß an die Zukunft denken? Ich hielt mich an meine kleine Wunde unter dem Ohrläppchen und hegte sie auf dem Weg nach Hause, auf der langen Busfahrt, eine untrügliche Trophäe heißer Gegenliebe, oder was meinen Sie? Als sie nicht mehr schmerzte, hab ich mit dem Fingernagel nachgeholfen. So reichte es bis zur Wohnungstür.

Specht mußte hinter dem Glascontainer auf mich gewartet haben. Ich konnte kaum die Fenster öffnen, da läutete er in einem geheimnistuerischen Rhythmus von Klingelzeichen. Stellen Sie sich nur vor, es wäre noch einmal Leo gewesen! Stellte ich es mir vor? Ja, glaubte aber selbst kaum daran. Jetzt aber: die beschlagene Brille, im Nebel die Teichaugen, die verzweifelten Haare, vielleicht nur verschwitzt, die verkniffenen, zitternder. Lippen. Specht eben! Specht mit einem Strauß Rosen, gelb mit einer einzigen roten. Eidotter mit Hahnentritt. War das so konzipiert von ihm? Er haute mir mit seinem Bittstellerstrauß beinahe ins Gesicht, so donnerte er ihn mir, um mich mundtot zu machen, um mir jeden Widerstand zu rauben, entgegen, wobei er sich schon demütig entschuldigte für seine Holunderburger Post. Sophie habe ihn informiert und geradezu aufgehetzt. Er wisse nicht mehr, was über ihn gekommen sei (ich aber!), sich so in meine Privatangelegenheiten einzumischen.

Allein wie er hintenrum höhnisch das Wort »Privatangelegenheiten« aussprach! Aber ich verzieh ihm ja, kein einziges Wort zu der Sache meinerseits, ich hatte, offen gestanden, den Vorfall schon vergessen. Er jedoch mußte wohl darüber gebrütet und sich sehr damit gequält haben. Ich bot ihm den frisch eingekauften Tee an. Sollte er noch ein Weilchen, sich tröstend, die Blicke schweifen lassen auf der Suche nach bedenklichen Spuren. Beim Teeaufgießen berührte ich eine kleine Unregelmäßigkeit unter meinem Ohr und fragte mich, ob man es wohl sehen könne, ging aber nicht extra zum Spiegel, zweifach spannungssteigernden Aufschubs wegen: Ob es überhaupt was zu entdecken gab und ob Specht was mitkriegte davon?

Die Verbindung zu seinem Sohn werde immer schwieriger. Kein Wunder! hätte ich beinahe gesagt. Mit dem hatte er mich schon einmal weich stimmen wollen. Leichtsinnigerweise gestattete ich mir statt dessen eine Sentimentalität: »Immerhin hast du ein Kind, ein lebendiges!« Da kannte Specht kein Halten mehr, wollte mich, aufspringend, an seine Brust drücken. Ich wich ihm mit einer Hüftbewegung aus, die selbst mir in ihrer schlinggewächsartigen Gewandtheit zusagte. Sofort änderte sich Spechts Anteilnahme. Etwas fettig Lungerndes löste die Vatersorge im Handumdrehen ab. »Maria«, sagte er beklommen, ich hörte wohl das Beben. Aber Sie, hätten Sie denn einen Rat gewußt? Ich bedauerte ihn, er stieß mich ab, mich rührte seine Treue, er amüsierte mich manchmal. Was sollte ich denn tun? Womit hatte ich solche Zuneigung verdient? Warum machte mich dieser schwärmerische Ausdruck in den fromm lüsternen Augen so wütend? Nein, nicht wütend, höchstens sehr vorübergehend nur. Das richtige Wort ist: verdrießlich, griesgrämig. Specht suchte nach Gesprächsstoff. Er trank seinen Tee äußerst bedächtig, wollte bleiben, auf Gelegenheiten spitzen. Dann hatte er was!

Zum Sterben sei es, zum Schlußmachen im Grunde mit dem Leben. Ich solle zum Beispiel die endlosen Mietshauszeilen nehmen, wenn man kreuz und quer durch Hamburg fahre. Jeder von den Einwohnern habe ein Recht auf ein Hähnchen vom Grill und aufs Klogehen, auf eine letzte Ruhestatt und auf wenigstens einmal große Liebe pro Leben. Kilometerlang und hoch aufgestockt die Anwärter, vom Hosentrompeter bis zum Gruftaspiranten. Das Bild interessierte mich. Ich setzte mich hin und hörte ihm gut zu, sollte er also ausholen zu seinen Tiraden!

»Und nicht zu vergessen ihr Anspruch auf die touristischen Sehenswürdigkeiten der ganzen Welt! Ihr rechtmäßiges Umherkrebsen auf Ruinen und Bergspitzen usw. Ich denke besonders auch an Schloßbesichtigungen.« Ich war zu träge glücklich, um ihn wegen dieser Bosheit zu unterbrechen. Verdammt wenig kleinlaut schon wieder, dieser Prediger! Sollte er schwafeln. Wurde es zu bunt, flöge er raus.

»Was kommt dabei heraus? Prunksäle, Luxuskabinette, die Terrassen und Gemäldesammlungen: Was haben die Besucherschlangen davon? Von ihrem tollen Recht? Nichts als die dösigen Litaneien von Fakten, Zahlen, Maßen, Inhaltsangaben. Und höllisch zufrieden sind die Dussel damit, nichts fehlt ihnen. Das sind genau die Pommes, die sie für den Halbschlaf brauchen, vom Fremdenführer verabreicht. Der Nachbar, der Vordermann, der Hintermann frißt ja, Augen zu, wenn's erlaubt ist, dasselbe.«

»Was soll man beseitigen, die Schlösser oder die Touristen?«

»Diese Palais und Lustgebäude, Vergoldung, Ornament …«

»Marmorböden, Damasttapeten, Kronleuchter, jawohl Kronleuchter!«

»… eine Blasphemie, Lästerung des ohnehin scheußlichen Weltlaufs. Nämlich zum Scheitern verurteilte Glücksvisionen vom vollkommenen Dasein ohne Schmerzen, Kummer, Verdauungskomplikation. So wie das Elend der Ärmeren verdrängt wurde, so auch alle schattigen Stoffwechselbereiche der Existenz. Wahnsinnige Hypertrophien, Schaumschlägerei, Pappe, Gips.«

»Ah, ah, ah«, rief ich, um ihn zu provozieren und zu bestrafen, »diese Bögen und Lauben, Schönheits- und Paradiesarchitekturen, gebaut für einen kurzen Lebensrausch, aber dann den Touristen nach Jahrhunderten und jahrhundertelang gezeigt als Gehäuse der Leidenschaft, wie in den Opern, schön wie die Tiere, wie Zaras funkelnde Vögel, in deren Gestalt unsere Emphase einströmen kann, in denen sie erstarrt und sich wieder verflüchtigt!«

»Klar, alles gegen Eintritt neben dem Würstchenstand!« Specht fixierte mich argwöhnisch. Er hatte sich keine Frage nach Leo erlaubt, aber er erriet, worauf er mein Feuer zurückzuführen hatte.

»Abbilder, Idole des Glücks, der Sehnsucht, ja Monstranzen, zu denen man durch Zimmerfluchten hinfliegt, durch die sich steigernden Säle in Licht und Gold. Erst jetzt, wo überall die Touristen hindurch- und entlangfluten, sind sie an ihrem Ziel und Endzweck angelangt. Wahrhafte Inbilder, betastbare Höhepunkte, erstarrte Arien, gegenständliche Höhepunkte, seid gesegnet! Nur scheinbar ohne Rücksicht auf Menschenmassen in Not und auf Unglücke. Für die Besucher, die Schaulustigen, die Unbefugten in den königlichen Schlafgemächern sind sie in Wirklichkeit erbaut, nicht für den gekrönten Ludwig und seine Vettern. Die sind nur Vorwände, Alibis, rohe Anlässe, Strohmänner.«

Specht rieb heftig seine Brillengläser, sein Tick. Er schwankte, ob er sich über meine Erhitzung lustig machen oder die Gelegenheit beim Schopfe packen sollte. In beiden Fällen wäre er rausgeflogen. Das fürchtete er. So rieb er. Und kämpfte mit sich dabei. Ach, ich verdiente ihn nicht, weder seine Verehrung noch seine Belästigungen.

»Das Jungfraujoch, die Schnee-, Eis-, Gletscherlandschaft benutzen sie jetzt für Modefotos, schleppen Kameras, Models, Edelpelze 3500 Meter hoch, das anspruchsvollste, gefräßigste, nichtswürdigste aller Lebewesen, Atomtests zujauchzend die krepierende Bevölkerung Pakistans, hinter Musiklastwagen superindividuell besoffen hertanzend an anderer Stelle, gehorsame Herden überall. Das Wort ›Menschen‹, von Regierungssprechern und Nachrichtenmiezen tremolierend ausgesprochen, als zählten sie was, wenn sie Katastrophenopfer sind oder wie, wieso …«

Er verhaspelte sich. Wollte er noch einmal, mit letzter, hinter den Brillengläsern verdampfender Kraft, die großen Bevölkerungsströme per Idee in ein Weltbild von eigener Hand einbauen? Sechs Milliarden? Wie er kämpfte und den Zusammenhang verlor! Er starrte in die Ferne in großer Besessenheit, ein Ingenieur auch er jetzt offenbar, inspiriert zu einem Konstruktionsgesetz der Welt. Schon liefen, wenn auch noch nicht in Worte zu fassen, alle Phänomene wie geschmiert, Wolf Specht, Küster, Autodidakt, Menschenhasser und Menschenfreund, halb Entdecker und halb Erfinder der Gegenwartsformel, der unnennbaren? Selbst das Grauen mußte doch schließlich in die Helligkeit einer Ordnung zu rücken und zu retten sein bzw. zu vernichten. Da war aber gar nichts. Er träumte stumm und transpirierend vor sich hin.

Endlich begriff der konfuse Weltenrichter meine Zeichen. Ich wollte, daß er sich verdrückte, zurückzöge. Als er vor mir stand, legte ich zu meinem Schrecken die Hände um sein armes Gesicht. So tat ich es auch bei einer alten Frau in der Nachbarschaft, die ich wöchentlich besuchte in ihrer Einsamkeit. Ich spürte, wie er schneller, zu einem Schluchzen ausholend, atmete. Wie bei ihr dieser kaum noch zu bändigende Drang, sich auszuweinen, anzuklammern in einem Verlangen, das ich weder verstand noch erfüllen wollte. Da sagte ich in das zuckende Specht-Gesicht: »Finanziell alles in Ordnung?«

Taktlos, aber Notwehr. Er fuhr zusammen, geweckt, kalt geduscht. Um ein Haar hätte ich ihn ja fest in meine Arme genommen. Aber bestreiten Sie etwa mein Recht, ihn zu verabscheuen, wo er mir so dicht auf den Fersen war, jederzeit pünktlich bereit, meine erotische Hochgestimmtheit zu zerstören? Mußte ich mich nicht wappnen? Sie wissen es doch auch nicht besser als ich!

Von der kleinen Wunde sah man im Spiegel nichts.

Aber Leo besuchte mich ja, es blieb ja nicht bei dieser einen. Immer verheilten sie im Nu. Einmal trat Leo in die Wohnung, setzte sich gleich aufs Bett, stand auf, zog sich aus, forderte mich auf, nicht weiter zu zaudern. War es Glut oder Kälte? Alles mit schroffer, ruhiger Stimme, kam rasch zur Sache, ein Bademeister im gekachelten Schwimmbad, zog sich an und verließ mich. Die Muskelstränge seines Rückens, die sorglosen Hüften, das stockende Flüstern, alles ließ mich abrupt zurück. Nur das Honorar fehlte. An mich? An ihn? Hatte ich was angestellt? Ganz anders beim nächsten Mal. Wir saßen lange und rührten uns nicht in einer glänzenden, schwermütig schwellenden Julinacht, sagten durch die offene Balkontür ein paar frivole Sätze zur Information des Paares unter mir und schlurften draußen durch die Blumenstraßennamen wegen der schönen, aus dem Weltall strömenden Luft. Ich lebte jetzt und in Freude, ich fürchtete den Tod nicht und gar nichts. Leo aber horchte nach innen, lauschte, vielleicht sogar ängstlich, auf sein Herz. Eifersüchtige Kontrolle seiner Nerven? Observierte er seine Empfindungen? Prüfte den Pulsschlag, wenn er mich in Augenschein nahm, mein Fleisch gegen seine Knochen verschob? Zähneknirschend? Gespielt zähneknirschend?

Manchmal klingelte er stürmisch, und wenn ich öffnete,

blieb er mit schiefgelegtem Kopf auf der Schwelle stehen, nachdenklich, gespannt, nicht auf mich eigentlich, mich sah er ja und sah mir mein Sumpfdotterblumenglück leider an, nein, neugierig schien er auf anderes zu sein, auf etwas nicht mit den Augen zu Begutachtendes. Es steckte in ihm drinnen. Er registrierte, was sich dort rührte oder unbeweglich verharrte. Ich hatte einen Gegner, nein, zwei, den Wachposten und sein Objekt, den launischen Seismographen.

Natürlich war ich närrisch. Leo brachte ja immer eine schlechte Botschaft für mich mit. Den bevorstehenden Abschied. Er griff in meine Locken, und sein Körper sagte schon, daß er sich in einer oder drei Stunden entfernen würde. Das Alberne daran: Ich nahm es ihm übel als Böswilligkeit und Verrat. Es machte ihn zu einem Widersacher in aller Unschuld. Dem ich allerdings nichts unverziehen ließ. Nicht, daß mir übrigens dieses konstant flüchtig Vorbeischauende, mal eben Hereinschneiende in Leos Charakter mißfallen hätte. Das eben nicht!

Normalerweise ertrage ich es nicht, für längere Zeit das herrschsüchtige System einer anderen Person hinzunehmen, ihr hermetisches Reich der Wahrnehmung und Interpretation. Sie wissen, was ich meine? Das mache ich ein Weilchen bei einem Menschen mit, dann stoße ich mich ab mit Schwung. Bei Leo galten andere Maßstäbe. Das mußte ich nicht ausdrücklich beschließen.

Einmal aber, erbost über die unbekümmerte Friedlichkeit, mit der er sich davonmachte, hätte ich ihm ohne Worte beinahe mit der Faust vor die Brust, auf den Halsansatz geschlagen, knapp unterhalb des Kinns. Er packte mein Handgelenk und hielt es schmerzhaft fest, fragte nichts, aber hinter den Augen lachte er. Und das, das war die Liebe! Daß es kein Ende der Wechselseitigkeit gab, selbst Verstiegenheiten wurden, ein Aufzucken nur, verneint, bejaht, blitzschnell reflektiert. Ich spürte, wie ein Muster deckungsgleich auf die Wirklichkeit geschraubt wurde. In solchen Sekunden setzte sogar eine mir natürliche Regung aus: Wenn ich in meiner Nähe ein Geschrei höre, hoffe ich, neben einem oft übertriebenen Erschrecken, etwas Tragisches möge sich ereignet haben, der allgemeinen Dramatik des Lebens wegen und damit die Katastrophen endlich in Gang kämen.

Sie sehen, ich bin auf Anhieb kein guter Mensch, deshalb benötigte ich, falls Sie etwa annehmen, ich sei überraschend und verschwiegen mildtätig, die alte Frau (wesentlich älter als Sie): zum Gutsein. Da sie das Fernsehen ablehnte auf ihre sehr alten Tage, bestand ihre einzige Unterhaltung für Stunden darin, den verschiedenen Geräuschen aus der Tiefe der Katze auf ihrem Schoß zu lauschen. Es klang, sagte sie selbst, wie aus einem märchenhaften, dunklen Wald herrührend. »Grimm« nannte sie deshalb das Tier, nach den Gebrüdern Grimm.

An einem Augustabend, so trüb, so kühl, das erklärt vielleicht die Folgsamkeit der Leute, standen plötzlich, nach nur kurzer telefonischer Anmeldung, vier mir kaum bekannte Frauen vor der Tür. Was dachte sich die Anstifterin Zara dabei? Wollte sie mich stören, kontrollieren? Sorgte sie sich um mein irdisches Wohlergehen und ließ mir einen Verdienst zukommen, während sie in Immobilien die längeren Fäden spann? Immerhin konnte ich es, so oder so, als zweideutigen Gruß von ihr werten. Leo sprach zu diesem Zeitpunkt nie über Zara mit mir. Das kam noch.

Kichernde Schulmädchen mit älteren Gesichtern standen vor der Tür. Erinnern Sie sich an die möhrennasige Frau Hage, die eine Margerite in Auftrag gegeben hatte, an Frau Bolz mit dem Aktentaschenmann, Verkäuferin des weißen Zwillingshauses? An Frau Heinrich, die das animalische Prinzeßchen spielte, und an Frau Ebelsohr, die geheime, versagende Revoluzzerin mit ihren Prunkkindern? Es half nichts, ihnen mitzuteilen, ich sei hauptsächlich nur noch mit Entwürfen beschäftigt. Um so eifriger stürzten sie sich auf die vorhandenen Stücke, wie auf Befehl, wie abgeordnet, mich durch Käufe zu beglücken. Sie beschnüffelten mich vor allem, schnupperten, ob es nach Mann, nach Leo roch. Ich hinderte sie nicht daran. Sie sahen durchschnittlicher aus als damals, musterten mich mehr als ich sie, diese Ehefrauen, langjährigen Gattinnen, allesamt kauften sie, mußten es vielleicht noch am selben Abend Zara vorweisen, zusammen mit ihrem achtäugigen Rapport. Am meisten interessierte sie selbstverständlich mein Bett. Das war leicht zu machen. Ich lud sie zu meiner letzten Vitrine ins Schlafzimmer ein. Dort konnten sie sich gütlich tun. Ich hing nicht mehr stark genug an meinen Ketten, Broschen, dem ganzen Zinnober, um darüber gekränkt zu sein, daß sie so schlecht kaschiert auf der Jagd waren nach einer Männersocke, einem Rasierapparat, einem Buch über Kapitalanlagen, über Liebeskunst.

Ich kannte das. Im Alten Land …

Es bereitete mir sogar Spaß, mehr noch, richtiges Vergnügen, es fesselte mich. Ich stand auf ihrer Seite. Ich suchte mit nach Indizien für Leos Liebhabertum. Ihr müßt an mir selbst suchen, hätte ich am liebsten gesagt. Ob sie nach meinen Bernsteinohrringen gegriffen hätten?

Dann erschien noch eine fünfte Frau. Ich erkannte auch sie wieder. Die Fotografin von Zaras Fest. Sie hatte damals im Namen ihrer künstlerischen Freiheit sehr indiskret herumgeknipst und war schließlich von Zara deshalb weggeschickt worden. »Tünn« artikulierte sie überscharf und extra eingravierend, »Tünn. Trud Tünn«.

Hier trat sie ein als Beleidigte, die allzu offensichtlich »ganz entzückend« aussehen wollte. Zara mußte ihr eine Einzelaudienz angekündigt haben und nun das! Schon vier derart gewöhnliche Kundinnen vorhanden! Kein roter Teppich für das Frauchen, das die Haare springbrunnenartig in die Stirn fallen ließ. Darüber ein Schartekenhütchen. Wie sie giftig lächelte und das Schnütchen schmollend verzog! Zara hatte sich mit ihr einen gewiß hochdotierten Streich erlaubt. Was sollte die denn mit meinem biederen Schmuck! Sie spähte in jeden Winkel der ihr fremden Wohnung, nicht um nach Beweisstücken meiner Liaison mit Leo zu tüfteln,

sicher nicht, nur aus intuitiver, automatischer Unver-
schämtheit. Wen wollte Zara mehr ärgern, die törichte Fotografin oder mich, die Unreuige? Ich fragte sie, ob sie auch
für Detekteien knipse. Die vier Hausfrauen verstanden mich
sofort und amüsierten sich in ihrer Übermacht allzu grausam. Die ungebetene Fotografin aber beherrschte sich vorzüglich. Liebenswürdig bat sie alle um ein Gruppenfoto,
zwang uns, wieder aus Gründen ihrer künstlerischen Freiheit, in die widerwärtigsten Posen, wartete mit dem Knip-
sen, bis wir die Nerven verloren (verbuchte es bei sich gewiß
als Berufspsychologie), und würde sich schon, wenn es op-
portun war, rächen. Leo brachte das Foto bei seinem nächsten Besuch mit. Fünf fürchterliche Ballonköpfe grinsten
mich enthemmt an, einer wie der andere. Mit schönem
Gruß von Zara. Das Bild steckte in einem Umschlag. Wenn
er es angesehen hatte – ich wagte nicht danach zu fragen –,
konnte ein Mann über dem blöden Anblick leicht seine Liebe, wenigstens seine Leidenschaft verlieren.

Aber wissen Sie, was ich mir jetzt vorstelle zum Hantieren
des bösartigen Weibchens? Die Finger der frisch und gut
gelaunt und gut bezahlt ihren Einsatz beginnenden Aldi-
Kassiererinnen, wie sie auf den Tasten ihrer Maschinen vibrieren, von den einkaufenden Männern wegen ihrer Pro-
fessionalität bewundert – fotografisches Kunstgewerbe hätte
ihnen weder genutzt noch imponiert –, wie sie jeden Wettkampf mit den Männern zwischen Einpacken und Eintip-
pen gewinnen.

Anders als die alte Frau sehe ich ab und zu gern fern. Gerade an diesem Abend hatte ich es nötig. Zu meinem Pech
oder Glück traf ich dort auf den grauhaarigen schönen
Mann, den Kritiker mit den kalten Samtaugen. Erst hier erfuhr ich seinen Namen: Sascha Rüsselmann. Literatur ist
nicht mein Fach, aber mit Leichtigkeit erkannte ich, daß er
zur selben eitlen Gattung wie die Fotografin zählte. Was er
rösterte! Prahlte mit seinem 16-Stunden-Arbeitstag. Wenn
ich das schon höre! Der deutschen Literatur fehle der große
Wurf, die Passion für die Unordnung, für die Weltgeschich-

te, den harten Schnitt der Bilder, das Bewußtsein für die weltumspannenden Gefahren. Ist das nicht ausgemachter Schwachsinn? »Deutschland ist immer noch zu homogen.« Das hat sich mir wörtlich eingeprägt, weil ich es zum Schießen finde. Auch wenn ich es nur als Schmuckherstellerin beurteilen kann, aber gerade deshalb. An Zaras Abend hätte der Geistreiche sich das alles nicht zu sagen getraut, auch nicht zum Schuhmodel, allenfalls zum Hochbegabten. Vielleicht zusätzlich: »Wir haben immer noch zu viel deutschen Wald«? Im Fernsehen aber widersprach ihm keiner, keiner lachte. Schnell fort mit Schaden!

Das Seltsame aber: Schon am nächsten Tag rief mich Specht an, um zu berichten, er habe, in einer samenfarbenen (!) Hose den Grauhaarigen von Zaras Sommerfest in der Stadt gesehen, und zwar eng umarmt mit der fragwürdigen blonden Freundin dieses Tetzelmann, geknutscht hätten die beiden auf offener Straße, völlig bedenkenlos. »Der gemeine, ganz gewöhnliche Literaturschmarotzer«, sagte Zara bei dem späteren Essen mit Leo, dem Essen von den nackten Brüsten, durch die wir erst auf Tetzelmann – sein Liebchen sei wieder als Verkäuferin in einem Erotik-Kaufhaus auf der Reeperbahn tätig – und von ihm auf Rüsselmann kamen. Die Frau, so Specht, sei herumgelaufen wie eine Himbeere. Es klang auf gehässige oder besser: zerstörerische Weise freudig erregt. Das bestätigte sich. Denn übergangslos erzählte er mir dann von einem Selbstmord aus Freundesuntreue. Jemand hatte sich vom Balkon seines Hauses geworfen. Überhaupt habe er aus diesem Anlaß einmal eine Liste angefertigt von allen Freitoden in seiner Nähe, es seien zwölf oder dreizehn Stück, mit diesem eventuell vierzehn schon. Ich solle auch so ein Register anlegen, solche Buchführung schade nicht. Über die Motive sagte er nichts, wisse sie auch nicht alle. »Maria!« Es war ein Jammerlaut. Am übernächsten Tag schickte er mir die Aufstellung:

Ein Kollege seines Vaters: irgendwie an der Türklinke erhängt.

Ein Nachbar ebenfalls: erhängt an einem Baum.

Ein befreundeter Kleinstadtjournalist: vom Turm gestürzt.

Eine frühere Hausbesitzerin: erhängt auf dem Dachboden.

Ein Freund: Tabletten mit Alkohol vermischt, im Bett.

Ein Journalist, erfolgreich, nach drei Anläufen: vergiftet.

Die Tochter von Bekannten: vergiftet auf dem Fußboden.

Ebenso die Mutter einer Freundin: Gift in der Badewanne.

Ein Nachbar: vergiftet auf einer Parkbank.

Der frühere Küster, dessen Stelle er besetzt habe: erhängt in der Krypta.

Eine Freundin seiner Mutter: vergiftet im Bett.

Er selbst habe es längere Zeit mal erwogen, sei aber davon geheilt.

Wieder sehen Sie, wie gut es ist, diese Zettel bei mir zu tragen für alle Fälle. So was behält man doch schlecht im Kopf, schlechter als gereimte Gedichte. Was ich aber auch ohne Notizen gewußt hätte: Keiner hat sich erschossen. Auch diesen Umstand würde der anspruchsvolle Kritiker im Fernsehen vermutlich als biedermännisch deutsch bemängelt haben. Kein weltläufiges, international genügendes Umbringen! Ich hielt Spechts Protokoll in der Hand und feierte für mich noch einmal Rüsselmanns Galasatz: »Deutschland ist immer noch zu homogen.«

Wenn alles erst noch passieren wird und man nicht wie jetzt darauf zurückblickt, dann spielt eben auch die Spur des Messers in der Butter am Morgen eine Rolle und lenkt ab. Das übersieht man allzu leicht.

Von Zara sprach Leo damals nicht. Sie sorgte von selbst dafür, daß man sie nicht vergaß. Er erzählte aber von Sophie, spottete freundlich über ihre schwarzen Gewänder, die gefällig auf Brüste und Hüften hinwiesen, und wie sie nun erstaunlich häufig im Haus jenseits der Elbe auftauche, weit hinaus über berufliche Verabredungen sei sie jederzeit verfügbar und in seiner Nähe und verwöhne ihn von früh bis spät und nach Strich und Faden, sehe gewissenhaft nach Büchern und Vögeln, aber, er müsse es mir gestehen, am aufopferungsvollsten doch nach ihm, Leo. Sie hatte auch ein Abendessen gegeben. Die Gäste waren von ihr beim Eintreten mit Rosenblättern beworfen worden nach morgenländischer Sitte. Dann servierte sie scharfes Fleisch, Mandeln, Datteln. Lockender Orient, quasi. Interessant, daß Zara und ich nicht zu den Eingeladenen zählten!

Ich hörte ihm gern zu, wenn er mit seiner tiefen Stimme sprach, mit der Kartoffelfeuerstimme, die mich erwärmte und über mich hinzog, ja, wie ein Stein in sachter Brandung lag ich dann, und wir schwätzten über den Sirenenzauber Sophies. Seine Gelassenheit, fast gleichgültige Gelassenheit beruhigte mich in manchen Stunden, vielleicht auch nur für kleinere Zeiteinheiten, denn allmählich stieg der andere Verdacht in mir auf: Leo begann sich zu langweilen.

Er sprach von Sophie, weil er sich ihre Gesellschaft herbeiwünschte, drei waren besser als zwei, wie damals, in Holunderburg schon, als er sich so ungebührlich freute über ihre Ankunft. Aus Langeweile probierte er den Gedanken an eine kleine Affäre mit Sophie aus, zur Unterhaltung, in der Phantasie bloß, es zerstreute ihn angenehm und vor allem unverbindlich. Die Uhr an seinem Arm fing an, es nicht mehr gut mit mir zu meinen. Jetzt war er es, der öfter als nötig darauf sah, oder fiel es mir erst neuerdings auf? Hinzu kam das Horchen auf die Meldungen seines Gefühlsthermometers, dieses Nach-innen-Lauschen. Er schien mir übel zu nehmen, daß sein Herz nicht mehr schneller klopfte. Ich ging einmal ins Badezimmer, um zur Erleichterung durch Theatralik zu sagen: »Endstadium«. Dadurch wurde mir besser, ich lachte und spuckte den Spiegel an.

Sagen Sie doch, was ich hätte machen sollen! Mir eine rote Pappnase aufsetzen? Einen Kursus in Pikanterie nehmen? Leo schütteln und schlagen? Es löste sich ja auch ab. Vogelstimmenwolken am Morgen, wie undurchdringliche Rosengebüsche, Rosendickichte, Glocken, unter denen ich mich wunschlos streckte, Lächeln der Luft, lächelnd mich niederdrückende Last. Ich mußte gar nicht an Leo denken. Und dann die plötzliche Blässe, Blutleere. Kein lächelnder

Hauch flog in Wellen über mich hinweg. Ich war nur irgendwas, das ihn halbwegs in Bewegung hielt, unterhielt schlecht und recht. Da war er Besseres gewöhnt.

Aber mich, mich bannte noch immer das Wahrzeichen, meine Grille, mein Spleen, keine restlose Befriedigung gewährend. Und ich liebte ihn dafür, zu meinem Unglück. Was hatte ich auch so einen delikaten Geschmack, der sich selbst bestrafte!

An einer Waldkreuzung fragte er mich, welchen Weg ich bevorzuge, diesen oder jenen. Mir sei jeder recht. Da stand er vor mir, schlagartig mit so drohender Miene, sah wegen dieser Belanglosigkeit so grundsätzlich erbost und funkenschleudernd auf mich herab, daß mir wahrhaftig die Tränen bis zu den Wimpern hochschossen. Nichts, nichts dürfe so beliebig sein! Sobald ich mich beruhigt hatte von meinem Erschrecken, spürte ich es wieder. Die Verlangsamung und zugleich Beschleunigung von allem, meines Lebens, der Gesten, der Ereignisse, die vollkommenste Sterbensfröhlichkeit, das Unausweichliche, Unweigerliche. Wegwarte wuchs neben dem Graben, auch Brennesseln, etwas staubig. Man konnte sich dort ins Gras werfen und betten und die Beine miteinander verschlingen, alles weitere nur Befehl einer Konvention, blinde Maus spielen, Sie wissen, Begriff und Gebot, vor dem man nicht kuschen mußte. Dieses Ineinanderverschlungensein allein genügte.

Sie wundern sich, daß ich gar nicht von Zara rede? Wie rücksichtslos von Leo und mir, sie einfach sich selbst zu überlassen, die Hintergangene? Sorgen Sie sich bloß nicht um sie! Ende des Sommers passierte Einschneidendes, ein kleiner Unfall, eine Katastrophe für mich in den Auswirkungen. Welch wunderbarer Umstand. Schauplatz des Ereignisses war, wie sollte es anders sein, das EEZ. Und noch etwas anderes erinnerte schon penetrant an meine erste Begegnung mit ihr und Leo dort. Vielleicht muß man den Grund dafür aber ganz unspekulativ in den allzu blanken Kacheln der Fußböden suchen. In den Kaufhäusern hat man den Leuten inzwischen spiegelnde Eismeere unter die Füße gelegt, damit sie den Kopf verlieren, nicht mehr wissen, wo oben und unten ist, und sehr alte Leute, die doch nur den Ablauf stören, sich nicht mehr hintrauen. Ich fand das EEZ, als ich es jetzt wiedersah, kleiner und protziger als früher. Die Backwaren am Eingang, das Obst, die Würste, alles war sturzbachartig aus Überfluß mit nie versiegender Quelle (was man von den Haaren der Fotografin ebenfalls hatte glauben sollen) präsentiert. Gleißen und Blitzen. Die Leute schienen, entgegen den Fakten, wohlhabender geworden zu sein. Sie wandelten und flanierten gekonnter, inzwischen wohl belehrt, wie man sich hier benehmen sollte, in dieser etwas ungelüfteten Heiterkeit der Farben und groben Eleganz. Jedenfalls hatte ich die Anstalt anders im Gedächtnis vermerkt, täuschte mich aber womöglich.

Das tat ich nämlich auch in anderer Hinsicht, und zwar doppelt. Als Blickfang hatte man mehrere Collani-Rennautos ausgestellt. Eine große Zunge mußte alles Eckige abgeleckt und so lange gelutscht haben, bis nur noch weiche, wegrutschende Formen übrigblieben. Klar: Technik und Sinnenlust. Als ich aufblickte, erkannte ich Leo von hinten. Sie können es sich denken: nicht Leo! Nur irgendwer mit breiten Schultern, schmalen Hüften, der richtigen Haarfarbe. Ich schämte mich. Das also hatte genügt für einen kurzen Hüpfer meines Herzens! Dann rief jemand seinen Namen. Zuverlässig zuckte ich zusammen. Schon wurde mir aber bewußt: Es hatte »Theo Zwieback« oder so ähnlich geheißen, nicht »Leo Ribbat«. Gott sei Dank sah keiner meinen Irrtum. Ich kannte jemanden mit einem Hund, der bei dem Wort »Bluthochdruck«, assonantisch geschult, bellend aus dem Haus rannte, weil sein ärgster Feind oder bester Freund, keine Ahnung, Pluto hieß. Wie wir beide auflebten, aufgelebt waren, der Hund und ich!

Dann entdeckte ich Zara, und in diesem Fall – es ist bedauerlich – täuschte ich mich nicht. Einen Augenblick nur sah ich sie stehen, eilig vorübergehen, schon nahm sie Platz auf einem Caféstuhl, warf die Arme über die Lehne und die Beine mit den dicken Fesseln übereinander. Ich begutachtete ihre hochhackigen Schuhe, schwarz mit vielen Riemchen über der nackten Haut. Als würde sie in einem Bett liegen, so schräg und elegisch ruhte sie in dem Sesselchen. Eine Säule schnitt Rumpf und Kopf heraus. Ich änderte meine Position wohlweislich nicht. Die Schuhspitze befand sich auf der Höhe des Knies bei dem oberen Bein, in gespannter Linie. Ein heißer Septembertag. Sie hielt ein Papier in der Hand, einen Brief, den sie vorn und hinten ansah, Absender, Adresse. Mehr nicht. Dann fächelte sie sich eine Weile Luft damit zu. Ich hatte Zara lange nicht gesehen und war froh, ihr hier nicht direkt und unausweichlich begegnet zu sein. Wäre ich doch schnell weggegangen! Ihr Gesicht blieb mir verborgen, aber an der Armhaltung und den Handbewegungen verfolgte ich genau, was sie tat. Sie öffnete den Umschlag, und ohne den Inhalt herauszuholen, wedelte sie wieder damit, betrachtete den Brief von beiden Seiten lange, weidete sich an der Schrift oder grauste sich davor und fächelte, die Füße ständig in Unruhe, kreisend und nach vorn stechend und auf den Boden tupfend.

Schließlich zog sie den Bogen aus dem Kuvert, faßte nun mit der einen Hand den Umschlag, mit der anderen den eigentlichen Brief, den sie, noch einmal zögernd, auseinanderfaltete. Jetzt steckte er in der seitlich weggestreckten Hand. Sie las ihn also nicht, entschloß sich nicht dazu, oder kannte sie ihn längst und wollte ihn nur ein bißchen ins Freie führen und hegen? Was für ein Theater! Mindestens zehn Faulpelzminuten lang. Am Ende kramte sie ihn ungelesen weg, im Kuvert verstaut, zahlte, erhob sich.

Ich muß zugeben, ich erschrak, als ich sie nun, besser als vorher, aufrecht stehen und ein paar Schritte machen sah! Das lag nicht so sehr an der Enge des kurzen, feuerroten Kleides als an den Schuhen. Welcher Satan hatte Zara geraten, hier mit derart hohen Absätzen aufzukreuzen und rumzustöckeln? Als sie noch im Sitzen mit den Sandaletten wippte, hatte ich mir keine Gedanken über deren riskante Konstruktion gemacht, aber jetzt konnte man ja nicht umhin, das zu tun. Das Werk eines zynischen Designers: hinten einfach die Hacke abgeschnitten, die der Fuß auf seiner gewagten Höhe, genauer, die Ferse, doch dringend brauchte für ein bißchen Halt und Stütze. Statt dessen liefen über die senkrechte, praktisch in den rechten Winkel zu den Zehen gezwungene Vorderpartie des Fußes jeweils zwei Riemchen, in der Mitte lächerlich neckisch zu winzigen Schleifen gebunden. Niemals hatte ich bei Zara eine so halsbrecherische Geschmacksverirrung bemerkt. Es konnte dafür nur einen Grund geben – Sie ahnen selbstverständlich, daß dieser eine immer derselbe ist: eine Frau, die in einer gewissen Gefühlsphase einem bestimmten Mann gefallen will und auf alles andere pfeift, sogar auf Stil und Flair, notfalls –, hoffte ich inbrünstig: Sie macht es aus Schrägheit, aus einer verrückten Laune und Provokation heraus. Zara warf den Kopf ja vor Hochgestochenheit, Hochgestimmtheit in den Nakken, trug aber immer noch, zerstreut, ihre Lesebrille! Automatisch glaubte ich, auch selbst weniger gut erkennbar zu sein, und traute mich aus meinem Winkel.

Der Kommentar auf Zaras mir allerdings unverständlichen Snobismus ließ seitens anwesender Frauen nicht auf sich warten. »Solche Absätze gefallen mir schon lange nicht mehr« (eine aufgeschwemmte Alternativseniorin zu ihrer als junger Herr gekleideten Freundin, ungefragt mit saurer Miene). »Nichts für solche älteren Menschen!« (so ungebeten die nächste, die selbst in Gesundheitsschuhen und im Bewußtsein einwandfreier Fußbettmoral daherlatschte und es einfach böse vor sich hinsagte, den geschlechtsunspezifischen Kopf wiegend). »Die wackelt mit rechts« (unbefugter Hinweis einer molligen Kleinen zu ihrem Mann, die wohl nie eine Sekunde in solchem Schuhwerk aufrecht hätte zubringen können, das gaben die gedrechselten Beine nicht her).

Zara hörte das alles nicht, auch ließ sie gewiß ihr Eindruck auf Frauen kalt. Begreifen Sie, weshalb ich, Zara betrachtend, eine Art Gewissensbiß spürte? Sie meinen wohl auch, es sei höchste Zeit dafür. Aber es kam ja noch viel ärger. Die Frau in den Gesundheitsschuhen, schwer zu sagen, ob absichtlich oder nicht, hatte einen kuriosen, verdächtigen Bogen geschlagen, war Zara entgegengetrampelt und rempelte sie an, sagen wir, ein energisches Streifen war's. Dann tauchte sie ab.

Zara aber stürzte!

Anfangs dachte ich: Ihr ist etwas eingefallen. Sie hat was vergessen und geht deshalb im ersten Impuls rückwärts, hat sich auch vielleicht vorgenommen, die Anremplerin zur Rede zu stellen. Doch dann ruderte sie mit den Armen, suchte Halt, griff kläglich in die Luft, und es knirschte zwischen ihren Sohlen und den Kacheln. Ihre Brille rutschte ab, es gelang ihr nicht, sie aufzufangen. Noch schwankte sie nur, aber da ihr niemand beisprang – wer es sah, war offenbar viel zu fasziniert von diesem knallroten Taumeln –, brach sie zickzackförmig zusammen, schien regelrecht zu splittern, die ganze Figur flackerte, doch es war ja nur das Kleid, das vorne einriß. Sie gab keinen Laut von sich. Ich erinnere mich nicht, ob Passanten aufschrien.

Zara ging in die Knie, fiel auf beide Kniescheiben und sank vornüber, so daß sie auf Gesicht und Bauch lag, die Beine von sich gestreckt, ein Unfall- oder Mordopfer, die Schuhspitzen nach innen gekehrt. Die koketten Schleifchen hatten alles überstanden. Ich dachte an Willy Brandt und den Papst, wie sie den Boden küßten. Zara war ein bißchen weiter geglitten auf dem fremden Terrain. Hier verlor niemand ein Gebiß oder eine Perücke in aller Öffentlichkeit, aber es war auch ohne das schrecklich. Niemand hatte Zara, anders als mich damals, aufgefangen. Es sah so aus, als hätte Zara auch das noch arrangiert, damit ich endlich begänne, mich zu schämen.

Sie rührte sich nicht, mochte Schmerzen an den Knien leiden oder weinen. Da sagte jemand vor mir gemütlich: »Hat die Alte einen in der Krone?« – Begreifen Sie? »Hat die alte Scheune einen im Dachstuhl?« Es war damit ja Zara gemeint, Zara Johanna Zoern! Froschauge-Fischmaul-Zara! Leos Zara vom Alten Land! Kannte man sie denn hier nicht? Warum liefen nicht von allen Seiten demütige Helfer herbei? Bevor sich dann doch noch jemand bückte, um nachzusehen, ob sie vielleicht gestorben sei, vereitelte Zara selbst die Annäherung. Sie drehte sich mühsam auf den Rükken, ich bemerkte es sogleich, etwas tat ihr weh. Ich stand hinter ihrem Kopf und sah nun also ihre Brauen umgekehrt. Es wurde ein schauerliches doppeltes Schmunzeln daraus. Die Umstehenden aber begannen zu lachen, es lachten ältere Leute und Junge. Sie blickten auf die still, mit arrogantem Ausdruck daliegende Zara, die sich in ihrem hochgerutschten und eingerissenen Kleid nicht rührte, auf ihrem Nasenrücken eine kleine rote Vertiefung von der Brille. Zara weinte nicht.

Ich weinte (das heißt: theoretisch). Es waren brave Hausfrauen, Proletten auf dem Kopf, Kleinkinder an der Hand, und sie hatten ihr Vergnügen an der unschicklichen Aufmachung der dafür zu alten und nun zurechtgewiesenen Frau. Man sah es jetzt schonungslos: die Haut des Decolletés, die Mundlinie mit ausgefranstem Lippenstift, die Kniefalten, und Zara unter ihnen auf den Kacheln mit dem hochmütigen Ausdruck einer Toten.

Ich werde Ihnen nicht erzählen, was die Leute noch hechelten. Jedenfalls fesselte sie das hier mehr als die roten und schwarzen Collani-Rennautos. Ich hätte sie gern alle in eine gewaltige Explosion geraten lassen, und es wären lediglich Steine von ihnen übriggeblieben, so, wie sie es verdienten.

Was sollte ich tun? Der Anblick der so schändlich preisgegebenen Zara lähmte mich. Ein grausamer, über mich gekommener Zauber. Ich mußte dieses Bild tief in mich einsinken lassen zu meiner Strafe, durfte es nicht durch übereilte Hilfeleistung wegwischen und umblättern. Nein, war mir nicht gegönnt. Durchstehen und durchleiden, begreifen Sie? Eventuell hätte es Zara auch beschämt, bei diesem Fiasko ausgerechnet mich zur Zeugin zu haben. Fürchtete ich mich vor ihr?

Ich fürchtete mich diffus. Wie sich zeigte, nicht viel später, mit Grund.

Sie dürfen nicht denken, das alles hätte sehr lange gedauert. Es spielte sich alles wohl in Sekunden, nicht in Minuten ab. Gerade als ich es nicht mehr mitansehen konnte, so untätig und geschmerzt, begann Zara sich aufzurichten. Haben Sie einmal im Zoo das komplizierte Niederlegen und Aufstehen von Giraffen beobachtet? Zunächst mußte Zara auf die Seite, in die Seitenlage, die Beine also abknicken, möglichst parallel wegen der Kürze ihres roten Futterals, und sich dann auf die Handflächen, während sie über den Rücken abrollte, zu stützen versuchen, im knappen Etui, so daß sie wohl oder übel auf allen Vieren kniete. So sehr sie sich jetzt offensichtlich anstrengte, die Prozedur rasch abzuwickeln, sie brauchte dazu Zeit, und ich glaubte nun auch ein Stöhnen zu hören, vermutlich weil ein Teil ihres Körpergewichts auf den verletzten Kniescheiben lastete. Eine letzte Frist für uns beide.

Jetzt mußte ich eingreifen. Aber da gerade wurde mir klar, daß der Seufzer gar nicht von Zara stammte, sondern, und er wiederholte sich als Aufschrei, aus der Schuhräuberin gedrungen war, aus Zaras kriminellem Schützling, der, gefährlich anzusehen, in schwarzem Lederdreß leichenblaß die Leute wegstieß. Schon hockte das Mädchen neben Zara und flüsterte ihr, aufschluchzend, etwas zu. Sofort duckte ich mich, verblüfft, aber auch erleichtert. Ich konnte die Verantwortung abgeben!

Aber auch eben, wie gesagt, verdutzt. Was sollte ich denn davon halten, daß die Kleine hier auftauchte? Wieso befand ich mich hier, um 11 Uhr 30? War ich, unauffällig für mich selbst, hierher bestellt und gelockt worden? Vorgeladen zu einem stummen Gericht? Was ich im EEZ gewollt hatte – doch wohl nicht simpel die Zeit totschlagen! –, war mir entfallen.

Das Gesicht des Mädchens, eben, die Menge durchteilend, noch feindselig düster, hatte sich inzwischen verändert. Der Ausdruck glich jenem, den ich auf Zaras Fest bei der alten Frau Engelwurz gesehen hatte, als sie den Säugling des vormals geprügelten Landmädchens eroberte. Eine

Besänftigung, ein sanftes Leuchten breitete sich mehr und mehr über ihre Züge, auch Zeichen eifriger Kraftanstrengung, da sie nun, im Gegensatz allerdings zur alten Frau, nicht zu tragen, vielmehr hochzuziehen sich mühte und zwar einen Körper, der viel umfangreicher als ihrer war. Obschon Zara ihr zweimal zu entgleiten drohte und sie, die Räuberin, Zara am Kleid zerrend, nur mit knapper Not vor einem zweiten Sturz bewahrte, half niemand. Niemand half, aber nicht aus Dickfelligkeit. Es handelte sich, ich zweifle nicht daran, um Scheu, Schüchternheit diesem Geschöpf gegenüber, das sich über seine Beute hergemacht hatte und jedem bedeutete: Finger weg! Man traute sich nicht an den dermaßen geliebten Gegenstand heran. Es ließ sich auch gut ausmalen, daß jederzeit ein Messer aus der Tasche der schwarzen Ledermontur hervorzucken könnte.

Aber sie schaffte es. Die Schaulustigen jedoch zerstreuten sich noch immer nicht und boten mir weiter Deckung. Wie stolz trotz allem Zara die Augenbrauen wölbte und durch die Menge hindurchsah. Nur kurz befeuchtete sie mit der Zunge das Fischmaul und strich am Kleid lässig über die Hüften abwärts, stand dann kerzengerade auf den obskuren Schuhen, glücklicherweise an Sohle und Absätzen ohne Bruch, und nahm, mit einem Vorrecken des Kinns, die Brille entgegen. Sie wurde ihr von einem Männchen, das trotz der Hitze eine rote, zipfelige Mütze auf den Kopf gesetzt hatte, überreicht. Ich stellte mich, da sich die Versammlung aufzulösen begann, in einen Geschäftseingang, ging danach, zufällig eher, einen Moment hinter den beiden. Zara, zerzaust, viel älter als bisher und noch durch den Kontrast zu dem Mädchen gesteigert, von diesem leicht gestützt, sagte etwas so erregt, daß ich es hören mußte, an das ich bis heute denken muß, ein vieldeutiger Satz, der auf Vorhaltungen des Mädchens, nehme ich an, ausgesprochen wurde, und der mich – fälschlich! fälschlich! – damals in Beschämung erstarren ließ: »Und ich? Wer fragt danach, ob ich mein Herz klopfen spüre?«

Dann hatte also Leo das, was ich in seinen Augen las, der unglücklichen, beherrschten Zara gegenüber ausgesprochen, entschuldigend für seine Affäre mit mir!

Am Abend sah ich das Telefon an. Ich saß vor dem Telefon auf einem Küchenstuhl und beobachtete es. Wissen Sie was? Erst das Telefonieren macht Bekannte für mich lebendig. Ring ring! Aus der trüben Suppe des Irgendwie-Daseins ins aktuelle Leben gesprungen, aus dem vagen Bewußtseinsschleim zur stofflichen Konzentration gelangt. Ring ring, ring ring. Unter meinen Kundinnen sind viele Kreativschwärmerinnen, leider. Mir selbst, im Vertrauen gesagt, sind am liebsten die Männer, die etwas für Frau oder Freundin kaufen, mit meiner fachmännischen Beratung, und dabei den Schmuck an meinem Hals usw. studieren, ganz begeistert über den Effekt. Das geht schnell und lakonisch vonstatten. Was ich sagen wollte: Telefonieren ist ausreichend schöpferisch für die meisten. Deshalb tun es auch all diese Klientinnen, die das Kreative für das Größte halten, mit Leidenschaft und Ausdauer. Eine sehr, sehr verdünnte Zeugungslust, ich meine Hingabe und Verströmen, ist hier am Werke.

Ich sah abends mein Telefon an, hatte mir ein Glas Wein eingeschenkt und die Bernsteinohrringe angelegt. Tat nichts. Nach einer Weile kippte ich den Rest Rotwein in den Spülstein, nahm die Ohrringe ab, duschte und kochte mir einen starken Kaffee. Als ich dann noch einmal einen versuchsweisen Blick aufs Telefon warf, klingelte es. Ich wollte Leo berichten, aber das erlaubte der Ton seiner Stimme nicht. Er sprach deutlich und laut. Ich beschloß als erstes zu verheimlichen, daß ich alles gesehen hatte, es äußerstenfalls sogar abzustreiten. Er teilte mir das Geschehen vom Mittag im EEZ mit, nach Auskunft der kleinen Räuberin und Retterin. An der Objektivität der Geschichte gab es nichts zu beanstanden, und doch klang es wie eine Attacke. Es lag an der Färbung, an einem speziell warnenden Ton in den neutralen Sätzen, eine Anklage gegen uns beide, Leo und mich. Seine Stimme blieb völlig trocken, aber ich spürte darunter einen Jammer, als er von Zaras Kränkung durch den Sturz sprach, der mich entsetzte. Ich hatte damit angefangen, mich zu verstellen, deshalb konnte ich nicht sagen: So eine Bagatelle. Die Kleine bauscht alles auf! Auch wußte ich ja selbst, daß die Stunde des Umschwungs, Wendepunkts geschlagen hatte.

Wieder sah ich das Telefon an. Am Nachmittag war ich bei der alten Frau gewesen, hatte ihr zugehört und zum Abschied ihr zartes Gesicht gestreichelt. Sie mochte das und schmiegte sich kätzchenhaft an. Diesmal beruhigte ich mich damit nicht. Ich hatte ihr auch von dem Unfall erzählt. Sie kannte das, sie fiel in ihrer Wohnung alle paar Tage hin. Überall auf ihrem Körper konnte sie mir blaue Flekken vorweisen. Niemand nahm davon Notiz. Ich selbst war im EEZ noch an dem Buchgeschäft von Sophie vorbeigegangen. Durch die Scheiben sah ich sie in schwarzen Jeans und einem T-Shirt. Alles betonte sehr ihre Figur. Das war bisher nie in solchem Maß der Fall gewesen. Immerhin verdiente sie einen Teil ihres Unterhalts noch am selben Platz, nicht alles war in Änderung begriffen. Auch die Art, wie sie den zaudernden Kunden drangsalierte, durchs Glas hindurch gut ahnbar: welcher Glanz der Beständigkeit!

Ich schielte zum Telefon. Ein Geheimnis: die seitliche Linienführung und die frontale Modellierung des männlichen Körpers zwischen Oberschenkel und Taille! Auch war verblüffend, wie diese kräftigen, unnachgiebigen Beine überhaupt nebeneinander unter die schmale Hüftklammer paßten, ohne beengt zu sein. Dann die rührenden, sinnlosen Brustwarzen! Andererseits wieder der mutwillige Schwung, mit dem die Kontur des kleinen Hinterteils ausholt, sich gegen die Körpermitte einbuchtet und athletisch, elastisch zu den Rückenmuskeln aufliegt. Ob es mich einmal völlig kalt lassen würde? In der Zeit vor Leo hatte ich das beinahe vergessen. Jetzt fiel mir ein, wie die junge Jüdin Elizabeth Taylor in »Ivanhoe« die Juwelen ihrer Mutter zum schönen Ritter trägt, der sie als Lösegeld für seinen König braucht. Ich hätte nur meine dürftige Mineraliensammlung gehabt, aber ein paar augenwischerische Steine darunter. Es hilft der Jüdin auch nichts, der Ritter benötigt sie nur kurze Zeit. An der durchgehenden Liebe zu der, die er seit jeher kennt, Joan Fontaine, besteht kein Zweifel.

So gab ich mich allerlei Trübsinn hin. Natürlich wollte Leo im Laufe der nächsten Wochen nichts vom Absterben unseres Techtelmechtels wissen. Was sollte schon sein? Was war schon gewesen? Das mir offiziell unbekannte Bild der am Boden liegenden Zara im roten Kleid verließ mich nicht mehr. Schnelles Umarmen, Beschwören vor dem Zerfall, nicht Liebe, Trieb oder Leidenschaft. Gelegentlich ein saugend ziehender Warnruf der Todesangst. Brennmaterial erster letzter Glut?

Schon reiße ich mich wieder zusammen, schon geht es Satz für Satz: Wenn ich glücklich war, stellte sich die Güte der Welt heraus und umgekehrt. Noch etwas Umgekehrtes, über das ich damals, wenn Leo mit seinem schief gelegten Kopf an der Wohnungstür stand, grübelte. Es gibt ein erotisch-metaphysisches Rezept mit unbedingter Geltungsautorität, zumindest für mich. Ich war in der Liebe immer dann am erfolgreichsten, wenn ich etwas anderes im Kopf hatte. Zog mich genau das nicht auch bei Leo so an? Ich meine, wenn mich bei der zielgerichteten Liebe etwas davon ablenkte, allzu krampfhaft zu sehnen, zu wollen, zu verlangen, erhöhte das meine Anziehungskraft sehr. Fixierten sich aber Leib und Seele in höchster Alarmbereitschaft, verlor ich. Ein zu schriller, hysterischer Körperton war erreicht, den ich auch selbst an mir kaum ertrug. Nur, was sagen Sie dazu, sollte ich, indem sich meine Wünsche auf den richteten, der mich nach wie vor bezauberte, an einen Mops denken, an ein Wiener Schnitzel? An Robert Taylor? An den potenten Ingenieur, ans Paradies und himmlische Jerusalem?

In der wieder früher einsetzenden Dämmerung, in den wunderbaren Schattierungen, in denen jede Farbe versinkt zugunsten eines immer verstohleneren Spiels mit nichts als einem rauchig-rußigen, samtmoosig-dunstigen Braun, ging ich oft rasch meine Straßen ab. Man kann manchmal vor unwillkommenen Erregungen wegrennen, einfach flinker sein als sie. Oder ich verkroch mich unter einer dicken Glokke. Ich weiß nicht, woraus sie bestand. Diese Glocke oder Glucke verhinderte, daß der Schmerz in die Welt austreten konnte und mich aus allen Dingen anstarrte. Ich verriegelte ihn und entschlüpfte seitlich.

Eigentlich war ja auch wirklich nichts. Aus der Finsternis kamen einige Küsse auf mich zu, kein Gesicht, kein Körper. Nichts aus der Dunkelheit, nur diese Berührungen, die Küsse waren. So ging es oft mit Leo bei seinen geschwinden Einzelgängen. Er machte gar nicht erst Licht, wenn er mich verließ. »Leo kommt, das Licht geht an, Leo geht, das Licht geht aus, kommt, geht, an, aus.« Ich besuchte die alte Frau jetzt zweimal in der Woche und erzählte ihr solch degoutanten Unfug. Sie erriet, wie gut es mir tat, lächelte mich mit ihren klaren Augen an und strich mir mit knochigen, meist etwas feuchten, stets eiskalten Fingerchen nachsichtig über die Locken.

Was kurvte damals ledern geflügelt über mir? Ich malte mir aus, wie es wäre, Leo zu hassen. Ah, nicht schlecht! Ausgezeichnet, ein starkes, zuverlässiges Gefühl. Wenn schon sein Blick nicht mehr aufleuchtete, unverzeihlich! angesichts meiner, dann ließ er sich doch mit dieser neuen Empfindung packen. Da konnte er noch so geschäftsmäßig abwesend tun.

Was für ein Aufatmen, sich die Fehler des schon viel zu lange Idealisierten aufzuzählen! Natürlich übertrieb ich auch hier, anders ging es eben nicht. Ich kam sonst nicht auf meine Kosten, nicht, solange ich liebte. Jetzt schritt ich »hassend« alle Stationen erwiesener Gleichgültigkeit ab. Schwarze Messe. Leo, bei erwiesenem Desinteresse ertappt. Ich konnte nun triumphieren vor Kälte und Schärfe der Erinnerung, nichts vergessen, zum Spaß nur, nur zur Probe alles.

Jedoch ernstlich, verriet, fragte ich mich, seine Stimme, als er von Zaras Sturz berichtete, neben der vorwurfsvollen

Strenge nicht auch – – Erleichterung? Weil er nun nämlich einen ordentlichen Grund hatte, einen unüberhörbaren Appell zum Rückzug. Aber gut, ein großes Aber ist fällig. Wie stand es denn mit mir? War es endlich, nach langem Pausieren, damals bloß wieder soweit gewesen, und Leo hatte sich mir als geeignetes Bild in den Weg gestellt oder wie immer das bewerkstelligt worden war im EEZ, Leo, die sehr geeignete Oberfläche? Als mir das, eigentlich verboten, durch den Kopf strich, sagte ich gut vorbereitet zu Specht, der wieder am Telefon schmachtete: »Du willst bloß ein bißchen Empfindung. Mach dir nichts vor!«

Egal aber, auf eine Idee, die mir so viel Ansporn gab, durfte nicht verzichtet werden. Einfach Leo das Feuer entziehen und es doch behalten für mich selbst? Unmöglich. Und ich wurde ja in seiner Nähe sofort prinzipienlos, umrundet von der leisen Stimme, vergaß alles, die Einsprüche verwisperten sich in Windeseile. Das Unnahbare an Leo übrigens: Würde ich ihm denn verzeihen, wenn er es ablegte? Ich müßte ihm rücksichtslos die kalte Schulter zeigen, daraufhin, wer weiß.

Das alles erwog ich, wie gesagt, zum Scherz, um etwas zwischen den Zähnen zu haben, wenn Leo sich jetzt stärker mit Zara befassen mußte aus Kavalierstum. Am Elbufer bei Teufelsbrück war ich mit ihm verabredet. Er wartete schon, saß da auf einer Bank, bleich, wie jemand, der unter starken Kopfschmerzen leidet, die Beine ausgestreckt, jedoch mit allem einverstanden, die Fußgelenke zur gefälligen Umrißvollendung übereinandergelegt, Jacke aufgeknöpft, Hände müßiggängerisch in den Hosentaschen. Er studierte die Passanten, lächelte mir bei meinen letzten Schritten entgegen, sprang auf, schon spazierten wir einen Augenblick wie die anderen. Ich schmolz dahin, hoffentlich vorzüglich in mir versteckt, und zerrann vorübergehend wie die kleinen Elbwellen zwischen den Ufersteinen. Er trug eine Fliege unter dem Hemdkragen. Hinweis auf baldigen Abschied an diesem Tag.

Gelegentlich fuhr ich bis zur Stadthausbrücke und sah

erst eine Weile Richtung Hafen mit den Schiffsmasten als Fluchtpunkt, am Ende des Fleets die helle Ferne des hinphantasierten Meeres, ein eindunkelnder grauer Horizont zwischen den massigen Gebäudeparallelen, wüster Ausbruch und Schluchzer im allgemeinen Glanz. An der S-Bahnstation Landungsbrücken trat man aber noch ausdrücklicher aus dem Schacht in die blendende Luftigkeit und dann auf die Brücken über die Straße, stieg hinunter zu den Anlegestellen. Dort lag ab und zu das Fährschiff nach Finkenwerder »Wolfgang Borchert«. Ich schritt die Gaststätten und die Schiffe für die Hafenrundfahrten ab, rechts die »Fischerstube«, links die »Hamburg«, rechts die »Fischkajüte«, links die »Kapitän Prüsse«, rechts das »Bierfaß«, links die »Hammonia«. Wenn ich dem Schild am anderen Ufer »Blohm & Voß Dock Elbe 17« gegenüberstand, kehrte ich um, wanderte die kurze Strecke zurück, am »Imbiß bei Hans« vorbei bis zur Barkassenvermietung, hielt nicht weiter Ausschau und setzte mich in eine der dunkel-bürgerlichen Gaststätten, die wir verabredet hatten. Ein älterer Zahnarzt erzählte am Tresen dem Wirt von den »Oralschweinen« in seiner Praxis und von den Deutschstämmigen aus Kasachstan mit Blech, einfach Blech im Mund, völlig sinnlos, das den armen Teufeln das Zahnfleisch zerschneide, von Beamtenwitwen in »weißen Elbvillen«, die mit 100% Erstattung als Härtefall sich durchmogelten.

Einmal schilderte jemand seinen allabendlichen Weg von der Arbeitsstelle nach Hause, eine zeitökonomisch ausgetüftelte Tour mit genauem Diagonalanschnitt rechtwinklig abbiegender Straßen, jeden Abend das »pleng« des Verkehrsschildes, das er mit dem rechten Arm, wenn er den Körper herumwarf, touchierte, das Verlangsamen des Busses, weil er potentieller Mitfahrer und nicht bloß Vorbeischnürender sein könnte, der kleine Hund, der an seiner Leine uhrzeitsagend fiepend grüßte.

»Dieser Mann da drüben macht jeden Abend mit einem Verkehrsschild zusammen ›pleng‹, dann verlangsamt sich der Bus, immer an derselben Haltestelle, weil er auf einen Mitfahrer hofft, täuscht sich aber, dann lärmt ein Hund und zerrt an seinem Strick. Abend für Abend«, berichtete ich sogleich dem eintreffenden Leo in lebhafter Sachlichkeit. Lebhaft sachlich, so dachte ich es mir, das würde ihm gefallen, denn ich kam damit seiner stummen Bitte, um Himmels willen nicht grundsätzlich zu werden, selbsttätig nach. Ich schätzte es an mir, Maria Fraulob, ja auch und bemerkte eine fünf Zentimeter lange Wunde auf seinem Handrücken. Gereizt durch meine Grimasse, sagte Leo: »Eine Geringfügigkeit, eine Panne, als Sophie mit den Vögeln herumgewirtschaftet hat.« Ich behauptete, ich hätte von seinem Kopf auf einer Briefmarke geträumt, das heißt, beinahe sei er es gewesen. Sie müssen mich verstehen, »mit den Vögeln«? Ich durfte mir nicht anmerken lassen, daß ich über Sophies Hantieren mit den Vögeln und Leos Hand noch weiter nachsann, fragte dann aber doch, ob der Graupapagei noch meinen Namen sagen könne. Leo: »Er braucht mal wieder eine Lektion.«

»Drüben im Alten Land hat sich jemand als Tetzelmann en miniature entpuppt«, sagte er, legte dabei ein Päckchen auf den Tisch und schob es zu mir hin. »Verwandte von Engelwurz sind die Geschädigten, Besitzer eines Bauernhofs mit Gästezimmern, vollbewirtschafteter Betrieb, 20 Zuchtpferde, Schweine, Gänse, Schafe, Enten, Hühner, Katzen. Der Mann ist Rentner und macht das als Hobby. So nennt er es jedenfalls bescheiden. Im Urlaub trägt er karierte Reisehütchen, zehn Tage im Jahr.« Ich hatte einen Krach mit meiner beruflichen Gönnerin riskiert, um die Verabredung mit Leo – wir mußten ja wegen Zara zunehmend rücksichtsvoll sein – einhalten zu können. In den paar Minuten, die uns blieben, wurde also von Engelwurz und Tetzelmann und seinen Epigonen genuschelt! Gleichzeitig forderte er mich mit einer Handbewegung auf, das Päckchen auszuwickeln. »Kurzum, Ferien auf dem Bauernhof für Familien, Greise, Kinder. Nie hätten sich die Guten träumen lassen, einmal wegen einer Gerichtsverhandlung nach Neuruppin zu müssen. So ist es aber gekommen. Ihr treuer Gast Stefan P., man duzt sich seit Jahren, die reduzierte Tetzel-mann-Version, hat's geschafft, ist Jahr für Jahr mit Frau, Kind, Riesenschlitten, Ketten auf der nackten Brust ange-reist. War beim letzten Mal so komisch, blieb eine Woche nach der anderen, schob Krankheiten vor, das Auto hinter den Ställen wie versteckt – hinterher fällt es den Betroge-nen dann wie Schuppen von den Augen –, zahlte schließ-lich mit ungedecktem Scheck, offene Hemdbrust, keine Ketten allerdings, nervöser als sonst. Ein Mann mit vier Bil-ligshops.«

Zum Vorschein kam ein antiquarischer Schatz, ein sehr seltenes Buch über alte spanische Kämme. Kommentare meinerseits wurden abgewinkt. »Mit vier Billigshops und dreißig weiteren Klägern, Gläubigern, Zechgeprellten, das meiste in der Gegend von Neuruppin passiert.« Leo lächelte geizig zum raren Buch hin, dann hob er das Kinn. Es sollte heißen: Nun fort damit, einwickeln, kein Zirkus bitte! Er mußte lange danach gesucht haben. Ich hatte ihm ein-mal von meiner Schwäche für diesen besonderen Haar-schmuck erzählt. »Bemitleidenswert, der Tetzelmannimita-tor, großkotziger Hemdkragen, grasgrünes Jackett, aber Bräune dahin, abgemagert, Tränen, öffentliches Weinen vor Gericht. Zusätzlich Verdacht auf illegale Waffenge-schäfte. Was ihn wohl zwischendurch zu den Schweinen und Gänsen und Schafen, und was war's noch, den Katzen und Ziegen, waren Ziegen dabei? hingezogen hat? Alles sehr einleuchtend, auch das Jackett und die Tränen.« Kaum war das Buch weggeräumt, hörte Leo auf, von dem Fall zu sprechen.

Wir sahen einander circa zwei Sekunden in die Augen, ohne Umweg, blickten dann beide woandershin. Ich hatte ja gelernt, damit hochzufrieden zu sein, und unverzüglich stellte sich das Gefühl ein, das Leben sei von nahezu uner-träglicher Schönheit. Es stieg von den Kniekehlen hoch bis unter die Haare.

Ein Schiff legte an. Leo beobachtete durchs Fenster das

Wasser, das gerade wieder stärkere Wogen. Wie es ihn fesselte! Das bißchen auf- und niedersteigende Elbwasser? Seine Nasenflügel kerbten sich tief ein, ein kindlich animiertes Lächeln beziehungsweise typisch männliches. Ich hatte die Eingangstür im Rücken, die sich nun öffnete und dabei exaltiert aufzulachen schien. Geistesgegenwärtig zwang ich mich, um keinen Preis Interesse zu bekunden. Das wurde bald belohnt. Die Nasenflügel beruhigten sich, der Blick kehrte zu unserem Tisch zurück. Kurzfristig hatte man mich, Maria Fraulob, verworfen. Es war auch noch nicht vorüber. Der kleine Halbkreis auf jeder Nasenseite wurde noch einmal schwarz vor Schärfe, während sich die Nasenflügel darunter heftig blähten. Der gesamte Leo verwandelte sich in ein raumfüllendes, gönnerhaft weltzugewandtes, ja weltfeierndes Lächeln, dessen Hauptstrom sich ein Stück neben mir ergoß, sogar zuungunsten seines kriminellen Charismas, auf etwas hinter mir Sitzendes, Stehendes, Liegendes zu. Etwas sich Annäherndes auf zwei knallenden Absätzen und reichlich girrend um Feuer Bittendes. Ich weiß wahrhaftig nicht mehr, was Leo zu der klirrenden Frau sagte. Seine Stimme aber, die Stimme hatte mir von Anfang an eine verführerische, zugleich schüchtern stammelnde, exklusive Zuneigung vorgegaunert. Um so abstoßender, ja, abstoßender, ihn jetzt mit denselben, vor Empfindung leicht stotternden, flüsternden Lauten zu einer anderen, dahergelaufenen Frau reden zu hören, aus dem Stand heraus. Der Ausdruck eines aus der Kontrolle geratenen Gefühls bei diesem formbewußten Mann als Zufall oder Taktik oder Bedeutungslosigkeit! Man wußte nicht, was das Schlimmste davon wäre. Konnte es wirklich Verachtung sein, die ich einen Moment lang für ihn, für mich, für ihn, den Kretin, für mich, die Idiotin spürte?

Dabei durfte ich doch nur nicht vergessen, daß es in Wirklichkeit Unterhaltungsgier war und, nun gut, Eitelkeit, eine Form von Lebenslust dieses insgesamt abgebrühten Mannes, die als kleines Muster auf der Großzügigkeit seines Herzens schwamm. Entschuldigung, aber ich bleibe dabei:

Großzügigkeit seines Herzens schwamm. Es war doch nicht: Indifferenz seines Herzens schwamm? Inkompetenz?

Was sollte ich tun? Ich saß und sah zu, wie sich die vielleicht von vornherein unerhebliche Wunde schloß. Nicht die auf Leos Hand, ich meine die grundsätzliche, die nicht von Sophie, sondern von mir hätte stammen sollen, preßte die Daumennägel in die Zeigefinger, aber ich hätte es bei ihm tun müssen, und zwar mit aller Kraft. Er erzählte gutgelaunt von Zara, sehnte sich schon wieder schräg über die schieferblättrige Elbe hinweg zu ihr hin. Zetzet, Effeff, die flirrend Vielfältige tauchte vor ihm auf und zauberte ein entrücktes, diesmal für mich wahrlich gefährliches Lächeln auf sein Gesicht. In Eile und Geschäftigkeit hätte ich aufspringen müssen, charmant erschrocken die Fingerspitzen gegen die Stirn tupfen, anstatt hier einen wichtigen Termin zu versäumen, schaffte es aber nicht, hockte da, überrumpelt von meiner sich wiederholenden Entdeckung. Ich hatte ganz in meiner Nähe einen Morgen- und Abendstern, und es genügte nicht. Bekümmert, wie es sich gehörte, aber das nur flüchtig, zog er sich zurück von unserer kleinen »Plauderstunde«. Was war? Nichts. Vor allem nichts Tragisches.

Und doch, ganz zum Schluß, noch einmal ein Blick von Auge zu Auge, gesprenkeltes Auge unter schräg hängenden Lidern. Wie ging er wieder, auf dem Heimweg, vor mir auf! Abend- und Morgenstern.

Und doch sah ich durch ihn hindurch den einsetzenden Herbst. Das Licht blitzte mit konstanter Spur in den Bäumen, in Laubkelchen, und perlte darin hoch, schäumte und beide erschauerten. Licht und Gefäß. Ich spürte es am eigenen Leibe. Was sagen Sie zu der weit verbreiteten Ansicht, Frauen nähmen, im Gegensatz zu Männern, vor allem mit dem Körper, und zwar dem ganzen, wahr? Mag ja sein, aber sie vergessen hin und wieder den Körper auch in einem Maße, wie es sich Männer weder ausdenken, noch wie sie es zulassen können.

Zu Hause stand Specht schon in den Startlöchern. Das

heißt, er rief an, hatte es wohl schon den Nachmittag über versucht und endlich Erfolg. Er wolle mir lediglich, kein Zusatzbegehren, Ehrenwort, die jeweiligen Gründe für die aufgelisteten Selbstmorde nachreichen. Es sei für mich besser, das im einzelnen zu wissen. Das Leben bestehe nicht allein aus ein bißchen Schmuckklimbim und Romanzengedöns. Die Erinnerung an die dicken Brillengläser und die großen Schuhe hinderten mich, aufzulegen. Für die richtige Reihenfolge kann ich nicht garantieren. Etwa so:

Vereinsamung wegen herzloser Schwiegertochter.
Angst vor Krebs und Alkoholismus.
Verzweiflung über mißlungenes Leben zusammen mit Angst vor drückenden Schulden.
Erfüllung eines Schwurs. Selbsttötung, um nicht alt zu werden und konservativ, zum 40. Geburtstag.
Einsamkeit, Angst vor Gerede der Nachbarn.
Unbesiegbare Depression, endogen.
Lebensschläfrigkeit, Rache für Faschismus des Vaters.
Minderjährige Verzweiflung über fortgeschrittene Schwangerschaft.
Krebsangst.
Lebens- und Todesangst.
Scheitern vor den übermächtigen alten Eltern und im elften Beruf.
Intellektuelle Überforderung durch die beruflichen Pflichten.
Lebensekel.

Es sei ja gar kein Liebeskummer dabei, sagte ich fahrlässig. Da bringe ich ihn auf eine Idee. Er habe tatsächlich einen Fünfzehnjährigen vergessen. Kopf sauber und erfolgreich auf die Schienen plaziert. Dann:»Maria!«

Ich blätterte am Abend das neue, altspanische Buch Seite für Seite um, ging in mich, tat Abbitte, lobte im stillen Leo und liebte ihn, arbeitete noch lange, um meine verärgerte Chefin mit möglichst hervorragenden Entwürfen zu besänftigen, und schlief länger als sonst. Ich hörte bei noch geschlossenen Augen eine Kinderstimme, ein Schulkind wahrscheinlich, ein blank und munter sich behauptender Satz aus junger Kehle. Da dachte ich: Das, das ist das Glück! Ein Vogel mit seinem Schulrucksack, der »Ziküth« ruft, um mich zu wecken.

So oder so ähnlich. Sie verstehen, immer gilt: so oder so ähnlich. Schon am nächsten Morgen fragte Leo am Telefon – war das nicht Ungeduld? –, als sei es das Normalste der Welt, ob ich gleich mittags mit Zara und ihm essen wolle. Überraschend starkes Herzklopfen meinerseits. Ich bezog es auf Leo. Das Licht klimperte und knisterte in den Bäumen. Auch nachts blieb es jetzt dort hängen, hielt nur still in der Dunkelheit, um morgens auf einen Pfiff wieder munter zu werden. Von unten ein Walzer, ich glaube, aus der »Lustigen Witwe«. Bratenduft für Hungrige. Können Sie sagen, warum ich hier plötzlich an Specht dachte? Haben Sie von Anfang an so gut aufgepaßt? Und mitgedacht? Sogleich wurde mein für Leo reserviertes amouröses Gedächtnis zusätzlich aufgefrischt. Es würde mit so einer Musik sicher sogar heute noch klappen.

Ich hatte erst zwei Tage vorher über die 50 deutschen Glamour-Paare, in hierarchischer Reihenfolge, gelesen. Sie verkehren in Top-Kreisen an Top-Orten, aber es ist letztlich ihre »von innen strahlende Liebe«, die ihnen das Glamouröse verleiht, schrieb, wenn ich nicht irre, der Soziologe Nikolaus Sombart, schrieb allen Ernstes, sie verkörperten für uns das »göttliche Paar«, Adam und Eva. Für uns, stellvertretend. Für uns, die Menge. Für uns, das Volk. Leo und Zara!

Natürlich nicht Leo und ich. Aber auch die beiden fehlten in der Liste. Draußen kündigten dafür Trompeten die reinste Ewigkeit an, besonders morgens und abends in den Baumspitzen ein feuriges Schmettern. Alles, was ich in der Schloßnacht ausgeatmet hatte, kehrte nun im entflammten Rost wieder zu mir zurück. Nur hingen jetzt die Blätter so träumerisch an den Zweigen, als trieben sie, von der Luft ringsum genährt, freischwebend in ihr. Ich nahm mir vor, die Augen kaum auf Leo zu richten, um mein Herzklopfen nicht durch Blicke zu verraten. Dabei, das spürte ich dann, sah er mich gerade während dieses Essens häufig an, sich selbst befragend und belauernd, ich kannte das ja. Zara aber blendete mich derart, daß ich ihn fast vergaß! Er sorgte nur dafür, daß sich alles auf einer heißen Herdplatte abspielte.

Seit der Holunderburg-Exkursion begegnete ich ihr, den EEZ-Unfall ausgenommen, zum ersten Mal. Kaum stand ich vor ihr, wußte ich, weshalb mein Herz seit dem Morgen so rumorte. Die reine Freude! Die schiere Befangenheit! Jetzt knisterte und klimperte mein eigenes Blut in mir hoch und schien plötzlich, sich preisgebend, durch meine Haut. Dieses Mißgeschick blieb gottseidank vorerst unkommentiert. Allerdings drehte Leo nicht, wie Zara es tat, taktvoll die Augen weg. Es – sagen wir – paßte ihm. Diesmal allerdings täuschte er sich, mein Erröten hatte nichts mit ihm zu tun.

Sie fing mich an der Garderobe ab, hoch aufgerichtet in alter Jugend. Ich hatte keine Zeit, ihre Schuhe zu bestarren, sie kam in gewittrigem Glanz, neu eingesetzt die Froschaugen und das Fischmaul, so donnernd schwarz die runden Brauen, so blitzend rot die Lippen, so wetterleuchtend das Angesicht und außerdem – wie wenig zufällig! – trug sie die Farben meines ersten Besuchs bei ihr, jetzt aber als elegante Feuerbohne, shocking pink im grünen Etuimantel. Sie hob die Hand. Hätte sie mich geohrfeigt, und sie ließ es einen Moment in der Schwebe, ich hätte mich nicht gewehrt. Zog nur an meinen Locken und sagte: »Na?« Zaras Blick, zweideutiger als früher? Eben nicht, er war es ja schon immer gewesen, auch da, als noch gar kein Grund dafür vorlag, zumindest ein viel geringerer als Leos Treuebruch und meiner.

Ach, wie tat es mir gut, sie so strahlend zu sehen beim Betreten des Restaurants, sogleich von lauter Blickkristallen besetzt, mit schnellem, hochhackigem Schritt in diesem immateriellen Glitzerkostüm auf einen Tisch zuschreitend. Jeder erwartete sie hier. Zara verzog spöttisch ihr plustriges

Maul und genoß halbwegs die schmeichelhafte Belästigung. Viel machte sie sich nicht draus. Aber ich! Ich hätte aufstöhnen mögen vor Erleichterung, daß sie, im EEZ beraubt von allem Funkeln, aus Macht und Gewalt gestürzt und verstoßen in die schreckliche Nichtigkeit einer erbarmungswürdig Entgleisten, nun auferstand, als hätte sie das damals nur zum Scherz, für mich und die kleine Räuberin getrieben, zu unserer Belehrung, auferstand in ihrer strengen Pracht.

Sie mochte innerlich meine Euphorie belästern, aber mir dämmerte erst jetzt, wie sehr sie mir gefehlt hatte. Leo hielt meine zweifellos erkennbare Zara-Bewunderung vermutlich für eine gelungene Verstellung. Auch muß ich gestehen: Die Gestalt an ihrer Seite, die ich nicht ansah, wurde gerade dadurch zu einer heimlichen, herrlich aufblühenden Befeuerung, wenn ich den Kopf geschickt vorbeugte, beim Verschieben des Gemüses auf den nackten Brüsten der eingefrorenen Frauen auf unserem Tisch. Das heißt durchaus nicht, Zara hätte sich unentwegt in bester Laune befunden. Im Gegenteil, obwohl die Affäre zwischen Leo und mir mit keinem Wort direkt berührt wurde, wirkte Zara doch angespannt, lächelnd, aber verärgert über etwas, das man nicht aussprach. Leo legte manchmal die Hand auf ihre, sie entzog sie ihm dezidiert, und ich wagte nicht, daraufhin sein Gesicht zu prüfen. Kurz runzelte sie die Halbmondbrauen, bemühte sich aber rasch, mit dem Zeigefinger die Kräuselungen an der Nasenwurzel wieder zu glätten.

Ich hatte die Geschmacklosigkeit begangen, Leos Bernsteinohrringe anzulegen. Warum? Ich vermute, um mir Mut für die Gegenüberstellung zu machen. Zara griff über den Tisch und zupfte am linken wie in der Garderobe an meinen Locken. »Ah?« machte sie nur, und es folgte eine der mir damals noch ganz unbegreiflichen Reaktionen. Es freute sie offenbar, sie an mir zu sehen, sie nickte Leo billigend zu, gleichzeitig aber verfinsterte sie sich, als ginge die Großzügigkeit über ihre Kräfte. »Ich war dabei, als Leo sie kaufte. Zwei Paare, nicht wahr, Leo?« »Du weißt es besser«, widersprach Leo erschrocken und sehr prinzipiell. »Jeder von uns hat ein Paar gekauft. Deine Idee sogar, ja, dein Einfall war's.« Zara zuckte die Achseln. »Für alle Fälle, hast du gesagt, ich könnte es beschwören«, fuhr Leo hartnäckig fort. Übel nahm sie es uns wohl doch nicht.

Ungefähr an diesem Punkt hörte ich vom Nachbartisch den Satz: »Ein kleiner Kratzer nur, und unter dem dünnen Firnis der Zivilisation kommt bei uns allen die alte Bestie zum Vorschein.« O Gott, auch Küster und Laienprediger Specht existierte in Vervielfältigungen und schlich sich sogar hier als Agent ein! Die Frau, zu der ein Herr das zu sagen riskierte, tat ihm den Gefallen, kindlich zu fragen: »Bei mir auch?« Sie war gewiß zugleich eine ältere Ehefrau.

Zara hob eine Waagschalenbraue: »Seht sie euch an, diese Paare um die fünfzig. Wollen in ihrem verdammten Partnerlook jedermann zeigen, wie sie zusammengehören durch dick und dünn, zum Trotz, da sich alle anderen scheiden lassen. Immer lieb brüderlich und schwesterlich jenseits der Geschlechterkonflikte, Zwillinge bis hin zum Haarschnitt. Bollwerke gegen die Welt!«

An Specht erinnert, erkundigte ich mich nach dem grauhaarigen Kritiker, ob es stimmen könne mit dem Tetzelmann-Liebchen. »Ja sicher, geschnappt, vielleicht schon abgestoßen. Kürzlich hat er es wieder im Fernsehen unter Beweis gestellt. Kompletter Mangel an Unterscheidungsvermögen, daher das Renommieren mit Etiketten, brüstet sich als der fixeste Durchblicker von allen, und die vielen Kulturschafe glauben ihm brav. Aber, Maria, Sie wissen es nicht, darum merken Sie es sich: In der Literatur und Kunst überhaupt besteht ein sehr hoher Anteil, sehr, sehr hoch auch seitens der originär Produzierenden, aus nichts als Frechheit in Behauptung und Selbstbehauptung. Äußerungen toller künstlerischer Sensibilität: zum Kotzen! Nichts als Wurschtigkeit gegenüber dem zivilen Schamgefühl.« Zara kratzte sich, um das Paar zu brüskieren, mit der Gabel auf dem Kopf, nur zwei, drei Lidschläge lang.

Leo hatte das Kinn in die Hand gestützt. Er betrachtete

Zara von der Seite. Wie sie ihm gefiel! Wie sie ihn zufriedenstellte! Er wollte es nicht so deutlich zeigen, aber diese gepreßten Mundwinkel, dieses Behagen, das nicht ausufern, dem durch die Muskelanspannung Zwang angetan werden sollte, damit er nicht lachte vor Freude an ihr! Er schien sein Vergnügen übrigens mehr vor ihr als vor mir verstecken zu wollen. Immerhin, beim Stand der Dinge doch wohl interessant?

Trotzdem musterte Zara Leos Verzauberung und sagte böse – lag hier der Grund für ihre gelegentlich aufflackernde Erbitterung? –: »Falls ich Sie wieder einmal zu mir ins Alte Land einlade, werden Sie etwas vermissen.« »Den Graupapagei?« »Der ist noch nicht geschlachtet. Solange er artig ›Zara‹ sagt, bringe ich es nicht übers Herz. Die Chinesin, die meine Schuhe bewacht, fehlt. Mein Sekretär hat sie, als weiterer Bestechungsversuch, jemandem in Süddeutschland, einem Villenbesitzer, nach bereits vorher investiertem Pantöffelchen, in den Rachen geworfen, als uns das Haus schon praktisch gehörte. Aber irgendwas ist schiefgelaufen.« Leo verzog keine Miene, verbeugte sich nur lächelnd gegen Zara. »Sekretär«? War das jetzt die öffentliche Abstrafung? Wann würde ich an die Reihe kommen? Leo flüsterte, nuschelte – kräuselnd lief es über meine Haut –, bei diesem Geschäft müsse ihn irgendwas Aufregendes abgelenkt haben. Er wich also keinen Zentimeter zurück! Auch das verblüffte mich: Zara reagierte darauf nicht widerborstig, nicht verstimmt. Sie verschob besänftigt die Lippen.

Niemand achtete besonders auf das gewiß vorzügliche Essen. Die sich windenden Frauen unter unseren Tellern hatten bald ausgedient. »Der Miniaturtetzelmann«, sagte Leo, »ich habe es heute am Morgen erfahren, steckt tatsächlich drin, im illegalen Waffenhandel. Kleiner Fisch natürlich. Wahrhaft aufbauend«, er sprach ungewöhnlich schnell, als Ablenkung von der in den Sand gesetzten Chinesin? »sind die IISS-Jahresberichte, Internationales Institut für Strategische Studien. Der Handel mit Rüstungsgütern nimmt ganz wunderbar, nachdem er sich von der Flaute durch den Zusammenbruch der Sowjetunion erholt hat, wieder Fahrt auf, wenn auch die Kunden in Asien bei Rüstungskäufen sparen. Den Schrott kriegt Schwarzafrika. Die ärmsten Länder, südlich der Sahara, haben seit 77 die Waffenkäufe verdoppelt. Zwischenhändler kommen vor allem aus Israel. Nee nee! Die Entwicklungsländer kriegen den Hals nicht voll, können gar nicht genug importieren. Iwo! Allen voran aber hält Saudi-Arabien unangefochten die Spitzenstellung bei den Einfuhrländern. Die Exporte, traditionell mit dem weitaus größten Marktanteil, USA, über 45%, konstant mit gewaltigem Abstand: Großbritannien und Frankreich. Es folgen, sehr viel bescheidener noch, Rußland, Italien, Deutschland, Schweden, Ukraine, China. Im Jahre 97 belief sich der Gesamtwert der verkauften Rüstungsgüter auf, Moment, was schätzt ihr? Laßt es lieber bleiben: rund 100 Milliarden Mark. Auch 1998 blieben die Waffenlieferungen, nicht nur an die Saudis, insgesamt auf hohem Niveau ...« »Beachtlich, auch wenn es nichts mit der sinnlos verschleuderten Chinesin zu tun hat«, meinte Zara noch immer ungnädig. »Schon. Indirekt! Der Villenbesitzer verdient nämlich auch im sogenannten sensitiven Bereich, am Waffengeschäft. Legal. Jede Menge.« Das klang, als hätte Leo nicht eine Schlappe erlitten, sondern absichtlich den Coup mißglücken lassen, weil ihm der Mann zuwider war und er die Chinesin sowieso los sein wollte.

Leos Neigung, mit Zahlen zu basteln, mit Reihenfolgen usw., darf Sie nicht irreführen. Ich glaube, er stürzte sich nicht aus Buchhalterei darauf, sondern die Daten, Anekdoten und genauen Merkmale interessierten ihn gerade deshalb, weil er sie als unterhaltsamen Zierat ansah, als Garnitur, ablenkendes Spielzeug. Ich meine, er lugte oder linste, in Wirklichkeit mit Grausen, in die Lücken dazwischen, in das Uferlose und grenzenlos Graue. Ich tat das nicht, aber wenn ich ihn beobachtete, ahnte ich es. So schlug sein Blick ja auch durch mich hindurch.

Plötzlich glühte mich Zara aus zwei schwarzen Mündungslöchern über ihrem erhobenen Weißweinglas an:

»Und nun zum Rotwerden, Maria!« Ich verfärbte mich auf Kommando. Der peinliche Teil unseres Treffens war also keineswegs beendet. »Man denke sich nur, ein Staatspräsident, der gerade vom Frieden prahmt, würde, weil ihm mittendrin in den Sinn kommt, wie sehr sein Land – sogenannte ›vitale Interessen‹ – vom teuren Totschlagen profitiert (immerhin griff sie Leos Thema auf!), über und über oder wenigstens so zart wie Sie vorhin, Maria, erröten, vor laufenden Kameras. Oder eine Nackt-Gesicht-RTL-Sprecherin würde ein einziges Mal knall- und rübenrot« (wie dein Sturzkleid, Zara!). »Bei Dostojewski werden, fast als einziger Indikator für Seelenregungen, die Personen, häufig die Männer, an Kapitelschlüssen tiefrot, stopschildrot. Eine dänische Schriftstellerin, Afrika-Farmerin, die Pariser Kleider liebte, faßt sogar das Alpenglühen als monumentales Erröten auf, Seelenexhibitionismus der berückendsten Art und natürlich Machtverschiebung zwischen dem, der es erleidet, und dem, der es, wie wir, Leo und ich, vorhin bei dir, Maria, mitansehen muß.« Leo, schulmäßig galant: »Darf«. So sorgte Zara dafür, daß ich aus meiner qualvollen Verfärbung nicht mehr herauskam. Sagte ich eben »dir«? Ein Versprecher, geduzt hat sie mich niemals.

Sie ließ, während sie mich jetzt unerbittlich fixierte, nicht locker. »In England hat man ein Medikament entwickelt, Serotax, gegen Schüchternheit und die menschenunwürdige Brandmarkung durch Erröten. Man schluckt die Pille und bleibt souverän blaß. Offenbar eine wunderbare Nachricht für verkrampfte Jugendliche, Segnung der Chemie. Die Psychopharmakologie schafft ein Ursignal ab. Man braucht nicht mehr das Telefon zum Lügen.« Sie schloß kurz die Augen und lachte knurrend.

Das sachte Erröten und das tiefe, prangende, rotes Donnern, Entblößung der behauchten Seele und flammende Verhüllung der Normalzüge! Damals, an der Kreuzung der Waldwege, war Leos Gesicht in solche Glut verfallen, wollte, eigentümlich, bersten im Zorn über mein bißchen Unentschiedenheit. Hatte mich dieses scheinbar, nur scheinbar leidenschaftliche Entbrennen, aus Ärger des sonst immer bleichen Liebhabers nicht noch einmal eingeschlossen in das träumerische Segeln durch die Holunderburgnacht? Ein Stein gewordener Augenblick, etwas, unverwitterbar über eine Mauer geworfen, hinter der ihm nichts etwas anhaben konnte, keine Erosion, für alle Zeit?

Ich sah, Leo und Zara observierten mich vieräugig fordernd (noch ein Selbstmord, Wolf Specht, die bedrängte Fielmann-Verkäuferin!), und wieder errötete ich vor Schreck und Verlegenheit. Was hatten sie gefragt? Meine Gedanken konnte ich verbergen, aber nicht mein Abschweifen. Im Nachhall hörte ich ungefähr Zaras Stimme »Rouge als Stabilisierung des von Natur aus Flüchtigen, Kultivierung auch des barbarischen ›mit Blut übergossen‹.« Dann Leo: ». . . um das so leider eilig schwindende Zeichen der ersten Verliebtheit konstant nachzuäffen. Man weiß es auch als Mann und fällt trotzdem recht gern drauf herein.« Sie starrten noch immer. Ich tat, als hätte ich mich an einem Gebäckstückchen zum Espresso verschluckt. Es wurde als Schuldeingeständnis akzeptiert.

Zur Wiedergutmachung meiner unhöflichen Geistesabwesenheit holte ich tief Atem und improvisierte drauflos. Das angeschminkte Erröten werde sich, verglichen mit dieser englischen Verhütungspille, als die zähere Modeflause herausstellen. Obschon ich selbst, von klein auf, wie man mir noch immer ansehe, unter der verfänglichen Eigenschaft, für mich völlig unberechenbar, gelitten habe, die Unbefugten scheinbare Rechte einräumte, ein Freiwild für alle möglichen waghalsigen, oft falschen Vermutungen, so habe mir etwa häufig eine bloße Verdächtigung schon das Blut bis zu den Haarwurzeln hochgetrieben, wie ein Feind rasch oder gemächlich das Innere der Burgmauern erobernd, mich also stumm zu irreführenden Eingeständnissen gebracht, obschon ich also als schwer Geschädigte spreche, plädiere ich für ein Medikament zur ausdrücklichen Erzielung einer Verfärbung in vier, fünf Nuancen zwischen rosigem Perlmutt und Krapplack als Reminiszenz wenigstens an die Schamhaftigkeit der Seele, an die ehemalige Seele überhaupt, an ihre freudigen und zornigen Überflutungen, ja, auch wenn ich mich jetzt verhaspele, an die Hilflosigkeit, die tröstliche, die Wehr- und Schutzlosigkeit, die höchst persönliche der ...

»Psyche«, ergänzte Zara, gerührt über meine Anstrengung und Tirade. Die schwarzen Augen glänzten und spiegelten. Sie gab endlich, Rachegelüste gestillt, Ruhe.

Wir fuhren alle drei im Taxi bis Teufelsbrück über die Elbchaussee. Hier hatten die Wahlplakate des damaligen Oberbürgermeisters vor einigen Jahren die Allee mit Taktstöcken zerteilt, vornehm und blauhemdig – der redliche blaue Himmel Hamburgs wurde nahegelegt – die Hände in die Hüfte stemmend oder tatkräftig die Ärmel aufkrempelnd, so nobel das Haar, so aktiv diese Ärmel, zwei Mentalitäten bedienend und in zuverlässigen Intervallen die schöne Straße gliedernd. Ich wartete, bis das Fährschiff ablegte.

Erst mit ihrer Entfernung trat der Schock ein. Was jetzt? War das die Versöhnung zu dritt und das Ende zu zweit? Ich hatte ein Mittagessen gespart und leistete mir deshalb, mit plötzlich frostkalten Gliedmaßen, erbleichend bis in die Nieren, ein Taxi zum Taubnesselweg.

Als ich jedoch zu Hause sofort auf den Radioknopf drückte, um Nachrichten zu hören, erschrak ich noch einmal. Sonst hatte ich mir nach der Heimkehr immer erst eine Weile Leo vergegenwärtigt. Es diesmal zu vergessen, war das eine unbewußt, aber schlau verordnete Selbsterhaltungsmaßnahme? Ein jüdischer Kantor sang Klagelieder, ein baritonaler Tenor, verführerisch tremolierend, schmachtend, ein sich vor Gott windender Liebhaber. Ohne langes Zögern entstand daraufhin Leo, lehnte am Türrahmen, die Beine an den Fußgelenken übereinander etc., wie ich es so gern hatte, roch nach Zigaretten und Benzin.

Ach, klagte ich mit dem Kantor, die unendlichen Hoffnungen, die mit ihm untergehen! Ich rutschte ab mit den Händen, konnte den halluzinierten Leo, der an mir vorbeisah, nur noch undeutlich wahrnehmen. Das straffe Band des Unabänderlichen leierte aus. Ja, ja, sagte ich mir, es ist ja nicht die alte, verruchte Rechnung: Liebe nur gegen Liebe, es ist das Schwinden seiner Macht, trotz seines friedlich kooperativen Desinteresses. Ich aß so laut es ging einen Apfel und massierte mir Arme und Beine, um wieder Gefühl reinzukriegen.

Krieg ich verrückt? Ich widersprach mir ja dauernd. War ich verrückt und bekloppt? Und warum sollte ich nicht?

Kennen Sie das Gefühl, wenn man in einer Gegend, in der man immer glücklich war, nicht glücklich im großen und ganzen, sondern euphorisch, wo man wie die Erzengel, wie die Götter lebte, mit nur kleinen Einbrüchen der Hochlage, auf einmal nichts mehr empfindet? Man horcht, als fehlte nur ein entscheidender Ton, aber es geschieht nichts. Wie in alten Häusern, in denen man phantastische Geheimnisse vermutet, nichts anderes stattfindet, als die übliche Lebensstationenprozedur. Ich weiß, man kann als Hund in Spanien verrecken, Zara hat's ja erzählt, in anderen Gegenden von Erde, Wasser, Flammen verschlungen werden zu Tausenden. Aber wer zimperlicher aufgewachsen ist, für den ist die Ernüchterung der Welt ihr Ende. Er braucht eigentlich keine Apokalypse, ihm reicht die Abfertigung mittels einer kategorischen Wand. Das Herz pocht, ist nicht verloren, nur entleert und schlägt dumpf brav seine maschinelle Tour.

Um so überraschter war ich, als Leo spätabends leibhaftig vor mir stand. Er stand in der Tür und runzelte die Stirn. Das tat er die ganze Zeit über, bis er ging. Ich berührte den schwarzen Fleck an seinem Ohrläppchen. War er denn doch nicht mit der schönen barschen Zara ins Alte Land gefahren? Ich fragte nicht. Ich hatte gerade vorher noch einmal in dem am Vortag geschenkten Buch über die wunderbar gesägten Kämme geblättert. Als es klingelte, war es zu Boden gefallen. Ein merkwürdiger Anblick für Leo, es so herzlos da unten liegen zu sehen. Er hob es aber bloß zerstreut auf.

Dann, in meinem Bett, mußte ich die Augen abwenden,

um den wahren Leo, den vorher von mir bequem lehnend und heiter in die Tür gezauberten, den herrlichen und lässigen Leo in den Armen zu halten. Derjenige, der gegenständlich bei mir lag, trug nicht die Schuld daran, daß er ein bißchen schwächer ausfiel. Aber seltsam – ich verstehe auch das bis heute nicht –, dann sah ich ihn wieder an. Da siegten alle die Züge, das Bleiche und das Knochige, Gespannte, Müde, Kriminelle, dieses Bild, das mich so hinriß, ob es Leo war oder nicht. Es siegte die Kraft dieser physiognomischen Kombination, möchte ich behaupten. Eines steht fest: Der sicherste Weg, eine Liebe umzubringen, ist der, den Gemeinten anzutreffen als Menschen und das riesige Phantom des Idols noch gerade im Kopf zu haben.

Schon auf der Treppe, sagte er augenzwinkernd kalkuliert: »Sophie wird melodramatischer. Ich muß mich in acht nehmen. Vorhin ist ihr ein Messer hingefallen, direkt neben meine Füße, mit der schweren Klinge voran.« Ich kehrte in mein warmes Bett zurück und erblaßte noch einmal stückweise bis in die Eingeweide. »Vorhin«?

Immer melodramatischer aber wurde zunächst eine andere Person.

Warum sollte ich nicht unverfänglich ein Buch bei Sophie kaufen? Anders als das Geschäft »Weltbild plus«, wo für den allerflottesten Umsatz (Kochen, Krimi, Kinder, Kalender) einmal rings im Rechteck Bücher und Videos gestapelt sind, trotzdem mit Informationskanzel, arbeitete Sophie, ebenfalls im 1. Stock des EEZ, in einem Laden mit immerhin zwei großen Sitzmöglichkeiten für Leser, mit Bücherständern und Einbuchtungen überall. Von dort aus ließ sich für sie jederzeit studieren, wie ihr Abstieg aussehen könnte, um die Ecke schräg gegenüber.

In der unteren Ladenstraße standen an den Seiten Leute und aßen, ein bißchen geduckt und verstohlen, ein Fischbrötchen oder Kuchenstück, um dann oben in den Cafés mit einem Kaffee auszukommen, oder sie saßen gesittet auf den Bänken rund um die Topfbäumchen. Wenn man von der Rolltreppe zu Sophie wollte, mußte man an den weihevoll leeren Elektronikgeschäften vorbei, die ernst, einfarbig zu Abstraktion und Askese aufforderten. Sinnenfroh echauffiert dann die Buchhandlung, in der Sophie nicht zu entdecken war. Brütete wohl wieder einen neuen Schock für Leo aus? Mir waren zum ersten Mal die goldenen Quadrate an den Ecken der schwarzen Fußbodenbänderung aufgefallen, und gerade dort packte mich jemand von hinten an den Schultern, der mich gleich zu dem fetten weißen Amorengelchen des Cafés zerrte. Specht! Ersatz für Sophie! Schon saßen wir am Marmortischchen, die Augen abwechselnd auf »Weltbild plus« und die speckigen Puttenrundungen gerichtet, Specht die dicken Brillengläser leider immerfort auf mich.

Sofort ging's rund: »Da, die Wachleute auf Streife! Hier betragen sich jetzt alle ordentlich wie Schulkinder unter Aufsicht, strengen sich an, wollen nicht auffallen, die verdeckten Armen, die man nicht als Randständige erkennt. Trauen sich nicht auf die Sozialämter, verbringen hier ihre Tage, hoffen, wenn sie nur brav sind, ließe man's durchgehen, aber schon haben ja die Rollstuhlfahrer, Krüppel, die verwirrten Greisinnen, die Mütter mit wegversperrenden Kinderwagen abgenommen. Obdachlose, Bettler, freilaufende Trinker kommen gar nicht vor. Würde auch kurzer Prozeß gemacht mit denen. Sind nicht mehr als malerische Tupfer erwünscht oder geduldet. Weg mit den störenden Elementen, zerstören hier die herrschende Glücksillusion, psychische Behinderer der Lust zum Luxus. Genauso werden sie es mit der Spitaler Straße machen, wenn sie erst überdacht ist. Die Einzelhändler geben sie in private Hände, die sorgen dann für Hygiene und Paradiesflair. Man tut so, als wäre es noch normaler Stadtverkehr, aber es ist ein großes, der Wirtschaft gehörendes Kaufhaus, Zug um Zug dann die ganze Innenstadt.«

Da entdeckte ich Zara, Zara in ihrem Bohnenschotenmantel. Sie hatte sich bei einem hübschen jungen Mann – ich glaubte, ich hatte ihn hier schon gesehen, ein älterer Herr starrte ihn damals an – eingehängt und lachte so zärtlich, weich schimmernd, wie ich es an ihr noch nie gesehen hatte: Zaras Sohn! Sie aber, Sie lächeln ja nun auch zum ersten Mal! Sogar die kleine Räuberin war dabei, mit einem Beutel über der Schulter, jagdburschenhaft. »Maria!« Specht preßte meine Hände und näherte mir das Bärtchen. »Maria, etwas muß geschehen. Es geht so nicht weiter mit uns.« Ich reckte den Hals. Schon war Zara vorüber, ein großmütiger Duft, vorübergeschwebt. »Maria!« Was sollte die Anmaßung: »weitergehen mit uns«? Wütend sprang ich auf, knallte, so hatte ich es kürzlich im Fernsehen als satte Geste genossen, einen Zehnmarkschein unter den Aschenbecher und lief mit dem angenehmen Gefühl, Specht durch die hingerotzte Einladung beleidigt zu haben, davon, insgeheim hinter Zara her, aber sie blieb verschwunden.

Und wissen Sie was? Sophie war es dann, die mich am nächsten Tag darüber informierte, was Specht, offenbar beschämt oder, zum Teufel was auch immer, über den Ausgang unseres Treffens, angestellt hatte. Zunächst war er noch im Café sitzengeblieben und hatte den Leuten an den Tischchen Grimassen geschnitten, war dann umgezogen ins italienische Eiscafé, um dort Purzelbäume zu schlagen, worauf ihn schließlich das Wachpersonal nicht allzu grob entfernt hatte. Ich könne das in der Zeitung nachlesen, dort heiße der Täter allerdings »unbekannt«. Wieso Specht nach allem zu ihr geflüchtet und sich nicht etwa bei mir das Herz ausgeschüttet habe, sei ihr zuerst natürlich nicht klargeworden. Er sei nach dem Auftritt im EEZ mit der S-Bahn zu den Landungsbrücken gefahren. Im Zug habe er sich im Schneidersitz auf den Boden gesetzt, vor eine junge Frau, deren kleiner Hund sich vor ihm unter einer Bank versteckt hielt. Kurz vor den Landungsbrücken habe er den Kleinen hervorgezerrt und sei mit ihm die Treppen hoch, die Brücke runter zu den Anlegestellen gestürmt. Nun das Unverständlichste, was er auch ihr, Sophie, nicht habe begründen können: Er habe den Hund in weitem Bogen in die Elbe geworfen, sei dann getürmt und entkommen. Der Hund sei aber gerettet worden, wie man lesen könne. »Maria, man muß sich Sorgen machen. Er hat bei mir geweint und Ihren Namen immer wieder gesagt. Sie wissen ja, wo er wohnt.« Von Zara kein Wort. Unwillentlich lud ich Sophie für den nächsten Samstag ein. In Wirklichkeit hatte sie aus dem Vorfall ein Riesentheater gemacht. Aber, dachte ich damals, wenn ich jetzt bei Specht vorspreche, verschlimmert es sich nur für ihn.

Die Zeitung war nicht mehr auffindbar. Am nächsten Tag stand im Lokalteil folgendes über ein Feuer in einer Tierhandlung des EEZ: »Die Kleintiere hatten keine Chance. Das Zoogeschäft brannte völlig aus, mehrere hundert Tiere – darunter Hamster, Kaninchen, Schlangen und Vögel – kamen qualvoll ums Leben. Eine Anwohnerin: ›Was sind das nur für Menschen, die so etwas tun?‹ Zwar hatte das Feuer nicht auf die anderen Geschäfte übergegriffen, allerdings wurden die benachbarten Läden durch Verrußung und Löscharbeiten zum Teil stark in Mitleidenschaft gezogen. Den Sachschaden schätzt die Polizei auf weit über eine Million Mark. Das LKA ermittelt. Ein Anwohner hatte eine Scheibe klirren gehört und vier Personen flüchten sehen.«

Können Sie sich meine Erleichterung vorstellen, als ich bei den »vier Personen« anlangte? Specht konnte es also nicht gewesen sein! Dann bemerkte ich auch, daß es gar nicht EEZ, sondern EKZ geheißen hatte. Die Angabe »Mümmelmannsberg« in Klammern hatte ich im Schrecken gar nicht mitgekriegt. Ihm, der immerhin Schwein, Hummer, Löwenjunges ungeschickt besang, hatte ich eine solche Schändlichkeit gegen Hilflose nach dem Hundewurf in die Elbe zugetraut! Schätzte ich seinen Zustand bereits als so bedenklich ein? Dann mußte ich wohl oder übel nach ihm sehen, doch da sagte mir auf der Treppe die Hausbesitzerin, die alte Frau sei tot. In ihrem Bett hatte man sie einen Tag, nachdem sie gestorben war, gefunden.

Ach, ich hatte meine alte Frau verloren! Zuletzt war der Druck auf den Ein-Aus-Knopf der Waschmaschine ihre einzige Macht und Befehlsgewalt über die Welt gewesen, wenn die Stille durch ihren Zeigefinger in einem Aufrauschen unterging. Deshalb wusch sie mit solcher Leidenschaft. Ich hatte ihr manchmal die Beine und Füße massiert, weil es darin kribbelte. Wissen Sie, was mir besonders an ihr gefallen hat? Ein Satz, etwa mit dem Inhalt, daß sie an der Jugend vor allem die Konzentrationsfähigkeit bewundere, die man für die Liebe brauche. Das gute Gedächtnis, das unerläßlich sei. Sie war viele Jahre Packerin bei Brinkmann in der Spitaler Straße gewesen. »Des Herren Tag ist Finsternis und nicht Licht. Amos 5, Vers 18«, sagte sie. Kurz bevor sie in Rente gehen konnte, erlitt ihr Mann einen Schlaganfall. Sie hatten sich so sehr auf Radtouren elbabwärts bis nach Fährmannssand gefreut. Nach dem zweiten Schlaganfall starb er. Da traute sie sich mangelnder Übung wegen nicht mehr aufs Rad.

Zur Erinnerung an die alte Frau sah ich mir lange ein Kindheitsbild von mir selbst an. Mein bisheriges Leben war mir oft vorgekommen wie eine Metallfläche, in der sich etwas Weißes spiegelt, die sich ab und zu durch Umrisse, Schatten verdunkelt, trübt, bewölkt, vorübergehend Tiefe gewinnt, sie dann wieder verliert und milchig wird. Über Kunst hatte ich nie mit der alten Frau gesprochen, aber jetzt, so sehr an sie denkend, mich selbst mit circa neun Jahren betrachtend, spürte ich wieder, wie damals etwas balsamduftend in mein Leben geströmt war, in mein Leben mit den Gerüchen nach Essen, Schule, Schwimmbad, Putzmitteln, und zwar durch ein dickes Buch, in dem ich, versteckt in einem Holundergebüsch, Balladen las, gotische Maler ansah zur Musik, Zigeuneroperetten, so kommt es mir heute vor, aus dem wenige Schritte entfernten Küchenradio, wie mir diese drei, verbündet mit dem Gebüsch, die Fußsohlen hoben und ich in eine unvergleichliche Leichtigkeit entrückt wurde, aus der scharfen Nützlichkeit in den Überfluß. So gedachte ich der alten Frau.

Das Licht kletterte eichhörnchenartig an den letzten roten Blättern im Zickzacksprung nach unten. Zaras roter Zickzacksturz in großer Verzögerung. Ein schöner Novembertag, wo sich Himmel und Erde aneinander rieben, und das Geräusch klang nach Vogelgezwitscher. »Wenn sie einen Roman zu schreiben hätte, behauptet Zara neuerdings«, murmelte Leo neben mir, »würde sie sich ein paar handfeste Szenen ausdenken. Die Zwischenräume müßten jeweils deren allmähliches Anschwellen suggerieren, und dann hinge schließlich der Tropfen, ein dicker, spiegelnder Wassertropfen am Hahn, bis er abstürzte. Dann wieder von neuem. Ich vermute, sie beschreibt damit eher das normale, gesunde, glückliche Eheleben.«

Wir gingen im Hirschpark, von Teufelsbrück aus ein ganzes Stück elbabwärts also, über einzelne Blätter und über die dunklen Abdrücke der schon weggewehten. Konservierte Blätterschatten. Früher hatte ich manchmal die Cranzer Werft hier schwach leuchtend, inselhaft im Nebel gesehen. Man meinte, kurzfristig sei eine Stadt der überaus Seligen erschienen. Aber es war die Werft.

Leo, dachte ich, was verstehst du schon von einer Ehe! Aber mit deiner interessanten Müdigkeit gegenüber der Welt hast du mir, wie sich nun herausstellt, den Glauben an die unbedingte Fügungskraft der Liebe geraubt, meine letzte Jugend und allerbeste Phantasie. Ich sagte aber nichts und zeigte ihm, weiter auf Blankenese zu, einen Lieblingsplatz dieser Gegend: den Kanonenberg hoch über dem Fluß, genau gegenüber Cranz. Bei starker Ebbe traten immer mehr Sandbänke aus dem Wasser, und alle Zacken, der ganze Zinnenschmuck des jenseitigen Ufers entstand penibel genau auf dem Kopf im stillen Wasser noch einmal, schattenhaft.

Ich erzählte Leo von meiner alten Frau. Da schlug er vor, zusammen nach Fährmannssand zu fahren. »In memoriam«. Er lächelte mich an, und ich wußte wieder: Er sah mir ohne Umschweife ins Herz. Am kleinen S-Bahnhof nahmen wir ein Taxi. Wie hatte ich am Anfang um seinen Blick gekämpft, um nicht unterzugehen, ich meine, damit mein frisches Gefühl nicht unterginge: Eine Klammer von Anfang und Ende, symmetrisch und doch das richtige Leben! kam mir in den Sinn und fesselte mich so sehr, daß mein Kummer eine Minute lang aussetzte wegen – – aufgrund ästhetischer Faszination.

Auf den Weiden wachten noch Kühe über den Kalenderherbst, trotz der Kälte in den Nächten. Aber wir sahen keine Radfahrer mehr. Die Ziegen beim Gasthof standen regungslos, gingen nicht in ihre Holzhüttchen, schienen aber zu frieren. Wir wanderten zwischen Deich und Elbe, nicht oben, wo es ungeschützt war. Das Wasser schwappte schon schwerfällig winterlich im plötzlich arktisch eisigen Licht. Über uns zogen Wildgänse in Formation unschlüssig hin und her. Salzige Schreie. Wenn sich die jungen Schafe erhoben, hatten sie Schwierigkeiten mit den steifen Gelenken. Verlangsamung überall wegen der Kälte hier draußen. In flachen Tümpeln gefror das Wasser bereits. Leo brachte es ein paarmal zum Knacken.

Er wirkte unglücklich, es schmerzte mich, hätte aber keinen Sinn gehabt – eine unverzeihliche Taktlosigkeit –, ihn zu fragen, ob das jetzt doch vom Treuebruch an Zara herrührte. Auch einen anderen Grund konnte es ja geben. Er sah mich zwischendurch von der Seite an, als sei er gierig danach, einen alten Zündstoff aus meinem Anblick zu gewinnen, ein Entzücken vielleicht, in das ich ihn einmal kurzfristig versetzt hatte. Was sollte man tun? Sie an meiner Stelle, sagen Sie es! Zu tun gab es nichts, nichts zu handeln. Doch, eins eventuell. Aber wie das bewerkstelligen? Mir kam es so vor, als verlangte er, ich solle ihm helfen beim Verlust seiner Liebe zu mir, als sollte ich ihn trösten und ihm Beistand leisten, weil er selbst nichts mehr empfand.

Ja, ich zerbrach mir den Kopf, während wir gegen den schneidenden Wind ankämpften, so daß uns beiden, irreführend für die unverständigen Schafe, die Tränen übers Gesicht liefen.

Die erste Überraschung, für die Sophie sorgte, als sie mich besuchte, trug sie an den Ohren. Da hingen, von ihr freigestellte Trophäen, die Bernsteintropfen aus Danzig, nur waren sich beide im Farbton ähnlicher – kein Jüngstes Gericht – und insgesamt dunkler als meine. Zara hatte sie ihr vor ein paar Tagen geschenkt. Leo sei dabeigewesen, und Zara habe ihn ausdrücklich, vor ihren, Sophies Augen und Ohren, sanft gefragt, ob es Bedenken gebe. Sie sei verrückt, habe Leo zwar unbegreiflicherweise zornig gesagt, aber sie, Sophie, müsse ihm dann doch recht gut damit gefallen haben. »Er hat mich, als ich den Schmuck gleich anlegte, dauernd betrachtet, ja, sogar mein Haar sacht, so sacht, Maria, es durchrieselte mich, weggeschoben, um die Dinger an den Ohren genauer zu studieren.« Kein Wort über Specht an diesem Nachmittag.

Was für ein Feuer in Sophie, aufgepumpt von Erwartung, und sei die noch so diffus! Wie lichtschluckend die Pupillen, welch animiertes Stöhnen entrang sich ihrem großen Weichkörper unter ununterscheidbarem Tuch- und Schleierwerk! »Ahh« atmete sie aus. »Ahhh, was ein Mann. So einen gibt's kein zweites Mal auf der Welt. Was ein Teufel, was für ein dickschädliger, kindischer, unwiderstehlicher Teufel!« Sie lachte glücksgeblendet, der Busen bebte lange, aber schon schnellte sie, überkochend, ja deckelhebend hoch: »Maria! Sie verzeihen mir, aber auch ich bin weg, hin, bin begeistert, auch ich ein Mensch, eine Frau.« Berauschte Krähe, von allen Rabenvögeln am ehesten die Krähe, nichts hilft gegen die sogenannte Liebe, die das vulgärste Zeug über die Lippen nach draußen schickt. Lauter besoffene Satzmolche. Mein Frieden und meine ausbleibende Eifersucht waren die zweite Überraschung für mich. Sophies Aufgedrehtheit mußte ich entnehmen, daß sie in letzter Zeit immer häufiger im Alten Land arbeitete und zu Gast war, eins ging ins andere über, und stets tauchte Leo bald in ihrer Nähe auf, manchmal wie zögernd, unentschlossen herumstehend. Ob er sie eines Tages umarmen würde? »Ach Maria, entschuldigen Sie, aber: Täte er's doch! Ich tät's von mir aus, aber man traut sich bei diesem Mann einfach nicht.« War das Komödie? War es Glut?

Zu Anfang, als sie den Namen Leo zum ersten Mal so

brünstig artikulierte, wurde ich sogar selbst einen Moment fortgerissen von ihren Sehnsuchtsschauern, ja, auch wenn es beschämend ist, kurz kreiste Leo vogelgleich am Himmel über uns beiden. Dann mußte ich nur noch grienen. Ich wurde zweifellos prächtig unterhalten, während Sophie ihre leidenschaftlichen Kaffeeflecken mit den Händen vom Tisch wischte und die Finger in grober Sinnenfreude ableckte.

Und wirklich, nichts anderes hatte sie zu vermelden, als solche buhlerischen Kleinodien: »Leo in meiner Nähe«, »Leo mich anblickend«, »Leo wie zufällig meinen Arm streifend«. Sie machte es vor, berührte aber eindeutig ihre Brüste. Zwischendurch ballte sie dämonisch entfacht die Hände. »O Gott!« rief sie aus der Tiefe, »O Gott!«, und dieser ungeschlachte Schrei entrang sich ihrem Schornsteinkörper als gewaltiger Dampf, hinter dem sogar die Flamme herschlägt und nicht mehr im Haus zu halten ist. Nicht mitanzusehen, wie sehr sie ihn herbeiwünschte! Warum war sie dann nicht im Alten Land? Nur durch demonstrative Nüchternheit konnte ich sie psychisch in den rechten Winkel stemmen. Erhoffte sie Leo bei mir?

Zu Recht! Der »Teufel« schellte und stand, wie gerufen, vor uns, und, mir nicht neu, durchaus erbaut von Sophies Gesellschaft. Jetzt konnte es lustig werden. Keine heimliche Quälerei. Ich machte gar nicht den Versuch, Sophie zu entlassen. Und das nun verblüffte mich am meisten: Ich sah auch dieser Scharwenzelei in wunderbar entrückter Friedlichkeit zu. Sophie als meine Stellvertreterin! Ich selbst war es, die scharwenzelte in ihrer Gestalt. Ich studierte mich als sich windende Frau unter dem Glaslack des Restauranttellers und fühlte mich so ruhig, daß ich von meinem eigenen Bild hätte essen können.

Jeder Schritt durch die Wohnung ein Schleichen oder Stolzieren, stets jedenfalls ein Präsentieren des Leibes. Sie vertrat mich vorzüglich in Sachen Passion und deren Karikatur. Leo schien es gewöhnt zu sein. Sie bildete mit ihren unaufhörlichen Bewegungen in meinen Zimmern unsichtbare Schlinggewächse, die im Nu überall wucherten, um den amüsiert und zweifellos auch geschmeichelten, aber doch auch felsenfest stehenden Leo herum. Nichts Unglückliches an ihm, etwas sacht zynisch Erheitertes, auch Eitles über die Huldigungen im überschwenglichen Bedienen (übernahm alles Sophie), im Erfragen des Wohlbefindens, überhaupt im elastischen Begleiten der minimalen Auf- und Abstiege seines Tageslaufs mit den entsprechenden klassischen Teilnahmelauten. Kollerndes Lachen, Kichern nicht weniger, Schnalzen des Mitgefühls, Riesenregister für eine Zwergenwelt. Leo ahnte gewiß und zu seinem Unheil nicht, in welchem Maß er den Wahnsinn in Sophie hervorreizte. Einmal warf sie mich um ein Haar zu Boden, registrierte es aber überhaupt nicht.

Mir kam die Idee, einen lauten Pfiff auszustoßen oder zwei Topfdeckel gegeneinander zu schlagen. Wäre so das Irrlichtern noch zu stoppen? Ich wollte es ja gar nicht! Ich räumte, auf meinem Stuhl sitzend, das Feld, suchte nicht mal mehr einen Blickwechsel mit Leo, ließ mich von dieser, mir so bequem alles abnehmenden Flirtatmosphäre baden und erwärmen.

Und Sie, erinnern Sie sich eigentlich noch an die speziellen Freuden, die durch Reizung der primären und sekundären Geschlechtsorgane zu erzielen sind?

Ich sammelte meine Gefühle im Bild der erregten Sophie, der verliebt durchdrehenden. Leo entmutigte sie nicht. Ich würde sagen, er schmeckte sich selbst, mußte nicht viel tun, nur männlich sein. Das war er.

Ahnte ich damals, daß es schon Leos vorletzter Besuch bei mir sein würde? Weiß ich nicht. Ich spürte aber eine tranceverwandte, süße Kraftlosigkeit, als wäre ich eine mir nachgeformte Figur aus feuchtem Sand, und was ich wahrnahm, waren die vielen einzelnen Sandkörner meines Fleisches, nach außen zu einem weiblichen Körper geformt, nach innen nur in diesen Millionen gleichartiger Körner existierend. »Liebe«, sagte jemand, nannte das Wort als Befehl und Auftrag. Als Parole und was nicht alles. Ich hatte es früher auch schon mal gehört, früher, aber die vielen Zerstreuungen! Die alte Frau hatte recht! Es kommt so viel dazwischen, tageintagaus. Besonders diese Massen und Mengen, treppauftreppab. Die Ablenkungen. Man kocht sich eine Portion Nudeln, stößt sich den Ellenbogen, liest von fernen Kriegsopfern und da, ein schillernder Käferflügel. Vielleicht aber waren es doch der grotesken Sophie Überzeichnungen meiner eigenen Gefühle, die den Ausschlag gaben. Und Zara, der Fadenzieherin, durfte man solche treffsichere Intrige durchaus zutrauen.

Anders als im Restaurant, wo meine Geistesabwesenheit vorwurfsvoll bemerkt worden war, fiel sie hier nicht ins Gewicht. Sie verließen mich gemeinsam. Leo, blaß wie immer, und das drückte mir doch nachdrücklich aufs Herz, reichte mir nicht die Hand, nicht mal nebenbei. Er berührte mich überhaupt nicht.

Noch unten aus dem Treppenhaus drang Sophies eifrig werbendes Gelächter hoch. Leo drehte sich in der Kehre um. Ich sah den standhaften Säulenhals, ein völlig ernstes Gesicht, in dem ich alle mir möglichen Gedanken hatte unterbringen können. Jetzt war es nicht mehr das Fenster zu unendlichen Freuden und verstellte mir nicht mehr die Aussicht auf den Tod. Ich schlug mir selbst auf den Mund, dabei war ich stumm geblieben. Ich wollte mich bestrafen. Die Lippe blutete sogar etwas. Aber es war nun einmal gedacht.

Anläßlich eines Auftrags für eine kleine Kollektion, die sich eine bestimmte Orchidee mit zarten, gebogenen Zweigen, die besetzt sind mit Blüten wie Tänzerinnen, zum Vorbild nehmen sollte, mußte ich in den Botanischen Garten. Im Schaugewächshaus konnte ich mir die Blume ansehen und dann stilisieren. Ende November forsche ich dort immer gern nach den allerletzten Blüten im Freien. Ein schmales Becken mit Seerosen im Sommer war zugefroren, die Notenpultschilderchen fest verpackt im klaren Eis. Man konnte die Namen von oben ablesen wie Bernsteineinschlüsse. Auch ein paar Ranken, sich windende Nymphen, erstarrt am Grund. Ich nahm mir vor, dieses durchsichtig Eingeschlossene in einem Schmuckstück nachzuahmen.

Stundenlang beschäftigte ich mich nicht mit Leo, schrieb den Namen hin und betrachtete ihn ohne Gefühlsregung. Ob Sophie und er unter den Augen Zaras ihr Spiel mit vollkommen ungleichem Einsatz treiben würden? Ich immerhin hatte Leo besiegt. Keine Vogelstimme mehr!

Nur: Ich wurde dabei ein schlechterer Mensch. Die alltäglichen Gedanken ergriffen wieder Besitz von mir in ihrer Kleinlichkeit. Meine Inbilder hatte ich mit ihm hinter mir gelassen. Ich träumte jedoch öfter von Zara. Sie ging immer durchs EEZ auf hohen Absätzen. Ich erwachte dann lächelnd.

Sie übrigens, obschon Sie so lange ausgehalten haben, sehen am heutigen Abend, an dem ich müder bin als Sie, gut aus wie noch nie. Verjüngt. Niemandem sonst habe ich bisher das alles erzählt. Ohne Sie würde nichts daraus. Sie beflügeln mein Gedächtnis, Sie wachsen mir ans Herz. Auch vergesse ich Ihnen nicht, daß Sie meine Faseleien über die Fieberphantasien und die Zeit nach meinem großen Unglück ertrugen. Bis morgen, ja?

Es zog sich nun beschleunigt zusammen. Die kleinen Winke erhitzten die einen und lähmten die anderen. Gute Nacht. Ich werde mich auf Sie freuen, vom Frühstück an. Noch schnell das: Eine schadenfroh vorgebrachte Mitteilung Sophies, vor der vielleicht sogar mit ihm abgesprochenen Ankunft Leos bei mir, hätte mich früher in Entzücken versetzt. Leo sei damals in Süddeutschland ganz durcheinander gewesen, sein erster schwerer Fehler bei einem Deal. Es habe hinterher einen lauten Streit im Alten Land gegeben! »Das Schloß da unten hat ihm kein Glück gebracht.« Furienhaft schoß Sophie einen dann sofort wieder verschwundenen Rächerblick zu mir her: »Bei diesem Coup, im Auftrag Zaras, aber sie ist natürlich von Leos Spürnase abhängig, ging es um viel mehr als um eine Villa und ein chinesisches Pantöffelchen, das waren doch nur Decknamen! Etwas in großem Stil, aber codiert. Alles schiefgelaufen durch Leos Desinteresse. Das wirft ihm auch Zara vor. Daß er sich zu sehr auf Peripheres konzentriert habe.« Sophie meinte das böse – und auch wieder nicht. Bös, nicht bös.

Ihr Lächeln macht Sie viel jünger! Gute Nacht, gute Nacht! Ihr Lächeln. Wie süß, wie süß.

Schnee

7. Abend

Sie sehen heute noch besser aus als gestern, erfrischt, gestrafft, wenn Sie gestatten, rötlich belebt. Es muß die Luft sein, das ruppige Wandern im Hochgebirgsklima. Auch ich war unterwegs. Und wissen Sie, woran ich gedacht habe, bei diesem Starren aufs Weiße? Daß ich Sie am Abend wiedersehen würde, hier drinnen, mit dem vielen Schnee drumherum, ja, von draußen malte ich mir diesen heißen Raum in der kalten Nachtlandschaft aus und Sie darinnen.

Ich will Ihnen etwas zu den Zetteln sagen, die ich bei mir trage: Reiseproviant. Ohne diese Papierschnitzel hätte ich Ihnen viel Unwichtiges gar nicht wahrheitsgetreu erzählt. Natürlich, wie sollte ich etwas ahnen von dem Glücksfall, auf solche Geduldsohren wie Ihre zu treffen! Ursprünglich habe ich das Zeug mitgeschleppt, diese Fetzen und Läppchen, um eines Beweises willen, nur für mich allein. Ruinen, die noch standhalten, bevor alles in Trümmer und Vergeßlichkeit überwechselt. Ach was, Quittungen, sozusagen Quittungen sind es. Anfangs tat ich Ihnen gegenüber so, als trüge ich diese Gedichtchen usw., diese Listen usf., zufällig bei mir, wie man alte Einkaufszettel in den Taschen findet. Aber natürlich begreifen Sie längst, um was es sich in Wirklichkeit handelt. Überbleibsel für den Bau einer kleinen Liebeskapelle. Das überrascht Sie nicht? Aber was für ein Wunder, daß Sie mir durch Ihre Aufmerksamkeit erlauben, es hinauszuposaunen!

Hätten Sie gedacht, wie es sich tatsächlich mit unserem Gedächtnis verhält? Nämlich, wieviel es uns Gutgläubigen vorgaukelt? Oder wir ihm, dem Gedächtnis? Man glaubt Stein und Bein, sich zu erinnern, und was tut man statt dessen, oft genug zumindest, um sehr, sehr nachdenklich zu werden? Man erfindet. Glaubt ohne weiteres an unechte Biografiestücke. Was sagen Sie dazu? Man sieht deutlich eine Szene der Kindheit, aber macht es sich bloß vor, weil irgendwas das nahelegt, ein Wunsch, ein Vorbild, eine Mode, eine Furcht. Illusionen des Gedächtnisses! In Seattle, im US-Staat Washington, hat man es jetzt gemerkt und die Nachricht offiziell der Welt übergeben. Dagegen die Zettelchen: bombensichere Originale.

Unvorstellbar, wenn man sich nur auf einer Landkarte die Alpen ansieht, daß man in diesen kleinen Falten und Kniffen, auch meinetwegen ab und zu gefurchten Krümmungen, tödlich verunglücken kann, abstürzen, erfrieren, verschüttet werden und mutterseelenallein zugrunde gehen. In diesem braunen Gekräusel doch nicht! Insofern möchte ich, durch die neue Gedächtnisforschung von vornherein entschuldigt, beinahe behaupten, ich sei als Kind mit einem Satz von den Alpen runtergesprungen und dann mit dem Kinn in der Poebene aufgeschlagen. Ich meine aber nur: Das ist mir immer, bevor ich hier war, plausibel vorgekommen. Eine geschlängelte Linie kann viel eher einen Fluß darstellen als das elende Gekröse die hohen drohenden Berge in ihrem weißen Dräuen, stimmen Sie mir zu?

Bisher kannte ich mich besser mit dem Meer aus. Aber was für Ähnlichkeiten! Da fällt mir ein Erlebnis ein, eines Tages, ich lebte noch mit Mann und Kind, es war in dieser kurzen Zeitspanne, als abweichend vom gewöhnlichen Beobachten der Himmelsfarbe im Wasser für zwei, drei Stunden alles in einer vollständig umschließenden, gläsernen Kugel kreiste, die jedes Ding der Erdoberfläche, das ganze Material, eingeschmolzen in ein einziges, unmäßiges Blau, zurückwarf. So erschien es einen Augenblick. Nichts widerstand diesem blauen Donnern, auch: Summen. Die ganze Welt ihm ergeben, von ihm durchdrungen. Jetzt erst denke ich, man hätte ja vielleicht die Überwölbung, diese Glocke abreißen können, jemand mit sehr starken Armen, um uns unter dem Blau anzusehen und umgekehrt: um sichtbar zu werden für uns. Denken Sie nur an Zaras Tauben und die Kellner auf dem Fest, an die Taschenratte und den Kanadischen Uhu und noch so einiges! Damals jedoch, damals, nein, da siegte über alle Gedanken das einfache, sich bauschende Blau. Obschon die stacheligen Polster neben unseren Füßen, die in der Wildnis den Eindruck, ziemlich unpassend, eines orientalischen Sofas weckten, sich weiterhin grün und scheinbar samten buckelten. Die Hitze klang wie ein leises Motorengeräusch zu der weltraumartigen Umklammerung von 270 Grad.

Eis, Kälte, Frost, Lawinen, Gletscher, Firn, Skifahrer, Winter, Schlitten. Habe ich das Wort »Schnee« gesagt? Na? Sehen Sie, was Ihnen Ihr Gedächtnis vorspiegelt? Eisern der Meinung, Sie hätten eben »Schnee« gehört! Jedenfalls jeder zweite reagiert so, sagt man in Seattle. Leos Liste aber von den reichsten Familien Deutschlands, die kann ich Posten für Posten ablesen, keiner wird ausgelassen, keiner überschlagen, wenn es darauf ankommt, wenn die Kamele durchs Nadelöhr müssen.

Sie selbst sind schuld, daß ich so abschweife. Ich bin schlichtweg perplex über Ihre gute Gesichtsfarbe und, wenn ich so sagen darf, Ihre weltmännische Haltung. Wissen Sie noch, wie wir uns kennenlernten? Mir ist, als wäre viel, viel Zeit vergangen seitdem, aber andererseits, als wäre sie auch rückwärts gelaufen, nämlich immer dann, wenn ich Sie so betrachte. Werde etwa auch ich von Abend zu Abend hübscher, brauner, sportiver?

Es interessiert mich nicht, nicht, was mich betrifft. Leichter werde ich eventuell, ich lasse Gewicht ab beim Herumstapfen. Nicht, daß ich es darauf anlege. Nicht im geringsten, ich registriere es nur, wiege mich nicht auf der Hotelwaage, alles unerheblich. Aber es ist ein Gefühl, die Empfindung, zumindest wenn ich durch das Weiß trotte und trabe, ich würde nicht mehr so festpappen. Ich spüre ein federndes Abstoßen bei jedem Schritt. Nicht weniger, nicht mehr.

Aber wußten Sie das denn? In Griechenland gibt es Adler, die sich mit den großen Raubklauen an harmlosen Schildkröten vergreifen. Im sicheren Panzer laufen die Opfer über den Erdboden, und plötzlich geht es, zum ersten Mal im Leben dieser Erdtiere, steil nach oben, immer höher, über die Bäume, in die Felsregion. Unvorstellbar, was in dem umsonst gewappneten Wesen, in seine dunkle Kammer verkrochen, bei diesem raschen Durcheilen der Höhen geschieht. Hoffentlich werde ich nie so gepackt werden! Was für ein Entsetzen, so den Zustand zu wechseln, aus der Heimat und Horizontalen verschleppt. Selbst wenn man nicht wie die Adlerbeute, zum Sturz freigegeben, auf den Steinen in der Tiefe zerschellt. Was für ein Grauen und unerwartetes Unglück. Was wohl schlimmer ist: in einem Flugzeug minutenlang unausweichlich dem Untergang entgegenzutrudeln, wie kürzlich erst wieder zwischen den USA und Europa, Untergang im eiskalten Atlantik, oder, wie jetzt in Rom, Überraschung im Schlaf, Tod wie ein Dieb in der Nacht, wenn das ganze Mietshaus im Erdboden versinkt? Das Furchtbarste ist die hundertprozentige Überrumpelung, die dann aber nicht in einer Sekunde zu Ende ist.

Mich hat die Aussicht auf das viele Weiß hergelockt, aber eben nicht als Ebene. Als Hochgebirge! Nun kam ich an mit dem kleinen roten Zug, fuhr über eine hohe Brücke, hoch über die Schlucht gewölbt, alle Bögen mit Glühlämpchen skizziert in die Dämmerung, durch den Tunnel zum Schluß, stieg aus in ein mildes Schneegestöber, alles recht, und hielt Ausschau. Die Berge waren überhaupt nicht anwesend. Geboten wurden nach der langen Reise, und am Ende ja auch brav bergauf, ein feiner Flockenwirbel und große Schneemänner in einem aus Schnee gebauten Dorf am Bahnhof. Ich wußte nicht, was ich sagen sollte. Daß es so tonlos sein würde, das hatte ich am wenigsten erwartet. Mitten im Weiß saß ich in der Tinte, wenn Sie erlauben, in meinem Hotelzimmerchen und traute mich nicht in diese Belanglosigkeit von weißer Trübnis ohne Horizont und Extrem, ohne erregende Linie überhaupt. Denn Sie dürfen nicht verges-

sen: meine Verfassung! Ich war ja nicht aus Übermut herge-
reist. Im Gegenteil!

Ich fühlte mich aus triftigen Gründen erschrocken, ver-
wüstet, in einer großen Bedrückung und Schuld vielleicht
sogar. Trara! Da hatte ich gehofft, das Weiß und die Berg-
dreiecke könnten das Richtige sein. Für bzw. gegen Freund
Hein. Zara hatte einmal davon gesprochen, vor vielen Wochen. Jetzt aber, bei der Ankunft, dachte ich nur: keine See-
lenkur! Dachte nur: Aha! Nach einer halben Stunde noch
einmal: Aha! Soso. War nicht froh.

Aber dann, am nächsten Morgen, kaum schlug ich die
Augen auf, standen sie da, die Berge, ringsum warteten sie
schon, die herrlichen Massen, und lachten blökend von allen Seiten, die rohen Unschuldslämmer.

Ich ließ mir das nicht zweimal sagen. Schon stand ich,
eine Hand über mir in einer Schlaufe, in den Knien mich bei
jeder Kurve wiegend, zwischen Passagieren in metallischen
Häuten. Es ging bedächtig bergan. Sehr frisch und stolz die
Bäume unter dick aufglitzerndem Schnee. Fast feucht war es
im Businneren, fast fiel man gegeneinander zur Musik aus
dem Fahrerlautsprecher. Gymnastikmelodien vermutlich.

Wir wiegten uns und schaukelten Leib an Leib. Verließen
uns welche, stiegen noch mehr neue dazu. Wohin ging die
Fahrt? Ich wußte es nicht, wußte ja rein gar nichts, aber was
konnte ich falsch machen unter so vielen in einer, man
muß schon sagen, Karnevalsstimmung. Es wurde ja auch
immer heller, blendender. Große, verschwenderische Landschaften in Weiß lagen nun für uns bereit, und im Nu
hatten sich die grell gezeichneten Leute verteilt. Locker in
Gruppenformationen waren sie über die unterschiedlich ge-
formte, weit aufgeschlagene Weiße gestreut. Es gab viele
Wege, es sind hier wirklich gut bereitete Pfade, ganz weiße,
die nicht schmutzig werden, so sehr man darüber wandert.
Ich mache mich also auf und folge Spaziergängern mit Ken-
nermienen, die mir Vertrauen einflößen. Man hat schwei-
fende Blicke über den Ort, über das ganze Tal, und überall
aufsteigende Säulen an Frische und Heiterkeit. Dann plötz-

lich, im Gleißen auftauchend, ein Fichtenweg, Schatten auf dem festen Schneeboden, wie im Sommer auf der Walderde, die schönen Musterungen, da sind sie wieder! Ich fange zu singen an, fange in meinen schweren Sorgen zu singen an, weil ich sie vergesse aufgrund des alten lieben Musters von Schatten und Licht unter meinen Füßen. Ich kann nicht anders, Gott sei mir Sünder gnädig, ich kann nicht anders. Bänke sind da, manche schwer bepackt mit Schnee, andere frei, die Sitzfläche von der Sonne getrocknet, richtige Kabinette drumrum, eine hüfthohe Schneewand. Man könnte sich zum Schlafen im Wärmestübchen und Schneezimmerchen einrichten. Ein Dohlenzwitschern überm Kopf. Vielleicht schaut ein Spaziergänger ab und zu nach, wer da träumt. Viele sind es nicht mehr, die hier noch gehen, aber ich, ich kann nicht aufhören, noch immer einen Schritt weiter, eine Biegung weiter, die Berge, bei denen der Fels durch den Schnee stößt weithin, weithin über der anderen Talseite aufgestellt. Im Himmel kreisen hauchfeine Schleier, das Herz schwillt an wie wahnsinnig geworden, reicht überall hin, spürt aber trotzdem den Widerstand der fremden Gegend. Es sind Markierungen zu beiden Seiten des Weges warnend aufgestellt. Man weiß nicht recht, wie tief die Schneedecke ist. Ich sinke gleich bis zum Knie ein beim geringsten Versuch, etwas auszuprobieren.

Weil alles so neu ist und nicht dreckig wird und so matt strahlt über große Schultern weg, hören die Gedanken auf, die Vergangenheit, man denkt nicht zurück, die mächtige weiße Gegenwart merzt alles aus. Es ist eine gewaltige Willenskraft, eine schwanenweiße und strotzende Willenskraft, ein weißes Schmettern, in dem nichts anderes zugelassen wird. Das ist der Unterschied zur bloßen Ansicht von solchen Gebieten. Jetzt stand ich zwischen dem geräuschlosen Atmen der Weißballungen. Es war natürlich eine Mutprobe, nicht umzudrehen. Ich wollte der Ferne nicht den Rücken kehren, der Ferne eines unvermittelten, stets sich wiederholenden Abschneidens durch eine Biegung. Aber diese Flächen und Ausbuchtungen, so kapitale Plastiken, und dann wieder ganz unräumlich, erloschen Wölbung und Tiefe. Man kennt sie nicht. Nicht ungefährlich, konstant so voranzustapfen, vielleicht, vielleicht. Es kommen kaum noch Menschen vor in dieser unfarbigen Riesenkammer.

Wie weit ich mich voranwagte! Eifer und Selbstbewußtsein paßten gut zum festlichen Licht. Wie froh ich aber war, wenn ich jemanden sah! Wenn auf einmal eine Gestalt erschien, aus der Weiße ins Dasein gesprungen an einer Kurve, jemand, der sich noch tiefer hineingedrückt hatte in die still hauchende Leere. Eilig spannte sich sogleich eine Linie hin zu diesem Kopf und Körperumriß und vertrieb alle Bedenken. Dann blieb er hinter mir zurück, und ich ging wieder, den Gegendruck allein ertragend, an der Spitze.

Bis ich vor der Wahl stand, zurückzustapfen oder dem Weg links hügelan zu folgen, geradewegs in den Himmel hoch, in den dinglosen Horizont, der sich schräg über mir befand, so rundlich und gut vorbereitet der Pfad, daß ich Vertrauen faßte zu dem Schneeleib, dem glänzenden und glatten, ohne Makel bis auf die eine Spur, die für mich so breit gezogen war und auf eine vollkommen weiße Ebene führte, auf die Lichtquelle, die Weißglut zu, die hinter einer weiteren Erhebung verborgen war, aber alles sirrend überschwemmte. Ich erinnere mich, ich sagte zu mir selbst laut: »Arktischer Mittag, arktische Schneidbrenner-Mittagshelligkeit«, und ich lachte dabei vor mich hin. Die Tränen wegen der geblendeten Augen werden schnell kalt.

Ich bin das hier nicht gewohnt, kein Wunder, wenn ich anfange zu keuchen, ein Ächzen aus meinem Brustkorb. Sogar Schal und Mütze reiße ich mir ab, so heiß ist mir. Nichts als Weiß, alles am Ende gegen den Himmel hochgezogen, ein welliger Weg, rauf und runter, ich bin einige Male hingefallen. Nichts Gravierendes. Was ich aber erst spät feststelle: Ich sehe keinen Menschen mehr ringsum, wirklich keine Andeutung von jemandem, zu dem sich der noch so feine Draht einer Fernverständigung ziehen ließe. Was macht es! Es gibt ja Wege, und das ist verblüffend, alle gut gepfadet, das schon, man muß sie fühlen, das Sehen klappt nicht. Alles ist ja überstrahlt. Eine haltlose Weiße, wohin ich blicke. Ich sage: »Nanu, nanu! Eine haltlose Weiße, wohin ich blicke.« Lauter vom Weiß geleugnete Bodenwellen. Aufgepaßt, strikt auf den Weg achten, auch wenn der lockere wie der festgestampfte Schnee in die Augen beißt.

Auf einem Wegweiser stehen Namen, die mir alle unbekannt sind. Ich trinke aus einem Fläschchen einen Schluck Kräuterlikör. Aha, wohin des Wegs? Kein Grund zur Panik wegen der weißen Flächen und nichts anderem. Da entdecke ich ja auch schon einen dunklen, beweglichen Punkt, ein schwarzes Tierchen, kleiner Buchstabe, das o auf einem Blatt Papier krabbelnd, entschuldigen Sie, das auf mich zuläuft.

Sie! Sie sind es, niemand anders, der tip tip, mit Mauseschrittchen, aber ohne Pause, während ich mich, erschöpft, nicht vom Fleck rühre, näherkommt, wie gerufen, wie auf Rädern, ein Automat, so gleichmäßig, ich kann ja im Gleißen nichts Genaues erkennen. Manchmal verschwinden Sie hinter einem Hügel, aber nein, da sind Sie ja schon wieder, ein Stückchen größer geworden und stets, egal wie steil eine Strecke ist oder wie spiegelglatt und abschüssig, mit den gleichen Trippelschrittchen, unentwegt, unverzagt. Nichts hält Sie auf, keine Verzögerung, keine Beschleunigung. Ich bin sicher, Sie sehen mich längst. Es existiert nichts anderes Dunkles oder Farbiges außer uns auf diesem gigantischen, nicht an allen Stellen straff gezogenen Laken oder Sprungtuch oder was sonst.

Wissen Sie was? Sie erinnern mich, wie Sie hier so rumwuseln, unbegreiflich, wie Sie das schaffen bei den Bodenverhältnissen, an meine alte Tante Hilde in ihrem Pelzmantel mit passenden Schuhchen, ganz Dame, auf Hufen, auf Kufen. So ihr Wunsch jedenfalls. Man denkt, die Umstehenden, damit meine ich die Berge, müßten eigentlich in Gelächter ausbrechen bei Ihrem Anblick. Was will denn so ein gutes Tantchen – denn, nicht zu vergessen, Sie tragen wahrhaftig auch eine kleine Handtasche bei sich –, und dabei ohne Verschnaufen, tip top, wie auf Rollen, tip tip, aber dabei wie auf Walzen oder Schienen oder einem Transportband, so unerbittlich, was will die hier oben? Stracks legen Sie Meter um Meter zurück, und der Abstand verringert sich, ich erkenne schon deutlich Ihre große Sonnenbrille.

Ich sagte es schon mehrfach: Sie sehen in Wirklichkeit, und erst recht inzwischen, viel jünger aus. Damals aber, vor ein paar Tagen, vor einer Woche waren Sie meine alte Tante auf dem Weg zum Kaffeeklatsch, selbst zum Kaffeewärmer verkleinert, ein Hausfrauchen im Schnee, in einer arktischen Höhen- und Mittagslandschaft. Erlauben Sie mir ein Geständnis? Sie haben mir auf Anhieb Mut gemacht. Ich fing wieder an, trotz kalter Füße und Atembeschwerden, leise zu krächzen, nur so vor mich hin: »Wenn die es schafft, mit Tantenkraft, wie märchenhaft, wie unerschlafft! Das Tantchen auf der Wanderschaft steht gut im Saft.« Keinmal sind Sie gestürzt, keinmal gestolpert. Keinerlei Schwanken. Sie rollten rauf und runter und immer auf mich zu, unverwandt.

Durch welches Mißverständnis war sie hierher geraten? Hatte wohl dieses Weiß mit einem anderen verwechselt, strebte, trippelte und trappelte altgrisettenhaft unverhohlen zu mir hin, weil sie, hinter der Sonnenbrille versteckt, am Ende ihres Mutes und völlig außer sich in dieser herzlosen Fremde war?

Da kommt sie angeschnurrt. Sie lächelt im unteren Teil des Gesichts, hält das Täschchen seelenruhig, nickt und grüßt, verlangsamt die Zwergenschritte, rüstet sich zum Stoppen. Ich trete ihr ein bißchen in den Weg, um sie notfalls bei zu viel Schwung mit beiden Armen aufzufangen. Sie aber winkt mich freundlich zur Seite, erkennt meine Lage ohne anzuhalten, denkt offenbar gar nicht daran, hier eine Pause einzulegen, nicht einmal eine Sekunde stehenzubleiben, so frohgemut stapfen ihr die Füße unterm Tantenkörper, so ruhelos auch und zielbewußt. Wäre es früher am Tag, wählte sie, dorthinauf – und weist mit dem freien, täschchenlosen Arm in eine blaue Kältezone –, den weiteren und steileren Weg. Da würde sie also, ganz allein, den Kaffeewärmerleib hinstemmen, zwischen Himmel und weiße Wölbung zwängen, in die bellende Einsamkeit! Für heute gehe sie da lang, da sei bald eine Hütte, nach der Steigung, das solle ich nur zuversichtlich glauben, sehr nah, auch wenn es unwahrscheinlich wirke in der Leere hier. So seien die Berge. Das alles, ohne das Kinn zu heben, etwas quäkend, durch den Schal hindurch.

Das falsche Tantchen kennt sich aus. Ich nicht. Sie hat es sofort gemerkt, auch ein bißchen gelacht über mich hinter der Brille, aber nicht bösartig, hat ein bißchen den Kopf geschüttelt, nicht wahr? Das haben Sie doch? Weil sie es mir vormacht, das Bessere, ohne ausdrückliche Mahnung mir vorexerziert. Nicht herumstehen im Schnee, gleichmäßig voran, zügig, nicht schnell, nicht langsam. Schon wird sie kleiner, bahnt mir den Weg, hoch gegen das Glitzern, ein schwarzes Tor im runden Glanz, als träte sie ein Spinnrad, liefe auch an einem Faden, wendet sich nicht um, surrt mühelos hügelan. Ich rühre mich noch immer nicht. Da verschwindet sie – so sinkt auf den letzten Zentimetern rasend schnell die Sonne scheinhaft ins Meer – um eine Biegung herum.

Sofort beginnt die Weiße zu klaffen, totenstill zu kläffen. Stand etwa bei jedem ihrer Schritte kurtisanenhaft »Folge mir« als Abdruck im Schnee? Schon mache ich mich auf, ihr nach, Ihnen also verwundert, erleichtert auf den Spuren. Eingeholt habe ich Sie nicht mehr, aber schon bald tauchen mit feinem Zischen die ersten Skifahrer scharf neben mir auf, ins Schweigen sichelnd.

Welche Überraschung dann, Sie am Abend hier im Hotel zu treffen! Erst oben in der Einöde, ausgerechnet Sie, wie auf Nimmerwiedersehen von mir weggerollt, dann hier im Gedränge. Und ich muß sagen: elegant plötzlich. Von wegen Tantchen! Eigensinnigerweise, ich darf es doch aussprechen, noch immer mit Sonnenbrille. Ich kritisiere es nicht, es fällt nur ins Auge. Man erkennt Sie daran, denn, offen gestanden, Sie haben sich, soweit man es trotz Brille überprüfen kann, erstaunlich unterm Einfluß des Gebirges verändert, fast mondän sind Sie geworden, in allem. Zwei schwarze Gläser, zwei Markenzeichen. Leo hatte nur eins, am Ohrläppchen, dafür aber festgewachsen.

Zu Anfang hat es mich gestört. Zutraulich zu sein war nicht leicht diesen dunklen Löchern gegenüber. Aber es ist schon gut so. Keine Einmischung, keine doofe Psychologie von Ihrer Seite, fast ein Selbstgespräch, aber nicht ganz. Vielleicht hätte ich sonst niemals so frei von der Leber weg gesprochen, ungeniert und doch so – – so – – gekünstelt? So ohne den Versuch, das wirkliche Leben wieder aufzuwärmen, sondern von vornherein so, wie ich es mir zusammenreime, so habe ich es in diese schwarzen Trichter reingeredet. Jetzt schon zum siebten Mal. Sie hören mir noch immer zu, immer lebhafter. Sie lächeln von Zeit zu Zeit. Hatten Sie schon beim ersten Mal den geschminkten Mund?

Wir haben nicht mehr viele Abende zur Verfügung, und ich benötige auch nur noch wenige. Gleich bin ich bei meiner autobiografischen Romanze. Ich kann sie tagsüber hinausträumen in diese Landschaft, die Zara mir einmal, womöglich unbeabsichtigt, empfohlen hat, und abends, dank Ihrer Aufmerksamkeit, die ich nicht recht zu deuten weiß, endlich aussprechen. Sie dampft aus mir raus, qualmt, quillt. Raucht aus meinen Lungen, aus meinem Mund in die Schneenacht und zerstäubt, oder nicht? Wird neu angesiedelt im Weiß?

Wissen Sie noch, wie ich Zara kennenlernte? Es war ein schöner Abend, die Sonne schien zwischen den Stämmen der Bäume hell ins dunkle Gras des Waldes, und die Turteltaube sang kläglich auf den alten Maibuchen. Ich war so bestürzt, als wenn ich hätte sterben sollen. So? Alles verkehrt. Es war ja Winter, als ich im EEZ mit einem Mann zusammenstieß. »Wie blöd, wie blöd«, hatte Zara über uns mit gellender, krächzender Stimme gerufen, so daß mich ein unwillkürliches Grausen ergriff. Höchstens eine Stunde zu Fuß entfernt, bei Teufelsbrück, plätscherten und rauschten die goldgelben Wellen des schönen Elbstroms, das ist gewiß. Oder war er hauptsächlich mit Treibeis beladen? Damals, als ich mit Leo auf dem Boden kniete, in unserer ersten Umarmung, neben Zaras Schuhen, unter ihren Augen.

Ungeschminkt sah Zara im Grunde so normal aus wie Sie. Da brauchen Sie jetzt nicht so zu lächeln, ich weiß es besser, ich habe Sie lange genug angestarrt. Das heißt, wenn Sie mehr aus sich machen würden, ein paar Knalleffekte ins Gesicht. Ist schon klar, sobald Zara einen anfunkelte, war Hopfen und Malz verloren, das könnten weder Sie noch irgendeine andere Frau oder Person durch Konturenstift, Lidschatten, Tusche aufholen. Zara, durch ihre Froschaugen hindurch, fauchte ihre Opfer an mit Eulenaugen. Aber nur, wenn sie es darauf anlegte. Sie feuerte dann ihre gesamte Kraft aus den Sehlöchern, über denen sich die Doppelhalbmonde zusammenbrauten.

Tat sie den Mund auf, das Fischmaul, riß sie sogleich die Macht an sich. Das läßt sich nicht imitieren, das braucht mehr als einen flammenden Lippenstift. Auch genügt nicht, sich auf die Lippen zu beißen, damit sie anschwellen. Ihr »Schluß jetzt!« hörte ich vom Alten Land über die breite Elbe zu mir her in den Taubnesselweg und von Hamburg runter bis ins Holunderburger Bett. Erst recht könnte niemand sie nachahmen, wenn sie dazu noch blendete mit braungoldener Seide auf ihren Hüften, wahre Firnfelder im Abendglanz und mit sanft gepuderter Haut und, sich auf hohen Absätzen problemlos aalend, übers Pflaster schlenderte, so daß man ihre plumpen Fesseln vergaß. Die Fesseln und ihr mögliches Alter.

In unserem braven EEZ war sie, die stets von einem pariserisch-römischen Lufthauch Umwitterte, nicht zu übersehen. Sie verstehen: mittäglicher Regen, der das Flußgrau mit dem nassen Grün eines an die Seineufer gepreßten Pflanzenmarktes zierlich verquickt, und das aufpeitschende Frühlingsaroma (Abfall und Stiefmütterchen) im kalten Schatten römischer Straßen. Das änderte auch ihr roter Zickzackkurs nicht. Ich schwärme?

Es fehlt ja noch etwas, ein Bestandteil, der unbedingt dazugehört. Zara, bei allem Weltstadtflair, blieb zugleich immer zugesellt dem deutschen Tann, der unter ihren Brauen unkte und drohte und ebenso selbstverständlich lockte. Wer weiß, wohin? Ihr nach, ihr nach.

Richtig. Ihr nach! Ich hatte sie wieder erspäht, dort, wo sie undurchsichtigen Geschäften nachging, im harmlosen Elbeeinkaufszentrum. Unverkennbar Zara, die, wenn sie es gerade wollte, schwappenden Haare hochgesteckt, beinahe schwarz, wie mir schien, der federnd fegende Schritt! Sie blitzte auf in der Menge. Ich wußte nicht, was ich beabsichtigte, aber kein Zweifel jetzt. Ich mußte Zara in Augenschein nehmen, auf die Gefahr hin, von ihr entdeckt zu werden. Wie beschwingt sie sich zwischen den albernen Waren bewegte, den Kopf lachend in den Nacken werfend, die Haare mit Kämmchen gehalten! Ein leichtes, lamettahaftes Schimmern, eine sehr schmale Mondsichel in rußigen Wolken schwebend. Richtig, ich schwärme. Ob es daran liegt, daß ich sie alle verloren habe?

Sie durcheilte die Masse der stumpfen Passanten im weichen, hellgrauen Mantel, durchsonnter Regen und Nebel, ein weit geschnittener Wolltrenchcoat, weiter als nötig, dafür enger als normal in der Taille gegürtet. Und wieder, in einer halben Drehung kam es mir so vor, trug sie nichts Wesentliches darunter. Weder am Halsausschnitt noch um die Knie herum deutete sich, wenn der Mantel großzügig aufsprang, anderes als oben Haut und unten Strümpfe an. Zaras Art, Geschick und Kunst, unter so viel diskretem Grau mit nicht beweisbarer Indezenz zu kokettieren.

Selbst jetzt, nach allem, was geschehen ist, denke ich an Zara wie im Januar an die Jahreszeiten, unsere vier Jahreszeiten, die unerläßlichen Tischbeine, denke an die Herrlichkeiten von Frühling, Sommer, Herbst und Winter. Was für eine Lebensbegierigkeit mich da sofort ergreift, jedenfalls mich sengt und anschürft, nein, durchschießt und eben zerreißt!

Zara war nicht allein. Ich sah es erst etwas später. Wie vor nicht allzu langer Zeit, als ich Specht hatte anhören müssen, ging sie, damals im Bohnenschotenmantel, mit dem Grünschnabel, den ich als ihren Sohn identifiziert hatte und in dem ich nun nicht nur den jungen Mann, den früher hier ein alter begehrlich beäugt – – Sie erinnern sich? Gut. Also kurzum, ich war sicher, daß es sich auch um einen der vier Kellner von Zaras Fest handelte, um einen der Burschen mit den kleinen Liebesvögeln, ich meine, den milchweißen Täubchen unter der Silberglocke. Es geschah, während ich noch über die Entdeckung nachdachte. Der Mann zog plötzlich Zara in seine Arme. Sie blieben stehen. Zaras Fingerspitzen glitten in seinen offenbar stierstarken Nacken, und sie küßten sich schamlos, mehr als bloß inzestuös, waren mit den offenen Mündern und den Zungenlappen darin, noch bevor sich ihre Lippen berührten, heißhungrig aufeinanderzugefahren.

Trotzdem, ein schönes Paar! Über den Mann, den falschen Sohn, kann ich nur sagen: der typische junge Mann, muskulös und lustig. Er versuchte aus Leibeskräften, schon wie ein richtiger Vollblutmann auszusehen, übertrieb natürlich, indem er Zara ein Kämmchen, hier in aller Öffentlichkeit, aus den Haaren ziehen wollte als ungeduldiger Liebesathlet. Sie schlug ihm rückwärts auf die Finger. Beide waren geübt in dem Ritual.

Noch standen sie und preßten die Münder ineinander. Da bemerkte ich die Dritte im Bunde, die kleine Räuberin. Auch sie also wieder dabei, im Jagdburschenkleid, Beutel über der Schulter, vermutlich mit einem Vorrat an Pfeilen darin. Einen Schritt jetzt zurückgetreten, betrachtete sie die beiden zufrieden schmunzelnd.

Ich spürte mein Erbeben, mein Erbleichen. Demnach mußte ich wohl entsetzt sein und suchte mein Heil in der Flucht, mühte mich zu Hause um Trost in meinem fahlen Spiegelbild. Körper oder Verstand, ich weiß nicht, kosteten zunächst nur die Überraschung aus über mein inkonsequentes Erschrecken, mehr gelang mir nicht. Ich benötigte einige Stunden, um mich zu beruhigen, wenn auch nicht zur Gedankenklarheit. Das unziemliche Geküsse, so viel kapierte ich durch den Verwirrungsnebel hindurch, hätte mich freuen sollen und tat es keineswegs, hätte mich als Erlösung von allem Übel entzücken müssen: Freiheit für Leo, Glück für Zara, Lossprechung von jeglichem schlechten Gewissen, sozusagen ewige Seligkeit für alle – nichts dergleichen.

Deutlichere Umrisse erhielt das Unheil, als Leo sich ankündigte. Ich ahnte, es würde sein letzter Besuch in meiner Wohnung sein, auch verriet seine Stimme Zusätzliches. Ihn, Leo, betraf die ihm noch unbekannte Szene im EEZ am ärgsten. Auch über sein in Aussicht gestelltes Erscheinen hätte ich mich freuen müssen, es klappte nicht. Ich sah ihm statt dessen ängstlich entgegen und vertrieb mir die Zeit damit, den angeblichen Kellner und irrtümlichen Sohn mit Leo auszutauschen, also Zara mit Leos Armen zu umschließen, und sogleich wurde es unmöglich. Die ostentative Maulküsserei vor Publikum, die Zaras neuer Liebhaber so bevorzugte, würde Leo verabscheuen. Klang seine Stimme nicht schon vorausschauend gekränkt? Ich kochte mir als zweite Maßnahme gegen das Grübeln einen Grießpudding, um mich nämlich mit einer Kindheitserinnerung zu verzärteln. In meiner Betrübnis streute ich Kakao und Zucker darüber und ließ zum Schluß eine Butterflocke nach allen Seiten von der Spitze des Breis nach unten golden schmelzen. Früher, in Erwartung Leos, schnürte sich mir sofort der Magen in lauter Vorfreude zu. Jetzt aß ich den ganzen Pudding auf und ging dann über den gesprenkelten Steinfußboden der Küche vom Geschirrschrank zum Fenster, sicher fünfzigmal.

Ich hatte den Lauf der goldenen Adern auf dem dunkelbraunen Brei reguliert und durch eine Grießsperrmauer einen Stausee angelegt. Das Verhängnis, das über Leo und mich, sich nun endlich manifestierend hereinbrach, war nicht aus der Küche gewichen. Zara zerstörte mit ihrer Eroberung die Konstellation. Ein Gleichgewicht, ein Grundriß, so sehr er in letzter Zeit ins Wanken geraten war, wurde erst jetzt ruiniert. Sollte ich Leo schon zur Begrüßung sagen: »Zara küßt sich mit strammen Kellnern im EEZ?« Oder es so lange verheimlichen wie irgend möglich, um in die Vorteile einer eventuell doch noch heiteren Laune zu kommen?

Zara hatte uns beiden die Treue gebrochen. Ja, das war er, der Kern der Untat! Ich wiederholte mir: Zara hat uns beiden die Treue gebrochen. Sie lacht, sie wiegt sich in einer unzulässigen, dämlichen Verliebtheit unter ihrer, Leos, meiner Würde. Ich leckte den Teller aus. »Jawohl«, sagte ich laut, und zugleich mit dem »Jawohl« klingelte es an der Tür.

Vielleicht bildete ich es mir nur ein. Leo sah aus, als hätte er die verfluchte Szene im Einkaufszentrum beobachtet. Er kam nicht gleich herein. Er lehnte, die Beine an den Fußgelenken übereinandergeschlagen, das Gesicht knochig gespannt und um die Augen faltig schlitzig, die Hände in den Hosentaschen am Türpfosten – noch einmal Leos Wappenbild – und studierte mich – freundliche Geringschätzung für uns beide? – wahrscheinlich, weil diesmal auch ich so forschend zurücksah. Trotz seiner Blässe amüsierte ihn etwas an mir. Mein Ernst?

Ich war etwas zurückgewichen. Falls man von der Tür nicht gleich ins Schlafzimmer oder in die kleine Werkstatt will, muß man sich entscheiden zwischen rechts (Wohnzimmer mit Balkon zum Garten) und links (Küche). Er folgte noch nicht, und in dieser knappen Verzögerung empfand ich es wieder und noch einmal. Wie konnte ich glauben, ich sei nach Aufgabe meiner Leofixiertheit ein schlechterer Mensch geworden? Ich mußte ihn ja nur vor mir sehen, mich ein bißchen zurückstemmen von seinem schnöden, schneisenschlagenden Blick und mich sacht hinbiegen zur stockend flüsternden Stimme, und schon war ich wieder besser geworden, bereits ein guter, sehr guter Mensch. Wir schwenkten nach links ab, zum Steinfußboden.

Hatte er mich überhaupt nicht berührt? Doch. Flüchtig umarmt, aus reiner Gefälligkeit. Das kann er sich dann auch sparen, hätte ich korrekterweise denken müssen. Er forderte mich auf, in den Spiegel zu sehen. Also ging ich noch einmal zur Garderobe und betrachtete dort meinen verschmierten Schokoladenmund. Vor dem Bad fing mich

Leo ab, er zog mich ans Küchenfenster. Ach wirklich, gehorsam fing mein Herz an zu klopfen, eine Katze, die blindlings zu schnurren beginnt, wenn man ihr Fell krault. Ich hustete, um das Herzgeräusch zu übertönen, und sah Leo in die Augen. Dort grub ich jedoch nichts Ermutigendes aus, ach nein, förderte kein Minutenglück zutage. Was las ich dort nämlich unbarmherzig in der Spalte, die oberes und unteres Lid bildeten? Eine spöttische Epistel, man war nicht bereit zur Illusion. In vergangenen Tagen, endgültig verstrichen, las ich, wären diese lächerlichen Schokoladenspuren wohl sehr gerne und langsam, mit viel Bedacht weggeküßt worden, hochwillkommen die süße Albernheit. Jetzt freilich, alles zu seiner Stunde, sei es deplaziert, vorbei Flausen und Euphorie. Leos Müdigkeit zersetzte augenblicklich all meine Kampfkraft. Ich wagte nicht, mit der kleinsten Geste überredend zu widersprechen. Mir sank der Kopf auf die Brust. Vorbei. Vorbei.

Sollte die Schokolade trotzdem in meinem Gesicht bleiben zu seiner Belustigung? Er probierte das mit dem Küssen dann doch noch aus, vorsichtig zitierend, mit den Lippen tupfend, aus unendlicher Ferne, nur zum Gedächtnis. Ich wollte ihn mit Inbrunst in die Gegenwart pressen, zauderte aber. Leo horchte nicht mal mehr nach innen auf sein Gefühl. Nicht nötig, er wußte zu gut, daß dort nichts war, was uns betraf. Mir war so schwer, so traurig zumute. Ich wollte denken: Recht geschieht dir. Gleich sag ich's! So saß ich bei ihm am Küchentisch in großer Betrübnis.

Wie anders, wenn ich es mit uns beiden Küchenfiguren vergleiche, der Paradegang der glücklichen Schnee- und Hochgebirgsgäste hier draußen! Was für ein seliges Zähneblecken, wenn sie, ähnlich geblähten Segeln, volle Kraft voraus, auf Wegen, weiß wie Bettwäsche, allzeit sonntäglich wandeln! Die weißen Zacken in den braunen Gesichtern! Selbst die Berge ringsum sind strahlende Gebisse beim Jubeln. Das Knirschen des Schnees unter unseren Füßen: mahlende Zahnzapfen. Einen gleichen kollektiven Überschwang gibt es nur noch in der Meeresbrandung.

Kennen Sie das? Diesbezüglich kaum ein Unterschied zwischen Gebirge und Meer, Meer bei Sturm meine ich: unentwegt auftauchende Gestalten vor dem Horizont. Errichten und Verschwinden, atemlose Geburten und ihr Erlöschen am laufenden Band, hier, in der steinernen Starre durch Fortbewegung. Es springt vor die Augen, es versinkt. Glänzende Unterhaltung. Nicht einziger, aber Grund genug für das generelle zähnezeigende Strahlen allenthalben.

Erst recht darüber der gedehnte Himmel mit vergrößernden Schlieren, weißflaumig und flammend, Nachhall, speed lines eines darüber gerauschten Flügelschlags. Dynamik eines Nachebbens, Spuren riesenhafter Bewegung von einer Himmelsrichtung zu anderen. Im dritten Himmelsviertel aber regiert stillstehendes, bis ins innerste Mark massives Blau, massiger Himmelsstoff, plötzlich auch er weiß überflust, Rauchfiguren und Eisweiß eingefroren dort oben, an anderer Stelle nun die sanfter geschwungenen Hügel, eingebeult, eingedellt vom Gewicht des tiefen Blaus. Geben Sie es nur zu. Etwa aus diesem Grunde sind Sie hier.

In dieser Hochgebirgsewigkeit, zumindest Vorewigkeit, wieder genau wie am Meer, immer also, wenn es extrem wird bis zur Unerträglichkeit und daher gerade erst Erträglichkeit, bleibt was wohl der ratlose und wilde Wunsch, die einzige, wirklich alleinige Sehnsucht? Na?

War es herzlos von Leo, nachdem er sich an meinen Schokoladeverzierungen delektiert hatte, inspiriert offenbar von meinem Mohrenmaul, auf das Javanerinnengesicht überzuwechseln? Seine eigene Augenfarbe blieb für mich ungeklärt, und auch er musterte weniger meine Iris als das Drumrum. Wieder zitierend, erinnern Sie sich? zog er meine Haut von den Wangenknochen hoch gegen die Schläfen und von da zum Haaransatz, schüttelte lächelnd den Kopf dazu, ich glaube, er prustete sogar ein bißchen vor kaltem Vergnügen. Nein, auch das half nicht, Vergangenes zurückzuholen. Dort, gab er mir zu verstehen, auf der anderen Seite, war das mittelgroße Gefühl, hier froren wir beide, arme Teufel. Ich aber, weiterhin mit schräg gezerrter Haut, fragte mich, ob unser Betrug an der ungetreuen Zara nicht, noch unverfälscht illegitim, Schutzgott und Beschwörungsmacht unserer Liebe, Würzkraft und heimlicher Dämon gewesen war. Jetzt herrschte bürokratische Gerechtigkeit, vor allem aber: Hatten wir nicht letzten Endes Zara, ich riß Leo mein Gesicht unter den Händen weg, unsere Liebe von vornherein geopfert, vorbeugend unsere Liebe, deren Glutrestchen gerade zusammensackte, und uns ihretwegen jede wahrhafte Ausschweifung versagt?

Glutrestchen? Quatsch! Niemand überwachte uns, niemand verbot uns, vom kahlen Küchentisch wegzugehen, einige Schritte weiter nur, in ein keineswegs kühles Zimmer mit aufnahmebereitem, rettendem Bett. Zu meinem Schaden wagte ich nie, an Leo zu rütteln, geschweige, ihn zu verführen. Seine bleich gespannte, stets wachsame Verbrecherphysiognomie lehnte es zu strikt und wortlos ab. Es kann aber sein, daß ich lediglich ein paar mimische Grundzüge mißverstand.

Noch träumte ich mich weh hinüber in die zärtlichen Daunen, da kam ein unerwarteter Umschwung. Leo sprang abrupt auf, stand in voller Länge vor mir, strich sich mit einer Hand das Haar – bauschte es sich extra auf, konnte das sein bei Leo? – aus der Stirn gegen den Nacken hin, das süd- und mittelamerikanische, altmodisch lange Haar, das leicht stenzhafte, und erkundigte sich: »Wie sehe ich aus?« Mein Gott, Sie werden begreifen, Sie lachen ja auch, steht Ihnen gut, damit hatte ich nicht gerechnet. Ich starrte Leo an, baff. Er half meiner Stummheit rasch auf die Sprünge. »Jung, stramm, athletisch, Liebhaberformat? Draufgängerisch, roh, dumm, potent, zupackend?« Er fragte mich ab, wie ein Bruder auf dem Weg zur Angebeteten seine für ihn erotisch uninteressante Schwester zur fachmännischen Auskunft benutzt, und porträtierte mit seinen Vorschlägen ja genau Zaras neue Flamme. Es konnte einem das Herz brechen. Es reichte ihm noch nicht. Rücksichtslos zog er mich vom Küchenstuhl und schloß mich, diesmal wild und mit seinem Bein meine überflüssigen Knie bedrängend, ganz schulmäßig feurig in die Arme. Ich roch seine Achseln ungewohnt nah und hätte mich dort gern ein bißchen schwelgerisch eingerichtet, friedlich die Sekunden auskostend. Doch das wurde nicht gestattet. Schon bog er mich, den weiblichen Pappkameraden, leidenschaftlich nach hinten, so daß unsere Hüften aneinanderrieben in Scheinerregung. Wieder stellte ich, der die Umrisse flackerten, nur die Schwester als Übungsmodell für den Ernstfall dar. Längst begriffen, Leo!

Sie glauben mir wohl nicht, lächeln schon skeptisch. Trotzdem stimmt's: eine faszinierende Kränkung, die mir Leo da zufügte. Mir dämmerte, welche Rolle ich spielte. Ich war davon gebannt, genoß und stellte mich tot dabei. Die frisch entdeckte Sensation half mir, den Anblick seines Kummers zu ertragen.

Das Aufregendste an Männern sind vielleicht doch aber die Hände, finden Sie nicht? Es müssen natürlich die richtigen sein, keine Abweichungen vom Idealbild möglich, erlaubt, gewünscht: schwer fallend, gleichzeitig leichtfüßig federnd, vor allem, ob derb oder nervös, sollten sie, selbst bei Weltuntergang, zu einem beträchtlichen Prozentsatz dumm zuversichtlich sein. Die von Leo gaben sich jetzt, als er wieder saß und stumm war, mit seinem Taschenmesser ab. Mir fiel ein kleines Pflaster, quasi als Gegenstück zum Muttermal, am rechten Ohrläppchen auf, von einer Blutprobe herrührend oder einer Attacke Sophies, was weiß ich. Gerade wollte ich fragen, da hatte sich Leo in aller Unschuld eine neue Beleidigung für mich ausgedacht. Er zog mit dem Daumennagel eine Klinge heraus und sagte dabei: »Das Leben ist einfach schärfer mit ihr«, holte am anderen Ende eine kürzere hervor: »schärfer als ohne sie«, dann eine Art Dosenöffner: »mit Zara, meine ich«, den Korkenzieher: »schöner, lebhafter, lebendiger mit ihr«, einen an zwei Seiten geschliffenen Dorn, Aufgabe unbekannt: »das Leben, die Tage von morgens bis abends, schärfer, genau gesagt«. Das nächste und letzte Stück bereitete ihm einige Mühe und schnackte ein paarmal zurück, bis es rechtwinklig von der roten Grundform abstand, wieder etwas Dosenöffnerartiges. Leo sah nicht zu mir auf, klappte mit verbissenem Eifer und gewissenhaft ein Werkzeug nach dem anderen unbenutzt in den Gemeinschaftssarg. Ich aber hätte zu jedem erläutern können und tat es schweigend für Leo: Das nämlich sind Zaras unvergleichliche Tugenden, Fischmaul, Froschaugen, Zwillingsbrauenhalbrund, high heels, Intelligenz, Bosheit. Kurzum, alles ebenso unergiebig wie das Rausziehen der diversen Messerteile. Dabei wußten wir beide es besser. Ich bin sicher, uns schwebte ein grün-golden funkelnder Flügelmantel vor, der Zaras Körper als langen Insektenleib umschlang und freigab, so wie er selbst den gesamten Himmel verdeckte und ihn mit einer plötzlichen Wendung offenbarte. »Ich habe doch alles ausprobiert«, flüsterte Leo, seine Stimme – komm, komm, lockten seine Schultern, komm, rief warm gewölbt der Brustkorb und spannte sich, zum Besuch bittend, unter dem dunklen Hemd – kippte für einen Atemseufzer. Mein eigenes Herz zuckte in diesem Moment wimmernd, endgültig, aus Mitgefühl und weil er mich so gedankenlos schmähte, zusammen und erholte sich nicht mehr davon, weigerte sich, wollte nicht länger. Hätte ich ihn nur aus freien Stücken anfassen, angreifen können, attackieren oder berühren wie die alte Frau damals, als sie noch lebte zu meinem Schutz und mein Gesicht gestreichelt hatte mit den feuchtkühlen Greisinnenhänden! An diesem Punkt hörte ich auf, das Geringste für mich zu erhoffen. Zaras definitives Kommando hallte über die Elbe: »Schluß jetzt!«

Da fällt mir gerade ein, wieso ich glaube, daß wir uns Zara im changierenden Insektengold ausmalten. Schon während meiner Goldschmiedelehre und dem anschließenden Zeichenunterricht habe ich mich mit dem großen Lalique, Vorreiter der art-nouveau-Bewegung, beschäftigt: Frauen, nur Gesicht oder Torso menschlich, oft Fisch, Libelle, auch Geier. Ja, richtig, das leuchtet mir ein, deshalb bin ich auf Zaras metallisch spionierendes Schwirren gekommen. Zara als Brosche, was sagen Sie dazu? Was würde Zara dazu sagen! Das erklärt natürlich nicht, weshalb ich auch Leo in die Phantasie mit einbezog. Macht nichts.

Ich schielte zu seinen Händen, die sich mit dem Anzünden einer Zigarette beschäftigten, und wußte exakt, wie jetzt seine Fingerspitzen riechen würden, vergaß den Grünschnabel vom EEZ und stellte mir Leos Hände auf Zaras Schultern vor, ihren Rücken eindrückend – oder meinte ich doch eher meinen eigenen, immer noch und unbelehrbar? Waren die leichten Kräuselwellen über der Wirbelsäule jetzt die Zaras oder meine? Übrigens kann schon die Geste, es muß gar nicht eine Berührung sein, einer Männerhand genügen, um mich in höchstes Entzücken zu versetzen. Aber, noch einmal, erforderlich ist die richtige Hand und noch ein zweites – und deshalb beunruhigten mich Leos Hände jetzt nur halbwegs –, es kommt darauf an, was sich der betreffende Eigentümer bei der Bewegung denkt, und daß man es merkt, ja, er muß es darauf anlegen, daß man die Absicht unter den Wimpern her begreift.

Das aber traf auf Leo nicht zu, leider nicht zu. Er ging Überlegungen außerhalb der Küche nach, außerhalb der Wohnung. Ich sah auf seine Handrücken, eine Weile später, als die Zigarette aufgeraucht war und kein Wort gesprochen in der Zwischenzeit. Sie ruhten, etwa wie seine Hüftknochen voneinander entfernt, schulkindhaft auf dem Tisch, zu breit, zu knochig, zu geriffelt für einen Schüler. Zum ersten Mal konnte ich mich in den Anblick seiner Fingernägel vertiefen. Sie waren ordentlich geschnitten, sauber, schöne Monde, am rechten Mittelfinger ein blutiger Riß, am Handgelenk, weiteres Reizmittel, die Armbanduhr. So vertrieb ich mir die Minuten, um sie nicht zu zählen. Was wollte Leo hier bei mir, in der Nähe des Spülbeckens, des Elektroofens, des Kühlschranks? Einfach nur sitzen und sich wärmen an meiner bedingungslosen Anteilnahme? Dabei wußte ich nicht mal, woher präzise nun eigentlich der Wind wehte. Er machte es verdammt spannend oder setzte bei mir ein Übermaß an selbstloser Intuition voraus. Sollte ich den Bann brechen und endlich auspacken? Ich war nicht besser als

Leo, nie. Meine sogenannte Geduld bestand ausschließlich in einer verkommenen, unpersönlichen Neugier auf diese spezielle Situation und allerdings in dem heißen Wunsch, seine Anwesenheit zu verlängern, egal um welchen Preis.

Leo studierte ruckhaft schluckend seine Handinnenflächen, die mit nicht allzu vielen Linien holzfällermäßig, aber sicher auch kriminell geprägten, als wollte er sich das Schicksal lesen. Jetzt wechselte er ab, rechts Handrücken unten, links oben. Recht gut hätte ein Kunststückchen folgen können in der Art, wo man alle fünf Finger nacheinander in sich steigernder Geschwindigkeit auf die Tischplatte haut oder, immer schneller, eine Faust auf den gestreckten Daumen der darunter befindlichen setzt. Ich begann, ihn mit meinen eigenen Händen nachzuahmen, bloß alles ein bißchen beschleunigt, damit er sich zum Wettkampf reizen ließe.

Also: Mund geschlossen, beide Hände auf den Tisch, Handflächen unten, Rücken unten, links Rücken oben usw., so lange, bis Leo lachte und meine Finger in zwei eisigen Büscheln festhielt. Ich sah nicht hin, lieber nicht. Mir war so traurig zumute, und meine dämlichen Hoffnungen erwiesen sich als zäh wie das Leben einer Katze. Kurz und gut: Das debile Herz klopfte schon wieder galoppierend. Immerhin, sehr vernünftig von mir, mich Leo zu entreißen und einfach ein Glas Wasser zu einer Aspirin zu konsumieren. Auch am Waschbecken angelehnt stehenzubleiben. Sehr gute Anordnung plastischer Figuren im Raum. Er saß, ich stand, das Verhör konnte beginnen.

Das sah auch Leo ein. Er schickte sich ins Unaufschiebbare. Noch immer lachend und nun gespielt ungläubig den Kopf schüttelnd, auch, als müsse er mich beschwichtigen, brachte er, o Wunder, den vollständigen, ungestotterten Satz heraus: »Sie hat einen Freund, gibt sich per Entschluß ab heute auch keine Mühe mehr, ihn zu verstecken.«

»Sie«! Sollte ich von der Offenbarung umkippen? Ich hatte das gottlob im stillen schon vor Stunden mit mir abgemacht und konnte wohlbedacht und säuselnd rechthaberisch mein EEZ-Erlebnis zum Besten geben. Seine Fäuste lagen auf dem Tisch, dann auf den Knien, gewalttätig in ihrer Anspannung. Ohne Müdigkeit. Ach, was hätten mir diese Hände statt dessen für Freuden bereiten können! Ich nahm aus Trotz gleich noch eine Tablette und noch eine. Er glotzte frappiert, doch: glotzte! Wie ich Bescheid wußte. Beziehungsweise: so ungerührt Bescheid wußte. Was ihn denn so erschüttere. Wie wohl tat mir die Bosheit. Es sei doch Zaras verdammtes Recht, sich auch ihrerseits wie er ein kleines Nebengeplänkel zu gönnen. Sie verstehen, daß ich hier wenigstens einmal etwas vor mir und ihm in den Dreck der Bagatelle ziehen mußte! Eine wollüstige, lauernde Destruktion in diesem Augenblick.

Vielleicht war seine Verdutztheit eben noch aus irgendeinem Spieltrieb eine vorgetäuschte. Jetzt legte er – und demonstrierte damit fortgesetzt, wo man seine Hände überall plazieren kann, wenn man schon keine Werkzeuge zum Herausziehen an seinem Körper vorfindet – vor Erstaunen die zehn Finger in den Nacken und verschränkte sie dort, sich weit zurückbeugend und mich scharf musternd. Dabei dehnte sich sein Oberkörper wieder – insgeheim buhlerisch? –, um alle meine Vorsätze zum Erliegen zu bringen, rief erneut: komm, komm! Aber welches Etikett würde Leo, erholt von seiner Verblüffung, zur Ehrenrettung unserer Affäre vorbringen?

Keins. Auf diesen bitter nötigen Einfall kam er überhaupt nicht. Dafür hatte er etwas parat, das mich für den Rest des Abends entgeisterte. »Sie, Zara, hat doch mit der Untreue angefangen. Sie, nicht ich!« Wahrscheinlich lockte Leos unbeteiligter Brustkorb noch immer, aber ich nahm eine Weile Abschied von der Außenwelt, setzte mich behutsam auf einen entfernten Stuhl und hörte auch nicht richtig. Nur draußen eine Unfallsirene, dann einen daraufhin gewohnheitsmäßig wolfsartig heulenden Hund in der ausgebrochenen Polarnacht. Aber Leo sprach flüssig, war gar nicht zu stoppen. Es versuchte sowieso keiner. Wenn mir auch die Einleitung entging, etwas später drang zu mir durch, daß

Leo schon lange eine Veränderung zur Kenntnis genommen hatte, zunächst jedoch nicht glauben wollte, was ihm täglich und verstärkt von ihr zu verstehen gegeben wurde. Das übliche, verräterische Register, Zerstreutheit, gereizte Rückkehr in die Gegenwart und wieder längere Geistesabwesenheit, Hals umdrehen nach anderen Männern, erst kaschiert, dann nicht mehr, stets nach jüngeren, grelle Belebung des Blicks dabei, auch der Körperhaltung, neuartiges Auftakeln, krampfhaft gesteigerte Zärtlichkeit, ihm, Leo gegenüber, vertuschende zunächst, dann nur noch ornamental zu schonungsvoll geplantem Ausklang plus Entlassung, die gesamte normale Kurve also.

Er habe es aber nicht wahrhaben wollen! Als sie dann kürzlich mit einem chronischen Liebhaber herausgerückt sei, gut, da sei alles klar gewesen. Nur: »Ich dachte nicht, ich denke noch immer nicht daran, zu akzeptieren.« Den Laufpaß, meine er. »Ich habe doch alles ausprobiert«, hatte er geflüstert. Das erzeugte jetzt ein schönes Dröhnen in meinen Ohren. »Ausprobiert«! Wen oder was? Mich! Zur Ablenkung, zum Trost.

Die Schatten auf Kinn und Wangen wurden dunkler. Ich weiß, das ist bei jedem Mann so, wenn sich die Intervalle zwischen dem Rasieren dehnen, je nach Bartwuchs, etwas sehr Generelles. Reine Zoologie. An Leo war es für mich ein Liebesmittel ersten Ranges und ging eine wunderbare, garstige Kombination mit der neuen Diffamierung ein. Aber da, haben Sie das gehört gerade? Draußen, der altjüngferliche Ekelruf »Igittigitt«? Und die Antwort: »Bis Litzirüti, bis Litzirüti«? Ich sehe es Ihren fein geschnittenen Ohren an.

Leo kokettierte mit dem Dandyhaft-Mafiosen ironisch wie eine intellektuelle Frau eventuell mit ihrer großbusigen Weiblichkeit. Da wieder. »Bis Litzirüti, bis Litzirüti«! Oder hieß es »in«? »In Litzirüti«?

»Unser Zusammenstoß damals im EEZ«, sagte Leo – ihm schien eine Idee zu kommen, er zögerte, sprach sie aber nicht aus – »ein günstiger – – Zufall.« Nein, er habe nicht mich ausprobieren wollen und auch nicht seine Fähigkeit,

Zara zeitweilig zu vergessen, das sei ein sackgrobes Wort. Was? Er habe den Ausdruck eben selbst benutzt? Aber nur unbedacht! Zara mute ihm in den letzten Tagen einfach zuviel zu. Nein, ich habe ihm ja gefallen, sofort. Erst allmählich sei der Gedanke gereift, allerdings – –. Nun doch heraus damit: Möglicherweise habe Zara in jenem Moment den Entschluß gefaßt, uns miteinander zu verkuppeln, und das Ganze, auf ihre Art, immer ein bißchen vor und zurück, wie Katzen eben, angezettelt. Doch sogleich gefallen hätte ich ihm, wenn auch nichts im Vergleich zu Zara, ehrlich gesagt. Wollte er, zunächst von Zaras in die Wege geleiteten Machenschaften nichts ahnend, sie durch das Geplänkel mit mir zur Eifersucht treiben? Vielleicht, aber ergebnislos. Eifersucht hatte sie allenfalls taktierend geheuchelt, manchmal auch im Widerstreit mit sich selbst, ein kreatürliches Bedauern wegen des Machtverlustes, falls sich Leo mit mir einließe, nicht vollständig unter Kontrolle haltend. Sie wollte Leo los sein, ihn aber nicht hergeben! Für Zara sauberste Logik!

Ich vergaß Leos Hände. Keine Ahnung, was er im folgenden Zeitabschnitt mit ihnen trieb. Zaras böse Blicke sah ich vor mir, das grollende Leuchten von Anfang an, das zwiespältige Drohen. Hatte sie mich, einen Anflug von Haß vorspiegelnd, nur anspornen wollen, ermutigen, daß ich auf dem Weg des Erfolgs bei Leo sei, mich aber außerdem und zugleich abschrecken, aus Reue über das freiwillige Abtreten eines Liebhabers an mich? Was wollte Leo eben sagen, um es dann doch zu verschweigen? Ich versuchte, unseren ersten Kontakt zu rekonstruieren, die Sekunde im EEZ, vorher, im Gedränge. Sechs Uhr, die traurige Stimmung, der Männerslip im Schaufenster. Ablenkung? Initiation? Sie lächeln verschmitzt, merken längst, worauf ich hinauswill. Das Liedchen in meinem Kopf, seit meiner Kindheit zum ersten Mal! Nein, das hörte ich ja in Wirklichkeit, aber erst beim Zusammenprall oder statt dessen Zaras »Wie blöd!« Doch komisch, seitdem ich es Ihnen erzählt habe, vor einer Woche, ist es perfekt und ohne Lücken, ich entdecke keine Dunkelheit mehr dazwischen. Ich kann es nur noch an den fünf Fingern abzählen, seitdem es ausgesprochen ist. Ja, ja, ja! Genau das meine ich: Hat Zara auch den Sturz, die Umarmung auf dem Kachelboden schon absichtlich herbeigeführt? Kommt also alles restlos aus Zaras Hand und Rachen, und kann man ihr ihre Gaben, indem man ihr auf die Schliche kommt, dahin zurückstopfen?

Sind das Zaras Intrigen gewesen, als die extra dafür angeheuerte, halbwegs ans Haus im Alten Land gebundene Sophie nicht funktionierte zur sachten, Leo nicht kränkenden Abgewöhnung?

Wie großartig mich Leo beschwichtigte! Jemand wie ich müsse es schon sein. Mit Sophie sei so ein Flirt undenkbar für ihn. Komm her! stammelte die Stimme, raunte sie betörend und streckte die Finger nach mir aus. Ich ließ mich nicht einfangen. Wir saßen im kalten Küchenlicht. Die Heizung war wohl klammheimlich ausgegangen. Spüle, Kühlschrank, Tisch schienen die einzigen Möbelpersonen zu sein, die uns blieben. Ich tröstete bösartig zurück: »Und stell in Rechnung, wie sehr dich Zara ursprünglich geliebt haben muß, wenn sie dich so zärtlich und aufwendig verabschieden wollte.« Meine Haut starb weiter ab, aber mein Herz glühte kurzzeitig vor Genugtuung. Schämte sich dann aber eilig. Auch deshalb, weil mir, wie ein Pfeildurchschuß, der Gedanke auftauchte und davonjagte, Zara sei tatsächlich nur erzürnt über Leos Pech bei den letzten Finanztransaktionen, habe sich deshalb von ihm abgewandt zur Strafe und er rede sich nun zum Selbstschutz was Hübscheres ein. Zu welch häßlichen Vermutungen ich aus dem Stand fähig war! Interessant, nicht wahr? Sogar im Fall einer großen Zuneigung.

Nun jedoch wieder Leos Hände! Er hatte sie auf seinen Kopf gelegt. Da waren sie deponiert und verkörperten wilde Verzweiflung. Das konnte jemand denken, der aus fremdem Fenster in meine Küche sah, etwa einer der abendlichen Balkonraucher. Aus der Nähe war es keine Allegorie, es war Leo, der noch einmal mit Festigkeit behauptete: »Ich lasse mich nicht wegschicken. So leicht ist unser Pakt nicht aufzulösen. Zara wird mich behalten, ich behalte Zara«, und dabei wohl mit den Zähnen knirschte, und ein schon früher beobachtetes dunkles Licht flog kurz über seine Züge. Erschreckend ernst, dieser Leo, dessen Müdigkeit, so hatte ich es genannt, mich so sehr und unwiderstehlich gegen alle Vorsätze anzog, überzeugte und überwölkte, überrieselte, überschattete und in sich einschloß. Leo kurzum, erschien mir in seiner verführerischen Mattigkeit, lasziven Erschöpfung auf einen Schlag erklärbar!

Er beteuerte noch, ungewohnt wortreich, seine Entschlossenheit, sich in Zara, komme was wolle, zu verbeißen, durch Gewalt und Spucke, Schmeichelei und Erpressung. Ich aber erkannte, tief aufatmend, die Notwendigkeit, mit der Zara diesen welkenden, deutlich sterblichen Mann, den ich gar nicht anders kennengelernt hatte, opfern mußte für einen jüngeren, frühlingshaften Liebhaber und Pseudosohn. Es würde Leo nichts helfen, sich zu wehren und zu kämpfen. Seine Tage bei ihr waren gezählt. Er war nur ein Mann, Zara aber mindestens eine Halbgöttin. Dazu fielen mir als unsolide Beweisstücke ihre halbseitig lackierten Fußnägel ein.

Heute, beim Wandern, habe ich nacheinander die restlichen Pralinen einer hochgeschätzten Kundin, Frau Gildhoff aus Buchholz in der Nordheide, weggeputzt, in mich einschmelzen lassen, alle verschieden und selbstgemacht, innen und außen Schmuckstücke, wär nett, so was am Ohr zu tragen. Um sie besser zu genießen, setzte ich mich auf eine Bank und sah die vielen Fußstapfen an. Was mochte aus den Ehepaaren von Zara geworden sein? Sie hatte sie für ihr Fest aus dem Kasten geholt und wieder weggeräumt, vorgeführt und tadellos verstaut. Unwahrscheinlich, aber nicht ausgeschlossen, daß ich auf die Schuhabdrücke eines dieser Paare starrte. Ob es lustig wäre, kleine Ohrgehänge in Sohlenform zu machen, eingraviert das neckische Hetären-Folge-mir?

Eigenartig, diese Befleckungen, Prägungen des abstrakten Schnees mit Schuhumrissen, Schlittendoppelstreifen und den breiten der Skier, Herz-, Kopf-, Lebenslinien, weiße Lettern im Weißen. Haben Sie aber beobachtet, wie die gelben Urinverfärbungen durch die Hunde, falls kein Neuschnee fällt, verschwinden, damit hier die Perfektion einer anderen Welt ungetrübt herrsche? Es nähern sich Männer, offenbar von der Kurverwaltung geschickt, mit Schaufeln und Plastikbeuteln. Leise schleichen sie, wenn man irgendwo sitzt, herbei, packen den Unrat geräuschlos ein und schweben, unwirklich wie Engel, mit ihrer ordinären Last davon, während man hinträumt in die Weite.

Und was gefällt Ihnen besser? Das Unberührte zu zerstören mit eigenen Mustern oder sich einzupassen in die Schuhwerkkonturen anderer? Oder sich etwa zu vermengen ins vielfältige Gewirr – aus eignem Antrieb wimmelnde Buchstaben – an Wegkreuzungen? Das würde ich Ihnen nicht glauben, selbst wenn Sie hier nickten. Sie wiegen nur den Kopf, lächelnd über meine unnütze Frage.

Irgendwann verschwand Leo. Ich sah uns noch beide im Spiegel, das von Zara vorübergehend verkuppelte Pärchen, weiß aber nicht, wie Leo zur Tür raus ist, auch nicht unsere Abschiedsworte. Er muß aus der Wohnung hinausgeblichen sein, entwichen, meine ich. Eigentlich bin ich konsterniert. Ich sehe es nicht vor mir. Kein Eindruck, Abdruck, Ausdruck. Dabei war es das letzte Mal!

Sie schneiden ein Gesicht, als hätten Sie das alles schon vorher gewußt und es wäre bloß jetzt erst rausgekommen. Als ich mittendrin steckte, konnte ich schlecht zugleich die Draufsicht genießen. Zaras hämisches Vergnügen an Specht? Jetzt begreife ich das natürlich. Kein Rivale für Leo. Mußte mich nur noch fixer in dessen Arme jagen. Ihr Amüsement, was Sophie betraf? Wenn diese Proserpina damals Leo schon nicht becircen konnte, so würden wir, Sophie und ich, uns gegenseitig aufstacheln und doppelt auf Gedanken bringen. Und außerdem und nicht zuletzt in dieser Phase, in der Zara noch an einer schonenden Aufkündigung ihres Verhältnisses mit Leo manipulierte, dienten wir ihrer Unterhaltung und waren Studienobjekte. Stimmt's?

Noch einmal sah ich Zara vor mir im EEZ, als sie mit dem Brief Verstecken gespielt hatte. Liebespost vom (einigermaßen) Neuen. Das fatal rote Kleid und die verhängnisvollen Schuhe. Kostümierung hochgradig amouröser Erregtheit. Vor allem aber der Satz zur kleinen Räuberin über das Herzklopfen, dieses eine, unnachahmliche, durch nichts zu ersetzende Gefühl. Natürlich! Sie beklagte nicht Leos Untreue damit, vielmehr handelte es sich um ein gefordertes, erforderliches Herzklopfen, das sie neu benötigte, um die Schöne, Verjüngte, Wiedergeborene zu sein.

Wie sehr sich auch Sophie, mit dem Haushalt im Alten Land ja viel vertrauter als ich, getäuscht hatte bezüglich ihrer Hypothese, Zara würde Leo vor uns verbergen, ihn uns jedenfalls entziehen wollen! Weggeschickt hatte Zara Leo, um freie Bahn, sturmfreie Bude zu haben und gleichzeitig – zwei Fliegen mit einer Klappe, wie sie es ja schätzte – um besonders meine Leidenschaft zu steigern. Daß der Papagei »Maria!« gerufen hatte, war ihr also wohlbekannt. Die ungehörige, anstoßerregende Eleganz und Vergnügtheit Zaras in Leos Abwesenheit: Was für eine schändliche Offenbarung in diesem Licht.

In neuem Licht erschien nun auch mein erster Besuch bei ihr, als ich so sehr auf Leos Eintreffen hoffte und statt dessen ihrer ausführlichen Toilette beizuwohnen hatte. Das infame Weibsstück, meine heftigen Wünsche sehr wohl erratend und schürend, bereitete sich, stimuliert von meinen falsch interpretierenden Blicken, auf den junge Freuden spendenden »Sohn« vor. Das Resümee: Ich hatte geglaubt, Leo Zara wegzunehmen, in Wahrheit empfing ich ihn aus ihren Händen.

Mein Bild von uns als Paar erledigte sich durch Zaras Verschwörung. Viel schlimmer aber: Leo entschlüpfte auch einzeln, versickerte mir unter den Augen. Die mich so fesselnde Oberfläche, die anziehende Müdigkeit, man mußte sie ganz anders deuten, als ich es im phantastischen Spekulieren getan hatte. Rätsel und Verzauberung – perdu. Bestand hatten der Kühlschrank, der Tisch, die Küchenlampe, der Elektroherd. Diese Gegenstände observierte ich lange, bis in die Nacht hinein.

Zum Schreien! So wie Leo immer durch mich hindurch Zara gesehen hatte, so ging es mir jetzt auch, spätestens jetzt, mit ihm. Strahlend überlebte Zetzet unseren Untergang. Vivat und Viktoria! Stichelndes Insekt und mildtätige Schlange nach Lust und Laune. Unangefochten stöckelte und züngelte sie, irisierend wie eh und je, aus allen Konfusionen hervor.

Zara amabilis

Zara admirabilis

Zara boni consilii

Zara veneranda

Zara praedicanda

Diese Wendung scheint Ihnen zu gefallen. Ihnen schmeichelt der Triumph der nicht mehr jungen Frau. Eine Stellvertreterin, richtig? Luna matutina wäre eigentlich noch schöner. Übrigens habe ich heute morgen fünfmal einen hellen metallischen Ton gehört, vom Bett aus. Leo wüßte jetzt, woran ich sofort denken mußte. Er hatte die Erinnerungsprobe bestanden. Peng, peng, peng, peng, peng. Ich kenne inzwischen die Geräusche um unser Hotel herum ganz gut. Es wiederholt sich ja. Der Bach, der manchmal unter Schneeüberwölbungen krachend über die Steine setzt, die Glöckchen der Pferdeschlitten, sehr träumerisch, die Discomusik, je nach Wind aus dem Ferienclub, das Uhrenschlagen vom Kirchturm, jede Viertelstunde in Treuestarre. Ich rieche in erster Linie zweierlei: die warme Luft aus dem Ventilator einer kleinen Wäscherei und den süßen Pferdemist der nahen Ställe. Das wird Ihnen auch so gehen. Sehen Sie aber vom Fenster aus spätabends, frühmorgens die Schneepflüge beim Planieren der Pisten und Wege, diese starken Lichter, die sich hinten an den Flanken der Berge in verrückten Figuren bewegen, scheinbar über gewaltige schwarze Lücken springen? Man erkennt ja im Dunkeln die Buckel des Geländes nicht. Drüberweg rattern in fürsorglichem Fleiß und furchtlos die Maschinenführer.

Wieder stand ein Augenblick meiner Kindheit vor mir, als ich die fünf unbekannten Schläge hörte. Sie wissen schon. Invanhoes verzweifelte Raserei gegen die Übermacht. Was uns packte war die maßlose Überschätzung und Attacke wider jede Vernunft. Zum Frühstück erfuhr ich von einem Nordwand-Sprinter. Innerhalb von 24 Stunden drei Nordwandrouten, schon in den Achtzigern hat er's gemacht. Matterhorn, Eiger, Grandes Jorasses. Ein Hubschrauber hat ihn hin- und herbefördert. Peng, peng, peng. Ob er den Klang im Ohr hatte?

Wie von dem Fünferschlag dieser Mann, ich meine Leo, herbeordert wird! Wissen Sie, ich hatte mir, nach dem, was dann kam, angewöhnt, die Berge wegen ihrer Masse und Spitzigkeit auf Fotos anzusehen und überhaupt öfter an sie zu denken. Hier ist das alles nach außen gedrungen, sie stehen wirklich um mich herum, jederzeit, Tag und Nacht, schwinden mir nicht weg, die nicht. Auch momentan nicht, in der Schwärze draußen, die Bergkette, der Reihe nach ihre Glieder aus dem Boden geschossen, mit metallischem Klang.

Als Kind sah ich auch den Film über Scott am Südpol, die Expedition »verloren in heulend durchfegten Schneewüsten« oder so ähnlich. Mit nichts aber zu vergleichen waren die erfrorenen Füße des sterbenden Evans, so ungefähr hieß er, als er sich die Socken aufschneidet, der geschwollene, blau-schwarze Zeh im unbarmherzigen Großformat. Mein Tränenkrüglein weinte ich übervoll darüber. Die Macht solcher Anblicke, sagen Sie doch selbst: Faustschläge von unerhörter Kraft in der Kindheit. Dann, je stärker wir werden, desto schwächer die Dinge? Kein Klang mehr? Nichts dahinter? Aber manchmal kehrt die großartige Schubkraft zurück, und das Herz graust sich wieder und lacht.

Wenden Sie sich bitte nicht gegen die Scheibe. Da gibt es nichts zu sehen, nur den gespiegelten Raum mit Ihnen darinnen. Die alte tote Frau, zu der ich ging, die mir genommen wurde, was aber war mit ihr? Es tat mir so wohl, wenn sie mit den klammen Fingern mein Gesicht hielt und streichelte, mit den Totenfingerchen mein bekümmertes Gesicht klopfte. Sie wird mich einmal, wenn es darauf ankommt, auf die letzte Fürsprache und große Verteidigung, herausreißen, mit diesen Frostfingerchen, wird für mich einstehen und mich auf die Seite der Guten zerren. Die liebe kleine Hexe mit dem Zauberbefehl an die Waschmaschine.

Viel, viel älter als Sie war die alte Frau, sie wurde immer älter. Sie, keine Schmeichelei, werden von Abend zu Abend jünger in der perlenden Luft hier oben. Der Tod zeigte sich durch ihren Körper hindurch, die Haut, durchscheinend auf den Tod hin. Er sah mich an durch das noch mit ein wenig Fleisch bezogene Gesichtchen. Ich verabscheute ihn nicht und fürchtete ihn nicht sehr. Ich liebte sie ja mittlerweile, die Frau oder besser, die Zwiespältigkeit. Die zarten Greisinnenaugen mit dem drohenden Absturz in die Erstarrung. Ihre leibliche Hinfälligkeit band noch beides, schon zweifelnd, zusammen. Die zwei Glaskörper zwischen ihren Lidern: Man sah hindurch in die Helligkeit einer noch so eben vom vergänglichen Faltenwurf zusammengeschnürten Lichtquelle. Ich begriff es erst recht, als es zu spät war, sonst hätte ich es eifriger studiert, dieses Gesicht, in dem der Untergang schon einsetzte und das doch dieser Landschaft hier ähnelte in ihrer bedrohlichen, lodernden Weiße.

Das Gefährliche – unnötig eigentlich, Ihnen das zu sagen – ist in diesen alten Gesichtern nicht nur das angekündigte Abrutschen ins Erlöschen. Sehr, sehr mächtige böse Magie ist am Werke, und kaum gibt es ein Mittel, sich dagegenzustemmen. Man kann nur Reißaus nehmen. Ich bin ja auch immer nur kurz zur Frau hingegangen und nur, wenn ich wollte. Sie können mit Zauberzeichen bannen und verdammen und verfolgen, ganz wie diese zum Teil arglistigen Weiblein es wünschen. Das Alter verleiht ihnen irgendwann die Direktion, und ihre Opfer parieren. Sie wissen: das gesunde Kaninchen vor der hinfälligen Schlange.

Etwa der Typus des zerbrechlichen Püppchens, des in Not geratenen Vogeljungen. Die mageren Engelsschultern, die struppigen, ärmlichen Haare auf dem bleichen Köpfchen, das piepsige Stimmchen, alles zusätzlich ineinandergehutzelt. Was ist dagegen zu tun, wenn sie einem damit kommen? Ewige Verdammnis dräut, falls man sich der greisen Schlingel nicht erbarmt und sie verwahrt und hätschelt.

Andere Version, noch teuflischer: wenn sie ihre versteinerte Miene aufsetzen, zähneknirschend in ihrer erzwungenen, notgedrungenen Würde. Nichts kann sie freuen, kein Lachen, kein Lächeln. Fern aller Heiterkeit zeigen sie uns die eiserne Maske, die weltablehnende, ein unerbittliches, uns die Schuld zuweisendes: »Nein! Nein! Nein!« Schnell muß man die Augen schließen, sich abwenden, nicht den schutzlosen Kinderblick auf sie werfen, sonst ist es um uns geschehen. Feixen sie innerlich, sobald sie unser Wanken spüren, geschwollen von ihrem Machtgefühl, die nornischen Bösewichter?

Und umgekehrt – bitte bleiben Sie mir gewogen trotz der Abschweifung! – die unverhältnismäßigen Kleinigkeiten, die solche erzen gestanzten Inbilder der Weltverweigerung in quirliges Entzücken verwandeln, in eine schon sagenhafte Verjüngung und Seligkeit: eine Höllenmusik irgendwoher, Kinderquieken, ein gerade erfundenes Süßigkeitsgebräu, bunt, scheußlich und giftig. In ihren Gesichtern aber: Flammen und Abglanz heiligster Freude.

Ist es nicht zum Weinen, zum Pfeifen und Trommeln? Aber nein, man muß allein ihre Wonne ansehen, ihre einzigartige, nichts als edel gezeichnete Wonne, und die niederträchtigen Auslöser im Rücken lassen. Darum geht's. So geht's.

Keine Ungeduld, ich komme bald auf Leo und mich zurück. Schon dabei. Da lächeln Sie, haben mich verstanden. Wie sehr ich daran gewöhnt bin, daß Sie mir abends gegenübersitzen und meine Reden schweigend, aber mit diskreter Mimik begleiten! Ihre Sonnenbrille könnte in der Art, wie sie Teile des Raums und auch mich selbst reflektiert, einen Kommentar abgeben. Sie sind aus diesen Tagen, ja aus meinem Leben nicht mehr wegzudenken, und das nach so kurzer Zeit. Eine Woche, kalendarisch betrachtet, ja nur, und die Tage müßte man korrekterweise sowieso abziehen. Da geht ja jeder seine eigenen Wege.

Der Abschied damals von Leo! Mir kommt er wie ein lediglich geträumter vor, sein Verblassen zur Wohnungstür hinaus, ausgerechnet mein Monument und Standbild Leo. Keine Sorge aber, er hat sich dann noch in einer anderen Situation weiß Gott unauslöschlich eingeprägt, in einer Szene, die ich auf Teufelkommraus vergessen möchte, davor aber dieses Versickern nach unserem Küchenabend. Ich träume seitdem oft davon, mein Gedächtnis wäre mir abhanden gekommen. Eine Folge? Ich liege still, und ein Feuerwerkgewusel von Augenblicken, Bildern, schrulligen Gegenständen überschwemmt mich. Ich rieche, ich höre, ich werde durchflutet von all dem und möchte es mir einprägen, versuche, den Kopf zu wenden, den vorüberschwärmenden Momenten nachzusehen, die über Jahre hinweghüpfende falsche Verbindungen eingehen, skurrile Formationen ohne Schwere, aber schon sind sie über mich weggebrandet, überwältigend in ihrer Masse und Geschwindigkeit der Passage, unmöglich, sie währenddessen schnell mit Gewicht und Bedeutung zu bepacken. Es ist mir lästig. Ich wache dann lieber auf. Auch hier oben wird mir immer leichter zumute. Aber das ist ein anderes, ein angenehmes Gefühl.

In wachem Zustand, bei offenen Augen, klarem Verstand usw. übertreibe ich in die andere Richtung. Da kann ich gar nicht glauben an die Vergänglichkeit, an die der Menschen schon, klar, ohne weiteres. Ich meine aber: der Empfindung, des Flüchtigen, Unsichtbaren. Nein, da kann ich mir nicht vorstellen, daß es alles für immer aufgelöst und verschwunden sein soll wie die wüsten Wolkenformationen, gerade hier, in den Bergen, steif und rasend. Es muß irgendwo inventarisiert sein, eingeätzt in den ewigen Grund, die fünf Metallschläge, wie sie erklungen sind und in meinem Kopf aufbewahrt werden, in ihrer Bibliothek? ihrem Reagenzglas? Etwa nicht? Die hochherzigen Gedanken und verborgenen Überwindungen, die Beleuchtungen kurz vor Sonnenuntergang: Sie entstehen und sinken ein, eingefräst, eingemeißelt in ein nie versagendes Gedächtnis. So muß es sein!

So muß es sein. Ich spüre es ab und zu genau. Die Augenblicke vergehen und gehen zugleich ein in ihre unvergängliche Aufzeichnung, dahin, wo sie von Anfang an hinstreben. Haben Sie heute den Himmel angesehen? Dieses still auf seinen Fundamenten ruhende, vor Tiefe nahezu schwarze Blau über den Schneeblitzen und trotzdem ein sich weiter und weiter nach oben wölbender Schrei? Ah, ah möchte man da rufen. Wie, wie! Wie als Kind, wo ich auf dem Klavier nichts anderes als die höchsten klimpernden Töne spielte, die Entrückung in die noch unbekannten Eisregionen. Wie jetzt meine Erregung, wenn ich das Tal sehe, wie es zu den Bergen in einzelnen Etagen angehoben und höher und höher gereicht wird. Natürlich, natürlich, ich weiß es ja selbst, auf der anderen Seite des Schlußbergs sofort kalauerartig ein neues Skigebiet. Steht auf einem anderen Blatt.

Hören Sie, als ich das mit Evans am Nordpol erzählte und meinen Jammer über den Anblick seines Zehs, haben Sie da auch, wie Sie nämlich sollten, an das Bett in Holunderburg gedacht? Also an Leo, als er ohne Mitleid, einer sicheren Witterung folgend, meine Füße entblößte, die häßlichen frostigen Glieder, die seit meiner Kindheit Evans und mich fast zu Geschwistern machten? Es war ja damals Sommer, Frühsommer, und die Kälteschäden, das chronische Frostübel befanden sich auf dem Rückzug, aber da sie nie mehr ganz verschwinden, sah Leo die Narben und blau-roten Verfärbungen und die demolierte Kontur der doch immerhin schmal konstruierten Füße, bis er genug hatte vom Ansichtigwerden meiner Kindheit im Winter. Es sind Schädigungen der feinen Hautgefäße, bei denen Blut in das Gewebe aussickert. Am schlimmsten ist es, wenn man ins Warme kommt, am wehesten tut es am Herzen. Kaum zum Aushalten, wenn der Übergang von draußen zu drinnen sehr plötzlich eintritt. Also hüten Sie sich vor Erfrierungen hier oben! Sie brauchen keine Ratschläge von mir? Dabei kenne ich mich mit fast nichts so gut aus wie mit der Kälte und dem Schutz vor ihr, wegen dieser sich wiederholenden Kinderleiden.

Zweifellos merken Sie, daß ich mich vor etwas fürchte und absichtlich ausweiche. Ich muß Ihnen bald sehr Unangenehmes erzählen. Ich hatte höchst unerfreulichen Besuch im Taubnesselweg, schon einen Tag nach Leos Abschied – hier der Beweis meiner Kältekenntnis: In der Haut gibt es verschiedene Kälterezeptoren, die auf niedrigere Temperaturen reagieren, indem sie zum Hypothalamus auf Sendung gehen, Sie wissen, Hypothalamus, zentrales Regelsystem des Organismus im Gehirn. Von dort aus werden spornstreichs die feinen Blutgefäße und Muskeln unmittelbar unter der Haut in Alarm versetzt. Sie ziehen sich zusammen und werden eng. Die Folge, sehr vernünftig: Das warme Blut bleibt im Inneren des Körpers, um an der Oberfläche nicht so stark abzukühlen. Bei längerem Aufenthalt in der Kälte erlahmen die Muskeln jedoch, die dadurch weitgestellten Blutgefäße füllen sich ruckhaft, die Haut verfärbt sich rotblau. Ein verflixt uncharmantes Erröten! Kribbeln, Brennen, schließlich Gefühllosigkeit sind die Konsequenzen, Versagen der Blutzirkulation, Blasenbildung, Absterben von Gewebeteilen. Zufrieden? Überzeugt? Übrigens keinesfalls, entgegen dem Volksbrauch, geschädigte Stellen je mit Schnee einreiben!

Und doch habe ich hier in den letzten Tagen eine Vorahnung, einen Anhauch von etwas anderem erlebt. Nicht Furcht vor der niedrigen Temperatur und vor Frostschmerzen wie üblich, sondern das sehr allmähliche, sehr sanfte Einschleichen der Kälte in den Körper, eine Wonne der Hingabe und Wollust. Ich befand mich auf einem ansteigenden Pfad, vielleicht 2300 m hoch, sah allenthalben weiße Gipfelreihen, die gesamte Restwelt schien in einem Rauhreif, nein, glitzernd überfroren zu sein, und ich vergaß im Hinsehen Blut und Wärme, Körper und Haut. Da strömte eine alle Inhalte überblendende Helligkeit in mich ein, Kammer um Kammer ging das Licht an, man wurde gläsern davon innerhalb des ständig wogenden Horizonts mit finsteren und strahlenden Rändern, ein durchschienener, erstarrter Wasserfall, wurde durchsichtig vor Kälte, eine eisig klirrende Sinnenlust. Bis ich wieder bei Trost war und prompt elendig zu schlottern und zu frieren anfing und mich schleunigst in die konventionelle Wärme rettete, aber auch etwas widerwillig. Es war, als hätte man eben die Zeltplane, das Schutzpanier des Körpers angehoben, um der waagerecht einstürmenden festlichen Weiße einverleibt zu werden und der Berg um Berg überwindenden Weite.

Was ich noch sagen wollte: Die Kindheit ist erst jetzt bei mir in der Gegenwart angelangt, erst jetzt Seite für Seite. Ich sehe die bunt und bombastisch gewirkten Buchstaben der Zeilenanfänge, eine Landschaft, die mich Zug um Zug aufdeckt. Mich ereilt eine überraschende Jugendlichkeit auf diese Weise. Während man nach vorn lebt, dreht sich die Zeit irgendwann um. Durch einen Stollen gräbt man sich auf längst Geschehenes zu. Anstatt sich zu entfernen, wird die Trennwand immer dünner. Vielleicht ist es auch nur der Wein, den wir heute zum ersten Mal trinken. Merkwürdig, hier oben weißer Portwein! Süffig, wirksam, schafft sich von allein weg.

Heute abend muß ich mir Mut antrinken. Jetzt ist er da!

Einen Tag nach Leos Besuch stand ein anderer Mann an meiner Wohnungstür. Viel jünger als Leo, eigentlich ein Halbwüchsiger ja noch. Er stand breitbeinig da und stierte frech in mein Gesicht, murmelte – aber an unverständliches Sprechen war ich gewöhnt – vermutlich einen Namen und ob er in privater Angelegenheit reinkommen könne. Wundern Sie sich nicht zu sehr, daß ich es zuließ. Natürlich konnte es ein Prophet oder Drücker sein, allerdings konstatierte ich sofort eine bestimmte vage Ähnlichkeit, auch wenn ich nicht gleich wußte, mit wem.

Zaras neuer Liebhaber? Das nicht. Und doch, machte sie sich lustig über mich? Das allerdings fragte ich mich. Schickte sie mir nämlich etwa so ein Exemplar ins Haus, um mich zu verspotten, da es mir nicht gelungen war, Leo von ihr abzulenken? Damit ich es auch mal mit so einem Früchtchen versuchte? Im Ernst aber: Wem glich der Besucher, der schon halb den Flur eroberte und sich vermutlich gar nicht mehr hätte rausdrängen lassen in seiner jungen Hübschheit? Er erinnerte mich ein bißchen an Maximilian Ebelsohr, oder war das der Hund?, der mit seiner Schwester am Ende des Festes so kurios anmaßend Jüngstes Gericht gespielt hatte, dasselbe forciert strahlend Selbstgerechte, jawohl, wie diese beiden Kinder damals, arrogante Unschuld gegenüber den morbiden Erwachsenen, vor allem wohl aufgrund des gesunden Knochenbaus und straffer Muskeln. Die verwechselten das – vielleicht zu Recht – mit ethischen Qualitäten. Trotzdem roch der jugendliche Held stark nach Bratkartoffeln. Er stand inzwischen im Wohnzimmer. Endlich, wenn auch nicht aufs Haar: Wolf Specht! Das hatte er blond gefärbt, kein Bärtchen, keine Brille, doch sonst: Wolf Specht!

Das Ehepaar unter mir, im Frühjahr noch in Sorge über die Art meines Privatlebens, durfte zufrieden sein. Es konnte auf einen Schmuckkunden oder was anderes tippen. Anlaß zu Mutmaßungen bot ich ihnen ausreichend.

Voller Vorwurf die Frage, ob er sich setzen könne. Ich hätte es ihm viel eilfertiger, seiner Majestät entsprechend, anbieten müssen! Meine Antwort wartete er nicht ab, saß schon auf dem Sofa, Arme nach beiden Seiten über die Rückenlehne vereinnahmend ausgestreckt, Knie so imposant voneinander entfernt, wie die Hosennähte gestatteten. Graf Rotz persönlich. Spechts Sprößling, großartiger Wurf! Hatte er nicht Anfang des Jahres die Röteln gekriegt?

»Sie haben diese Kinderkrankheit, Röteln? Röteln wohl, gut überstanden?« erkundigte ich mich. Ohne direkt zu reagieren, kein Wimpernzucken, konterte er, mich zunächst stumm taxierend, von den Schultern abwärts mit ostentativen Ruhepausen, dann verbal: »Sie also sind diese« – höhnisches Schnalzen – »Maria Fraulob!« Noch immer glauben sie alle, gegenüber einer alleinstehenden Frau seien Unverschämtheiten das Schickliche. Erst Specht, dann der Ingenieur, jetzt der Filius. Ich hätte ihn rausschmeißen müssen. »Hm hm«, sagte er noch, machte es spannend, wie das abschließende Urteil ausfallen mochte. Dann, jetzt deutlich und offen feindselig und so, als müßten mir ob dieser einschlagenden Bombe Schauer über den Rücken jagen: »Ich bin der Sohn des Ihnen ja gut bekannten Wolf Specht.« Ich zog nur die Brauen hoch, wußte es ja bereits: »Der Rötelsohn.« Da er aber damit fortfuhr, die Blicke beleidigend an mir auf- und abwandern zu lassen, bot ich ihm, weil er ja offenbar was auf dem Herzen habe, aber sich nicht traue, damit rauszurücken – selbst später, als ich erfuhr, was geschehen war, gefiel mir mein Verhalten –, ein Glas Milch oder wahlweise eine Tasse Instantkakao an. Er zuckte ein bißchen zusammen und wandte sich, zeigte also Wirkung, herrisch abwinkend den Gegenständen des Zimmers zu, Tisch, Kissen, Stuhl, Teppich. Offenbar fand er seine Phantasien bestätigt. Alles Beweisstücke eines irgendwie und wie auch immer Anstoß erregenden Daseins. Besonders aber sollte ich den Eindruck vernichtender Musterung erhalten. Dabei kann man an meiner Wohnung höchstens den Mangel an Stilisierungswillen beklagen.

»Nun?« brachte ich so geschäftsmäßig vor wie möglich. Was dachte sich Specht bloß! Schickte er jetzt einen Kurier, arbeitete, ungeheuer romantisch, mit einem Postillion d'amour wider Willen? Verkrampft und dreist, ganz das ölig-zage Temperament des Vaters.

Nicht blöd aber, dieses Wölfchen. Denn während er jetzt seelenruhig und biergemütlich – ein ganz klein wenig schienen mir seine Finger abtrünnig zu zittern – sich eine Zigarette drehte, legte er plötzlich den Kopf nach hinten und wiederholte in wohldosiert tragischem Unterton: »Ja, der Sohn Wolf Spechts.« Damit waren mir die Hände gebunden. Ich konnte ihn nicht mehr einfach an die frische Luft setzen. Wer weiß, was passiert ist? sollte ich mich fragen. Würde er als nächstes die Beine auf den Tisch packen? Ich wartete, hoffte geradezu darauf, es wäre das endgültige Signal für seinen Rauswurf gewesen. Aber, wie gesagt, nicht blöd, das sophienschwarz gewandete Kerlchen, tastete sich präzis an der Grenze entlang. Ließ, wie in Gedanken, die Asche, bis sie abbrach, an der Zigarette, seufzte aber zugleich schmerzlich. Eine Zumutung, ihn dabei zu unterbrechen!

Alle meine Erbitterung Specht gegenüber, die ich zwischendurch vergessen hatte, tauchte wieder auf. Die vor Verzweiflung beschlagene Brille, die bebenden Finger, das flehentliche »Maria«, seine poetischen Ergüsse und gehetzten Botschaften, die Besessenheit von schicksalhaften Geheimzeichen, der grauenhaft unerschütterliche Glaube an unsere Liebe, die weder jemals unsere, noch Liebe war, die Teichaugen. Scheußliche, jämmerliche Parade Spechtscher Hauptfiguren. Dabei starrte ich zweifellos den Sohn mit ebenso viel Abscheu an, wie er mich angaffte. Nur suchte ich, meine Abneigung zu verbergen, er deklamierte sie frei heraus.

Sie ahnen, was mich, einen Tag nach Leos Abschied in der Küche, so nervös machte? Eine Nachäffung. Konnte es sein, daß Leos Blick auf mich, wenn auch freundlicher, im Prinzip identisch war mit meinem auf den lästigen Specht, der nicht mal zum Lückenbüßer taugte?

»Also bitte« sagte ich noch einmal, aus Versehen, aus Unachtsamkeit etwas tantenhaft-tattrig. Postwendend kam »Also bitte!« zurück. »Sie gestatten?« Er wartete nicht, holte aus seiner Jackentasche eine kleine Flasche Mineralwasser, schraubte sie, mich weiter abschätzend, auf und trank. Häßlicher Adamsapfel! Die Rache für mein Kakaoangebot. Ich stand und stützte mich, wie flüchtig und in Zeitdruck, auf die Sessellehne. Es beeindruckte ihn nicht. Man machte sich wechselseitig nichts vor. Kopfschüttelnd bewegte er seine Augen durchs Zimmer, dann erneut an mir rauf und runter, gerade so, als kapiere er etwas ums Verrecken nicht, müsse sich nochmals stärken durch einen Schluck.

Was dachte er sich als nächstes aus? Da, er hielt ein Stück Speck in den Händen, hatte auch ein Taschenmesser, nein, warten Sie, eine Art Fahrtenmesser war es, ich verwechsle da was, ein Pfadfinderfahrtenmesser wohl und schnitt sich einen Happen ab, schob ihn in den Mund und kaute heftig darauf rum. Dann sagte er, mit vollem Mund: »Und an Ihnen«, er pochte sich ungläubig an den Kopf, »an Ihnen hat also mein Vater einen solchen Narren gefressen.«

Ich sehe es Ihnen an, Sie verurteilen meine langmütige Schwäche. Ich weiß nicht, was mich so ratlos machte, der Vorabend, das Alleinsein? Ich weiß es doch: eine fahrige Vermutung, es könnte in gewisser Hinsicht einen triftigen Grund für seine Bösartigkeit geben. Ich hatte mich seit meinem plötzlichen Aufbruch im EEZ nicht mehr um Specht gekümmert. Trotzdem zwang ich mich, die Geduld zu verlieren: »Eventuell Nötiges kläre ich mit Ihrem Vater selbst.« Sagte ich »klären«? Es klingelte in seiner Jackentasche. Ich dachte nicht im Traum daran, hinauszugehen, sollte es auch sicher nicht. Der Anrufer schien zu wissen, wo sich der Fatzke befand. Codierte Verständigung wie ein Gangster-Duo. Mätzchen.

»Sie wollen mit meinem Vater reden?« kam dann lümmelhaft gedehnt. »Geht leider nicht.« Wichtigtuerisch verstaute er den Apparat. Einstudiert: »Geht ganz und gar nicht. Leider, leider. Und jetzt erzähle ich Ihnen, warum das nicht geht.« Eine Drohung in der Stimme vorweg. »Nein, ganz und gar nicht geht.«

Noch ein Stückchen Speck, zum Zeichen giftigster Verachtung. Es war schwer zu ertragen, wie er seine glücklich erlangte Geschlechtsreife zur Schau trug. Andererseits interessierte mich auch hier das Schauspiel an sich. Ich legte nicht nur äußerlich – nun doch sitzend – die Hände in den Schoß. Das Sitzen dachte ich als ultimatives, wenn nicht Friedens-, so Waffenstillstandsangebot.

»In letzter Zeit«, noch immer war ein leichtes Kauen und Nachschmatzen zu hören, »schwierig, mein Vater, schwierig, kein leichter Fall für mich. Wir verstanden uns schlecht, verstanden uns immer schlechter. Da lief nichts mehr. Kein Zusammenleben möglich. Du fragst dich: Was ist los hier, wo liegt das Problem, was macht er für Sachen, ist doch noch kein Greis. Noch nicht verkalkt.« Er spielte den Mit-Blikken-Durchbohrenden, der einem Steinblock eine Seele und schlechtes Gewissen einbrennen will. »Wo ist das Problem, fragst du dich, was läuft hier falsch. Wissen Sie's? Ich habe mir gesagt, warum soll diese Maria Fraulob da nichts Genaueres wissen. Er spricht ja ständig von ihr. Tut, als wäre die Werweißwer.« Ein Stückchen Speck war fällig. Ich konnte mich nicht bezähmen und erkundigte mich, ob er sich auf diese Weise immer Mut anäße. »Was war? Haben Sie nicht mehr mit ihm ficken wollen oder was?« Das sei eine komplette Fehlanzeige, sagte ich, um seinem Realitätssinn auf die Sprünge zu helfen, hoffentlich ruhig.

Er sperrte den Mund auf und lief einmal um das Sofa herum, brüllte dann: »Nie gefickt?« und flüsternd: »Nie gefickt, nie gefickt!« Sofort, zum Trotz, ein Brocken Speck. Und wenn er sich gleich melodramatisch übergab, das etwa plante?

»Ich wohne schon eine Zeitlang bei Verwandten. Mein Vater baute Mist, einen nach dem anderen, war auch kein Küster mehr, nicht tragbar, fing an, Leute zu belästigen. Hat sogar einen Hund ins Wasser geworfen. Mein Vater, der große Tierfreund! Meschugge. Sie« – popsängerartig stieß er mit dem Zeigefinger auf mich zu – »kümmerte das alles nicht. Wenn er trank, kam es raus aus ihm.« Er griff sich in die steifen blonden Haare. »Dabei waren Sie der Stern seines Lebens!« Ich wäre bereit gewesen, mir über sein Reden in Vergangenheitsform Sorgen zu machen, wenn dieser Sohn auf seine Sperenzchen verzichtet hätte. Mein Gott, sicher, es beunruhigte mich, aber was sollte ich tun? Der rückte erst dann mit der Sprache raus, wenn ihm der Sinn danach stand. Bloß keine Nervosität zeigen!

»Konnte auf Dauer nicht gutgehen, finden Sie nicht? Sagen Sie ehrlich, finden Sie nicht? Nicht gutgehen, es lag was in der Luft. Ich wohne bei Verwandten. Ja, denkt man dann, wer wäre eigentlich verantwortlich für ihn? Auf wen würde er hören? Die berühmte Stimme der Liebe und Vernunft, auf die?« Ein Würfel Speck fiel zu Boden. Sorgfältig beachtete er es nicht. »Dann plötzlich ging es wieder bergauf mit ihm. Wieso? Er hat sich eine neue Brille gekauft! Bei Fielmann. Da staunen Sie, da reißen Sie die Augen auf. Mich hat das Ding so irritiert, daß ich gar nicht hingucken konnte. Ich hab ihm ein Katastrophenvideo geschenkt, Katastrophen der 60er Jahre. Wollte ihm eine Freude machen, eine Art Belohnung, daß er sich zusammenriß. Und welchen schönen Kommentar spricht er dazu?: ›Die Lebenssicherheit zerbricht zu Eisschollen. Ein Riesenunglück jagt das andere. Mal ist es die Natur, mal die Zivilisation. So geht es fort und fort. Man sieht die Vergangenheit und in Wirklichkeit den unweigerlichen Rhythmus der Zukunft.‹ So ungefähr.«

Ich hörte nicht ganz aufmerksam zu, weil ich mir Specht mit der neuen Brille vor seinen klagenden Augen ausmalte. Zum ersten Mal rührte mich etwas während des Besuchs von Spechts Nachwuchs. »Neue Gedichte geschrieben, davon verstand er was«, kriegte ich wieder mit, »alle Ihnen gewidmet.« Er haßte mich zweifellos, der Kurier auf dem Sofa.

An dieser Stelle, ich erinnere mich sehr gut daran, griff er sich mit gespreizten Fingern in die Haare, und diesmal kombinierte er zweierlei tadellos. Den Ausdruck des Desperaten und das gefällige Lockern der Frisur. »Alle Ihnen gewidmet«! Sollte ich mich schämen, daß er nicht ein einziges für sein eigen Fleisch und Blut reserviert hatte, das es viel besser verdiente? »Sie haben mit ihm über seine literarische Produktion geredet?« fragte ich sanftmütig. Unverzügliche Antwort: »Sie begreifen nicht. Es kam doch nicht auf Literatuuur an! Aufschreie waren das!«

Ich verbiß mir mein Lächeln nicht, im Gegenteil. Wenn ich hier schon bewußt etwaige Versäumnisse gegenüber dem Vater abzubüßen bereit war. Und doch wurde mir beklommener ums Herz. Ich durfte das aber keinesfalls wahrhaben angesichts des Schnösels auf den Polstern, der seinen Halbstarkenbonus schamlos ausreizte, eine perfide Form des Kindchenschemas. Merkwürdigerweise sah er mich daraufhin verschlagen triumphierend an. Das sollte wohl heißen: Den Spott wirst du noch bereuen. Er hatte ja seine Geschenke noch nicht zu Ende ausgewickelt.

»Sie haben sein Ausbleiben nicht bemerkt? Sich nicht gewundert? Nicht nachgefragt: Wo bleibt mein treuer Hund Wolf Specht? Er hat angefangen, in der S-Bahn den Leuten Reden zu halten, ganz wie die Besoffenen, aber er: stocknüchtern dabei! Wenn schon nicht mehr Küster, dann wenigstens Prediger, war die Devise. Ich mußte es selbst miterleben. Hinten mit der Freundin sitzen, im Gang der Vater auf die Leute eindröhnend. Ich denke: ein Irrer, dann denk ich, mich laust der Affe: Ist ja mein Alter. Die Leute grinsend, wie mein Pappi, der Spinner, Spucke und große Worte spuckt. Ein umwerfendes Gefühl, wenn man dazu der Sohn ist.« Mir aber hatte Specht praktisch alle glücklichen Situationen des letzten Jahres mit dem Flehen seiner Teichaugen, Zettel und Anrufe eingetrübt. Auch nicht zu verachten.

»Geschluchzt hat er zum Schluß und Ihren Namen gesagt.« Hoffentlich nicht die komplette Adresse! Vielleicht log der Kleine auch das Blaue vom Himmel herunter?

Eigenartig, die trüben Tage hier oben. Dann liegen die fernen, sonst angestrahlten Hochebenen unter grauem Himmel, und man möchte, noch weiter steigend, dem Gebirge entkommen. Selbst in dieser Höhe ist dann das Würgende. Entsprechend die Abende, die Fichten in Mörderhaltung. Lachen Sie mich ruhig aus. Man hat die Augen auf die Lichter in den Bergen gerichtet, auf eine letzte Hotelreklame vor der Schwärze, auf die Scheinwerfer der Schneepflüge, wie man früher die Kerzen, die kleinen Flammen vor den Marienbildern zu seinem Trost anstarrte, die fixen oder beweglichen Punkte. Man braucht sie doch in seiner Unruhe oder Not.

Ist Ihnen noch nie das Unheimliche und Saugende der Nachtwege aufgefallen? O doch, drohende Körper in der Einsamkeit, im Lautlosen, die Weiße beinern in der Dunkelheit, Gutes oder Böses verheißend. Ich würde mich spätabends nicht mehr zu einem Gang raustrauen. Besonders der Weg am Bach entlang, so wunderschön am Tag, nachts führt er unaufhaltsam in die lauernde Nachtwildnis, da hinten, wo man im Schnee versinken würde mit normalem Schuhwerk, wir besitzen beide kein anderes, wo kein Pfad mehr ist und die Kälte zunimmt und der dubiose Anhauch der Bergflanke.

Nur ein bißchen habe ich es ausprobiert, nicht widerstehen können im Mondlicht, neben dem Bach auf die Verriegelung des Tales zu, wo nichts mehr ist, nur die Auslieferung an die Nacht und die großen Steinklöße. Das Mondlicht, Vollmond, also auf dem weißen Schneeweg, schwarze Schlagschatten von links, die Fichten, Reißverschlußprinzip: schwarz-weiß, immer abwechselnd, ein unsicheres Gelände, optisch genommen. Als könnte man jederzeit ins Schwarze abstürzen, in den Zwischenraum. Es klammerte sich etwas von tief unten über die Kante des Weges. Dazu immer rauschend der Bach, buchstäblich, purzelnd, holterdipolter, fröhlich, aber von Fall zu Fall auch einen Hilferuf womöglich heiter übertönend. Wie schaurig die Nacht, wie kühl gespannt das Ein- und Ausatmen der Berge. Eine Gestalt wechselte über den Weg, geräuschlos, und verschwand ohne Spur. Trotzdem, es hat jetzt gut getan, mich daran zu erinnern zwischendurch.

Niemand – das war ich! – habe sich gekümmert um den armen, aufgeweichten (aber auch dem Sohn peinlichen) Vater. Alles, alles meine Schuld. So trug mein Besucher es vor. Ich hatte Specht ins Unglück gestürzt, er habe kaum noch gegessen, nicht mehr gekocht, sei abgemagert, wenn auch noch ordentlich gekleidet. Unter dem modischen Putz verriet sich längst der Laienprediger Specht junior. Er konnte schon jetzt das Schwafeln nicht lassen.

»Oft habe ich ihn nicht gesehen. Was soll ich als Sohn in seinen Privatangelegenheiten rumschnüffeln.« So konnte man das formulieren. Ausreden bereits drauf wie ein Alter! »Dann kam die Post, zeitlich alles einkalkuliert. Sie haben nicht zufällig auch einen Brief von ihm gekriegt und sich dann bloß nicht gerührt?« Ich verstand ihn nicht gleich. »Ein Abschiedsbrief. Sie haben keinen bekommen? Jetzt grübeln Sie: wovon Abschied? Auswandern? Wie man's nimmt. Ich kann Ihnen den Inhalt auswendig sagen. Ich will«, alarmierend grell jetzt die Stimme, sich überschlagend beinahe, »daß Sie es anhören!« Hier wußte ich, daß es keine Gnade gab in dieser Angelegenheit. Es wurde ernst.

»»Mein lieber Sohn. Wenn Du diese Zeilen liest, bin nicht mehr unter den Lebenden. Mein Leben ist schon jetzt aus und vorbei. Ich ziehe, als jemand, der an Enttäuschungen allzu reich ist, den Schlußstrich. Ich bin nur noch ein müdes Blatt, sei Du kräftiger. Dein Vater.‹ Darunter, wie ausbrechender Irrsinn: ›Eiderdaus, mein Leben ist aus! Gezeichnet: Wolw Specht‹. Wirklich: statt f ein w!«

Der Sohn erhob sich, trat ans Fenster, Rücken zu mir: »»Mein Leben ist schon jetzt aus und vorbei. Ich ziehe, als jemand, der an Enttäuschungen allzu reich ist, den Schlußstrich. Ich bin nur noch ein müdes Blatt, sei Du …‹« Ich riß ihn an der Schulter herum. »Was hat er getan?« Vielleicht habe ich in diesem Moment, noch immer nicht schwer beunruhigt, sondern eher wütend auf den gravitätischen Flegel, geschrien. »»… kräftiger. Dein Vater‹«, vervollständigte er eisern, »»Eiderdaus, mein Leben ist aus.‹«

Ich bemühte mich, gegen meine bösen Ahnungen, zu denken: typisch Spechtscher Klamauk. Gut, daß er mich mit dem Wisch verschont hat! Der Junge zog seine Jacke aus und schmiß sie über einen Sessel, wandte mir weiterhin den Rücken zu. Ich sah plötzlich die gewölbten Muskeln seiner Oberarme. Da er die Hand in die Hüfte stemmte, bildete sich vom Hals an ein flach welliger Grat bis zum Ellenbogen, ja schlagartig fiel mir an ihm die ganze Grazie des Protzens auf, erst recht, als er sich an den Tisch zurücksetzte, einen Daumen in seine Wange gedrückt, die sich puttenhaft rundete um die kleine Mulde in ihrem Fleisch herum, mit einem weichen Schatten darin.

Was könnte man, falls man es darauf anlegte, über die eine Konstellation philosophieren: vor der Sonne, fest, rund die flüchtigen Wolken, veränderlich in der Gestalt, rasch ziehend, darunter Tag und Nacht, sich bildend wie auch die vier Jahreszeiten, tatsächlich aber die Erde sich drehend und um die Sonne kugelnd. Ein alter Hut, aber was für ein Anhaltspunkt! Ebenso dieser Spechtsproß. Entschuldigen Sie. Als schwermütiger Richter verkündete er über mich Sorglose, Leichtfertige: »Man kann diesen Tag rekonstruieren. Ich will Sie damit nicht langweilen. Kurz: Er hat nach dem Frühstück, das nur kurz, den Brief eingeworfen und ist dann in den Botanischen Garten gegangen bis mittags, dann ins EEZ, hat dort was gegessen. In Kürze: Als es dämmerte, ist er zur Schiffsanlegestelle Teufelsbrück marschiert und hat es sich auf einer der Promenadenbänke bequem gemacht, wohl auf die Elbe gesehen, zum anderen Ufer.«

Natürlich, sagte ich mir verzagt, auf diese Anspielungen wollte Specht nicht verzichten. Sein Sohn fixierte mich wie zu Anfang. Um gleichmütig und gewichtig zu wirken, um mich zu quälen und alles in die Länge zu ziehen, drehte er sich eine neue Zigarette. Die Finger zitterten nicht mehr, er fühlte sich sicher und mit Grund. »Klar, Schlaftabletten und Alkohol. Aber erst wohl, als er sich einbildete, keiner käme mehr längs an dem eiskalten Abend. Ist dann eingeschlafen. Sehen Sie, er ist dann da eingeschlafen. Ewige Ruhe.«

Unter den Lidern heimlich blinzelnd, ließ er mich nicht aus den Augen. »Warum Teufelsbrück?« Zum ersten Mal in meiner Wohnung fragte er etwas ganz arglos. Es traf mich darum um so härter. Ich glaube, ich hatte die Hände auf meinen Mund gelegt. Stille. Ein Hohlkörper. Ich bemitleidete gar nicht Wolf Specht. Ich fühlte lediglich und hätte es auf einen Zettel schreiben können: Hohlkörper. Sonst nichts. Nachher werde ich sicher weinen, tröstete ich mich. Ein Liedbruchstück tauchte einmal auf: »Er küßte sie, sie küßte ihn. Ein Vogel sang im Eschenbaum.«

»Mein Vater hat in meiner Gegenwart oft, aber nie schlecht von Ihnen gesprochen.« Keine Sekunde kam ihm der Gedanke, man könne das auch zu meinen Gunsten auslegen. Wir schwiegen. Meinem Hohlkörper gemäß wiederholte jemand in mir: »Eiderdaus, mein Leben ist aus.« Specht, witzig bis zum Schluß und immer an der falschen

Stelle. Der Junge verdonnerte mich weiterhin zu ergriffenem Schweigen. Verständlicherweise, aus seiner Sicht. Aber ganz traute ich dem Braten trotzdem nicht. Ließ er nicht etwas zu dicke seine Trauermuskeln spielen? Ich gab mir einen Ruck, zerfloß nicht in Reue, sondern sagte nüchtern: »Und?«

»Und! Und! Und!« rief er, wütend, aus dem Konzept gebracht zu sein. Er hätte am liebsten einen ganzen Volkstrauerertag zu meinen Lasten abgehalten. Fast schluchzend vor Ärger: »Sie haben ihn gefunden. Ausgerechnet eine Frau mit Hund. In der Nacht, er war schon dreiviertel tot, vergiftet, halb erfroren. Lungenentzündung sowieso. Gefunden, abtransportiert, um sein Leben gekämpft, Magen ausgepumpt, Familie zusammengetrommelt. Er trug ja Adresse und alles bei sich. Nichts von Ihnen, aber alles von mir.« Wie sehr er sich bedauerte! »Und?« Noch einmal rüttelte ich an seiner Schulter. Es war nicht Erschütterung, die ihn stockend erzählen ließ. Er wollte mich, dazu hielt der Vater her, auf die Folter spannen. Armer Wolf Specht! Glück hatte er wohl bei niemandem. Ich wußte aber, das hier würde gut ausgehen, ließ mich nicht mehr ins Bockshorn jagen. Insofern war wieder jeder Gedanke erlaubt.

Da! »Litzirüti!« Haben Sie das gesagt? Nein? Ihre wunderbare Geduld! Vielleicht ist aber nur Ihr Mund so engelsgeduldig, und die Augen hinter der Brille sind es nicht?

Er gab vor, nach Atem zu ringen aus irgendeiner Aufwallung, über die er sich, in der Auswahl, wohl selbst nicht klar war. »Sie haben Glück gehabt.« Es sollte vernichtend klingen, und ich wußte trotzdem noch immer nicht Bescheid. Bitterster Hohn, daß ich ihn, den Vater, endgültig los war? So zynisch, das Bürschchen? Oder bedeutete die Rettung Wolf Spechts für mich Begnadigung, unverdient natürlich, aber doch Strafverschonung in letzter Sekunde? Er redete schon weiter: »Sie haben ihn im Krankenhaus durchgebracht, obschon man zu Selbstmördern, die es werden wollen, muß ich wohl sagen, nicht besonders freundlich ist.« Einen Augenblick lang – es überraschte mich ja nicht mehr, daß Specht noch unter den Lebenden weilte – schien der

Junge, als das Bild des elenden Vaters vor ihm auftauchte, seine Rolle zu vergessen. Sein Gesicht verschwamm ins Kindliche. Ich wäre sofort bereit gewesen, ihm einen Kaffee zu kochen. Aber schnell einen Schluck vom mitgebrachten Wasser genommen und den Sündenbock neu ins Visier: »Ich will nicht davon reden, was ich als Sohn da mitgemacht habe. Erbärmlich, alles sehr, sehr erbärmlich.« Der fast gestorbene Vater? Ich? Die Welt? Er meinte doch nicht etwa sich selbst? Ob er seiner Freundin vom Besuch bei mir erzählt hatte? Eventuell war das vorhin ein Zwischenbericht am Telefon gewesen. Nachschub an Ratschlägen zur Dramaturgie?

»Sie brauchen nicht so aufzuatmen«, fuhr er mich an, aus seinem Brüten in Selbstmitleid hochschreckend. »Gut steht es um Ihren Freund nämlich nicht.« »Freund«? Eine Unverfrorenheit. Warum, nicht gleich »Verlobter«? Was sollte mir hier eigentlich noch alles aufgehalst werden, doch noch der ganze Specht? Wollte man mich erpressen, ihn mir unterschmuggeln? Ein schlechtes Gewissen machen, damit ich als Sühne Specht übernähme? Von dieser grauenhaften Aussicht, die mir der Junge verschaffte, witterte er Gott sei Dank nichts.

»Damit Sie informiert sind: Mein Vater hat nicht mehr alle Tassen im Schrank. Strich dadurch, geschlossene Abteilung. Für wie lange, kann keiner sagen. Selbstmordgefahr, depressiv, womöglich unberechenbar aggressiv. Ich wiederhole nur.«

Das verblüffte mich nicht im geringsten. Specht in seiner Schutzwabe, hinter den dicken Gläsern. Jetzt in einer Gummizelle? Wie sah die wohl aus, gab es so was überhaupt noch? Wahrscheinlich nicht, wird alles über Medikamente geregelt. Aber ich sah ihn, Specht, in einer moos- und waldgrünen Gummizelle mit der neuen Brille auf. Dabei hielt er einen Schnorchel in der Hand, obschon die Brille keine Taucherbrille war. Bei genauem Hinsehen mochte es sich um ein Mikrophon oder Megaphon handeln. Er stand vom Boden auf, hob das Ding an den Mund und, nach einem rührenden Testpruster, begann er mit seiner großen, apokalyp-tisch aufwühlenden Tirade an die Mengen und Massen, die Touristen und Besucher von Stadien, die Obdachlosenver-treiber und Konsumenten – war nicht schlimm, solange er mich, Maria Fraulob, verschonte als persönliche Adressatin. »Hält er dort Reden für die Mitgefangenen, ich meine: In-sassen, für die Kranken als Wortgewaltiger? Es hat ihm doch immer gutgetan, und dort hört man ihm sicher begierig zu?« Es klang karikierend, wollte ich das wirklich?

Er schüttelte sein programmatisch blondes Haupt: »Mein Vater sagt überhaupt nichts, sitzt stumm da, weiter nichts.« Als er begriff, daß es mich erschreckte, fuhr er, den modi-schen Schädel mit den Fingern wieder denkerisch umspan-nend, erfreut fort, die Gelegenheit beim Schopf packend: »Wortlos sitzt er da, schweigt, spricht zu niemandem und starrt die Wand an. Entsetzlich!«

Das »Entsetzlich« hätte sich der Unerfahrene besser ge-schenkt. – Specht also in Sicherheitsverwahrung. Ich mußte mich fragen, was ich um Himmels Willen für ihn die ganze Zeit über dargestellt hatte, Statue, Bild, Popanz, ohne zu vermuten, in welchem Maße. Oder: ohne mich dafür zu in-teressieren, um wenigstens vor Ihnen nicht zu heucheln. Statt dessen aber – und ich hätte diesem Sprößling ohnehin nichts klar machen können – zeigte er, Specht, sich noch einmal, keine Ruhe gebend, von all seinen betörenden Sei-ten in schneller Folge:

Die Augen in ihrer flehenden Wildheit, ja, eine Perma-nenz von beidem immerzu, eine komische, lästige Dauer-glut hinter Glas. Man hoffte inständig, nie in eine Lage zu geraten, wo er die Brille länger absetzte.

Dazu die krampfhaft ironische Zierschrift und anderer-seits die eilig notierten Zeilen, von Furien angeblich gehetzt, so lakonisch auch und befehlsartig. Dabei wußte ich, er kaute tagelang an den hingeworfenen Formulierungen.

Überhaupt dieser Wechsel von brüskem Anordnen, als hätte er irgendwelche, auch nur die geringsten Rechte der Leidenschaft, und: Devotheit, Beben der Gliedmaßen.

Das Bärtchen!

Wogegen die großen Schuhe, die an den Fersen abstanden vom Fuß, mich aufrichtig rührten.

Was sollte ich diesem jungen Mann für Rechenschaft geben? Ich hätte ihm erklären müssen, daß sein Vater empfindlich, zart besaitet war, gut und schön, aber ohne Instinkt, ein Mensch ohne das angeborene, natürliche Abgrenzungs- und Distanzgefühl, das im Zusammenleben unerläßliche. Ein Mann, der mir stets zu nahe kam, auf den Leib rückte, daher konnte ich mir keine Herzlichkeit leisten. Ich hätte die stracks sich anschließende, stufenlose Annäherung nur durch eine Kränkung beantworten können. Sollte ich sagen: Junger Mensch, was soll das Drumrumreden, ich war einfach nicht scharf auf den Herrn Vater. Daran hat's gehapert. Da half kein Kopfstand und keine Rolle rückwärts. That's all!?

Was mir gefällt: Wenn hier tagsüber der Schnee anschmilzt. Dann gibt es abends, im Mondlicht, silbern gepanzerte, mit Silber bemäntelte Hänge. Gestern ein rotes Hufeisen um den Mond, dann ein roter Kreis. Aber auch tagsüber, unter dem grauen Teilhimmel, lagern sich die Berge mondlichtfarben, hockende Schneeulen mit gerade abgewandtem, weggedrehtem Gesicht, dann wieder mit Augen. Nackter Fels, wo der Schnee wegen Steilheit nicht liegen bleibt, auch Löcher in den Schneehängen. Man sieht auf braunes Gras, Baumwurzeln, Gestein, sieht in Höhlen, Hohlräume, die Schneedecke in festem Abstand drumherum, wie eine Flasche um eingebaute Schiffchen oder eine Schale um den reifen Nußkern. An den Halmen sind manchmal durchsichtige Eistränen. Aus der Entfernung: dunkle Augen, Sonnenbrillen.

Man soll die Berge usw. nicht vermenschlichen, sie sind und bleiben fremde, steinerne Natur? Man sollte es einmal umdrehen! Nicht gleich mit der Seele und dem Verstand zugange sein, die sogenannten Menschen zur Abwechslung lieber als Hügel, Hänge, Berge betrachten. Witterungen schweifen über sie hin, und sie ändern sich, eben sanft, jetzt gefährlich, eben im Glanz, jetzt in Öde. Mal schwarz, mal weiß. Es schneit auf sie, es taut, weiter nichts ist geschehen. Der Abkömmling des Predigers saß ja noch immer besserwisserisch in meinem Wohnzimmer und konnte sich nicht trennen von mir, seinem Opfer.

Schwarz und weiß, schwarze Striche im Schnee, Dohlen unter weißen Wolken. Überall fahren die Leute, diese Schwarz-Weiß-Figuren abgebend, jetzt Ski, wenn das Geld reicht. Arnold Schwarzenegger in Sun Valley, ich habe es zum Frühstück gelesen, genau wie Barbra Streisand und Bruce Willis. In Aspen aber sausen Ivana Trump, Jack Nicholson, Michael Douglas die Hänge runter. Kevin Costner tut es in Colorado, in Beaver Creek. Steven Spielberg und Brad Pitt und womöglich Zara fahren in Whistler. Keine Idee, wo das liegt. Aber ist es nicht interessant? Organisch-anorganische Puppen, über die Klimaveränderungen sich hermachen, umschmeichelt und gestutzt von Beleuchtungen, die Beseeltheit vortäuschen.

»Äh, ej, ej, ej«, rief er plötzlich. Ich mußte ihn – ein Mißverständnis – mitfühlend angesehen haben. »Kommen Sie mir bloß nicht mütterlich. Sie schon gar nicht. Hätten Sie früher aufstehen müssen.« Und schon beruhigte mich, so aus jeder zukünftigen Verpflichtung entlassen zu werden. »Ich weiß, was ich will. Freiberuflich, schon mal klar. Bloß keine feste Anstellung. Bin schon jetzt in diversen Jobs neben der Schule tätig. Jawoll.« Er grimassierte wieder, um den Plauderton zu relativieren, konnte aber nicht widerstehen. Doch ein Kaffee? Ich blieb aber still, um ihn nicht zu reizen. Ob ich ihm am Ende – extra demontierend – einen gescheiteren Ohrring anbieten sollte als den, den er so stolz trug?

»Man muß sich durchwursteln, anpacken, und sei es zuerst Kabeltragen. Hauptsache, man ist irgendwie drin.« Es riß ihn fort. »Fernsehen, logisch. Junge für alles, und warum nicht? Habe einen Freund bei einem kleinen Privatsender, freier Producing Redakteur, der verschafft mir was. Dann heißt es Recherchieren, Organisieren, Drehen, Schneiden. Ich kann das alles schon ein bißchen, bin gut vorbereitet, wenn's soweit ist. Sogar als Darsteller würde ich mich machen.« »Auch als Moderator.« Er war so in Fahrt, daß er es gar nicht als Spott zuließ, und haute, genau richtig, mit der einen Faust energiereich in die andere Handflächenkuppel. »Kommen Sie mir nicht mit Tarifverträgen und dem alten Quark!« Was sagte er das mir! War ich nicht, von meiner kleinen Witwendauereinnahme abgesehen, auch selbständig, frei, ohne Absicherung? »Initiative, Durchsetzungsvermögen, Megavision, durch nichts zu stoppen sein«, trompetete der Kleine auf seinem Sofa und hatte den verstummten Vater aus den Augen verloren. Wie alt war er eigentlich? Gab es eine amtierende Mutter, Tante? Er hatte doch von Verwandten gesprochen. Ich selbst habe früher für eine Stoffirma gegen festes Gehalt Muster entworfen, sagte ich das schon? Nie gab es Prämien für erfolgreiche Ideen. Die Firma scheffelte, ich kriegte einen Hungerlohn für die povere Sicherheit. Vielleicht kam der junge Specht ja wirklich fürs erste zurecht.

»Mein Vater, grauenhaft das berufliche Stümpern. Ein anderer Freund ist Innenarchitekt, stattet ganze Boutiquenketten aus, vom Teppich bis zur Deckenleuchte. Wo die einzelnen Lieferanten sitzen, das ist sein Geheimnis. Die Bezugsquellen sind quasi sein Kapital. Auch der würde mich nehmen, für Kurierdienste zum Beispiel. Arbeitet sechzehn Stunden am Tag.« Einer aus Rüsselmanns Clique! »Toll«, sagte ich. Erst da bekam er wieder seinen skeptischen Blick und trank schnell aus der Flasche. Er spürte, daß er etwas die Fasson verloren hatte, Verlust der Richter-Aura. Er wäre jetzt wohl gern gegangen. Da er mich aber in Gestalt des Obersten Gerichtshofs und nicht als knäbischer Schwätzer zurücklassen wollte, mußte verlorenes Terrain zurückerobert werden.

Auf die einfachste Weise, nämlich durch vorwurfsvolles Glotzen. Ich konnte deutlich beobachten, wie der erneut Feierliche mir alle Unannehmlichkeiten seines augenblicklichen Lebens auflud. Aber ich spürte noch Befremdlicheres. Das Gute und das Böse rutschte einem Transportstück ähnlich in mir herum, ein homogenes Schwergewicht, das von einer Seite auf die andere sackte und einmal das Gute und einmal das Böse hieß. Ich hörte den Satz: »Es muß Gut und Böse geschieden sein wie Schwarz und Weiß«, und der Junge wurde kongruent mit dem arroganten Ebelsohr-Sohn, wurde strahlend und gewölbt in seiner selbstverliehenen Gerechtigkeit, in seiner gelungenen Darstellung des Jüngsten Gerichts, wie Leo es mir geschildert hatte zu meinen Ohrringen aus Bernstein. Auf dem Grund seiner Augen sah ich ein genießerisches Lächeln. Er hatte mich besiegt, was ganz trivial hieß, mir erfolgreich die Schuld zugeschoben, aber nur, weil ich den Ebelsohr-Alexander damals als halben Weltenrichter erlebt hatte, mit der Unterscheidungsgewalt versehen, die Gehirn und Seele, Leib und Moral, Tag und Nacht, Hell und Dunkel ordnete. Spechts Sprößling schmückte sich, ohne was davon zu ahnen, in seiner Pose, dieser Kindskopf!, mit fremden, sehr einschüchternden Federn.

Nicht anders allerdings, und ebenso unwissentlich, war das Geschwisterpaar Ebelsohr verfahren. Lag alles an mir? Ihm entging nicht, diesem gestrengen Besuch auf dem Sofa, so schwarz gekleidet, so blond gefärbt, daß ich zu wanken begann. Wie es ihn aufblähte!

Haha, sagte ich mir da und bemühte mich, innerlich schadenfroh aufzulachen, wenn du spitzkriegtest, daß dein Vater mir viel über Selbstmorde vorgetragen hat! Dieses Reden vom Freitod wird doch gern als Hilferuf des Kandidaten bezeichnet. Da hättest du ein schönes Argument, mich zur lebenslangen Wartung deines Vaters zu verdammen. Jawohl, eine Liste zuerst von den Todesarten diverser Bekannter, dann von den Motiven. Bekam ich noch welche zusammen? Sturz vom Balkon, Sturz vom Turm, Aufhängen an der Türklinke, Erhängen auf dem Dachboden, zweimal mindestens Tabletten und Alkohol. Nein, viel öfter. War nicht sogar ein Vergiftungstod an der Elbe dabeigewesen? Und die Gründe: Einsamkeit, berufliches Versagen, Lebensüberdruß, Verlassenheit, Verlassenheit, Verlassenheit. Ich sah das arme, zitternde Specht-Gesicht vor mir, die sich versteckenden Augen – wie anders als diese böse starrenden, wie sanft bei allem Fanatismus und … feucht!

Das Seltsamste an dieser Begegnung blieb aber, daß ich den Jungen, der wieder wie zu Beginn breitbeinig dasaß, seine Muskeln kokettieren ließ und sich am Rücken gerade kratzte – auch das kam dem Spiel seiner Sehnenstränge wirkungsvoll zugute, ich wollte es nicht wahrnehmen, tat es aber, ich sah auch die große, sicher billige, aber prächtig schnaubende Armbanduhr am Handgelenk. Schnaubend? Röhrend! –, daß ich ihn doch gänzlich durchschaute, sein schäbiges Vorhaben hier bei mir und wußte, wie er selbst seinem Vater das Leben schwer gemacht hatte, und doch ein wortloses Urteil von ihm, dem Bluffer, widerspruchslos – gewissermaßen unter dem Tisch – in Empfang nahm und quittierte. Ich ging in eine Falle, und das war keineswegs sein Verdienst. Können Sie es mir erklären? Sie verfügen doch im stillen Zuhören über eine noch viel größere Macht und vor allem: Sie, Sie wissen darum!

Darüber hinaus mußte ich mich ohne Zweifel wappnen. Irgend etwas kam noch auf mich zu. Er hatte einen letzten Trumpf im Ärmel und verließ sich darauf oder erinnerte sich dessen wieder, reckte, dehnte, streckte sich, gähnte als Euer Lordschaft, Euer Ehren selbstredend. Aber jetzt nahm er wohl wirklich Abschied, erwog ein weiteres Mal barsch alle Details des Zimmers, fand ganz zu seinem Anfang zurück, zum Abschätzen meiner Figur, sammelte die Gliedmaßen ein und stemmte sich hoch. Ich erwähne das nur wegen der unbegreiflichen Wirkung des Bürschchens auf mich. Es half nichts, ihn zu durchschauen. Nichts.

Mein Großinquisitor hatte schon die Klinke in der Hand. Da drehte er sich – nicht nur ich, jeder hätte sein Vorbild bemerkt – wie zerstreut und nun von einem plötzlichen Resteinfall bewegt, noch einmal zu mir um. Er sagte etwas oder besser zischte, ich verstand es nicht, hörte aber am Ton, es würde eine Teufelei sein, und erkundigte mich nach seinem Vermächtnis. Der Sohn baute sich vor mir auf, stemmte wahrhaftig die Hände in die Hüften, die Jacke öffnete sich über dem Luft anhaltenden Oberkörper: »Lassen Sie sich nicht blicken.« Halb begriff ich nicht, halb verstellte ich mich schon. »Kommen Sie«, es sollte überaus klirrend klingen, schneidend, Sie verstehen, »Kommen Sie nicht, niemals auf den Gedanken, ihn zu besuchen!« Ich weiß, ich zog wegen der Feindseligkeit vor Schreck den Kopf ein, das paßte ihm, das prägte er sich als Abschiedsmedaillon ein. »Sie sind, kapieren Sie nicht, unerwünscht. Die Familie teilt Ihnen ausdrücklich und bindend mit, daß es Ihnen verboten ist, irgendeinen Kontakt zu meinem Vater jemals wieder aufzunehmen. Es wäre«, fügte er vergnügt vor Hohn hinzu, beinahe schelmisch, »medizinisch im Sinne des Heilungsprozesses nicht zu verantworten.«

Wie stolz er wegen der erstklassig situierten Ohrfeige auf sich war! Er grinste noch ein bißchen, roch nach Bratkartoffeln, zog den Rotz hoch und flüsterte in nachgeäffter Barmherzigkeit: »Damit müssen Sie allein fertig werden.« Zara hätte in die Hände geklatscht, schon viel früher, und gerufen: »Schluß jetzt!« Ich aber sagte nichts, stand konsterniert hinter der wieder geschlossenen Wohnungstür und sah mich im Garderobenspiegel, zerzauster, als ich von mir erwartet hatte. Hunde rucken mit dem Kopf, wenn sie Wasser im Ohr haben. So machte ich es auch. Ich wollte unangebrachte Gefühle loswerden. Empfindungen, die ich doch gar nicht verdiente. Aber die Bewegung blieb vorerst ohne Wirkung.

Merken Sie, wie mich alle verließen, in schneller Abfolge, sogar an zwei Abenden hintereinander, sozusagen inoffizielle und offizielle Kündigung? Ich fing an, in meiner Not alles aufzuessen, was mir in die Quere kam, faßte keinen Entschluß, nicht mal einen Gedanken.

Sie haben lange durchgehalten, aber man merkt Ihnen noch immer keine Erschöpfung an. Das Wundermittel Hochgebirge! Selbst im Laufe dieses Abends, und ich darf das wohl kaum auf mein Erzählen zurückführen, bei diesem weißen Portwein, haben Sie sich noch weiter verjüngt. Man hat es hier registriert. Auch die Bedienung ist noch freundlicher geworden. Schon damals, als ich Sie im Schnee das erste Mal traf, haben Sie gelächelt, das Lächeln einer alten Frau, wenn Sie verzeihen, aber jetzt, Sie lächeln wieder und immer noch, ist es ganz anders. Übrigens: maliziös. Ich mache mir nichts vor. Es gefällt mir. Sie lassen sich nicht auf meine Seite ziehen.

Und morgen die Fortsetzung? Ich kann mich darauf verlassen und den Tag über freuen? Ich möchte möglichst schnell weg von dem einsamen Abend in meiner Wohnung damals. Zum Trost hatte ich mir dann noch das Buch von Leo über spanische Kämme hervorgeholt, ein zweifacher Trost, wenn auch ein wehmütiger natürlich. Gute Nacht! Man macht hier das Licht aus, wir sind die letzten Gäste. Morgen wird es am schwersten für mich. Morgen brauchen wir noch einmal einen kräftigen Wein zur Unterstützung. Aber es muß zu Ende gebracht werden.

Schlafen Sie gut. Vergessen Sie nicht im Mondlicht die Bergbetrachtung! Was man auch auf dem Herzen hat, man wird, solange man hinsieht, losgesprochen.

8. Abend

Letzte Nacht habe ich von Pygmäen und Salamandern geträumt. Auch von Leos Mund. Im Schatten des Mundwinkels, der so kritisch in der Furche nach unten weist, entdeckte ich, wie waagerecht zögernd die aufgeworfene Unterlippe mit der stets leicht angespannten Oberlippe zusammenstößt, dann wieder Druiden, Trolle, elbische Wesen, Nymphen. Würden hier alle erfrieren.

Die Brille wird nicht abgenommen? Gut, Sie bestimmen die Spielregeln. Leos Mund, wenn mir die Bemerkung durchgeht, sah verfärbt aus und noch verformt von einem eben beendeten langen Kuß. Sie wissen: die verräterische Unschärfe der Lippenkontur. Kein Hinweis aber auf die Glückliche. Von richtigen Berggeistern habe ich nicht geträumt. Gibt es weibliche? Schneeweibchen. Das gefiele mir besser. Besser als Flockenfeen und Eiselfen. Wunderbare Idee, heute Punsch zu bestellen. Würden Sie Schneefürsten zu den Elementargeistern rechnen? Gletschermänner? Unzüchtige Lawinenfrauen? Ich habe heute einen gefrorenen Wasserfall entdeckt, plötzlich, als ich um eine Kurve bog. Mir stand fast das Herz still, helle, zartgrüne Kaskaden erstarrten Wassers über der trockenen Felswand in der Art einer hinduistischen Tempelfront. Das Licht darin: ein feines Klingeln. Oben auf den gläsernen Büscheln ein bißchen frischer Schnee hingesiebt, alles für einen Augenblick der Pracht geschaffen, nur ausgedacht und doch aufgetaucht, kurz vor dem Zerspringen, dem In-Scherben-Gehen, Versinken. Es waren viele kleine Wasserstürze, die aus dem Stein austraten und in der Luft stehenblieben. Noch immer habe ich mich nicht an die Frühlingsrufe der Alpendohle gewöhnt.

Denn sie ist doch ein Rabenvogel und müßte krächzen über Fels und Menschenleere wie unten Krähe, Elster, Eichelhäher. Statt dessen denkt man an Glockenblumen, wenn man sie hört, zumindest an Schneeglöckchen.

Diese Gegend hat nicht nur etwas Festliches, auch etwas Lustiges, fast schon Verhextes. Ich komme prima auf meine Kosten, denn wissen Sie, was ich für mein Leben gern beobachte? Wie Leute straucheln, stolpern, rutschen, auch fallen und einsinken. All die komisch anzusehenden kleinen Unfälle ohne große Folgen, kitzlige Foppereien von Schnee und Eis, Glatteis, Schneeglätte.

Nach dem unangenehmen Besuch habe ich mir einen Kriminalfilm angesehen, einfach auf den Knopf gedrückt. Tief eingeatmet: die biedere Luft, getrunken: das harsche Wasser der Unterscheidung. Wer reichte mir das wunderbare Brot des Glaubens an die unversöhnliche Spaltung der gutbösen Energie in rechts und links? Die Polizisten in gelb und oliv!

Ich ließ den Kopf hängen. Das einzige Heilmittel war wohl Arbeit mit den Händen. Ich machte mich auf nach St. Georg, um mir Ergänzungsmaterial zu beschaffen. Mein Körper setzte die Schuldfrage in dauernden Hunger um, verbunden allerdings mit Appetitlosigkeit. Auf dem Weg vom Hauptbahnhof zum Laden sah ich von hinten eine junge Familie. Vater, Mutter, kleines Mädchen in der Mitte. Es schoß mir perfide ins Gemüt. Verlassenheit, Verlassenheit, Verlassenheit, lamentierte ich da. Früher Zwischenwinter, eisig gekühlte Niederschläge. Kennen Sie den Unterschied zwischen Eisregen und gefrierendem Regen? Ganz simpel. Beim einen schlagen die gefrorenen Tropfen als Eiskörner auf, das ergibt einen riffeligen Boden. Beim anderen gefrieren die unterkühlten Tropfen erst, wenn sie den gefrorenen Grund berühren. Resultat: spiegelglatter Boden. Ich ging im Eisregen. Die schmerzliche Familie hatte sich irgendwo untergestellt. Mich rettete eine schwarze Gestalt, kam auf mich zu, nahm mich wortlos in die Arme. Es wurde sofort, im Freien noch, warm und weich. Mir flossen Eistränen aus den Augen, und erst da sagte ich mir: Ich stecke im Unglück.

Das muß man Sophie lassen. Sie erkannte meine Lage und ihre Stunde. Mit ihrem großen Busen – da keine Männerbrust zur Verfügung stand – rettete sie mir das Leben, mit ihrem tief und abertief besorgten Gesicht. Möglicherweise war ich über die Fahrbahn geschwankt. Sie hüllte mich in ein weites Cape, fledermausartig beherbergte sie mich in ihrem Flügelmantel, überdachte mich zusätzlich mit einer Schirmkuppel. Ähnliches hatte sie vorher nie gewagt, jetzt zögerte sie keine Sekunde. Veränderung der Waagschalen. Ich war glücklich, von ihr umschlungen zu werden, und ergab mich. Als nächstes nährte und tränkte sie mich, schleppte mich ohne zu fragen in ein Café für Männer und Männer und Frauen und Frauen. Egal, man prüfte es ja nicht streng nach.

Auch Sophie forschte nicht nach. Sie bettete mich fürsorglich in Neuigkeiten, die ein bißchen, ein klein wenig nur zu tun hatten mit dem, was der springende Punkt war. Sie erwies sich als unwiderstehliche Krankenschwester. Zaras Putzfrau, die ihre Tochter in Portugal besucht hatte, war nicht zurückgekehrt, war in ihrem kleinen Heimatdorf in der Nähe von Porto geblieben, für immer entfleucht. Per sempre addio. Portugiesisch kann ich's leider nicht. Als Ersatz kam nun eine Frau, Ende fünfzig, Großmutter und von rasanter Tüchtigkeit. Zara führte sich extra schlampig auf, um sich ihres Regiments lächelnd zu erwehren. Eine erstaunliche Zugehfrau! Ihre Geschichte war inzwischen im Altländer Haus bekannt und gewürdigt. Mit zwölf vom Klavierlehrer verführt. Die alten Eltern, Mutter schwere Schulddrüsen-, Verzeihung, Schilddrüsenüberfunktion, dauerhaft selbstmordgefährdet, hatten den Unterricht der Tochter unter großen Einschränkungen ermöglicht, getäuscht von dem frommen, blondzopfigen Kind. Mit achtzehn schwanger, Arbeit in einer Schirmfabrik, die jetzt Museum ist für moderne Kunst, gestiftet von einem Schokoladenfabrikanten. Kindsvater ist ein Student der Pädagogik, der sie noch während der Schwangerschaft mit Kommilitoninnen betrügt. Mit dreißig fünf blonde Töchter insgesamt. Dazwischen Gewohnheitsehebrüche des Mannes. Schließlich Scheidung. Ab sofort war der Erzeuger unauffindbar. Mit vierzig zum ersten Mal Großmutter, dann laufend Enkelkinder.

Sophie setzte mein Interesse voraus. Zu Recht. Es tat mir gut, heiterte mich auf, wie Hustenbonbons die wunde Kehle sänftigen. Das jüngste Enkelkind, ein kleiner Junge, wurde von einem zwanzigjährigen Hausbewohner vergewaltigt. Oral, anal. Kriegt daraufhin Rente. Das älteste lebende Enkelkind aber ist die Schuhräuberin! Ein Schwiegersohn saß schon wegen Einbruchs im Gefängnis, zwei andere arbeitslos. Eine Garde körperlich starker Männer, zur Not eine komplette Schlägerbande. Halten wie Pech und Schwefel zusammen. Sie, die Nachfolgerin Frau Filomenas, würde für ihre Familie die ganze Welt zerhacken. Der Freund der Räuberin, ein Siebzehnjähriger, lebt in eigener Wohnung, von Sozialfürsorge bereitgestellt, hat die eigene Mutter beim Sozialamt wegen dauernder Männerbesuche angeschwärzt, so daß man der die kleine Tochter weggenommen hat, ab ins Heim damit. Zara holte die so schnell auf freiem Fuß befindliche, nicht rückfällige Räuberin von ihm weg.

Das Wort »Leo« wurde einmal sachte eingeflochten. Zartfühlend? Ich horchte hin, bis es ganz verschwunden war.

Gleich als ich heute morgen aus dem Hotel trat, wäre ich um ein Haar hingeschlagen. Man rutscht leicht aus, ein unsicherer Grund hier, unberechenbar. Im Handumdrehen anders als eben noch. Allein wie es hier abwechselt. Unberührter Schneeflaum, die frischeste Oberfläche der Welt, bald darauf jedes noch so leichte Betreten als Spur sichtbar. Und was die Beleuchtung ausmacht! Wankelmütige Auswahl der Dinge, Sonnenauf- und -untergänge mehrfach am Tag durch die Bergzacken. Fünfmal innerhalb einer Stunde war zum Frühstück der Gipfel am Talende sichtbar in weiß-goldenem Faltenwurf, dann verschwunden im Schneenebel, raus und wieder zurück. Wie unbeständig die harte Gebirgswelt ist! Die Berge mal erzengelhaft mineralisch funkelnd, dann geisterhaft entfärbt. Der Himmel dunkel, die Steinklöße zarthell, zerbrechlich, hingehaucht, spukhaft im Widerschein, rosig, holunderfarben. Dann alles umgedreht. Konturen dunkel gegen helle Himmelsstreifen zur scharfen Umrißzeichnung. Auf Höhen kann man sich die Erde rundum, 360 Grad, bequem ansehen, so, als sähe man durch eine variabel getönte Sonnenbrille. So unterschiedlich nämlich sind die Hänge im direkten, indirekten Licht und im Schatten. Nichts Dauerhaftes in den Bergen. Das Steinerne täuscht, lullt ein und treibt sein flüssig-plastisches Unwesen.

Es verändern sich ja mit jedem Schritt Gestalt und Masse, können jederzeit verschwinden in Wolken, in Eintrübungen. Dieses Aufbäumen, Aufrauschen, Hochstemmen, Einbuchten gewaltigen, flüchtigen Ausmaßes. Selbst im Anstarren der Berge changiert ihr Leib permanent, erst recht bei jedem Standortwechsel. Sind sie es noch? Keine Treue, kein Bestand. Ich sah am Morgen aber durchs Fenster eine besondere, momentane Hochgemutheit und keusche Emphase, dem Licht eine noch immer höhere schräge Ebene hinzuhalten, und preßte mein Gesicht in allen mir möglichen Verrenkungen an die Scheibe, um diese Anstrengung nachzuvollziehen. Wie ein steilster Ton gesungen werden muß, wenn die Noten es befehlen. Ruckzuck, wie gesagt, vollständiges Verschwinden, Ableugnen, für ein Weilchen. Aber weiß man's?

Ich stapfte voran, vor mich hin, rutschte wieder und sank an anderer Stelle ein, ging zum Spaß in Sohlenabdrucken und dort, wo das Weiß noch unversehrt lag, grüßten freundlich die Schneemassen auf den Hängen, in der scheinbaren Starre schichtweise bewegt, ihren Zustand ruhelos modulierend, auch die Skifahrer, die lautlos erschienen, unmittelbar vor mir, aus einer Mulde hochschiebend und zischend abschwenkend. Ich sah sie stieben und fließen auf flachen Buckeln, von oben beobachtete ich sie, die schwarzen, stillen Stäbchen, die schweiften und taumelten, ohne einander je zu stören oder auch nur zu berühren. Zutaten in einer weißen, träge kreisenden Suppe, willenlos in unmerklicher Erwärmung treibend.

Sobald ich allein war, lachte ich vor mich hin. Die Sportler auf ihren Brettern! Man hatte ihnen kleine Schanzen gebaut. Sie sprangen durch die Luft, manche schrien vor Freude dabei, sausten aber auch aus unvermuteten Winkeln geräuschlos heran. Das war es, was mich so wunderte: daß es so viele auf den weiten, arenahaft angelegten Hängen waren und wie still es dabei blieb. Ein unsichtbarer Schalldämpfer wälzte sich von den Seilbahnstationen hoch oben herunter und wieder empor, ich dachte an ein altmodisches Löschpapiergerät auf riesigem Schreibtisch. Mich ging das ja alles nichts an. Für mich waren es kuriose, stäbchenförmige Gewürze oder Teigwaren, die in einem Kochtopf trudelten.

Lange stand ich einmal an einem Aussichtsplatz und starrte hinunter auf dieses Bild. Sie kamen dort gleitend zusammen von oben in schönem lukullischen Pendeln, ein geschmeidiger Organismus aus vielen Einzelteilen mit durchsichtigen Verbindungsfäden vielleicht, aber im geistesabwesenden Hinsehen kippte auf einmal alles um. Da waren es – irgendwie schiefgegangen – gespiegelte Möwen oder Krähen – egal – vor hellem Himmel im Gegenlicht. Dunkle Körper im elegischen Wiegen, ohne einen Laut, über eine enorme Raumausdehnung hinweg. Es schläferte ein.

Anders bei den Seilbahnstationen. Da faßten sie sich ein Herz, so eng gepreßt. In den Hüttentrubel getaucht, glichen sie die Stille draußen in der Zerstreuung – Sie kennen es ja alles selbst, nur zu gut alles selbst – krachschlagend aus, glänzten braun und Zähne zeigend, kräftigten sich gemeinsam an großen Mengen von Fritten und Würsten, und immer neue schwankten heran, stockend, stotternd eigentlich, ein stammelndes Gehen wie schwer an den Füßen Verwundete und ihrer Sinne schon nicht mehr mächtig. Alle Eleganz des Gleitens vergessen. Albatrosse, jawohl, die reinsten Dichter diese Skifahrer, so verstümmelt und lächerlich waren sie nun, auf dem Boden, unvorstellbar ihre Schwerelosigkeit auf den Hängen. Schon die Kleinsten wunderten sich nicht über ihr satanisches Hinken und hielten es, mitten im hochmütigen Weiß, für das Natürlichste der Welt, paßten sehr gut in ihren Dresses zu den Maschinen und Beförderungseinrichtungen, den Schleppliften, Zahnrädern, Stahlseilen, die, man war nur um eine einzige Ecke gebogen, plötzlich fabrikartig das Geschehen bestimmten. Sie standen Schlange an Stechuhren, geduldig in einer Reihe und verschwanden in den großen Eingangslöchern zum Dienst ohne Murren. Famos werden sie mit Discomusik gesättigt, tanken sich dankbar voll mit Radau, um fit und verproviantiert zu sein für die Lautlosigkeit draußen, in der Vereinzelung, Einsamkeit – jedenfalls verglichen mit diesen Beförderungsstationen und Versorgungszentren –, um knallvoll zu sein mit Rabatz, der so schnell hinstirbt, wenn sie wieder rausschwingen, um einen Abhang herum, weggeschluckt vom Weiß. An dieser Stelle auf meiner Wanderung – beinahe wäre es mit dem heutigen Abend nichts geworden – fragte ich mich, was Specht dazu sagen würde. »Hexenkessel«? Haben Sie es bemerkt? Ich versuchte eben ein bißchen, ihn durch Imitation zu ehren.

Was mich selbst interessiert ist der Schnee, mehr als die Skifahrer in ihrem feurigen Gestöber, der Schnee – auch wenn die Biographie der einzelnen Vermummten skurriler sein mag –, die kleinen Eiskristalle, die zu Schneesternen zusammenwachsen, bis die Schneekristalle sich zu Flokken vereinigen und wieder alle Einzigartigkeit schließlich verlieren, im Liegen, nach kurzer Zeit. Alle unnachahmlichen Verästelungen schrumpfen zur großen Masse des Schnees, in ein einheitlich strahlendes Grab verkümmerter Gestalten.

Ich kam in ein Gebiet, wie ich es liebe. Ein Raum, ein Zimmer entstand aus den Hügeln. So ergeht es mir oft. Dann, wenn durch Nebel oder Waldwinkel oder Ansteigen der Schneeflächen ringsum etwas Abgeschlossenes, nur für mich und mich vollständig Umgebendes entsteht, wühlt es mich am meisten auf. Dann kann ich nicht mehr heraus aus der nicht-menschlichen Natur. Alles andere wird ausgeschlossen, alles hier ist zugeschnitten auf mich. Am liebsten würde ich mich dann als Zeichen äußerster Zutraulichkeit sogleich hinlegen und in Schlaf fallen. Selbst der Schnee begann sich zu erwärmen, federbettenhaft verlockend. Es wisperte Lautlosigkeit, Atemanhalten des Gefühls, alles im Gleichgewicht. Ich war nur eine Flüssigkeit, friedlich in der Schale der umgebenden Berge, kaum schwappend und nie über die steinernen Ränder hinaus. Kein Gedanke, keine Seelenregung überschritt sie.

Sie sahen aber auch mich an, ein Kreis aus Zuschauern mit erhobenen Köpfen, die Blicke zweideutig. Fast war mir, als riefen sie mir zu: Los! Hopp! Was war der Grund, der Sinn? Vor Wut geballte Fäuste oder nur vor Kraft? Im Zorn anschwellende Köpfe, bedrohliche, gleich platzende Adern an den Felsstirnen. Riß wem der Geduldsfaden mit mir? Es war ein heftig spürbarer Druck plötzlich. Gegen mich gerichtet ein Wetterumschwung?

Eine äußerste innere Anspannung wurde gegenständlich. Ja, so war es, es war meine eigene. Ich hatte die Augen in Wirklichkeit geschlossen gehalten, und als ich sie öffnete, war draußen, in der Landschaft, alles sichtbar.

Doch auch hier wieder genauso gut das Umgekehrte. Ich hatte die Umgebung eingeatmet. Sie war in mich eingeflößt worden. Das Äußere wurde mein Vorbild, deshalb sah ich meine inwendigen Verhältnisse akkurat abgebildet in der Bergwelt.

Begreifen Sie meine Verblüffung? Die Berge, sie hatten hier immer gestanden, vor einem Jahr und fünfzig, tausend Jahren, und auf einmal, wunderbarerweise, versammeln sie sich, um meine Vorbilder und augenblicklichen Abbilder zu sein, blitzende Energiezapfen meines sonst schwankenden Kopfinnenraumes.

Ich wanderte und stapfte, um der Versuchung zu widerstehen, mich in mein gepolstertes Schneekabinett zu legen.

Dann aber, aber dann. Nachdem ich mich – vertrauensselig – so weit hatte locken lassen! Alles war in der Realität passiert und schlagartig, als ich nach rechts abbog, weil nur dort der Weg gepfadet war, und als wohl zudem eine geringfügige Wolkenbank sich vor die Sonne schob oder was in der Art, da ging es zugrunde. Das heißt: Nichts hatte mehr mit mir zu tun.

Ausgebrochen war die Öde. Das war, lakonisch gesagt, das ganze Malheur. Stein war Stein, ob jemand vorbeikam, einen Blick drauf warf oder nicht. Wir gingen einander nichts an. Geistlose Klötze. Noch kurz kämpfte ich, beschwor sie: Behaltet, weiß der Teufel, Eure Seele, Beseeltheit, Inspiration, Ihr Schneefelder, Gipfel, Ihr herrlichen Schultern in Eurer Überheblichkeit. Auch rief ich mir selbst zu: Halte durch für sie, nur auf dich kommt es an! Laß sie nicht entwischen in die Versteinerung!

Plemplem? Nur das Übliche nach der Euphorie. Ist Ihnen bekannt? Häßliche Intervalle, besonders, weil man sie, mittendrin, nicht für Zwischenphasen hält, sondern für die einzig legale Wirklichkeit. Ja? Ihnen alles vertraut? Was hilft dagegen? Ich stapfte und pfiff und bemühte mich, nicht in Panik zu geraten. Ich machte mir nur gründlich etwas vor, nämlich, nicht nach dem Weg zu suchen, nach einem anständigen und geordneten Rückzug. Was hatte Specht geschrieben: »Eiderdaus, mein Leben ist aus«? Ob man das vertonen sollte? Sollte man die Verfassung der Berge erbarmungslos nennen, die Natur mitleidlos, die alte Leier? Das wäre viel zu freundlich. Es gab nichts Gemeinsames. Indifferent? Eine Beschönigung.

Was tat ich also? Ich stolperte vorwärts und spähte, unauffällig vor mir selbst, nach einem manierlichen Ausweg. Jedoch, wie das eine, so ging auch das andere vorüber. Ich schaffte eine Biegung, da waren jegliche Geräusche eingesaugt, zusammengekehrt und in den einzelnen Bergen versiegelt. Ich hatte einen Weitblick, bei dem man Wolkentürmungen und Steinmaterie nicht mehr trennen konnte. Dann das schnelle, stumpfe Abschneiden der Aussicht durch einen rundgeschneiten Hang, monströse Körper mit vielen Nabeln: aufglänzende Wölbungen in den mollig glatten Schneebäuchen, darinnen aber schattige Vertiefungen. Mir fällt gerade ein: wie die Wangenkuhle des frechen Spechtsöhnchens. Irgendwo jäh aufspringende dunkle Befellung. Die Landschaft hatte die Beine übereinandergelegt. Ein ganzer Hang im Schatten, der an den gleißenden Himmel stieß oder eben schattig hell an einen grauen. Ganz wie gewünscht. Immer konnte alles im Nu kippen und auf den Kopf gestellt werden, rückgängig gemacht, vertauscht und durchgestrichen. Denn dann kam die Weite zum Zuge, flutendes Licht, bloß keine Eintönigkeit, jetzt wieder Nebelschwaden, sogar Erdbraun unterhalb der Schneegrenze im Tal, auf das man von oben hinabsah.

War ich auf einer Höhe mit mehreren Kleingipfeln, nein, bloß Hügelkuppen, verloren die Berge plötzlich ihre Härte, blendend frische Wäschestücke, aufgereiht, im Flattern kurz erstarrte Flügelwesen, geschwisterlich auf einer Linie mit mir.

Um es knapper zu sagen: Ich hatte mich verirrt. Das merkte ich erst da mit richtigem Erschrecken, als es einen eigentlich nur albernen Zwischenfall gab. Was Ihnen wohl nie passieren würde: Meine Sonnenbrille war zu Hause geblieben, und ich bekam zunehmend Schwierigkeiten mit meinen Augen. Sie können sich ja denken: Wo war der Weg, wo Steg, wo gar nichts? Die Einheitlichkeit der Welt fiel dadurch noch zwingender aus als ohnehin durch den Schnee, alles ins Weiße homogenisiert wie in der Nacht ins Schwarze. Die überanstrengten Augen kriegten langsamer als die Haut mit, daß ich in einen gletscherblau dämmernden, eisigen Korridor geraten war, unversehens in einen Gang, der direkt ins Innere der Berge zu führen schien. Also Anfälle von Einödgrauen. Ich weiß nicht, warum ich es tat, ich zog einen Handschuh aus, vielleicht aus Ratlosigkeit, auch, um sie mir selbst nicht anzumerken, und er wurde sogleich, auf der harten Schneedecke liegend, ein Stück schürfend weitergeweht. Ich beugte mich vor, schon faßte ihn der Wind neu und trieb ihn fort auf eine dick beschneite Fläche zu. Ich versuchte, ein paar Schritte hinterherzulaufen, sank aber tief bis zum Oberschenkel ein. Kein Mensch in der Nähe, kein Tier, nur Himmel, Schnee, Berge. Es erledigte mich – verzeihen Sie den blöden Witz – im Sturmschritt, in Windeseile. Der Handschuh mußte aufgegeben werden, ein Teil von mir, abgetrieben schon, Evans, der sich im Schneetreiben dem Leben entzieht. Eilig zurück mit mir, dem Rest. Ich hätte noch weiter versinken können, werweiß schon beim nächsten Stapfer, der ganze Mensch Maria Fraulob fiel natürlich auch, das Gleichgewicht verlierend, halb um, beruhigte sich erst, als ich im Bereich der Markierungen war, und spürte auch noch nicht gleich, was der Einbruch in den Schnee für Bein, Schuhe, Hose bedeutete. Als ich aber so allein dort stand, wer kam da auf mich zu, lächelnd und trostreich? Mein alter, weißhaariger Großvater, ich sah ihn scharf, die noch immer senkrecht hochstehenden Locken, die brennend blauen Augen. Während ich mich nicht rührte und ihm gleichzeitig doch entgegenlief, worüber er sich freute, erkannte ich auch wieder den Kronleuchter im Schloß Sanssouci, der dort in einem Salon zwischen zwei großen Spiegeln hängt, so daß nach beiden Seiten eine kristallene Unendlichkeit ans Tageslicht tritt, kleiner und kleiner werdend, in nie ruhendem, wechselseitigem Bespiegeln der Glas- und Eiszapfen, ein alpines Eismeer in beide Richtungen. Ich stand, mit einem Handschuh und einem warmen Bein und wünschte mir, über allem wäre geschrieben: »Zum letzten Mal«, und es gäbe nie mehr Wiederholungen.

War das jetzt wirklich gefährlich? Man kann es nicht sagen. Ich mußte fürs erste ja nur aus dem blaufrostigen Flur raus und überhaupt einen Ausgang finden. Erinnern Sie sich noch an den Irrgang in der Apfelplantage im Alten Land, unter all den weißrosigen Blüten? Der Unterschied hier war der, daß ich immerzu unten, im Zwielicht und bei einsetzender Dunkelheit und verlassenen Pisten überall, die Dorf- und Hotellichter sah, mein Ziel, aber keinen Abstieg für mich fand von den oberen, umlaufenden Wegen. Schließlich aber doch, natürlich, wäre ja auch gelacht. Ein heißes Bad und jetzt der Punsch. Basta. Alles o. k.

Also wundern Sie sich nicht, wenn ich heute abend etwas benommen bin. Leo sachte eingeflochten in Sophies Bericht, sagte ich? Richtig. Sophie deutete delikat an, nicht mal das, ließ bloß und kaum durchblicken, Leo sei keineswegs aus ihrem Gesichtsfeld entschwunden. Sie schloß kurz die Augen dabei und sah ihn vor sich, ich sah ihn ebenfalls vor mir. Sie seufzte sehr leise, ich enthielt mich jeglichen Tumults.

Er hatte mir eine freundliche Karte geschrieben, nette Bagatellkarte. Damit unsere Verabschiedung nur ja keinen pathetischen Akzent bekäme? Ich antwortete nicht mehr und nehme an, es war ihm lieber so, auch leichter. Wieso aber war nun alles beendet? Konnte denn Zaras neuer Liebhaber als ausreichender Grund gelten? Ein Anzeichen? Ein Befehl? Eins stand fest: Es ging nicht mehr weiter, und keiner von uns beiden bezweifelte es, egal, was Zara wünschte. Auch benötigte Leo alle Energie für den heimischen Kampf. Nichts zu machen. Ich mußte mich geschlagen geben und dabei das unangenehme, ja widerliche Los auf mich nehmen, ohne greifbaren Gegner zu sein. Den idealen Leo konnte ich noch immer schmerzlich herbeisehnen, den realen nicht. Kurios: Er hinterließ eine tiefschwarze Lücke, hätte sie aber durch seine Gegenwart nicht mehr füllen können.

Vielleicht doch? Im Erzählen und langen Beieinandersitzen veränderte sich Sophie in zweierlei Hinsicht. Sie wurde wieder zurückhaltender, berührte mich also nicht mehr, und melodramatischer, d. h. sie erkundigte sich nach meinem Befinden mit bebender Stimme, bedachte mich mit mütterlich wolligen Blicken, je mehr ich mich kräftigte und auf mich selbst besann. So wurden wir beide in dem noch leeren, aber schon warmen Café wieder die alten. Sophie tat mir wohl wie noch nie bisher. Auch saß sie an der Informationsquelle. Ich hatte sie beinahe gern, nein, das »beinahe« muß annulliert werden. Auch wollte ich mich bei einem ordentlichen Gefühl unterstellen.

Wir wußten, wir würden uns jetzt öfter sehen.

In den nächsten Wochen bis zum Schluß trafen wir uns so oft, als sehnten wir uns nach einander, benötigten einander dringend und könnten, eine ohne die andere, kaum über die Runden kommen. Wer uns beobachtete, mußte annehmen, wir würden uns von idiotischen Streichen erzählen und unverzüglich neue aushecken. Schon nach fünf Minuten waren wir mitten drin im Getuschel. Das heißt, ich hörte wohl meist nur zu, zog aber mimisch, kaum zurückhaltender als Sophie jetzt, ohne Hemmungen mit. Es gab zwar nicht nur gute Nachrichten aus dem Alten Land, aber die erregende Gesamtstimmung dort, Sophies wichtige Rolle dabei, das Gefühl, es läge irgendwas, ob herrlich oder furchtbar, unausweichlich in der Luft, berauschte sie und riß mich mit. Weshalb ich sie gestisch unterstützte? Vielleicht mache ich mir was vor, ich glaubte, um ihren Redefluß nicht durch Reserviertheit zu stoppen.

Wir trafen uns, stets Zusammenhänge mit unserer Arbeit vortäuschend, im EEZ, im Botanischen Garten, sogar auf dem schönen, moosigen Friedhof von Nienstedten, mit den vielen Eichelhähern und Elstern und dem exotischen Nadelholzgeruch, im Reibekuchenrestaurant von Teufelsbrück, einmal in der Wirtschaft an den Landungsbrücken, wo mir Leo das Buch mit den spanischen Kämmen geschenkt hatte, einmal versehentlich dort am Nachmittag in der seriell-labyrinthischen, kloßig-teuflischen Gemütlichkeit des »Pupasch«, im Hauptbahnhof zufällig neben einem Kiosk auf dem Bahnsteig, und während ihres Berichts sah ich immer auf die große bunte Scheibe, eine Roulettescheibe, und wie das Glück umlief und unregelmäßig irgendwo anhielt, d. h. die Zahlen waren ja starr, das Glühlicht rannte im Kreis, bei der Leuchtreklame fürs Spielcasino. Sehr gefiel mir die Phase, wo es immer stockender geht, immer mühsamer durch die wechselnden Farben stottert. Selbst hier sehe ich es vor mir: und – und – – und tap – tap tap!

Zwei kleine Sensationen ziemlich zu Anfang unserer so stürmisch belebten Bekanntschaft. Sophie trug nicht mehr ausschließlich Schwarz, im Gegenteil, sie kam in Grün und Rot, Gelb und Blau. Zweitens: Leo, der nicht mehr bei Zara wohnen sollte, durfte, wollte, hatte das von Bolz verkaufte weiße Haus bezogen!

»Bis Litzirüti, in Litzirüti!« Nein, nicht gehört?

Also dann: Sophies neue Ausstattung. Sie war rührend anzusehen, ein weiterer Grund, ihr gewogen zu sein. Auch unterließ sie alle haßerfüllten Blicke, ein Indiz für die Offensichtlichkeit meines schlechten Zustands. Sie saß am längeren Hebel und konnte sich Großmut leisten. Mit einem grasgrünen Schal eröffnete sie ihre farbliche Metamorphose, dazu ein übertrieben verlegenes Gesicht. Beim nächsten Mal grüne Handschuhe plus Schal, dann griff die Begrünung auf ihre Jeans über. Statt Persephone jetzt Daphne. Sie lachte, stemmte die Hände in die Hüften, Brüste vorgepreßt und zeigte sich. Zwinkerte mir dabei zu: alles begriffen, Worte bitte nicht aussprechen!

Etwa das Gleiche dann in einem mittleren Gelbton. Erstaunlich, auch ihre Haut belebte sich. Ich konnte raten, wie sie das nächste Treffen absolvieren würde. Rieseneinkäufe mußte sie getätigt haben. Ob die Verfärbung bis unter die Kleider fortschritt? Als sie sich zu Rot entschloß, stellte ich sogar noch etwas anderes an ihr fest. Sie beugte sich unter der Tischlampe vor. Da entdeckte ich in ihrem Haar einen nach außen geschlagenen Feuerschein, das Debut roter Reflexe. Wie ich selbst damals aussah, weiß ich nicht, ich war gebannt vom gemächlich bräutlichen Entflammen Sophies und wie sie sich zornig und tapfer dazu bekannte, in ihrer Farbenpracht geniert die Hände rang, bis man sie durch ein Kompliment – ich stellte mich manchmal dumm und zögerte es aus Spielerei hinaus – erlöste. Es zerstreute mich.

Ich habe zu Ihrer Beobachtung hauptsächlich Ihren Mund. Schminken Sie ihn stärker als anfangs? Sie verbeißen sich ab und zu das Lachen. Für mich selbst war es damals nicht komisch. Ich sagte, es zerstreute mich? Ich prüfte, ob ich eifersüchtig wurde, als Sophie so unverhohlen die Farben des Regenbogens zur Illustration ihrer Gestimmtheiten ausprobierte. Nein, wurde ich nicht, jedenfalls gewannen andere Empfindungen die Oberhand, überraschende.

Leo biwakierte in der Zwillingsvilla, komfortabel und provisorisch, für das eine sorgte Sophie, für das andere sein eigener Entschluß. Eins durfte die neue Wohnung durchaus nicht sein: endgültig. Die von ihm, entgegen Sophies Bemühungen, täglich frisch angezettelte Ungemütlichkeit sollte vermutlich zum Himmel und vor allem zu Zara hinüberschreien. Verlorenes Spiel, Leo! Er konnte Türen und Fenster aufstehen lassen, mit weit ins Freie wehenden Gardinen, und volle Mülleimer umkippen. Sophie war ihm flott – und natürlich in verhaltener Glut, die war immer garantiert – wiedergutmachend auf den Fersen. Wir lachten bei diesen Schilderungen manchmal schon zu sehr über ihn, richtig liebesvergessen. Nur sein Arbeitszimmer hielt er selbst akkurat in Ordnung. Er regelte ja weiterhin Zaras Finanzen und hütete sich gewiß, dieses Band zu gefährden. Leere Flaschen, Cognac, Wein wurden von ihm mit Absicht patzig auf die Fensterbank gestellt oder schmollend in den Vorgarten geworfen. Es war für mich schnell klar, welche Vorteile es hatte, die kichernde Sophie zwischen den beiden Häusern verkehren zu lassen. Leo, und nur deshalb war er einverstanden mit der weiblichen Teilbewachung, erfuhr durch sie alles Beobachtbare über Zara, sie, Zara aber, eine gütliche Lösung weiterhin wünschend, hoffte, in dieser veränderten Situation würden Sophies Reize, wenn ich es schon nicht geschafft hatte, Leo in eine andere Liaison zu verwickeln, sich doch noch als die erfolgreicheren, nämlich quasi pflanzlich notwendigen herausstellen.

Das mochte Sophie alles klar sein. Führte das zu einer wohlwollenderen Beurteilung ihrer Chefin? »Sie meint es gut mit ihm«, so die neue Besitzerin von Leo. »Und hält ihn doch immer noch fest!« Dieses Letzte seitlich böse gezischelt. Sophie war mir an der Elbe entgegengekommen. Wie mir das Geisterbild erscheint! Graufeuchter Januar, vorfrühlingshaftes Zittern in den Trauerweiden, die Uferwiesen in ihrem allerscheußlichsten Gelbbraun, und aus der Ferne, auf unseren Treffpunkt zu, näherte sich, in einem plötzlichen Windstoß zuckend, ein dunkler Körper, aus dem es leuchtend blau flackerte und sich schlängelte, dann wieder einwärts krümmte und girlandenreich hervorbrach, den ganzen schmalen Fußweg am Wasser entlang des Dämons ruckhafter Schleiertanz in Blau, dazu aber, wie aus einer unsichtbaren Werkstatt in der Luft, ein treuliches, wenn auch im Rhythmus überhaupt nicht zu Sophies Verrenkungen passendes Glockengeläute. Ja, Luft, Himmel, Elbe, Altes Land drüben waren damals kirchenglockenfarben. Schal, Handschuhe, Mütze und sogar Stiefel der mit der Bö streitenden Spaziergängerin jedoch züngelten beißend blau.

»Zara hat ihm den Graupapagei mitgegeben.« Mir fehlte die Courage zu fragen, was er riefe. Zara? Maria? »Er spricht nicht, er trauert. Man müßte mit ihm üben.« Ich lauerte auf jede Nachricht über Leo, erkundigte mich nie ausdrücklich, hörte verlogen höflich zu. Sophie betrachtete mich gutmütig, falls sie nicht direkt gereizt wurde. »Ihr Name fällt manchmal.« »Und zwar?« »Wie es Ihnen geht.«

Ich prüfte mich, lauschte in mich. So hatte ich es früher oft an Leo erlebt. Welches Gefühl stellte sich ein, wenn mir gesagt wurde: Leo befindet sich wohl, Leo kränkelt, ist verdrossen, ist galant, ist immer charmanter zu mir, mir, Sophie? Klopfte mein Herz dann schneller, machte es Sprünge? Hoffte ich insgeheim, es würde sich doch noch ... Ja, ja, ja! Wider alle Einsicht verlangte ich das punktuell begierig von der Zukunft. Ein schlechtes Wetter, ein griesgrämiger Winter würde verstreichen und vergessen sein, und, wenn auch zunächst bänglich tastend, es begänne erstarkt, ach, wenigstens in Augenblicken, alles von neuem, ich könnte ihn wieder murmeln, stammeln und flüstern sehen und sein nie zu Ende anzuhörendes Gesicht vor mir haben, unter und über mir, alles von mir unterbringen zwischen seiner Stirn und seinem Hals, wo sich lauter Schließfächer zur Aufbewahrung von mir selbst befanden.

Sophie wiegte sich, das Schwingen der Hüften trainierend, zur Toilette des Cafés. Wie blau die Stiefel glänzten in ihrem Lack. Was für ein schematischer Chic – von Zara gesponsort? – sollte den lasziven Leo eigentlich becircen? Zara lachte bestimmt Tränen hinter den Vorhängen. Mehr als alles andere liebte sie ja doch das Schauspiel, womöglich mehr als ihre eigenen Interessen. Ich aber dachte: Soll es Leo gutgehen oder soll er leiden, jetzt, getrennt von mir, in seinem weißen Bolzdomizil, wenn ich frei wählen dürfte?

Da Sophie selbst nichts lieber tat als von Leo zu sprechen, war es nicht schwierig, sie zu Auskünften zu verlocken, ja, ich konnte das mit einem zusätzlichen Spaß koppeln, gewissermaßen es nur unwillig zulassen, wenn sie – ich seufzte dann leicht gepeinigt auf, kratzte mir wie das Spechtjunge den Rücken – vom leidigen Thema begann. Das Wort »Leo« kam nicht über meine Lippen, ich versuchte zum Schein, von unserem alleinzigen Objekt abzulenken, sie folgte mir schwerfällig, aber gottlob nie lange. So schlüpfte ich, ohne mich im geringsten zu entblößen oder entblöden, wie Sie wollen, halb rückfällig, halb gespielt, zu Leo ins Zimmer, hatte die vollständige Ausrüstung vor Augen, das zarte dämliche Grau des heiligen Elektronikzeugs, den Rauch der vielen Zigaretten, die er trotzig qualmte, sah von hinten das in den Nacken wachsende, schöne Verbrecherhaar, ein seitliches Stückchen der Halssäule, ein sehr anklagend zur Schau getragenes Loch im Pullover. Sie war viel zu heftig mit der eigenen Verliebtheit beschäftigt, um mich absichtlich zu quälen, und ich, in meiner Schroffheit, bot ihr keinen Anhaltspunkt, überhaupt noch eine Möglichkeit dafür bei mir zu vermuten. Lieber nicht.

»Leo«, sagte Sophie, »benutzt mich als Spionin bei Zara, mit verdeckten Karten. Nein, um Gottes willen fragt er nicht, nie höre ich das Wörtchen ›Zara‹ von ihm. Wenn ich von ihr spreche, sieht er genervt aus dem Fenster, stöhnt auf wegen der Belästigung, kratzt sich am Rücken zum Zeichen der Ungeduld, versucht scheinheilig, das Gespräch auf ein anderes Gebiet zu lenken. Das ganze Komödienregister. Natürlich weiß ich, wonach er sich sehnt, und bediene ihn, so perfekt ich kann. Er erfährt, was Zara trägt und ißt und trinkt und treibt. Und treibt vor allem. Dazu gehört Finesse, versteht sich.« Sie rang die Hände und lächelte mich dabei betont harmlos an. Durchschaute sie mich so restlos und – insgesamt – so diskret?

Mein Interesse an Zara gestand ich offener ein. Was war daran schon Verfängliches! Jenes gewisse, träge, mich so bezwingende Männergesicht blieb ja zuverlässig im Hintergrund, wenn ich etwa sagte: »Und Zara, erkundigt sie sich umgekehrt?« Dann hob Sophie die Ellenbogen weich in Schulterhöhe, entfaltete die Hände zu auslaufenden Flügelenden in Rot oder Grün und schaukelte ein Weilchen in vielsagendem Schweigen den großen Grabschbusen, wog und wiegte auch das Wörtchen »Zara«, die Zauberformel, auf ihrer Zunge, schmeckte es ab und genoß den Umstand ihres alleinigen Copyrights. »Zara«, sagte sie dann und warf den Kopf in den Nacken, »hahaha!« Ich wußte jedesmal, was es bedeutete: Bei Zara kann man nie sagen, was ist, was wird, was war. Die Launenhaftigkeit in Person. Darauf hofft auch Leo. Mal jung, mal alt, mal lüstern, mal einsiedlerisch, mal treu, mal nicht. Die Schuhräuberin sei häufig da, komme oft mit der Großmutter zusammen. Der springende Punkt und jugendliche Liebhaber? Sie, Sophie – hier lachte sie wie ausgewechselt und schrie: »Zara bespringende Liebhaber«, wie ich sehe, gefällt Ihnen das –, hatte ihn noch nie im Haus gesehen. Entweder traf Zara ihn außerhalb, oder er tauchte auf, wenn sie, Sophie, gegangen war.

Zara ihrerseits fragte Sophie ohne Umschweife nach Leos Befinden. Direkte Kontakte, die manchmal unumgänglich waren aus geschäftlichen Gründen, verliefen am Telefon. Statt der Bücher mußte Sophie nach strikten Anweisungen Leo betreuen. Zara fragte sie kontrollierend ab. Und dann wieder wollte sie, voller Caprice, wie wir sie alle liebten und haßten, nichts von ihm wissen, fächelte nur gelangweilt den Gesprächsgegenstand von sich fort.

Sie, Sophie, im Vertrauen, und hier hauchte sie nur noch, habe jedoch das Gefühl, Zara wolle eigentlich ganz anderes erfahren, verspüre aber keine Neigung, klar auszusprechen, was.

Eines müssen Sie mir glauben. Ich war froh, daß er mich immerhin nicht grüßen ließ, daß uns diese kleine Feierlichkeit gegönnt blieb. Für uns, für uns, uns blieb, uns blieb.

Sophie also, die mich zweifellos auf zartfühlende Weise verspottete wegen meiner Weigerung, über Leo zu reden, während mir die Ohren wuchsen, sobald sie ein zweisilbiges Wort, das mit L begann, in den Mund nahm, tat mir bereitwillig den Gefallen, den ihr so nahen und doch noch unerschlossenen Schatz zu schildern in allen seinen Lebensregungen. Kein Wunder aber: Es kam ein gänzlich anderer Mann zum Vorschein. Nicht schlecht, darunter dann trotzdem den echten, einzig richtigen und originalen zu erraten, den ich, ich allein kannte und erkannte! So erwehrte ich mich der Sophieschen Stofflieferungen durch ständige heimliche Korrekturen. Für sie war Leo liebenswert, weil sie einen kindlichen oder knäbischen Mann in ihm ausmachte. »Ich lasse mir nichts vorgaukeln von breiten Schultern. Er ist ein großer Junge, man muß es ihm nachsehen. Er sitzt mit seinem Männerkörper und Männergesicht noch immer im Laufstall drinnen, allenfalls von den Bauklötzen auf Maschinen umgestiegen.« So legte sie es sich zurecht. Für sie eine exzellente Lösung. Dergestalt konnte sie, schmerzlos für sich selbst, noch eine Zeitlang Leos Schlafmützigkeit gegenüber ihren schwellenden Formen begründen. Ich selbst wäre nie darauf gekommen, seine verfluchte Mittelamerikavisage mit solchen Deutungen zu verunstalten. Ihr verschaffte es die nötigen Entrückungen.

Sie hatte mit ihm einen Spaziergang gemacht, Einkehr in der Engelwurz-Gaststätte. Was sich die Wirtin Nohns und deren Schwester wohl zu den neuen Vorgängen in Zaras Haus ausmalten! Vorher hatten sie beide ein dschungelfarbenes, sehr verliebt tuendes Paar überholt. Leo kannte die nicht mehr jungen Turteltauben (Ehepaar Bolz oder Heinrichs?) und klärte Sophie auf: »Die gehen jetzt so eilig nicht etwa ins Ehebett, die rennen nach Haus, um zusammen einen Kuchen zu backen.« Hatte dabei seine Zigarette in den Straßenrand geschnipst, mit der anderen Hand einen gefleckten Hund gekrault. Ein Kind, ein erotisches Kind, ein männliches obendrein, zum Glück, fand Sophie. Was für Monster waren bei ihr erwachsene Männer? Aber wie gut, daß es sie gab, die an drei Fronten Rührige und alle freundlich, wie es eben ging, Zufriedenstellende! Dabei fest die eigenen Ziele im Auge. Ziele? Für sie nur ein einziges. Ich verfolgte gespannt die Annäherung.

Zwischendurch betrachtete sie bedeutungsvoll einen Zettel in ihrer Hand, als blinzelte das Papierschnitzelchen flirtend zurück, machte auch einige Male Anstalten, es mir hinzuschieben. Eine Botschaft von Leo, was denn sonst. Froher und froher schlug mein Herz außerplanmäßig bei ihrer Gaukelei, genoß eine zage Vorfreude, zwei Schritte vor, einen zurück, drängte sie durchaus nicht zur Übergabe. Bis Sophie sagte: »Ein hinreißender Kindskopf! In der Gaststätte hat er mir eine Litanei der reichsten Familien Deutschlands aufgesagt, ich habe sie nach seinem Diktat aufgeschrieben und soll sie auswendig lernen. Hören Sie nur« – und wirklich las Sophie vom Zettel ab, wie ich jetzt hier. Mein Herz verkrümelte sich –: »Quandt, Albrecht, Engelhorn, Haniel, Langmann, Woeste, Henkel, Haub, Beisheim, Boehringer, Flick, Otto, Gerling, Schickedanz, Herz, Hopp, Schmidt-Ruthenbeck, Piech, Merckle, Kirch, Oetker.« Sie las es vor, als handelte es sich um Hänsel und Gretel, ein Juwel nach dem anderen. Dann schob sie mir den Wisch zu, schloß die Augen, und mit anmutigem Kleinmädchenkeuchen perlten die Namen fehlerlos von ihren knautschigen Lippen. Mein Herz verkrümelte sich nicht nur, es wühlte sich beschämt in Teichschlamm ein. Eigentlich wollte ich »Tiefsee« sagen. Aber das Übertreiben besorgte Sophie ja schon. Ihr gegenüber zog ich, mit großer Mühe zugegebenermaßen, keck vom Leder. Eine beachtliche Leistung sei das von ihr, ich hätte dergleichen noch nie vernommen. Ich sagte wahrhaftig »vernommen«. Ich aber könne aufwarten mit den 14 Achttausendern, was ja gut zu den Familien passe. Soll ich? Mt. Everest, K2, Kangchenjunga, Lhotse, Makalu, Dhaulagiri, Manaslu, Cho Oyu, Nanga Parbat, Annapurna, Gasherbrum I, Broad Peak, Gasherbrum II, Sisha Pangma. Auch hier übrigens ändern sich, wie bei den Familien die Vermögen, die Höhenangaben durch weiteres Wachsen und Erosion. Die Reihenfolge wird wohl inzwischen konstant bleiben, während Albrecht, las ich irgendwo, Quandt überholt hat und etwa Hopp an die zweite Stelle aufgerückt ist. Gemeinsam auch die wunderliche Eigenart, unter einigen Namen die riesigen Massen an Fels und Kapital zu subsumieren! Die Macht aber, habe Leo gesagt, sei jetzt in den anonymen Aktionärskapitalismus gewandert. Wenn Zara ihn nicht mehr wolle, könne er ja Fondsmanager werden. Habe aber sofort den Kopf geschüttelt. Er sei zu konservativ und zu alt dafür.

Ich war stolz auf mich. Wie schnell ich mich äußerlich faßte! Sophie überall in meinen Fußstapfen. Großartig. Sie betete Leo an meiner Stelle an. Sie vertrat mich noch in anderer Sache. Ich dankte ihr im stillen dafür, obschon ... ich konnte meine Gefühle nicht im Licht der Vernunft besehen, irgendwas ringelte sich unbehaglich in mir. Sie hatte Verbindung mit Spechts Sohn aufgenommen, den Verwandten, bei denen er lebte, würde ihn vielleicht sogar eines Tages besuchen können. Specht mußte noch überwacht werden. Sein Zustand aber war nicht mehr ganz so elend, wenn auch noch ein unverändert schweigender. Mächtige Sophie! Sie hatte mich regelrecht in der Hand, ahnte meine Geheimnisse, handelte für mich. Wenn mir das jemand bei unserem ersten Zusammentreffen am damals bald oder frisch verkauften Bolz-Haus prophezeit hätte, als die hochglänzende Schattenfrau die weißen Mauern umschlich!

Wie anders unser, Ihr und mein Kennenlernen in der Weiße! Zu Ihnen habe ich rasend schnell und unverbrüchlich Vertrauen gefaßt. Zuerst war es ein schwaches Vermuten, Aroma, Hauch, eine geahnte, vage Ähnlichkeit mit meiner Tante Hilde? Zu Beginn kam es mir so vor, dagegen sprach die mondäne Sonnenbrille, dafür aber das tantenhaft Tul-

penförmige, verzeihen Sie, Ihrer damaligen Erscheinung.
Ein Erinnern an etwas, ich weiß es bis heute nicht, es hat
mich unwiderstehlich angezogen, ja beinahe gezwungen,
Sie um Ihre Aufmerksamkeit zu bitten. Habe ich darum ge-
beten? Ich konnte mich einfach nicht sträuben. Im Grunde
ist es gegen meinen Willen so gekommen, dieses Schleusen-
öffnen. Ich muß Sie nur ansehen, trotz der verdunkelten
Augenpartie, das rätselhaft mir so Bekannte besticht und
verführt mich, die Vorfälle rückhaltlos preiszugeben.

Ich holte Sophie bei ihrem Buchladen ab. Wir tranken im
Stehen schnell einen EEZ-Kaffee. Von Zara keine sichtbare
Spur weit und breit. »Leo«, hörte ich Sophie schwärmen,
und ich atmete in der Kaufpassage, mitten im Winter plötzlich Holunderduft, nächtlichen Duft durchs offene Fenster
und wußte, ich würde nie wieder den Holunder so erleben
wie damals mit Leo unterhalb des Schlosses, im Mondschein
oder Holunderdoldenschein, auf dem Laken neben ihm,
den ich – wegen des Speziellen glückssteigernd – aus eigenem Antrieb nicht zu berühren wagte. Sophie hatte einen
Schluckauf gekriegt, gerade bei »Leo«. Rülpsergleich stieß
das Gehickse aus ihrer Kehle, ungefähr alle fünf Sekunden,
und alle fünf Sekunden wollte sie auch das Wort »Leo« sagen. Ein Teufel hatte ihr den Rachen verbogen – und mir
Leo kurzfristig zurückgeschenkt. Sie konnte es trotzdem
nicht lassen, zärtlich zu klagen.

Ob er Zara denn so unentwegt liebe, fragte sie sich und
mich, so inständig vernarrt ohne Pause und Ende in diese
doch viel ältere Frau und Krähe? Schlug sich aber gleich auf
den Mund wegen Schluckauf und Schmähung. »Dagegen
Leo, ein Mann, der jede Frau einlädt durch seine schiere Anwesenheit, ihn zu verwöhnen!« Ich selbst glaube, das belei-
digende Faktum der Verabschiedung durch Zara brachte
sein Lebensfundament durcheinander. Das war für ihn aus-
schlaggebender als Liebe, wie Sophie sie träumte, wie ich sie
mir dachte. »Meinen Sie, er glüht und verzehrt sich nach
ihr, betäubt seinen Kummer mit Rauschmitteln, sucht billi-
gen Trost, den ihm«, unnachahmlich stolz und parteiisch

schoß ihr Kinn mit einem Schnauben nach oben, »jede, die Straße rauf und runter, gern aufdrängen würde? Das ist es nicht!«

Wenn Sophie Korf sich zum inneren Gipfelsturm rüstete, setzte sie sich besonders gerade hin. Hier schaffte sie es auch im Stehen, den Oberkörper gleich einer aggressiv heroischen Schlange aufzurichten. Da reichte ihr gegenwärtig keiner das Wasser. Wie wären ihr die Predigten Spechts betörend, die manierlichen EEZ-Massen entzündend, über die Lippen geflossen! Die benötigte sie jedoch für anderes: »Es ist diese« – sie wedelte Gestalten in die Luft, ihre Hände waren lappige Maler, die große Wandflächen bestrichen – »ironische, ah, ja, ironische Müdigkeit. Ironische Müdigkeit?« Schlürfend zog sie den Atem zurück, dann probierend, nach innen gesprochen: »eine Art Fatalismus. Aber hartnäckig, hartnäckig, sage ich Ihnen.« Die Teichaugen loderten durch imaginäre Welten, etwas in der Art sollte es jedenfalls ausdrücken, vielleicht mehr für sie selbst zur Anfeuerung als für mich. »Komischer Versuch, Zara zurückzugewinnen«, fügte sie stutzend, plötzlich ernüchtert an, ein Tonfall wie an der Bücherkasse, schwang sich aber elastisch wieder hoch. »Eine« – Vor- und Seitenschwanken, Schlußwehen einer schweren Geburt, dann ein Fallbeil – »schläfrige Kühle«.

Hier erkannte ich erstmals den von Sophie gezeichneten, wenn nicht gar erschaffenen Leo wieder. Ein kleines Zucken meldete sich, ein Lächeln der Schulterblätter. »Schläfrige Kühle«, daß sie es so treffen konnte! Sie rückte mir dadurch auf die Pelle, als hätte sie zufällig, durch blindes Tapern, eine bisher von mir gewissenhaft verschwiegene geheime Narbe Leos entdeckt. Der Unterschied zwischen uns blieb der: Sophie bejammerte, was sie da tituliert hatte, ich liebte es, liebte es wie aus der Pistole geschossen neu und setzte meine schwere Bistrotasse daraufhin so knallend mit einem »Ja!« auf die Untertasse, daß Sophie ihren Schluckauf unverzüglich in sich begrub.

Die dauernd Aufgepulverte entlud sich in Überschriften für Leo, ich meine, erleichterte sich, wurde ihre Erbitterung los über seine erotische Zerstreutheit. Ich bot ihr, ehe ich mich versah, doch noch, schon war es heraus: »Subtile Abgebrühtheit« an. Sie riß die Augen auf, regelrechte Menschenfresserinnenaugen. Ja, hatte ich denn so sehr alle Rechte verloren, standen mir nicht mal solche Vorschläge mehr zu? Doch, waren erlaubt. Sie deutete dergestalt lediglich Zaudern, letztes Abschmecken an. »Subtile Trägheit«, entschied sie dann, »aber auch damit bleibt man unzufrieden.« »Noch ein Spritzer Zitrone?« fragte ich vorlaut. Sie betrachtete mich dunkel, dachte allerlei, hielt aber wohl Stummheit hier für das Wirkungsvollste. War es auch.

Um was ich sie offen gestanden beneidete? Sophie gelang es, und in dieser Phase augenscheinlich ohne Rückschlag, wenn auch schließlich verhängnisvoll – warten Sie, etwas beginnt allmählich seinen Rachen aufzureißen, ich muß mich zwingen, es als Geschichte von Anno Tobak zu erzählen –, hochgestimmt, immer auf stürmischen Wogen zu leben. Überdrehtheit als ihr eigentliches Element! Angesichts dieser Frau schwante mir die grundsätzliche Funktion von Berauschtheit und Euphorie. Es handelt sich darum, dazu mögen die ominösen Botenstoffe allenfalls nötig und gut sein, die obersten Schichten von uns unabhängiger Gefühlslagen momentweise zu erreichen. Ganz ähnlich den einzelnen Luftschichten – man ahmt es im Bergsteigen en miniature ja nach – umschließen sie unser Leben, unsere Person, die ganze Erdbevölkerung, alle Wesen, organisch, anorganisch. Man steigt darin auf und ab, und immer bleibt alles durchsichtig auf die Wirklichkeit des Bodenreliefs hin, das sich aber mit unserem Auf- und Abschwingen natürlich zu ändern scheint. Sophie ruderte so heftig mit den Flügeln, damit sie oben, über Wänden und Graten, Felstürmen und Hochebenen bleiben konnte. Die schwarz-bunte Spinnerin! Hatte sich von einer Amsel zum Tropenvogel gemausert.

Etwas Aufgeputschtes auch seitens des Wetters. Orkanartiger Sturm aus Nordwest. Wasserstand der Elbe fast 6 Meter über Normalnull, überschwemmt natürlich Teufelsbrück, St. Pauli Fischmarkt, Speicherstadt. Ich hatte auf dem Jungfernstieg zu tun. Da entdeckte ich sie. Zara! Zara am Arm eines Mannes, bei dem ich nicht gleich sicher war, ob ich ihn wiedererkannte. Wie absurd: Zara, Sophie, ich, wir drei Frauen hofften, aus unterschiedlichen Gründen, Leo würde sich von Zara lösen. Ich fühlte diesbezüglich mehr, als ich dachte, glitt einfach in den Bahnen von Sophies möglichem Glück ein Stück mit, erwärmt von ihren Erhitzungen.

Wundert es Sie, daß ich dem Paar automatisch schnurstracks folgte in ein Café im ersten Stock eines alten Hauses? Kaum war es still im Treppenhaus, stieg ich hinterher, nahm Platz in einer Nische, um einen Blick auf die Strahlende zu werfen. Erst nach einer Weile wagte ich, das wirklich zu tun. Es dauerte vielleicht 10 Sekunden, 10 Sekunden gab ich mir, meinen Augen, dem Bild: Zara, ihrem Beau gegenüber, jenem EEZ-Alamode-Knirpschen, wenn auch aparter als der Spechtsproß und etwas erwachsener, Zaras Kopf über dem nackten, tadellosen Hals, der sich aus einem tief ausgeschnittenen grauen Samtkostüm bog, auflachend nach hinten geworfen, die Froschaugen dadurch verschmälert, das Fischmaul weit geöffnet, leuchtend vor Jugendlichkeit, in der Hand eine Kuchengabel, in der anderen nichts, die Handfläche aber im fröhlichen Kapitulieren flach nach oben gebreitet und so erstarrt, im Funkeln erstarrt.

Ich erstarrte vor Bezauberung mit. Fast war es so, als lebte die Lebensfrohe gar nicht, so sehr erschien sie mir – und danach zog ich mich sofort klug klammheimlich zurück – als Wappen und Idol der Lebenslust und als ihr Quell.

Vor allem in dieser Haltung der »Lachenden in grauer Samtjacke« fällt mir Zara oft ein, Sophie dagegen in diversen Posen, die sie bei unserem letzten gemeinsamen Besuch des Flottbeker Gartens über ein, zwei Stunden hinweg als »Sophie, die Entbrennende« und »Sophie, die Versengte« einnahm. Ein vieleckiges Lebewesen, dieser Garten. Ich fragte mich, als ich bei dem schmerbäuchigen nackten Adam vor dem Eingangstor auf sie wartete, wie hoch er wohl atmosphärisch in den Himmel reichte, im Sommer mit seinem dicklichen Körper, jetzt, zu Anfang des Jahres, mit einem hellen, nervösen. Feucht sanfte Luft, graue Diesigkeit. Ich kannte das und war machtlos dagegen, denn es werden jedem Gegenstand zwar seine Umrisse zur Not gelassen, das Mark aber wird ihm entnommen, alles wälzt sich in einer linden Kraftlosigkeit, wie damals auf Zaras Fest, als der Grauhaarige die Blondine mit dieser Sonnenbrille im Garten küßte. In einer Art Betäubung dreht man sachte durch. Dabei hatte der Tag in einem stählernen Licht begonnen, das aber dann in der Art von Silberbestecken zu einer nachsichtigen Milde anlief, die das Rasselnde, Kahle der Jahreszeit sehr beschwichtigte.

Sophie verspätete sich. Zum Zeitvertreib stellte ich mir neapolitanische Zyklamen im Herbst vor, winkend weiß und rosa auf dem dunklen Laubboden in schwärmenden Kolonien wie Frühlingsherzhüpfer, und ganz unpassend strömte angesichts des überraschenden Bewuchses die Kindheit, die den kleinen Blüten auf nacktem Grund so nahe war, schneeschmelzenhaft in – – das Bachbett dieses Anblicks, verzeihen Sie, denn es gibt ja auch die Frühlingszyklamen. Vom Frühling hatte ich sie mir gemerkt, in den Bergen einmal, als kleines Kind.

Im Sommer aber die Wilden Möhren, eigensinnige Cousinen der Holunderscheiben, Inseln, Gruppen, konkav, langsam zu weißen Tellern sich öffnend, streckend, aufblähend, konvex, die schwarze Mitte präzisiert den Höhepunkt, um sich dann wieder einzukrümmen zum Konkaven, in allen Stadien, in verschiedenen Höhen, Tiefen schwebend, ein Modell der Sterne im Weltenraum. Und Sie sehen, ich war vorzüglich auf Sophie, die aufgepeitschte Sophie vorbereitet. Was sollte ich mir auch, da ich sie erwartete und alles für mich behielt, irgendeinen Zwang antun. Zu Ihnen aber, jetzt, hier, wie gesagt – ein schon unanständiges Vertrauen.

Man kann aber auch denken: Das Gehirn zerfließt milchig unter der Schädeldecke bei solchen Witterungsverhältnissen. Es gab gegenwärtig keine vom Wind umgetriebenen Bäume, in dieser Jahreszeit keine Blätterherde, von

Botschaften wellig durchlaufen. Aber es existierte die sich nähernde Sophie! Sie ersetzte alles. Mit ausgebreiteten Armen kam sie auf mich zu, umarmte mich jedoch nicht. Im Aufruhr der Emotionen preßte sie die Hände gegen ihre Wangen, stumm. Ich sagte, gezielt zur Vernunft aufrufend: »Guten Tag, Frau Korf. Alles in Ordnung, Sophie?« Sie schwieg, ganz sture Statue. Ich führte sie am Wächterhäuschen vorbei, der Wart grüßte mitleidig. Dort, wo im Mai die weißen Tränenden Herzen blühen, nach ein paar Schritten also, griff sie im Gehen meine Hand. Wie im Weh gebrochen, überbrachte sie die frohe Nachricht, die ihr – so war es gedacht – fast die Beherrschung raubte. »Es wird, Maria, es wird!« Dürstend seit Monaten und endlich mit einem Tropfen getränkt. Leo hatte sie zumindest faktisch geküßt. Das wunderte mich nicht. Er war viel zu eitel, zu unkonzentriert, um der, die nach Zeichen gierte, nicht spielerisch Hoffnung zu machen, ohne groß eventuelle Folgen einzukalkulieren. Oberflächlich geküßt vermutlich. Nun rüstete sie sich zum entscheidenden Angriff: »Jede Frau muß bei ihm sofort ans Bett denken!« Die Schwarzanteile ihrer Kleidung nahmen immer weiter ab.

Sie hatte recht. War das nun ihre Version von Leos anziehender Übermüdung, Übernächtigung, Unausgeschlafenheit, dieses leicht verkaterten Überdrusses? Ganz plump: Es wirkte so, als hätte er stets gerade ein doppelt bewohntes Bett verlassen. Verdattert überlegte ich, ob das sogar von mir mit Liebe verwechselt worden war. Und? Wenn schon! Hätte ich warnen müssen: Sophie, bitte, alles in Maßen! Sophie, die Balance! Sophie, Contenance!? Sie schritt neben mir aus mit Volldampf, bremste brutal: »Es wird!« Schlug die Hände im Gestus einer Betenden zusammen, trat bei dem Manöver kraftvoll auf meine Zehen, ein wirklicher Schmerz für mich, ich hatte ja wieder chronischen Frost, ein teuflischer Herzschmerz, wenn das passiert. Doch was durfte das jetzt in Betracht fallen!

Und ich muß Ihnen ehrlichkeitshalber sagen: Sie erwärmte mich. Dieser Sophiesche Gluthauch! Wenn sie Leos

Aufstehen und Hinsetzen, seine Arbeitswut, seine Blässe, sein Rauchen und Trinken, die schärferen Anwandlungen von Zynismus schilderte, war es für mich eine Stimmung steigernde Musik. Mystifikationen eines Mundwinkelhebens, eines Halbsatzes, die merkwürdig auf mich übersprangen. Allmählich genoß ich dieses flirrende Gefühl, das sich stetig zu mir durchschwindelte, Leos Flüstern, Leos Verstocktheit. Wir gingen durch den leeren Bauerngarten mit den putzig rahmenden Buchsbaumhecken. Auch wenn sie gar nichts zu rahmen hatten, sie taten es trotzdem, sie kannten es nicht anders. Hatte ich Leo je vorher so phantastisch geliebt wie gerade jetzt und gleichzeitig so – – gesetzt? Ich stand ja nicht an der Front. Das mußte Sophie allein bewerkstelligen.

Es handelte sich überhaupt nicht um meine Füße, um die Frostzehen. Der Schmerz, den ich spürte, diese Herzstiche, diese Schmerzkonferenzen an einer Stelle! Ich zuckte ja leise bei allen erzürnten, erwartungsvoll fiebernden Lobpreisungen Leos durch Sophie, durch die tolle Sophie mit.

Verlieren Sie bloß nicht das Interesse! Es war etwas Neues für mich. Ich lachte über sie und spiegelte mich in ihr, lachte über mich selbst und entdeckte dabei, daß sich erst jetzt die günstigsten Bedingungen – Sophie als meine Stellvertreterin – für meine Liebschaft mit Leo eingefunden hatten.

Ein Regen hämmerte plötzlich auf uns herab, da half das zehrendste Feuer nichts. Wir mußten uns in Sicherheit bringen. Schutz gab es in diesen Monaten nirgends, es mußte das Gewächshaus, das unbedarfte Schauhaus sein, weiß Gott kein Prunkstück, viel grün ledernes Füllmaterial in den Winkeln, ein Korridor mit geradezu linkischer Exotik. Aber welch eine wohlig dünstende Regenwaldluft!

Geht man diesen Flur entlang, so hat man einerseits zwischen Kübelpflanzen circa acht Holzsessel und ihnen gegenüber jeweils Glasvitrinen mit lebenden Steinen und fleischfressenden Pflanzen, Beispiele zur geheimnisvollen Vermehrung der Farne und zur rein ungeschlechtlichen und, am schönsten natürlich, die Orchideen. Es fehlen nur zwitschernd umherschießende Vögel. Treibhaus-Regenwalder-götzerlein.

Dort ist man fast immer für sich, und so redeten wir, noch als die Tür hinter uns ins Schloß fiel, den Regen von uns abschüttelnd, laut drauflos. Ertappt erschrickt man, wenn man dort jemanden vorfindet, und spürt erst dann, wie derb man das stille, gesammelte Wachsen stört. Der Mann jedoch, der gleich auf der ersten Bank saß, war ein im Grunde unsichtbarer. Es sollen ja einige Menschen diese Eigenschaft besitzen, die Fähigkeit, sich aus der Welt wegzudenken, so daß man sie nicht wahrnimmt, wenn sie es wollen. Er saß, ohne sich zu rühren, ein Heiliger mit einer Schottendecke über den Knien, zwischen einer Kaffeepflanze und einer Bananenpalme. Saß da und stellte einen aus der Luft gegriffenen Vorwurf dar, wenigstens aber eine Lücke, ein Nein! Sah nicht auf, überhörte uns, lehnte uns ab als registrierbare Figuren, wie er auch sich selbst ablehnte. Zu viel Zirkus um einen Wunderlichen? Aber der Anblick! Lautlos ächzte sein schwerer Kummer durchs Gewächshaus. Er hätte auch gut und gern ein Selbstmörder, Selbstmordaspirant sein können, fast schon tot, und wir kamen seinem Entschlafen, von Liebesdingen polternd, dazwischen.

Richtig! Unvermeidbar, an Wolf Specht zu denken. Er konnte es nicht lassen, mich zu behelligen. Sehen Sie nur, draußen hat es zu schneien begonnen. Ich merkte doch gleich: Mir wurde mitten im Erzählen so sanftmütig.

Wie aber kann man dem Ansturm derer, die Zuneigung erwarten und anbieten, standhalten? Man muß durch sie hindurchlieben, einen Punkt hinter ihnen fest im Auge, etwas Generelles, sicher, geschenkt, doch dann, um des irdischen Treibstoffs willen, zurück in eine einzige Physiognomie, zu einer speziellen Person und Einzigartigkeit, die anderen sind ja mit einkassiert, wenn auch allerdings: vergessen! Sophie und ich, wir einigten uns auf dasselbe Exemplar. Wir saßen, so wünschte sie es, vor den Orchideen, natürlich. Das Beste war ihr gerade recht. »Wie er sich gewöhnlich mit der Hand, quer zum Verlauf der Haare, über den Kopf fährt und nicht daran denkt, hinterher in den Spiegel zu sehen. Dabei wäre er sehr verärgert über seinen Anblick. Haben Sie ihn mal einen nicht aufgespannten Regenschirm tragen sehen? Er präsentiert ihn wie einen Blumenstrauß, den er gerade der Welt überreichen will. Naturhaft elegant, wie er sich einbildet zu sein, ist das nicht.« Sophie lachte, als wäre es bei Todesstrafe verboten, so heimlichtuerisch, und steigerte sich an meiner Mittäterschaft. Es war mir eigentlich nicht recht. Ich genoß es jedoch, dieses entspannend Vulgäre, meine Erinnerungen mit ihren zu mischen, empfand es als schmachvoll und ließ es trotzdem nicht. Die Orchideen blühten währenddessen mit gespreiztem Schlund in wirkungsfördernder Beleuchtung.

»Er vergißt sogar die Hand auf dem Kopf, und dann bleibt sie dort eine Weile unbequem liegen. Merkt er überhaupt nicht.« Gewiß, Leo in meiner Küche! Wir hegten beide die erregende Vorstellung, er säße auf dem nächsten, versteckten Stuhl und lauschte.

Sitzen blieb sie nicht, gönnte hin und wieder den aufgewühlten Sinnen kurzen Auslauf und kam zurück, die Kichernde und in vergegenwärtigenden Blicken Hinschmelzende. Sie sah Leos Hand auf seinem Leo-Schädel, und offenbar war er ihr in diesem Moment alles, wie es im Buche steht: Sohn, Liebhaber (in spe), Vater usw. Abwechselnd siedend und weinend: »Jedes Gefühl wehrt er sofort ab, wenn nur die kleinste Gefahr diesbezüglich droht.« Sophie lachte ein All- und Urmutterlachen, ein bißchen zu kollernd vielleicht. Um den Trauernden mit der Karodecke kümmerten wir uns schon lange nicht mehr. »Greift nach der Zeitung, geht aus dem Zimmer, versteht nicht, sagt ein hochkompliziertes Fremdwort oder Milliardäre auf.« Wie das alles Sophie in Aufruhr versetzte!

Mit einer leise knurrenden Ungeduld allerdings.

Man durchschaue die Vorgänge trotzdem nicht. Aha, jetzt näherte sie sich endlich dem Zentrum ihrer aufschäumenden Hoffnungen. Zara sei, obgleich sie doch die Trennung von Leo anpeile, mißgünstig. Man wisse nie, plötzlich, wenn sie, Sophie, nach den Vögeln sehe, stehe sie da und blitze sie böse an mit einer tückischen Bemerkung über ihr, Sophies, »Hobby Leo«. Es tat Sophie ja so gut, mit Zaras »Eifersucht« konfrontiert zu sein!

Dabei sei es leider, zumindest teilweise, großer Quatsch mit dem »Hobby«, einfach Blödsinn, denn Leo gebe Zara nicht auf, igele sich ein und kralle sich fest in ihrer Nähe. Vermutlich traue sie sich nicht, ihren Liebhaber sorglos bei sich hausen zu lassen, weil Leo grimmig und gefährlich in der Nachbarschaft wache. Nach Zaras Gusto ziehe sich die Sache zu lange – »Gefährlich?« unterbrach ich sensationslüstern.

Sie habe es zufällig beobachtet. Zuerst sei da ein gegenseitiges Anschreien eben wegen dieses Punktes gewesen. Ernstlich beunruhigt habe sie, Sophie, sich ein bißchen rangeschlichen, von den Vogelkäfigen zum Wintergarten: Zara in ihrem wunderschönen Morgenmantel und barfuß, Leo in einem offiziellen Anzug, wahrscheinlich von einem beruflichen Auftrag – unerlaubt leibhaftig – zurückgekehrt. Auf einmal habe Leo beide Hände aus den Hosentaschen gerissen und sie um Zaras Hals gelegt, er habe sie, doch, er habe sie gewürgt und das Schreckliche: Keiner habe dabei eine Miene verzogen, alles in Totenstille. Zara habe sogar, etwas verzerrt zwar, höhnisch gelächelt. Das habe Leo daraufhin auch getan, aber weiter den Hals zugedrückt. Einen Augenblick später, Ehrenwort, wäre sie, Sophie, garantiert ins Zimmer gestürzt, um das Schlimmste zu verhindern, aber dann nahm er die Hände von selbst weg und Zara, leicht taumelnd, habe sich den Hals gerieben. Dann standen sich, sagte Sophie, beide plötzlich kreideweiß gegenüber, ohne einen Tropfen Blut im Gesicht alle beide, wortlos, keuchend einander anstarrend.

Was durchzuckte mich da? Eine eifersüchtige Sekunde? Leos Hände auf meinem Gesicht, die Haut zu den Seiten wegziehend, um die Augen zu schlitzen. Ein übriggebliebener Wunsch nach Zusätzlichem? Lieber dem nicht auf den Grund gehen! Aber Zaras Hals, ich sah ihn, wie ich ihn wenig vorher im Café studiert hatte, ein unauslöschlicher Moment, die Kehle schön und lachend gewölbt. War mir das in einer Vorahnung aufgefallen?

Sophie verharrte noch, das nachwirkende Entsetzen auskostend. Aber sie hatte ja anderes, Glückverheißendes, in petto. Schon brandete es in ihr hoch. Etwas Entscheidendes, eine Wandlung zum Guten sicherlich. Geschickt bog sie den Seufzer der Erschütterung, der noch den beiden und ihrem schockierenden Auftritt galt, walzerselig um in einen der tiefsten Befriedigung, wenn nicht Erlösung.

Meine Meinung zum nun folgenden Geschehen in der ehemaligen Bolz-Küche? Ich bitte Sie, allein der Tatort! Ein Beispiel für Leos Spieltrieb, auch, selbstverständlich, Trotz. Typisch Mann, nach dem Auftritt mit Zara, zwei Stunden später, sich dermaßen einen Ruck zu geben und der weichen Sophie, die Gläser und anderes vernachlässigtes Zeugs von Leos Essens- und Trinkschlampereien wegspülte, wie sie es ersehnte, was ihm nur zu gut bekannt war, die Arme auf den Rücken (ihre Arme auf ihren Rücken) zu legen, herrliche Position für die ohnehin sehr und nicht von ungefähr vorstehenden Brüste! Und sie mirnichtsdirnichts zu küssen. Klar, in Sophies zügellosen Worten klang das simmernder, brutzelnder, aufzischender, dieses Mund-auf-Mund-Gemache, mehr war es wohl nicht, habe nicht gefragt, aber magmatische Eruptionen angeblich. Wer's glaubt! Er wird ein bißchen im Groll über Zara mit Sophie gescherzt haben, ohne Bedenken, welches Feuer er schürte, mit welchen Buchstaben er jonglierte.

Da! »Litzirüti!« Nein, wieder nicht? Dididüdi, didüdidi, kommt rüber bis hierher vom Ferienclub? Discomusik? Pferdeglöckchen? Doch so spät nicht mehr. Der Wind in den Fichten? In meinem Kopf?

Sie meinen wohl, ich mißgönnte Sophie ihre Eroberung oder besser, küchenmäßiger: Aufgabelung? Sie wissen es genau: Ich wollte es so! Ich verlangte ausdrücklich die Erfüllung ihres unbändigen Verlangens. Sie hatte sich diese Begierde in den Kopf gesetzt, und es sollte ihr stattgegeben werden, als wäre es meine eigene, ich schüttete meine ganze Kraft noch dazu. Dieses heiße, nagende Wünschen schwemmte in mich über. All dieses passionierte Ereignen sollte sein und Leo die Hauptgestalt, Kurfürst und Kaiser von allem. Noch nie war mir ja die Verbindung von düster glimmender Lusterwartung und schneenachtheller Neugierde so plausibel erschienen.

Wir beide also, und beide noch ohne erhebliche Befürchtungen wohl, vor den lilafransigen, ausschweifenden Orchideen in ihrem kleinen Glaskäfig. Ob der Mann mit der Schottendecke jetzt tot war? Wir wagten ihn nicht zu berühren. Er saß noch steif vor Ablehnung zwischen dem Grün der Bottiche. Sophie nahm ihre kerzengerade Höchstleistungshaltung ein, Achtung also. »Es wird«, sagte sie noch einmal, schwor es der Flora ringsum und mir. Und dann, in sanfter und erzener Verklärung – im nachhinein kommt es mir vor, als wäre mir doch bang geworden –: »Wir stehen kurz davor.« Liebeserklärung? Beischlaf? Hochzeit? Ich war, wenn auch nicht wie sie bis zum Äußersten, gespannt.

Später, im Bett, bildete ich mir ein, ich hätte ihr geraten: »Gut Ding will Weile haben.« Wie geschmacklos, nicht wahr? Ich sagte die nützliche, aber sinnlose Mahnung sogar laut ins Dunkel und lachte dann vor Erregung Tränen.

Sehen Sie mich jetzt hinter Ihrer Sonnenbrille böse an? Ihre Lippen verändern sich. Weshalb diese Strenge? Bloß nicht! »Zuhörerin«, muß ich sonst ja fragen, »warum hast du einen so großen Mund?« Und Sie würden antworten: »Damit ich dich besser fressen kann.«

Schon als ich den unbekleideten Adam, dem sie manchmal bunte, gepunktete Slips anmalen, beim Rausgehen passierte, wurde es mir klar. Mit Sophie als Begleiterin kriegte ich nicht viel mit von der Anlage. Allein hätte ich dort glücklich sein können, ein kleiner Anblick langt mir, eine niedrige, vom herbstlichen Blühen erschöpfte, sich zur Ruhe begebende Pflanze reicht, mit einem tapferen Gedenkschildchen davor, ihr Name deutsch und lateinisch draufgeschrieben, auch die wohlverpackten Fremdlinge unter

Laubballen und Fichtenzweigen, Plastik und Bast, als käme es werweißwie auf diese Wickelkinder an, und das feuchte Holz einer Brückenminiatur, die sich im schlammigen Wasser mit Mühe spiegelt.

Wenn ich dort allein bin, ist der Garten von einer getarnten Mauer an allen vier Seiten geschützt, nicht vor den Witterungen, aber vor Verdruß und Traurigkeit, obschon der Himmel viel weiter geht, über die ganze Stadt hin, den Containerhafen, das Alte Land, über das EEZ und die Autobahn. Aber hier leuchtet er auch bei Gräue. Zu jeder Jahreszeit ist hier der Trost sehr groß, als würde man immer Liedchen, Musiken, Stimmchen hören, der Vögel, der lieblichen botanischen Geisterchen. Wieso hatte Specht einen seiner tristen Abgeordneten geschickt? Sonst lächeln die Leute doch auf den Wegen, wie hier, in der Schneebrandung. Dort aber, im Botanischen Garten von Klein Flottbek, tun sie es versonnener, in sich gekehrt, in einem Widerschein. Verzeihen Sie: mehr wie die untersten himmlischen Heerscharen, um es fromm herauszusagen.

Ob wir das Stauen wirklich vom Biber gelernt haben wie das Wanderburschenwandern vom Wasser? In der sogenannten unbeseelten Natur kommt es ja auch von allein vor, ohne besondere Kunstgriffe von Mensch oder Tier, wenn Gebirgsbäche Geröll vor sich aufbauen und einen See bilden, weil der Abfluß versperrt ist, der dann, sobald das Maß voll ist, durch eine Lücke, oder das Hindernis wegräumend, wegsprengend, mit hohem Druck zerstörerisch hervorschießt. Dafür hat sich keine Hand rühren müssen.

Wenn ich erst noch von anderem spreche, noch nicht von Sophie und dem letzten Kapitel ihrer Gefühlsinbrunst, greife ich dann ein in den natürlichen Fluß der Ereignisse, um das eigentliche Geschehen mit möglichst toller Energie nach der Stauung explodieren zu lassen? Ach nein, es fällt mir nur, sogar mit Punsch, so schwer, davon zu reden. Sie werden noch begreifen, weshalb. Ich kann nicht anders, ich muß von diesem und jenem schwätzen, ganz ohne Berechnung, oder kaum, kaum auf Wirkung bedacht, weil ich es nicht übers Herz bringe, aber auch, damit es dann in einer einzigen Attacke von selbst, aus eigener Schubkraft, herausdringt aus mir und – flüstere ich stiekum dazu – Sie überrennt.

Da frage ich mich selbstredend – sehen Sie nur, es hat zu schneien aufgehört, schon tauchen die Scheinwerfer der ersten Schneepflüge hoch oben, in den verrücktesten Schräglagen auf, als würden sie zum Vergnügen auf eigenes Risiko schuften, rattern in der nächtlichen Stille der Gipfelnähe – frage ich, ob ich damit nicht unwillkürlich Sophie nachahme. Ja, hat nicht auch sie, vor ihrer Finalszene, eine gewaltige Staumauer errichtet, hinter der sich alles sammelte im Laufe der Zeit, diverse Zuflüsse und Einleitungen, wie nennt man es am kürzesten, des Allzumenschlichen, o doch, eine mächtige Ansammlung, Zusammenkunft. Sie kannte die beiden ja länger als ich, und davor aber der theatralische Riegel ihrer Demut, Geringschätzung der eigenen Reize. Die Staumauer in Gestalt eines allseits dienernden, innerlich längst rachsüchtig schwelenden Verneigens, bis zum Knallen des Pfropfens, bei Sophie und demnächst bei mir hier, in meinem Tatsachenbericht.

Kennen Sie das Wort »Kaprun«? Erinnern Sie sich? Man muß es in die Länge ziehen. Kapruuun! Dann erschauert man wie vor dem Schicksal selbst, auch etwas Taldunkles und zugleich gletscherhaft Frierendes ist im Spiel, gedehnt wie das u in Bluuut. Tauernkraftwerk Glockner-Kaprun! Ein Glockenlaut tragender Tau- und Frostwind tief aus der Kindheit, eine Legende aus den hohen Bergen, Fanal aus dem Salzburger Land, südlich von Zell am See? Nicht endendes Stöhnen und Klagen, ein Tierlaut, ein todtrauriger Rinderruf?

Ein gigantischer Dammbau, Wunderwerk der Ingenieurskunst unter dem Gipfel des Großglockners, in der Gletschereinöde, im Kapruner Tal, nördlich von Heiligenblut. Es waren zwei Bilder auf einem Blatt übereinander, genau gleich groß, durch einen Strich getrennt und sehr verschieden. Oben sah man ein Gebirgsmassiv mit mehreren Schneezip-

feln, darunter moosige Matten, eine grünrote Samtbeflau-
mung der Steinriesen und schließlich, am unteren Bildrand
der Fuß, ein Hochgebirgstal mit mäanderndem Bach, ein
schmales Stück eines grünblauen Sees, der Himmel über
den Auftürmungen gefärbt wie er, mit verwehten Strähnen
von Weiß in der Höhe. Ich sah es als kleines Kind an, das
Bild, und mein Herz flatterte und stob oben, in der Bläue,
mit.

Das Bild darunter aus einem anderen Bereich. Eine Fabrik mit einer völlig glatten Fläche dahinter. Ich hielt es für
eine Zeichnung, eine Art Modell, nichts Wirkliches. Der ein-
tönige, flächige Hintergrund reichte exakt bis zur Bildmitte.
Man erklärte mir allerdings, es sei zusammengehörig, ein
einziges Bild oben und unten, ein farbiges Foto von einer
Landschaft, die es gab, in den Alpen, man las mir die Rückseite vor: »Sperre Limberg des Kraftwerkes Kaprun-Hauptstufe und Krafthaus Limberg des Kraftwerkes Kaprun-Oberstufe«. Ich habe das dann als Schnellsprechvers geübt. Aber
ich glaubte es lange Zeit nicht oder glaubte es, aber vergaß
es wieder, es konnte nicht ein und dasselbe sein, die wild ragende, vielfach gestufte Bergwelt, von der ein frischer,
schneeiger Atem herwehte und: abgeschnitten und im unteren Teil ausgelöscht von einer Kachelfläche, alles tilgenden
Küchen- oder Badezimmerwand, körperlos flach ohne
Schatten und Figur. Ich konnte mir das Verkehrte nicht merken. Zusammen aber war es: Kaprun!

Als Kind empfand ich das Gestaute als etwas in der Verti-
kalen. Die schroffe, schneeglänzende Gebirgswelt wurde unten in einen Zylinder, einen Stehkragen gesteckt, beziehungsweise umgedreht: Sie kam aus der Einengung herrlich
herausgezaubert zur Entfaltung, blühend aufbrechend,
spannte sich prangend aus überallhin nach der Einzwän-
gung.

Es war aber anders gedacht. Die Sperrmauer sollte die
eiserne Faust sein, die bändigend die zum Himmel aufge-
reckte Fülle einquetschte in ihren Betonmassen. Die Sperrmauer! Höhe: etwa 120 Meter, Länge 357 Meter, Fußstärke:

36 Meter, Kronenbreite: 6 Meter. Ist mir wie eingehämmert. Da staunen Sie. Das wußte ich damals nicht, aber viel später hat's mir mein Mann, er war ja Ingenieur, ausführlich erklärt.

Sie lächeln anzüglich bei der Berufsbezeichnung? Wenn ich schon nicht Ihre Augen sehe, beobachte ich natürlich Ihren Mund.

Wann begonnen? Groß-Wasserkraftanlage Kaprun in den Hohen Tauern: 1939 in Angriff genommen, schon zehn Jahre später, noch bevor die Gesamtanlage fertig war, wurde rare, wertvolle Spitzenenergie erzeugt für das österreichische Verbundsystem, beträchtliche Stromerzeugung schon vor Erreichung des vollen Stauziels.

Entwaffnend günstige Vorleistungen der Natur, offensichtliche Einladungsgebärden durch die geologischen Verhältnisse. Unwiderstehlich, als der technische Verstand erst mal soweit war, zu kapieren, und der Einsatz an technischen Mitteln und Menschenkraft garantiert. Das heißt, wenn ich mich recht erinnere: Länge der nötigen Wasserführungsstollen vergleichsweise gering, hohes Gefälle und zwei Talbekken, die man zu Speichern ausbauen konnte, nämlich der Wasserfallboden und, daran anschließend, nach Süden, etwas höher gelegen, der Mooserboden. Die Limbergsperre also war die Staumauer des Wasserfallbodenspeichers gewesen! Zudem, noch ein Stück südlicher, galt es den Abfluß des Pasterzengletschers über den Tagesausgleichsspeicher Margaritze – bedenken Sie, 2000 Meter über dem Meeresspiegel am Großglocknerfuß! – durch einen Überleitungsstollen quer durchs Gebirge mit in die Kapazität des Mooserbodenspeichers einzubeziehen. Das schnurre ich Ihnen noch ohne Mühe herunter. Sollte Stromüberschuß herrschen, wird Wasser aus dem tieferen Wasserfallbodenspeicher zum höher gelegenen Mooserboden gepumpt und bei Spitzenbedarf in elektrische Energie abgearbeitet. Wenn ich mich nicht täusche, führt das Wasser des Mooserbodenspeichers an der Ostseite des Tales ein Druckstollen, dann ein gepanzerter Druckschacht hinunter zum Krafthaus Limberg, am

Fuß der Limbergsperre. Dort setzt das Wasser die Schaufelräder riesiger Turbinen in Bewegung, die den Generator antreiben. Der gewonnene Strom wird in die Freibadanlage, Quatsch, Freiluftschaltanlage Kaprun am Talausgang weitergeleitet. Das Wasser des Wasserfallbodenspeichers aber fließt in den Druckstollen durch die Berge an der Westseite des Tales aus der Höhe herab und stürzt schließlich in vier steilen Druckrohrleitungen zum Krafthaus Kaprun hinunter. Der dort erzeugte Strom geht ebenfalls zur Freiluftschaltanlage – jetzt kann ich es schon wieder ganz flott runtersagen, das lange Wort, lange nicht ausgesprochen – und von dort in 220 000 Volt-Doppelleitungen in die Städte. Ein Prozeßrechner errechnet die jeweilige, im Laufe des Tages sehr schwankende Einsatzstrategie und gibt die Befehle direkt an die Maschinen innen drin durch.

Ja, was glauben Sie denn, was für ein kompliziertes Ding so eine außen aalglatte, dem ungeheuren Wasserdruck entgegengewölbte Staumauer ist! Die Haare würden Ihnen zu Berge stehen, daß der Mensch solche Sachen konstruieren und errichten kann, voller Rohre, Kammern, Schleusen. Haben Sie mal das Verschlußorgan eines Druckstollens gesehen? Berge mußten durchgraben, ganze Täler weggeräumt und überschwemmt werden. Ohne Zwang ging es natürlich nicht vonstatten. Zunächst war da ja nichts als nutzlos in sich selbst vergaffte Natur. Gletscher, Berge, Bäche, Gefälle, Eis, Lawinen, Einsamkeit, gähnende Gebirgseinsamkeit. Das darf man nicht vergessen, wenn man das fertige, funktionierende, Energie in unfaßbaren Mengen herstellende Gelände und Menschenwerk besichtigt. Hätten Sie den Einfall gehabt, wenn Sie dort früher spazierengegangen wären, daß man die Landschaft in Wiener Straßenbeleuchtung umwursten kann? Bis auf den heutigen Tag sehen die Ingenieure jedes Hochtal scheel auf so eine mögliche pragmatische Verwüstung, ich meine -wurstung an. Welch pathetisches Zusammentreffen aber auch: Schaurige Felswände und Kabelkrankübel! Gletscher und Kiesaufbereitungsanlage! Am phantastischsten aber habe ich ein historisches Foto in Erinnerung, von meinem Mann zu meiner Unterweisung beschafft und von einem Augenzeugen 1954 geknipst. Moosersperre und Droßensperre noch im Bau, ein Nachtfoto, Mondschein auf den Schneehängen, schimmernd auf den Felswänden, vorn aber in verschieden hohen Viereckstürmen aus Beton die in Blöcken aufeinanderzu- und in die Höhe wachsenden Sperrmauern, alle Türme oben mit Gerüsten wie Kronen oder Drahtkäfige oder Haremsgitter, stählerne Laubengänge, von Scheinwerfern angestrahlt, mittelalterliche Burgen, überall Leitern angelehnt, bei einem Brand, im Kriegsgefecht oder bengalisch erleuchtet zu einem knirschenden, kreischenden Festrausch in der Nacht.

Hunderte von Toten, natürlich, bis zur Fertigstellung. Nein, sagte die Landschaft, wußte zuerst nichts von ihrem offensichtlichen Angebot an die Ingenieure, Planer, Statiker, Betonier- und Sprengspezialisten. Also: Zufahrtstraßen und Werkstraßen, Tunnel, Stollen, Zementseilbahnen, Schrägaufzüge und Schrägschachte, Magazine, Lager, Baracken. Das Gebirge setzte dagegen: Lawinen, Steinschlag, Kälte, Sturm, nur wenige schneefreie Monate überhaupt im Jahr. Alle paar Tage ging ein Lastpferd auf dem Weg in die Gletscherhöhen elend zugrunde. Egal, an der Salzach ein Arbeitermassengrab, Verstorbene en masse im Dienst für die weiße Kohle, egal.

Im Mai 1938, jawohl 38, nach einer Reihe halbherziger, gescheiterter, in verstreuten Ruinen bezeugter Anläufe zur Nutzung der Tauernwasserkräfte, als Unternehmen des großdeutschen Reiches, erster Spatenstich für das, später verlegte, Krafthaus Hauptstufe durch Hermann Göring.

Mit Beginn des Krieges bis zu 4000 östliche Zwangsarbeiter aus den nazi-besetzten Ländern im Kapruner Tal. Viele starben durch Arbeitsunfälle oder Erschöpfung. Egal, man gab nichts drum, hatte Nachschub.

Nach dem Krieg verfiel die riesige Baustelle in Schutt und Schlamm, bis 1947 Rotter kam! Rotter, der sogenannte Tauernbüffel! Bis der legendäre Oberingenieur Ernst Rotter die Leitung über die gesamte Anlage übernahm! Unerbittlicher

Arbeiter, unerbittlicher Chef. Hoch bezahlte Akkordarbeiter jeder Couleur, aus der Marshallplanhilfe zunächst finanziert, mußten, trotz politischer Feindschaft, bedenken Sie: ehemalige Sieger, Feinde, Opfer, koordiniert werden. Tag und Nacht. 15000 Leute unter Rotters Kommando. Weiterhin viele Todesopfer.

1949, ich glaube, es ist wohl 1949 gewesen, da fand der erste Anstau auf dem Wasserfallboden statt, ein paar Jahre später auf dem Mooserboden. Langsam ging die Landschaft mit allen Blumen, falls nicht von Liebhabern gepflückt oder mit der Wurzel ausgegraben, im steigenden Wasser unter, die Täler mit all ihrem Leben versanken. Alle Sorten Enzian, Eisenhut, Silberwurz, Almrausch, Seifenkraut, Edelweiß und die winzigen Sterne, die im Schutt der Berge leben, die kleinen und immer kleineren.

1955? Moment, ja 1955 war offizieller Abschluß der Bauarbeiten. Die Infrastruktur für Arbeiter und Material wurde endgültig von den Strömen jauchzender Touristen übernommen.

Ich habe vieles vergessen. Was waren noch Vertikal- und Horizontalschlämmer? Revisionsgang? Pendelschacht? Freispiegelstollen? Mein Ingenieur, der erste und einzige, hatte mir alles erklärt. Habe ich bloß deshalb überhaupt was behalten, die Jahreszahlen sogar, bis auf den heutigen Tag?

Was regte mich daran so auf? Es hängt damit zusammen, daß Strom in großen Mengen nicht speicherbar ist. Jedoch: Wasser! Die Hochdruckwasserkraftwerke verwandeln unter Ausnutzung großer Fallhöhen die in Form von Wasser gespeicherte Energie zu Strom, je nach Bedarf und vor allem: Spitzenbedarf. Da reagieren sie blitzschnell. Was geht mich das an? Es ist die Staumauer, die mich angeht.

Ja, die Staumauer ist's. Sie ist das Aufregende neben dem Wort »Kaprun«. Die steile, sich rund um die Uhr, ohne Pause dem verheerenden Druck entgegenstemmende Sperre ist es, die das Wasser zuerst aufbäumt und nun ununterbrochen aushalten und bändigen muß, damit es sich nicht in einer zermalmenden Flutwelle, Wasserwalze ins Tal wirft, seiner

Natur, seiner wüsten Wandernatur entsprechend, was es ja ständig, alle vierundzwanzig Stunden lang, im Schilde führt.

Staudämme scheinen immer leicht zu beben und den Atem anzuhalten vor Anstrengung, immer auf dem Höhepunkt und höchsten Augenblick einer Anspannung. Fast wie eine straffe Haut auf einem Einmachglas oder ein voll aufgeblasener Ballon. Eine Art Gewittergrollen, ein furchtbares, von ihrer Stärke geleugnetes Drohen in einer äußersten, sich friedlich stellenden Konfrontation.

Es ist ja gutgegangen. Aber wie groß muß die Angst der Ingenieure wochen-, ja monatelang gewesen sein beim langsamen Füllen des Speichers! Unterschiedlichste Kontrollvorrichtungen befinden sich in der Mauer zum Anzeigen eines kritischen Zustandes oder um gar Flutwellenalarm auszulösen. Anfangs gab es im Tal Hinweisschilder für das Verhalten bei Katastrophenalarm, jetzt nicht mehr. Spotten Sie, aber früher habe ich manchmal den Ingenieurstraum gehabt, den Alptraum geträumt. Noch schrillen die Sirenen, schon bricht der Damm, schon wurde aus dem künstlichen Wasser wieder ein brausend natürliches, dröhnte mit einer von Menschen nicht genutzten, verschwendeten Energie auf schnellstem Wege gegen Kaprun, auf die Salzach zu, nun auch auf der anderen Seite das Leben auslöschend.

Entschuldigen Sie, Sie wollen dem Kellner noch einen Auftrag geben? Ein hübscher Mann.

Aber es ist nicht nur die Staumauer. Auch das Unterwassersetzen, das hemmungslose Ersäufen ist das Fesselnde, wie man es überall macht, wo es sich rentiert, in großem Stil. Ganze Dörfer, Kirchen, Friedhöfe verschwinden unter dem Wasserspiegel. Im Frühjahr könnte man es in Kaprun besichtigen. Jener Jemand, jener, an dem ich sehr gehangen habe, hat sich mit eigenen Augen überzeugt: Es kommt wieder hervor, was früher da gestanden hat, die Baracken, alles in vorweltlichem Schlamm, die Werkstätten, wie man es im Kleinen im Botanischen Garten beobachten kann, wenn die

Teiche gereinigt werden. Eine undeutlich plastische Landschaft, alle in einer Farbe, aber nicht weiß, wie nach dem Schneien hier oben vereinheitlicht, sondern träumerisch wüst, grau vom Matsch und erstorben, als wäre das Wasser ganz durchsichtig geworden bis zum schmierigen Grund, als sähe man noch einmal die Einschlüsse, die kolossale Baustelle Mooserboden, wo in Beton, Kies, Staub, Schutt das andere, die unvernünftigen Kindereien der Natur, ja längst untergegangen waren.

Wenn man sie einmal vorher erlebt hätte, die Hochtäler dort und ihre nicht-menschlichen Bewohner! Was ein Unterschied muß es für den gewesen sein, der den Wechsel mit ansah! Zuerst die unzähligen Abwandlungen von Stein zu Stein, Grashalm zu Grashalm, dann alles von der Wasserfläche begradigt, horizontale Ordnung des Wasserspiegels, vertikale der Mauern.

Wer an Kaprun denkt, denkt auch an die Ratten. Das versteht sich. Die waren in die Falle gegangen. Erst angelockt von den Arbeiterunterkünften und ihren Abfällen, dann umschlossen vom einströmenden Wasser, Rückzug über Wochen, immer verzweifelter, auf die schwindenden Inselchen. Zuletzt brachten sie sich, im Kampf um Platz und Nahrung, gegenseitig um, bis schreiend oder pfeifend in Todesangst auch die Stärksten von ihnen untergegangen sind in den Wasserfluten, die friedlich anwuchsen, sachte, sacht anstiegen, eine stetig verbreiterte, tischebene, schweigsame, säubernd verschließende, versiegelnde Oberfläche, blank den Himmel spiegelnd, unter sich allen Unrat lassend und abstreitend, wie nie gewesen.

Unterstellen Sie mir bitte nicht, ich hätte damals Specht vergessen! Ich wünschte ihm so sehr alles Gute. Ein Glück übrigens nicht nur der Ausgang des Selbstmordversuchs, sondern sein Entschluß, die Zerstörungswut gegen sich selbst zu richten, anstatt gegen Fremde oder gar Freunde. Kein Amoklauf also. Die Möglichkeit hatte er ja angedeutet mit dem Wurf des ihm völlig unbekannten Hundes in die Elbe.

Erinnern Sie sich, fast möchte ich sagen: Schöne Frau, erinnern Sie sich an den Auftritt Spechts im EEZ, nach dem Zusammenstoß mit Leo? Wie er da Rabelais zitiert hat, der Angeber, und was redete von Poesie und Bratenduft? Ich habe Rabelais vermutlich viel früher gelesen als er, und es ist eine andere Stelle, die einen Menschen, die einzige im ganzen Buch, aber diese wie selten eine, zu Tränen rühren kann. Bei dem Wort »Kaprun« fällt sie mir jedesmal ein. Das Stöhnen und Seufzen, Klagen, Trauern an den Küsten und ins Gebirge hoch, als den Palodes-Wesen verkündet wird: »Der Große Pan ist tot«, die Luft voll von Jammerlauten. Spüren Sie auch manchmal das Entsetzen noch nachwirkend, plötzlich, am Meer, im Wald, in den Bergen, wenn die Natur die Zähne bleckt, weil ihre Seele verschwunden ist und es zu unserer Strafe gleich ist, wenn man sie vernichtet, zähmt, beraubt? Es ist nur Stoff, Materie mit ein bißchen Schmerz, alles wie bei uns selbst, alles wie bei uns selbst. Verlegen, erschrocken flüchten sich die Gipfelstürmer von den Bergspitzen. So hatten sie es sich nicht vorgestellt. War Pan, Sohn des Hermes und einer Nymphe, man weiß es nicht, »der große Heiland der Gläubigen«, den man gekreuzigt hat, obschon er doch unser Alles ist und alles, was wir haben, der gute Pan, der großmächtige Pan, wie bei Rabelais zu lesen, von den Menschen nach dem Gesetz getötet, und sein Tod herrscht als große Öde in allen Wesen seitdem fort? Als Pantagruel hört, daß man in Pan – aber wo sind Hörner und Bocksbeine wie beim Teufel? – den Herrn des Universums und unseren Erlöser betrauert und alle kindlichen Wesen der Natur, vor allem die Tiere, vor Schmerz über seinen Tod schreien, rollen straußeneiergroße Tränen aus seinen Augen.

Aber was ist das? Auch Sie weinen ja hinter der Sonnenbrille! Das hätte ich nicht gedacht. Ich sage es manchmal vor mich hin: Der Große Pan ist tot! Vielleicht liegt er tief in den Gletschern, im Firneis. Im bläulichen Gletschereis, in den sich zurückziehenden, im Rückzug überall befindlichen, die Täler aushobelnden Eisströmen?

Sie weinen ja wirklich, auf jeder Seite eine Träne! Ich

habe Sie in mein Herz geschlossen. Es erstaunt mich aber selbst, an was ich gerade denke: an den jungen Mann, mit dem Zara so lachend im Café gesessen hat und den ich kaum beachtete, nicht wußte, ob ich ihn wiedererkannte, ob er mir fremd war. Aber eins sehe ich vor mir, am Handgelenk die protzige Armbanduhr, ein schweinsordinäres Ding, aber eben auch teuer, ein Geschenk von Zara, ein Brandzeichen gewissermaßen auf ihrer Trophäe und der Kaufpreis des Jungen. Wissen Sie, was ich mich jetzt frage? Ob Leo etwa auch einmal ausgesehen hat wie dieser Bursche, den ich mir nicht merken konnte in seiner schlichten Frische, und ob dieser, der Neuling, irgendwann, wenn Zara ihn entließe, ein Gesicht, so lasziv, müde, bezwingend wie das von Leo besäße. Sie neigen den Kopf. Ich bin nicht sicher, wie ich das verstehen soll. Zu spekulativ?

Aber noch ein letztes Wort zu Kaprun, Kapruuun. Zum Klagen und Sterben über viele Tage der in Not geratenen Ratten, um die sich niemand kümmerte, als das Wasser beschaulich stieg. Ob es jetzt zu einer Annäherung kommt zwischen den Ingenieuren und den Nagetieren? Ich meine das so, auch wenn ich nur die Nachricht gelesen habe: Man hat doch neulich menschliches Sperma, den Samen eines regelrechten, zur Befruchtung von Frauen fähigen Mannes (Ingenieur?) in eine Ratte eingemischt oder -gemogelt, vermengt und verrührt mit dem Rattenei. Ob der Große Pan daraufhin wieder aufersteht, lieber noch, als wenn uns die Innereien von Schweinen implantiert werden, und sich den haarigen Bauch hält, so daß das trauernde, entleerte Universum bebt und belebt erzittert von seinem allgütigen, allhöhnischen, silberzüngigen Meckern?

Gut also, ich komme zur Sache. Sonntagabend rief mich Sophie aus ihrer Wohnung an. Offenbar saß sie in der Badewanne, vielleicht im blauen Fußballplatzflutlicht. Ich hörte ab und zu muntere Arbeitsgeräusche zwischen ihrer Sitzfläche und dem Wannenboden. Die Stimme klang diszipliniert beschickert, das konnte ausschließlich von ihrer Seligkeit herrühren. In Intervallen atmete sie sehr tief, trinkend und rauchend oder eben einfach vor Glück nur, glücksmitteilsam glucksend. Dagegen ist nichts zu sagen. Unangenehm allerdings: Man wird gezwungen, die Gefühlsregungen gefügig mit abzuschreiten durch die Pausen, das Lufteinsaugen und -ausschnaufen. Und man soll es auch, durch den Hörer soll es hindurchgepreßt werden, damit es dem anderen noch besser geht, damit er quasi die ganze Welt einnimmt in seiner Wonne. Na gut! Was sie wollte? Eine Einladung aussprechen, eine siegreiche, gloriose Angelegenheit. Es war ihr gelungen, in dem dank ihrer Geschicklichkeit (»der geringen«) eingerichteten (»notdürftig«) Haus Leo, Zara (verbindliche Zusagen!), sich selbst und, wie sie hoffe, mich, demnächst zu versammeln, versöhnlich, olympisch. So standen die Dinge damals, nur freilich, sie und Leo würde ein anderes Band als das der Freundschaft einen. Es ging mir so sehr auf die Nerven, daß ich die Sprechmuschel zuhielt und ein paar Flüche sagte. Sie rumorte vor Glück. Von Leo sprach sie wie von einem, den man sich in Ehrfurcht und in toto unter den Nagel gerissen hat. Was ging mich das Ganze noch an? Ich hatte Angst vor der Antwort »nichts« und sagte eilfertig zu.

Dann stand ich im Dunkeln am Fenster und sah auf die Straße. Wie jeden Sonntagabend hatten die Anwohner ihre Zeitungsbündel an die Bäume gelegt zum Abholen am Montagmorgen. Und wie jedesmal sah ich pünktlich um 22 Uhr einen Mann auf einsamer Pirsch heranschnüren, der sich zu allen Packen bückte, oft nur sehr flüchtig, gelegentlich aber in die Hocke ging und im Laternenlicht den Stapel gründlich studierte. In den seltenen Fällen, wo er fündig wurde, machte er in seinen Turnschuhen einen kleinen, federnden, aber auch geschäftsmäßigen Bockssprung, verstaute die erwählte Zeitschrift in seinem Schulterbeutel und schob geschwind davon, ohne aber je aus Übermut den nächsten Packen ungeprüft zu lassen. Kontrolleur der vom Vorbesitzer gelösten Kreuzworträtsel? Maler auf der Suche nach geeigneten Fotovorlagen? Verehrer top-eleganter Glamour-Paare?

Es versteht sich ja von selbst. Ich wählte die klassische Route ins Alte Land, fuhr von Teufelsbrück aus mit der Fähre nach Finkenwerder und von dort mit dem Bus weiter. Die Strecke war lang genug, um mir die früheren Touren hierher ins Gedächtnis zu rufen und vor allen Dingen, um mir mein damaliges Herzklopfen – – noch mal aus dem Hut zu zaubern? Lustig, es kam mir jetzt so vor, als wäre es damals jedesmal so laut gewesen, daß es von Ufer zu Ufer hörbar gewesen sein muß. Von der Umgebung sah ich überhaupt nichts, ich erinnerte mich nur und lauschte außerdem nach innen. Pochte da was? Was glauben Sie?

Warum lud mich Sophie ein? Als Zuschauerin und vielleicht sogar Bestrafte ihres Triumphes, ihrer Siegeskraft durch Ausdauer in Liebesdingen? Oder benötigte sie mich tatsächlich für ihr Gefühl? Liebte sie genußreicher, wenn ich hinsah, wenn meine alte Liebe zu Leo sich mit ihrer vereinigte? Was sollte mich herlocken? Zara? Ich will Ihnen etwas verraten: Plötzlich wußte ich genau, weshalb ich ohne langes Zögern instinktiv zugesagt hatte. Ich fühlte nichts, war aber sehr neugierig, was ich fühlen würde bei Ansicht der Villa und der Personen. Ich begriff das, als das erste der weißen Häuser, das wohlbekannte, auftauchte. Wie sahen dessen Bewohner eigentlich aus? Aber nun, schlagartig, mit dem einsetzenden Hämmern und Sticheln erschienen sie, es hatte nicht viel mit meinem Kopf zu tun. Ich lief schnell am Domizil der süffisanten Zara vorüber. Vielleicht war sie noch drin, vielleicht schon bei Sophie. Es prickelte und verschob sich in mir. Welch unerwartetes Glück nun auch für mich: Mein Herz schlug wahrhaftig wild drauflos aus Stimmungsgründen, das alte, liebe Gefühl! Und was würde ich nicht erst gleich alles empfinden! Zerspränge womöglich vor Kummer oder Eifersucht? Um mich zu beruhigen, auch, um ein bißchen noch die Spannung zu steigern, rannte ich zuerst auch an dem Bolz-Haus vorbei. Ob sie da alle drinnen saßen, Zara eventuell mit ihrer Neuerwerbung? Das wäre allerdings Sophies glänzendste Leistung und Zeichen der vollkommensten Erringung Leos. Ich beschloß, ihn zu verachten, wenn er Sophies wegen seine betörende, flüsternde Kühle aufgegeben hätte, und traute mich einfach, egal, was ich mir einredete, noch immer nicht unter die Wölfe. Vielleicht sprachen sie über mich.

Sophie, die den Ort unseres ersten Zusammentreffens erkoren hatte für die Demonstration ihres geduldig erstrittenen Königinnentums, entpuppte sich, von einer à la meunière zu einer à la surprise!

Ich konsumierte jetzt fix ein Kaugummi. Es beruhigt beim Fliegen, warum nicht auch hier. Man meint, man wäre ein Rind beim Grasen oder Wiederkäuen, so samtig-felsenhaft groß, abgeklärt, ja derart, als Kuh, würde ich den Eintritt mit meinen unberechenbar hingeduckten Gefühlen wohl schaffen.

Wie willkommen heißend die Tür schon geöffnet war, wie warm und aromatisch die Luft! Warf Sophie nicht gelegentlich Rosenblätter über Gäste? Noch blieb es aber still, sehr fern nur ein Murmeln. Schon stand ich in einem Zimmer, zwei Stühle, ein Bastkorb mit Deckel, darauf ein Strauß gelber Rosen, noch zusammengebunden, ein runder Tisch auf blankem Holzboden. Wie sonderbar! Die verwaschen rosafarbene Decke hatte man an vier Ecken geknotet, so wie manchmal Leute in der Hitze Taschentücher auf ihrem Kopf zu einer provisorischen Kappe umformen. Aber bei einem Tisch? Darauf ein weißes Kännchen und zwei Becherchen, ein Teller mit offenbar harten Birnen, eine Zigarrenkiste, glaube ich, und ein Schrankaufsatz, nicht groß, aber mit einer Reihe von Schubladen, das weiß ich noch, eine etwas herausgezogen. Ein Kerzenhalter ragte daraus. Von der Dekke ein Kronleuchter. Eine weiße Flügeltür stand halb offen, und ich sah die Seitenpartie eines Bettes, ein Stück des helllila Bettzeugs. Auf dem zweiten Stuhl Dessertteller gestapelt mit Messern. Ach, dachte ich, wirklich, ich dachte nur: Ach!

Anstandshalber hätte ich mich jetzt bemerkbar machen müssen. Das war nicht schwierig auf den alten Holzbohlen. Man erzeugte ja schon Krach, ohne es zu beabsichtigen. Ich aber nicht. Keine Ahnung, warum ich meine Ankunft verheimlichte. Es mag häßlich sein, das Spionieren, nur dachte ich mir, das müssen Sie mir nun sofort glauben, nichts dabei. Ich wollte niemanden bei irgendwas ertappen, so was erspare ich mir lieber. Es war eher so, daß ich mich einer hier vorherrschenden Stille taktvoll fügte. Ich hörte wieder das Murmeln, dann keinen Laut, und nur wenn leise gesprochen wurde, tat ich einen Schritt. Gut, wenn das eine Schuld sein sollte, bin ich nicht schuldlos an dem, was sich in den nächsten Minuten abspielte.

Ich beteuere noch mal: Ich wollte nicht der Elefant im Porzellanladen sein. Schließlich erwartete man mich, und ich konnte damit rechnen, in nicht allzu Vertrauliches einzubrechen, zumal bei einer offenen Haustür. Ich roch Leos Zigarette, war inzwischen bei der halb geschlossenen Doppeltür. In diesem Raum gab es nichts weiter als das altertümliche Holzbett. Aber ich sah sehr gut durch eine neue Tür in das folgende Zimmer und dort Leo in sehr seltsamer Haltung! Er stand in diesem mattweißen Raum, in dessen mir gezeigten Ausschnitt ein zweites, offenbar bequemeres Bett ragte mit aufgeschlagener, kükengelber Decke. Ein Ton, der exquisit zum Elfenbein der Wände paßte, das fiel mir gleich auf, und auch zum Goldton des Fußbodens, sogar zu einem Kistchen aus Holz, auf dem man Zeitschriften, Bücher und einen Aschenbecher deponiert hatte, neben einer Flasche Wein: Leo, mit dem Rücken zu mir an die Wand gelehnt, seine Stirn mußte die Tapete berühren, die Hände – sie hatten erst kürzlich Zara gewürgt – waren seitlich bei gespreizten Fingern dagegengestemmt, eine hielt die Zigarette. Wäre die nicht gewesen, hätte man denken können, jemand hätte ihn zu dieser Position gezwungen, wie es ja auch die Polizei mit Verbrechern macht, wenn sie die Gangster nach Waffen durchsucht. Leo aber lachte, er lachte leise und anscheinend ungläubig, verwundert und auch – ich kannte diesen Ton – eitel, gehätschelt. Es ging ihm also gut! Gesprochen wurde nicht. Der Rücken Leos rief mir zu: Komm, komm! Fast hätte ich nachgegeben. Komm her, Komm doch her! rief mir sanft der im Pullover grau geflammte Rücken zu, dessen Muskelstränge ich gestreichelt hatte und den die Aura des aufreizend Melancholischen, das Unnahbare des Verlierers unerträglich machte. Noch immer lockten die stehengebliebenen Umrisse dessen, auf den ich einmal alle meine Hoffnungen gesetzt hatte. Vor Sehnsucht stemmte ich mich gegen den Türrahmen. Mein Herz klopfte jetzt nicht beschleunigt, es schmerzte aber beträchtlich, und was für ein Gewicht!

Keine Sekunde bezweifelte ich, daß Leos Haltung nichts mit mir zu tun hatte. Sophie war es, die in dem goldbraunen, hochlehnigen Velourssessel, den ich nur teilweise sah, sein Gegenüber bildete. Ich vermutete sogleich: Leo flüchtete sich ins Melodramatische, um sie von vornherein vorbeugend karikierend ein wenig zu verspotten. Denn ihre Stummheit hatte in der Tat etwas – – Gewisses. Und das Schlimmste war dann aber noch ihre Beinhaltung, die der Chinesin nämlich! Gut, nicht ganz so aufdringlich, aber doch ein Hosenbein über die Seitenlehne gehängt, ich ahnte es nur von meiner Türöffnung her, aber die Grätschwinkel schienen einander zu entsprechen. In langen Hosen konnte das ja salopp wirken, aber Leo würde keineswegs der Nachahmungswille entgehen. Das war das peinlich Provozierende. Da drehte er sich lieber, wenn auch vielleicht innerlich mit dem Rücken zur Wand stehend, mit dem Gesicht zur Tapete.

»Ich habe es wohl früher bemerkt als du«, kam es plötzlich mit bekanntem Beben aus der Tiefe des Sessels, »es gibt untrügliche Zeichen.« Ach ja, sie hatten sich ja geküßt, daher das Duzen! Nein, vertraut war Sophies Ton mir doch nicht, nicht diese dunkel kehligen, auch gurrenden Laute, fauchend und schnurrend aus der Magengrube aufsteigend. Leo lachte nervös mit einem schülerhaft vorpubertär hellen, sich kurz überschlagenden, aus der Rolle fallenden Geräusch. Um sich nicht umdrehen zu müssen, schnipste er die Asche auf den Boden.

Wieder leidenschaftliche Stille. Heiliger Himmel! Mir kam auf einmal der Verdacht, irgendwo auf der anderen Seite stände Zara und würde so wie ich hier die Szene beäugen, und wir beide hielten, aus Verlegenheit und Scham über unser Belauschen und doch unfähig, uns zu entfernen, die Faust gegen die Lippen gepreßt, um nicht rauszuplatzen.

Was mich dabei fast hysterisch aufgedreht werden ließ? Ich hatte überhaupt keinen Grund, mich über Sophie lustig zu machen! Aus Leos Sicht war zwischen ihr und mir möglicherweise kein großer Unterschied. Er fühlte sich angehimmelt. Das gefiel ihm, das nahm er gern mit. Ich will es so sagen: Ich verstand alle beide. Sophie, in der sich allzuviel Gefühl über Monate hin aufgestaut hatte und die nun, nach gefährlichen kleinen Ermutigungen von Leo, eine nicht mehr zu stoppende, erschauernd Bereite geworden war, und Leo, den gerade das abstoßen mußte.

»Die untrüglichen Zeichen der Liebe«, sagte Sophie, die degradierte Buchhändlerin, schon wieder. Sie hatte sich erhoben. Jetzt sah ich sie vollständig, in weiter Hose und Jacke dazu, so elfenbeinfarben wie die Wände, und: Donnerwetter! dachte ich. Wie das alles harmonierte!

»Es sang vor langen Jahren
Wohl auch die Nachtigall,
Das war wohl süßer Schall,
Da wir zusammen waren.«

In der Art einer rezitierenden Somnambulen hatte sie die Arme nach Leo, der den Kopf hob, ausgestreckt und näherte sich ihm in selbsterzeugter Betäubung. Leo drehte sich noch immer nicht um. Er war kaum mein Feinsliebchen gewesen, ihres aber ganz und gar nicht. Ob sie ihm jetzt neckisch von hinten die Augen zuhalten würde? Wieder kam ich nicht los von der Vorstellung, Zara äuge aus ihrer Ecke genauso gebannt wie ich. Und nun wunderte ich mich, denn Sophie sah einige Male sowohl in meine Richtung, wie auch in eine andere, dorthin, wo ich erst jetzt eine beinahe geschlossene Tür entdeckte. Dabei schritt sie trotzdem schlafwandlerisch getrieben gegen Leo weiter. Ihre Lippen waren ganz eingezogen vor Trockenheit. Sah sie zu den Türen aus Angst, wir könnten eingetroffen sein, oder hoffte sie uns dort als Beisitzerinnen ihrer Inszenierung zu erspähen? Als Souffleusen?

Leo hatte auf die Gedichtstrophe flüsternd geantwortet: »Mein unter Umständen unvernünftiges Bedürfnis ist, eine Gestalt vollkommen zu berühren, ohne daß sie sich vom Platz bewegt.« Sophie überhörte die Warnung. Sie ging mit ausgestreckten, weißumhüllten Armen auf ihn zu, und aus diesem großzügig konstruierten Körper brach es fürchterlich und kompotthaft heraus: »Liebster, Geliebtester«. Wie wenig sie Leos Abscheu vor Eindeutigkeit, besser: Endlichkeit kannte! Leo wich zurück, mußte sich gar nicht umwenden, spürte sie, ging einen Schritt beiseite und sagte beiläufig zu der sich nur noch mit größter Mühe Beherrschenden: »Es muß doch möglich sein, nur die oberste Spange zu öffnen und nicht gleich das ganze Korsett!« Sie verstand nicht gleich, wankte vielmehr noch einen Schritt hinter ihm her, wieder der hilflose? lauernde? trauzeugenheischende? Blick zu den beiden Türen. Aber Leo, jetzt nicht mehr leise oder stammelnd, keine Tändeleien mehr, sagte träge gedehnt und dabei unumwunden scharf: »Nein!«

Er sah sie an, diese Bosheit seiner schräghängenden Lider, dieses höfliche Geringschätzen ihrer Aufregung, diese verbindliche Kälte angesichts ihrer Begriffsstutzigkeit. Es wurde nicht mehr gelächelt. Leo war noch blasser als sonst und verärgert. So eine Schererei, nicht wahr? Wie hatte ich eben noch sein langes, schwarzes, etwas stenzhaftes Nakkenhaar verehrt und jetzt das schläfrige, gereizte Gesicht! Aber ich war in Sicherheit, nicht involviert. Ich hatte es ja tatsächlich olympisch.

»Gut!« sagte die Entbrannte und Zurückgewiesene mit der dunkelsten Stimme, die ich je von ihr gehört hatte, »Guuut«. Es war der klagende Rinderschrei, der »Kaprun« rief und drohte, ein lang gezogenes »Muuuh« als Ausdruck ihres Jammers und doch ein knallendes »t« am Ende. Nein, ihr »Gut!« verklang nicht weich und resigniert, es endete mit einem leisen, deutlichen Peitschenhieb. Das Wehklagen war nicht sehr entfernt von einem rechthaberischen Schluß-seufzer.

Sie drehte sich einmal um die eigene Achse. Ihre Teich-augen waren gelb geworden, das Gesicht geschwollen, die Augenpunkte brennend. Da wußte ich es wieder: der durch-bohrende Blick des Vogelmenschen aus Zaras Kabinett. Auch ihr fiel ein Schatten von den Jochbeinen in die Augen-öffnungen, der sie pupillenlos machte, der Seelenfleck auf-gelöst und abgesoffen in der Iris, eins mit der aggressiven Glut, die der heitere, sommerlich flatternde Hosenanzug nicht verharmlosen konnte. Auch das Keulenartige, Ge-schoßähnliche des damaligen Wesens hatte Sophie ver-formt. Der Körper gedrungen, vierschrötig und zielbewußt. Wäre eine Waffe erreichbar, würde sie ihn umbringen, dachte ich und konnte meinen Blick nicht von ihr wenden.

Jedoch: Sie hatte eine.

Hatte eine Pistole also für alle Fälle bereitgehalten in ih-rer Jackentasche und jetzt in ihrer Hand, war in einen Spreizschritt verfallen, durch die weite Hose – ein prophy-laktischer Kampfanzug, fuhr mir noch mit krampfhaftem Kichern durchs Gehirn – bequem möglich. Leo sah es nicht sofort. Er hatte sich zum Aschenbecher niedergebeugt, um seine Zigarette loszuwerden, dämpfte sie aufwendig aus, man merkte, er verspürte nicht die kleinste Lust, den Kopf zu heben. Auch an der anderen Tür blieb es mäuschenstill. Wenn Sophie nicht von vornherein am Telefon gelogen hat-te, mußte Zara ja längst hier irgendwo aufgetaucht sein. Ob es einen Geheimgang zwischen den Zwillingshäusern gab? Und noch einmal kam mir der Verdacht, sie, Sophie, schiele zu beiden Türspalten und vermutlichen Beobachterposten. Es war fast ein – halten Sie das für wahrscheinlich? – beifall-heischender Blick. Nichts rührte sich, nur Leo machte an seiner Zigarette rum. Oder hatte er Sophies gefährliches Werkzeug (oder lächerliches Spielzeug) längst entdeckt und wollte ihren Tragödinnenfuror, dieses Siedende und Hals-überkopfsein kavalierhaft lähmen, erlahmen lassen?

Er sah schon zu ihr hin, als sein Kopf noch gesenkt war,

ein unwillkürlich verführerischer Augenaufschlag von unten hoch, den sie zweifellos registrierte, auch sein Stutzen – konnte vorgetäuscht sein –, ein winziges Erschrecken, ein professionelles Grinsen: Begab sich Sophie auf das Gebiet des Kriminellen, auf seins also? Wie falsch sie schon dastand! Er hob bereitwillig, ja artig beide Hände hoch, jetzt exakt die Haltung vom Anfang, nur diesmal zum Gegner hin gewendet. Was hätte ich denken müssen oder gar tun? Ich wünschte, sonst nichts. Dieser Wunsch hieß: Entdeckt mich nicht ausgerechnet jetzt! Leo führte der armen, ungestüm in Liebe wallenden Sophie noch einmal den wohlgeratenen, atmenden, lockenden (Komm, komm schon her!) Oberkörper vor, den sich ihr versagenden, unerreichbaren und das bleiche, desinteressierte Gesicht. »Kleinwaffen! Töten mehr Menschen als Panzer und Bombenflugzeuge. Bis zu 300 000 pro Jahr. Mit Kleinwaffen werden die meisten Kriege geführt«, informierte er flüsternd, griff sich kokett fragend ans Muttermalohrläppchen. Dann zuckte die Gestalt auf, schlug sich wie in Reue gegen die Brust, fuhr einmal im Kreis herum wie eben noch Sophie. Ich glaube, ich hörte den Knall erst danach, einen zweiten, einen dritten. Er krachte zu Boden, ächzte einmal schmerzlich, bäumte sich auf, war stumm. Es blieb stumm, falls wir Frauen zu dritt waren: Keine schrie auf.

Ich griff nicht ein. Das darf Sie nicht entsetzen. Es ging ja so schnell. Nur in der Erinnerung sind die Bilder einzeln, einzelne Signalzeichen. Aber ich weiß es nicht. Es geschah hier etwas, von dem ein Abirren unmöglich war. Ich hatte auch keine Angst um mich selbst. Ich konnte nur stillstehen, obwohl ich wußte, was gleich als nächstes passieren würde. Als Leo stürzte, klirrte es. Er mußte mit dem Gesicht auf die Flasche gefallen sein, es gab blutige Scherben eines Weinglases neben seinem Kopf. Ich fühlte nichts, wirklich, ich – es war ein Blitz niedergefahren, und mir war nur klar, ich, ich, Maria Fraulob, hatte es gottlob nicht getan, war es nicht gewesen, hatte Leo nicht zur Strecke gebracht. Mir kam es so vor, als würde ich aber plötzlich schreien, rüber,

zur anderen Tür: Zara, Sie waren es doch, die mich aufgestachelt hat, Leo zu lieben! Und es donnerte von dort zurück: Und Sie, Maria, haben Sophie die Schmutzarbeit überlassen!

Nicht schlimm, nicht so schlimm! hörte ich auch. Sagte
ich das zu Leo oder der tote Leo zu mir?

Sophie stand im Zimmer. Sie betrachtete nicht Leo, sie
sah die Pistole an. Dann rief sie: »Das war wohl süßer
Schall«. Wimmerte es noch einmal: »Das war wohl süßer
Schall«. Hatte sie uns jetzt vergessen? Ich sah ja, Leo war tot.
Man begreift einen Mord aber nicht so schnell, wie Sie sicher denken. Bestimmt tot, aber es wurde in mir nicht richtig weitergegeben. Lücke, Atemanhalten, leerer Intervall.
Ruhig erinnerte ich mich, wie Sophie damals das Haus um-
schlichen hatte. Es letzten Endes für dieses Schlußtableau
auswählte? Fast gemächlich überlegte ich das.

Sie sah nicht mehr nach rechts oder links. Murmelte: »Da
wir ...« Die Zeile schien ihr zu entfallen. Nein, sie hatte nur
die Pistole in den Mund gesteckt – ich sah es nicht von vorn –
und drückte ab.

Wissen Sie noch, wie ich gesagt habe, mir sei in dem Moment, unmittelbar nachdem Zara auf dem Fest die Glocke
über den vier weißen Tauben hochhob, etwas eingefallen,
etwas Versunkenes, d. h. beinahe eingefallen, eine wichtige
Erklärung in Form eines Gegenstandes oder Satzes, ich weiß
nicht, so war es jetzt wieder, im letzten Augenblick aber zog
es sich zurück. Auch jetzt drang ich nicht dazu vor.

Wieviel Blut auf einmal überall auf diesen wohlüberleg-
ten Elfenbein- und Goldtönen! Ich hörte kein Stöhnen oder
Röcheln, ich erkannte nur zwei rote Lachen auf dem Boden
und viele, vielfache Spritzer an der Wand und auf Sophies
sambucoweißem Anzug. Wie hatte sie das alles nur geplant! Sagte ich das womöglich laut und anerkennend? Das
wäre schrecklich, nicht wahr? Welche Ruhe! Die beiden Personen, die gestanden und gesessen hatten, lagen jetzt beide.
Ich beobachtete aber die Körper extra nur verschleiert, um
mir die Anblicke nicht für immer einzuprägen. Ich stand

still und überrascht. Vom Leben zum Tod, vom Weiß zum Rot, biß mir selbst ohne Vorsatz die Lippen blutig.

Ich rührte nichts an, ich rührte mich selbst nicht von der Stelle. Ich kannte das Bild mit dem vielen Blut zweier Personen von früher her.

Wie geschwinde das vor sich ging, dieser Farbwechsel, das Sprenkeln. Von einem Aufblicken zum nächsten wurde jemand glutrot, oder eine Speise spritzte, von einem Kopfsenken zum Kopfheben, über eine Bluse, eine weiße Serviette, ein Tischtuch. Das Katastrophale zeigte sich lapidar. Jetzt, aber mit ähnlichem Bild, wohl ein Ernstfall?

»Mit Blut übergossen«. Das hatte vor einiger Zeit jemand beanstandet, diesen scheußlichen Ausdruck für das Erröten. Schwer, sich hier, im Schneeweiß überall, sogar auf den Fußwegen und Straßen, so viel Rot vorzustellen. Die beiden Körper hatten es verschleudert und waren noch immer dabei, sich zu entäußern. Man konnte nur zweierlei. Entweder sich hinknien und es auf die eigene Haut streichen oder ohne Laut und Bewegung tapfer Wache halten, während es tropfte und sickerte. Das Knistern kam sicher woandersher. Manchmal knistert Schneien so.

Ich hörte dann ein feines Pochen gegen Glas, sehr nah, stärker, ein Trommeln auf Holz, sah schließlich, daß es mit mir zu tun hatte, konnte aber nichts machen, verstehen Sie, ich selbst war das Glas, Holz, aber wie sollte ich eingreifen? Es schürfte an mir, es rüttelte. Erst als ich in die Arme genommen wurde, taute ich auf, wurde schmiegsam wie ein junger Affe und klammerte mich auch so an. Zara tröstete mich, mein Schlafbedürfnis wurde sofort ungeheuer und der Hunger auf Zucker. Ich stand bei dem teuren Toten und all dem Blut und wünschte mir so sehr Zucker. Zara weinte und trocknete mir die Tränen ab. Sie duftete wie meine Mutter früher und machte keine Vorwürfe. Sie gab mir auch etwas zu essen, einen Würfelzucker oder ein Bonbon oder eine Tablette. Ich ließ es mir in den Mund schieben.

Zwei Dinge habe ich nie begriffen: War Zara, die Besitzerin der Villa, Augenzeugin des Vorfalls oder ist sie später dazugekommen? Hatte sie an der zweiten Tür alles verfolgt? Ihrer Behauptung vor der Polizei nach ist sie aber erst später aufgetaucht und fand mich in meiner Schicksals-, ich meine Schockstarre, die erst durch eine Spritze, wie ich erfuhr, nicht durch Zaras Umarmung, gelöst werden konnte. Sie war es, die sich um Arzt und die gelb-olivgrüne Polizei kümmerte (Welche Wonne für die alte Frau Engelwurz!), die mich beschützte. Und was ich auch nicht einsehe: Was wollte Sophie von uns mit ihrer Einladung? Denn die hatte sie, Zara bestätigte es, auch an sie, Zara, ausgesprochen. Die Pistole lag ja von vornherein in Sophies Jackentasche bereit, für die angekündigte Friedensfeier war nichts vorbereitet. Wenn sie uns aber als Publikum eingeladen hatte zur geheimen Anfeuerung ihrer Entschlußkraft durch unsere Gegenwart: Wie sollte sie wissen, daß wir ihre Tat nicht verhindern würden? Nur prahlerisches Ausreizen bis zum Vorletzten oder, erst jetzt kommt mir der Gedanke, in dieser Sekunde: Hatte sie uns alle mitnehmen wollen ins Reich der Toten, und nur ein Defekt in der Zeitplanung hat unterbunden – – Wie einleuchtend plötzlich! Proserpinas Gespielen sollten wir werden, allesamt!

Mein seltsames Verhalten wurde, unter der Obhut und Aufsicht der allmächtigen Zara, mit einem Schock begründet, der offensichtlich war, medizinisch betrachtet, und zusätzlich mit der für mich besonders furchtbaren, ja traumatischen Wiederholung des Blutbades, das ich bei einem Verkehrsunfall an Mann und Kind erlebt hatte. Private Verwicklungen behandelte man denkbar diskret. Verdächtigt, am Mord beteiligt zu sein, wurde ich keinen Augenblick. So jedenfalls stellt es sich mir von heute aus dar. Ich war damals oft nicht sehr wach. Beispielsweise kann ich nicht sagen, wie die Beerdigung Sophies vonstatten ging. Erst viel später besuchte ich ihr Grab. Man sagte mir aber, sie habe überraschenderweise eine große Familie gehabt, die sehr bewegt Anteil nahm an ihrem Ende.

Als Leo beigesetzt wurde, bin ich ausgerissen. Fest entschlossen durchzuhalten, war ich gekommen mit vielen weißen Freesien. Auf dem Weg zum Friedhof hatte ich immer wieder daran gerochen und mein Gesicht in die Blütendolde des Straußes gesteckt. Ich fühlte nicht viel, eigentlich stand ich nur gefaßt um einen Hohlraum herum. Als ich die ersten Trauergäste sah, empfand ich aber auf der Stelle eine Art Feindschaft zu ihnen. Ich kannte viele wieder. Nicht nur Zara mit ihrem Belami (wahrhaftig!) und der kleinen Räuberin, dem schwarzen Schaf, dem sie ja auch aus der Patsche geholfen hatte. Nur durfte die Kleine, anders als ich, in ihrer Nähe bleiben. Sie werden noch hören, wie ich das meine.

Nein, sie alle waren gekommen, die ganze Sommerfestgesellschaft, vermutlich aus Respekt vor Zara, die ihren Tröster unbekümmert zur Schau stellte. Der grauhaarige Kritiker ja, die lange Frau aus Südamerika natürlich nicht, auch Tetzelmann nicht, der saß, aber Ehepaar Bolz und Ehepaar Heinrich, Ebelsohrs, sogar mit Töchtern und Sohn, nur der Hund fehlte, die rothaarige Doktorandin und die Fotografin Trud Tünn (mit Kamera!), der Mathematiker und der Hochbegabte, Frau Engelwurz (sicher ganz aus dem Häuschen) mit lediger und verheirateter Tochter, das Landmädchen, die anläßlich des Trauerfalls doppelt und mitfühlend möhrennasige, unbegründet hochgestochene Frau Hage. Es sollte nur der engste Kreis sein, man wünschte keine Öffentlichkeit, aber es gab darüber hinaus auch fremde Gesichter, ich nahm nur die bekannten wahr, die wankenden, erstarrenden, sich verflüssigenden Gestalten jenes Juniabends, ich hörte das Gläserläuten und die fragwürdige Gelächtermelodie. Wie der Garten duftete! Der Holunder draußen und Sophies Rosen drinnen. Ich war in Leos Arme gefallen. Sie alle aber jetzt in Schwarz getaucht. Die Bunten von damals gepackt und schwarz gemacht. Zum Zeichen, daß sie es aber doch waren: die Gesichter über den schwarzen Stäben. Alles auf Verabredung. Rabenschwarz, und keiner wunderte sich über die Wandlung. Eine starke, gemeinschaftliche Gruppe, durch das Band des Schwarzes eine starke Macht, Übermacht sich kurzfristig uniformiert totstellender Quicklebendiger.

Mir graute. Mir graute in Maßen. Übrigens gehörte ich ja dazu. Ich versteckte mich. Später, als kein Mensch mehr zwischen den Wegen ging, legte ich den Strauß hin. Vielgestaltige, schöne Blüten. Ich sagte alle ihre Namen auf, es ging nicht anders. Zaras Geschäftsfreunde hatten gewaltige Angebinde für den toten Liebhaber springen lassen. Eine Huldigung an Zara. Ich stand davor und widmete alle Blumen still auf Leo um, den Fremden da unten. Und doch war mein Herz so schwer niedersackend von einem Gefühl unversehens, aus unheiterem Himmel.

Es wird Sie nicht wundern, daß ich klugerweise wieder eine Weile krank war. Auf einen Schlag, wirklich, wie auf Zauberschlag erschienen die Bekannten, die großzügig nachsichtigen, mit mir befreundeten Fremden. Ich hatte sie so lange vergessen, hatte auch nun, als sie mich besuchten und für mich sorgten, mich wiegten und sanft auffingen, keinen Tastsinn für sie. Meine Finger waren erfroren und verbrannt. Ich streckte durchaus den Kopf aus den Federn, wenn wieder ein vertrautes Gesicht erschien. Die Guten! Vielleicht wäre ich ohne sie zugrunde gegangen, aber sie – nein, ich will nichts Undankbares sagen. Sie retteten mir das Leben. Sie kochten mir Pfefferminztee und Punsch, wie diesen hier. Und während ich trank, bereute ich irgendwas. Sie besorgten Medikamente, und ich liebte, die Tropfen gehorsam schluckend, jemanden, weit weg von ihnen und mir. Sie umarmten mich, damit ich nicht den Kontakt zu den Lebenden verlöre. Es wurde mir fast zu viel. Sie retteten mich. Die Frage, die ich mir allerdings unter dem Oberbett stellte, lautete: Ist das erheblich?

Manchmal flüsterte ich, gar nicht ungeschickt, in Nachahmung seiner stockenden Artikulation, gekonnt nach Atem ringend, einen Satz von Leo. Und wissen Sie, welchen? Sie kommen nicht drauf!: »Mein unter Umständen unvernünftiges Bedürfnis ist, eine Gestalt vollkommen zu berühren, ohne daß sie sich vom Platz bewegt.« Unter meiner Bettdecke, wenn mein Besuch eben das Zimmer verlassen hatte, murmelte ich ihn vor mich hin, hundertmal, und auch den anderen, den Zwillingssatz: »Es muß doch möglich sein, nur die oberste Spange zu öffnen und nicht gleich das ganze Korsett.« Aber es war so schwer, so schwer!

Dann wieder haßte ich sie alle auf den Tod, auch weil sie im Süden Hunde qualvoll erhängten und im Norden wehrlos wilden Vögeln ihre feuchten Brut- und schilfigen Raststätten, ihre letzten, angestammten Rückzugsgebiete herzlich lachend oder heuchlerisch lamentierend wegpflasterten. Ein herausgefischtes Unglück, ich will sagen: Ich fischte es mir zu meinem Unglück heraus, muß aber mittendrin immer regelwidrig eingeschlafen sein. Womöglich aus Vergeßlichkeit lächelnd?

Interessant wird es ja erst, wenn die Wörter »Einsamkeit«, »Verlassenheit« ihren Schmelz verlieren und nichts als den nackten Zustand bezeichnen, so daß einem die Wörter gar nicht einfallen. Dann wieder schmunzelte ich sinnlos vor mich hin in die Kissen, weil es gut und heilend, insofern von hohem Sinn sein soll. Wie verwöhnt ich allerdings auch war! Ich konnte einfach krank sein, so vor mich hin. Sophie verdiente auf ihrer Grabstelle eine weiße, elegisch trauernde Marmorfigur! Vielleicht dampfte sie nachts als bleiche Rauchsäule aus der Gruft, sich selbst ein flüchtiges Monument, als harte, dingliche Identitätsgaranten die Danziger Bernsteinohrringe? Ob sie mit im Grab lagen? Sie hatte sich in einen fulminanten Abgang, der ihr den Kopf zerrissen hat, geflüchtet. Ich hingegen wollte das Endgültige noch nicht. Mich lenkten verschleierte Möglichkeiten ab. Ich spürte das Leben noch tolpatschig zwischen mir und dem Tod.

Spechts Sohn rief an. Ich stellte ihn mir sofort mit seinem Handy vor, ein Stückchen Speck kauend. Jetzt aber erst kommt mir der Gedanke, daß er bloß deshalb Speckstückchen aß, weil das Wort seinem Nachnamen glich und er damit ein einverleibbares Wahrzeichen gefunden hatte, ein Feldzeichen gewissermaßen. Nach dem Gespräch ging es mir viel besser, zwei Tage später war ich gesund.

Weil mich die Information entlastete? Ich glaube nicht. Es

war eher das Kuriose dieses Sprosses, der sich da was zusammenwürgte, weil er irgendwoher was von der Schießerei gehört hatte und einer Beziehung zu mir. Der mich beruhigen wollte, da ich mein Fett abgekriegt hatte? »Humm, humm«, machte er, »hier der Sohn von Herrn Specht. Es war nicht so gemeint.« Usw. Es lief auf eine Entschuldigung raus. Ich gewann den Eindruck, da er ganz auf seine Prunkerei verzichtete, er handelte auf Befehl, wenigstens nicht ganz aus eigenem Antrieb. Es klang wie angelesen, aber von jemandem, dem Lesen nicht leicht fiel. Das einzig Wichtige: Specht lebte tatsächlich vorsichtig bei entfernten Verwandten, noch etwas abgeschottet, für immer von mir ferngehalten und gut aufgehoben – ich fühlte mich kurzfristig dämonisch –, aber er dichtete schon wieder über Tiere und die furchtbaren Menschenmassen, ging viel spazieren. Ein anonymer Wohltäter kam diskret für ihn auf. Aha, wir ahnen, wer.

Es dauerte eine Weile, bis ich merkte, was mir fehlte. Manchmal dachte ich an Emailleinsekten, an Stengel von Diamantfrüchten auf transluzid emailliertem Fond, also in grünlichen Lüften schwebend die Flügel, Frauenköpfe in Gold gegossen, aus Alabaster geschnitten, auf Glas und Horn. Das, um mich abzulenken, wie ich glaubte, von meinem Schmerz um Leo und Sophie. Ich las in Botanikbüchern und solchen zur Goldschmiedekunst und stärkte mich an der schönen, schieferglänzenden Welt, der metallisch straffen, der Fachwörter, arbeitete auch, mittelmäßig, apathisch, aber es mußte ja sein.

Auf einer kurzen Bahnfahrt erst begriff ich. Und zwar, als ich auf die hochglänzenden, in die Zukunft strömenden Zwillingsschienen sah. Man muß den Kontrast zur Umgebung bedenken. Diese Landschaft ist nur möglich in der Winterhälften-Jahreszeit. Es darf weder die Vereinheitlichung durch Dunkelheit, noch die durch Schnee geben. Also ein sonniger, kalter Vormittag ist nötig, ein bißchen feucht dabei. So war es, als ich auf die braun-graue Welt sah, die in einen einzigen Farbton mit allen Gegenständen eingetauchte, veralgt wie ein Teichboden, hier aber vom

Rost: Schienen, Schotter, Bahndamm, Gestrüpp um den Gleiskörper herum, in den Äckern fortgesetzt, im Schlamm flacher Tümpel in den Vorhöfen der Bauernhäuser. Ich dachte nichts, aber es tat mir gut, dieses Generelle auf den unterschiedlichsten, eingesunkenen Dingen, den glatten, rauhen, gebogenen, gestreckten, krümeligen, weichen, scharfkantigen, filigranen und plumpen, dieser einheitliche, heikle Farbmantel über den unversöhnlichsten Oberflächen, dieser nirgendwo registrierte Ton, ein Niemandsland von Farbe, Bastardton, namenlos, Vorhöllenanstrich. Dann aber, schneidend mitten hindurch, stahlsilbern, aalglatt die Doppelschienen, manchmal verlorengegangen, manchmal von allen Seiten paarweise herbeischießend. Da also, beim blöden Draufstarren, spürte ich, was ich entbehrte, was mich geheilt hätte von Grund auf.

Sie meldete sich aber nicht, kümmerte sich nicht mehr um mich. Erst jetzt stellte sich heraus, daß ich jeden Tag auf eine Botschaft von Zara gewartet hatte, mich mit lauter Ausreden vor mir selbst in der Wohnung herumtrieb, um nichts zu verpassen. EEZ? Natürlich, die Ausnahme, da strich ich öfter durch die Flure, bis ich hörte, wie die Leute neuerdings dieses E-E-Zet aussprachen: EEESS. Ich kriege schon beim Aussprechen einen Widerwillen. Kein Wunder, Zara konnte man dort nicht mehr treffen. Im EEESS hätte sie auch ihren feuerroten Zickzacksturz nicht fertiggebracht, sie wäre auf einem Eis- oder Ketchupschmier ausgerutscht. Ab sofort ging ich nicht länger hin. EEESS. Es hinterließ nichts als eine ekelerregende Schleimspur. Ade!

Wie hätte ich nach ihr suchen sollen? Ins Alte Land traute ich mich nicht. Ich fürchtete, in der Nähe des Hauses erkannt zu werden, nach all dem, und weiß auch nicht, ob ich so plötzlich vor Zara stehen wollte. Aber doch: Zara sehen! Dann unter Umständen ihre Froschaugen, auf mich gerichtet, ertragen. Einmal, in der S-Bahn, vor der Station »Landungsbrücken« – gerade kam durch den Lautsprecher: »Nächste Station Übergang zur U-Bahn und zu den Hafenfähren« – sah ich sie! Noch kurz vorher hatte ich überlegt, ob wohl einer der Passagiere aus beruflichen Gründen regelmäßig Leichen aufschnitte und uns alle, so angezogen in Kleidern und Haut, mit insgeheim aufschneidenden Blicken taxierte. Sie ging, unverkennbar Zara, schlendernd im Mittelgang des Wagens 1. Klasse. Ich entdeckte sie durch das Fenster am Ende des Waggons. Sie trug den Bohnenschotenmantel, hatte aber den Kragen hochgeschlagen und muß es gewesen sein! Trotz des auffälligen Kleidungsstücks – schwarze Handschuhe akzentuierten wohldosiert den Trauerfall – entwischte sie mir, als die Bahn anhielt, im Gedränge, weil zwei gleich große Kinder mit den Gummimasken von Edvard Munchs »Der Schrei« vor den Gesichtern sich dazwischenschoben.

Ich griff schließlich zu dem unverfänglichen, für mich aber demütigenden Mittel, anzurufen mit dem Vorsatz, nach Meldung auf der anderen Seite sofort aufzulegen, versuchte es zu den verschiedensten Tageszeiten und erreichte doch niemanden. Fast war ich so weit, mich ein einziges Mal über die Elbe wegzutrauen, da wurde endlich doch im Alten Land der Hörer aufgenommen. Ich vermute, es war die früh verführte Putzfrau, die Großmutter der kleinen Räuberin. »Bei Zoern«, sagte sie mit grober Stimme, schrie es eigentlich, vielleicht gegen ihre Reinigungsmaschinen an, und auf meine Frage, ob ich Zara sprechen könne: »Wird in New York sein« oder: »Ist doch in Pichelstein«. Dann legte sie ohne weiteres Abwarten auf. Zara in New York oder Pichelstein?

Ob mich meine eigenen Ohren irreführten? Aber da, da ist es wieder: »Litzirüti«. Nein? Doch, da: »Zirüti«. Stellen Sie sich vor, man kriegte ein feineres und feineres Gehör, auch für die unentwegten Todesschreie der Tiere, bis hin zum allerkleinsten. Schließlich hörte man sie immerfort, im Chor, als Staffel, falls nicht am Horizont die jeweils lautesten verblaßten. Mit einem akustischen Mikroskop wäre es nicht anders. Das Herzpochen der Welt, wie dauerverliebt. Zu guter Letzt all die geheimen Erosionsgeräusche der Berge, das Schmelzen und Vereisen des Schnees, Fall der Flocken, auch das Atmen der tief verborgenen Tiere im Winterschlaf, das Seufzen in ihren Alpträumen. »Zirüti!«

Ich hatte also Zaras Spur verloren. Pichelstein oder New York! Ein Satz von ihr ging mir damals durch den Kopf, ich weiß nicht, ob sie ihn eventuell äußerte, als sie über ihren komischen Altar sprach:»Ich habe es gern, wenn sich etwas zum Guten oder Zerstörerischen hin rundet.« Zara, unverschämt und willensstark! Aber ich dachte auch an ihre Schuhe und Kleider, sie waren von ihr nicht zu trennen, ich meine, sie nicht von ihnen, wie das grollende Funkeln der bösen Augen nicht von Zara.

Eigenartig, in den Voralpengebieten nach Norden und Süden hin ist schon Frühling. Gleichzeitig zu unserem Schnee und Punsch sind dort schon richtige Frühlingsnächte. Den Botanischen Garten durchschwanken die krokusartigen diesjährigen Kleinkinder. Im EEZ spielt man nach der Parole»Frühlingszauber« in Plastikarrangements und Hyazinthenschwaden Flanieren. Frühlingsmondnächte, Amselabende, die zu Herzen gehende Abendluft, wo einem das Herz im Leibe zerspringt. Leberblümchenblaues Augenauf! im alten Laub. Geringfügiger Heimwehschauer nach einer Jahreszeit. Schon vorbei, schon gut!

Nur ich war Zara ja entronnen. Sie hatte den ermordeten Leo, Sophie, die Mörderin und Selbstmörderin, und Specht, halb durchgedreht, halb umgebracht von eigner Hand, auf dem Gewissen. Doch, auch Specht, denken Sie nur an die Intrige mit Leo und mir, die Specht beschleunigt unglücklich machte! Nur ich war nicht ihr Opfer geworden. Ich lebte und war frei. Aber sie fehlte mir, Fischmaul-Froschauge, Zetzet. Das Glänzende Zaras fehlte mir, fehlt mir. Sie lachen? Sie lachen ja regelrecht herzhaft vor sich hin oder mich sogar aus. So sehr amüsiere ich Sie?

Haben Sie gelesen, daß ein Ehepaar von hier, aus der Schweiz, Marilyn Monroes Goldsandaletten aus zwei Filmen für 63 000 Mark ersteigert hat, mit Schweißflecken drin, die dem Paar besonders heilig sind?

Nicht, daß ich Leo vergessen hätte! Aber er verschmilzt mit

einem früheren Toten in meinem Leben, mit einem Sprung und unwiderstehlichen Atemzug von der Vergangenheit eingesaugt und in sie eingestanzt zu einer einzigen Figur. Auch die kleine Räuberin vermischt sich so, sie aber mit zwei Fremden, die ich mit fünfzehn Jahren ein paar Tage lang sah, in einer Jugendherberge, die eine, ein blasses, kühles Mädchen, zu Recht »Prinz Eisenherz« genannt, die andere, die jede Nacht ausriß, hatte einen Ausschlag im Gesicht und am Körper. Wir hielten es für Syphilis. Die Räuberin ist die Vermischungsfigur.

Ein Beispiel, in dem ich selbst vorkomme: Ich stehe vor den Bergen, könnte sie stundenlang anstarren und alles von mir in sie hineintransportieren, bis ich leer bin, mein Leben steckt in ihnen, meine Kraft, Gedanken, Gedächtnis. Das alles müssen sie wieder auf mich abstrahlen, sonst wäre ich verloren, würde hülsenartig davontreiben beim leisesten Windchen. Aber so sehe ich mich und zwar in Konzentration und Übertreibung, nach außen gewendet in der Landschaft an. Ist es denkbar, daß ein Sterbender selbst hier, in der Weiße, so im Stich gelassen wird – von wem? Wie soll ich es nennen? – als stürbe er in einem elenden, weißbezogenen Krankenhausbett?

In der Oper hörte ich einmal Ariadne düsterstolz singen: »Es gibt ein Reich, wo alles rein ist. Es hat auch einen Namen: Totenreich.« Ob das stimmt? Das Liedchen wird hier ab und zu gesungen, gesummt hier in den Bergen, von mir. Na ja, ein Späßchen, das alles, weil Sie so eigenartig gelacht haben mit Lachtränen an den Seiten sogar.

Noch was ganz anderes verfließt ineinander. Sind Ihnen hier die vielen orthodoxen Juden aus Antwerpen aufgefallen? Wie sie so schwarz von Kopf bis Fuß, wenn sie männlich sind, durch den weißen Schnee wandern, ob klein, ob groß? Jung und alt die pechschwarzen, feierlichen Beerdigungsgestalten, deren schwarze Frömmigkeit sich abhebt wie nirgendwo sonst. Die meisten hängen zusammen mit dem Diamantenhandel, traditionsgemäß. Sie verschwimmen aber mit dem nächtlichen Bund im Holunderburger Schloßpark. Noch präsent?

Da fällt mir ein: Als Ivanhoe die Schilde der fünf Normannen mit seinem Schwert anschlägt, die Herausforderung im Turnier, da ist er ja auch komplett schwarz gekleidet. Sein Visier ist geschlossen. Man soll ihn nicht entlarven in seiner Rüstung, aber gerade dadurch wird er berühmt. Die Legende vom Schwarzen Ritter: anonym und kenntlich zugleich. Der Ritter von Teufelsbrück und sein Gegenspieler, der schwarze Teufel und der Große Pan, der bockshörnige, geschwänzte Satan, der zugleich das schwarzäugige Große Zebu ist von Zaras Altar: alle unter ein einziges, nur spielerisch aufsplitterndes Wappenzeichen gepreßt?

Ein Spleen? Die Wirkung des Punsches? Vor allem kommt es durch Sie, dieses Gedankenfabrizieren. Glauben Sie denn, während ich Ihnen hier Abend für Abend meinen Senf auftische, könnte ich einen Moment übersehen, daß Sie sich konstant vor mir verbergen, in der Sonnenbrillenausrüstung, an der Sie hier jeder abends im Restaurant erkennt? Eine saftige Unhöflichkeit. Und doch kann ich mir überhaupt nur noch den Umgang mit Ihnen vorstellen, habe an niemandem mehr Interesse, abgesehen von denen, die unerreichbar sind.

Wie riesig groß, ich wußte es nicht gleich, Ihre Ähnlichkeit mit Zara wird, die mich auch ja wohl von Anfang an bestochen hat! Am verblüffendsten vorhin, als Sie lachten, eben, als ich sagte, Zara fehle mir. Sie lachten genauso, mit freigelegter Kehle, Kopf zurückgeworfen, den kleinen Glasstab des Punschglases in der Hand, die zweite Handfläche nach oben gekehrt, wie Zara im Café in Hamburg. Das eine Bild schob sich präzise auf das andere und wie albern: Ich sah plötzlich wieder die Strunzuhr, eine ähnliche hat der Kellner hier, das Brautgeschenk an den neuen Liebhaber, ihn selbst nicht, nur am strotzend männlichen Handgelenk die unmögliche Uhr. Die ergänzte sich für mich automatisch zu Ihrem Lachen hinzu. Übrigens auch verräterisch, wie Sie sich jetzt die Fischmaullippen, ja, genau genommen Lippen à la Zara, beißen vor Vergnügen.

Wären Sie aber wirklich Zara, trügen Sie gegen Abend

andere Schuhe. Ich will Sie nicht kränken: solch grundsolides Matronenschuhwerk und Zara? Wenn, dann höchstens extra bieder in raffiniertem, snobistischem Zusammenhang. Sähe ich solche Dinger an ihr, wäre es ein schmerzliches Zeichen ihrer Resignation, was sage ich, Sterblichkeit. Ist aber undenkbar!

Wir treffen uns morgen ein letztes Mal? Ich bin etwas aus den Fugen. Sie jedoch, frisch, unternehmungslustig wie der junge Tag, zeigen keine Wirkung. Habe ich gegen die Abmachung allein getrunken? Meine Geschichte ist aus, aber ich möchte Ihnen etwas vortragen, einfach, um Ihnen noch einmal gegenüberzusitzen. Jetzt lachen wir beide und wissen beide, warum. Warum es so spät in der Nacht aber noch aussprechen?

Gute Nacht. Und bedenken Sie: die Schuhe! Die Schuhe stimmen nicht.

9. Abend

Die Temperaturen sind wohl gesunken. Für einsame Wanderer draußen eine mörderische Nacht. Eisiger Morgen heute, heute abend keinen Punsch, nur Kaffee? Die Häuser haben am Morgen Rauchleiber aus den Schornsteinstiefeln gestülpt, um dann im Freien, nicht mehr eingeschnürt, die plustrigsten Gestalten herauszuphantasieren. Stellen Sie sich vor, der gesamte Inhalt, Bewohner, Möbel, Kochtöpfe in den Himmel verdampft. Was ich sagen wollte: Ich freue mich, daß Sie gekommen sind! Noch einmal, noch einmal gekommen sind mit Schatten und Spiegelbild. In der richtigen Umgebung wird Ihnen wohl auch ein Echo gewiß sein. Ihr Lächeln ist noch arglistiger inzwischen als früher.

Sie haben, gegen meinen Vorschlag, und natürlich nicht provozierbar, die Schuhe aus Spaß an der Maskerade nicht gewechselt. Der Trick wäre Ihnen zu billig gewesen, bravo! Brava! Gerade daran erkenne ich, auch an der Weigerung, die Brille abzunehmen, daß Sie es sind. Eine Sache des Stilgefühls, einer gewissen Erlesenheit und Nervenstärke. Sie sind bezaubernd und schrecklich, aber Sie ersparen mir die direkte Konfrontation. Wie subtil! Im ungewissen wollen Sie mich trotzdem nicht lassen. Das zeigen Sie mir dezent durch die Brosche an, den alten, für Sie viel zu dilettantisch gearbeiteten Frauenschuh. Für heute abend aufgespart. Immerhin von vornherein in Ihrem Gepäck, welche Anhänglichkeit!

Sie hören mir wirklich noch einmal zu. Wir können so tun, als wären Sie es, oder auch, als wären Sie es nicht. Das ist das Schöne, in solchen Einzelheiten verraten Sie sich, aber ich habe die Freiheit, so zu tun, als wüßte ich's nicht. Wüßte nicht ganz genau, daß Sie ertappt sind. Erwischt!

Dabei merke ich es doch untrüglich an meinem Glück! Dachte es mir, Ihnen hier was vorschwätzend, schon länger und längst. Wovon stumm angefeuert? Von nichts als Ihnen.

Etwas ist hier passiert, hier oben, ich muß mich gerade hinsetzen. Der Kaffee ist stark, sehr gut. Sie haben wohl die Anstrengung, die mir bevorsteht, geahnt, hier, wo die großartigen Anblicke nicht wie sonst immer einen heimlichen Todeskampf verhüllen, in der Kälte, nämlich ohne Lebewesen. Es bleibt nichts zum Sterben übrig! Kein verdeckter Krieg. Nur Licht, Weiße, Kontur, Schwärze. Damals nahm ich nichts anderes wahr als Leo, durch alles ist sein Schein hindurchgedrungen. Jetzt sehe ich diesen Berghang drüben an und würde ihn nicht gegen Leo tauschen, nicht dieses kleine schräge Schneefeld am Felsen und nicht Ihr Gesicht, Ihr schönes, willensstarkes Gesicht, den funkelnden Mund und die Lautlosigkeit draußen. Selbst der Stimmung in mir drinnen, dem mir nun verschlossenen Liebesbereich trauere ich nicht nach, diesem atmenden Frühlingsliebesgrau, das aufgetaucht ist mit Leo und verschwunden mit ihm. Nein, trauere ihm nicht nach.

Trauere ihm keinesfalls mehr nach in dieser Porzellanlandschaft, transponiert in einen riesigen Speisesaal, wo die Berge als Geschirr leise klirren oder, ebenso vorstellbar natürlich, aus dem Weltall geblickt: winzige Zeichnungen, projizierbar auf einen irgendwo aufgelesenen Stein, kleine Hochgebirgsregion im Botanischen Garten. Erinnern Sie sich an den Abend, an dem ich Ihnen erzählte von dem Schock im strahlenden Eishauch, als immer mehr Gipfel hervortraten? Über den tieferen, braunen Vorfrühlingshängen verzückt und unerwartet die weißen Spitzen, ein Zacken nach dem anderen, so daß ich mich steigerte im Hinsehen, einfach mitgerissen, ich, plötzlich zu den Guten gehörend ohne eigenes Verdienst, nur durch Hinsehen.

Weil ich mich, wenn ich es außen sehe, in den unanfechtbaren Steingestalten, besser konzentrieren kann auf die so leicht in sich zusammensinkenden oder verwehenden Entsprechungen des Bewußtseins? Gemüts?

Nie wußte ich, ob Sie es freundlich oder böse mit mir meinen. Es changiert ja immer. Aber wie sehr haben Sie mir geholfen gegenüber der Polizei und hier oben mit Ihrem Zuhören! Sie sind mir gewogen. Sie wollen durchaus nicht meine Zerstörung. Das glaube ich fest, so fest ich nur kann.

Was ich sagen will: Es entlastet die Seele oder was es ist, wenn man die erhabenen Zustände – Gott ja, man nennt es so –, wenn man diese eigenen möglichen Höhen anstaunen kann und nicht dauernd im Kopf mit Gewalt in Erinnerung halten muß, sie sind ja immer unsichtbar. Hier ist es veranschaulicht, man muß es nicht herstellen, das Hochgemute. Man wird konfrontiert mit seiner Illustration, eine wunderbare Schützenhilfe. Für mich nach dem Mordfall bitter nötig in meiner Gebrechlichkeit. An diesem Tag sah ich hinüber nach Deutschland, Österreich, Italien, als hätte ich den Sprung von der Landkarte in die Wirklichkeit noch einmal von einer flacheren Welt in eine vollplastische gemacht. Je länger ich hinsah, so kam es mir vor, desto mehr Berge würden noch erscheinen, immer mehr, von allen Seiten, aus allen Horizontrichtungen, in die Unendlichkeit anschwellend. Ein steinernes Aufblühen, während ich die Augen nicht wegdrehte von den senkrecht stehenden, sich in immer neuen Kreisen aufrichtenden Blättern aus dem Knospenzentrum zu den verschiedenen Landesgrenzen hin und über sie hinaus.

Ein komischer Einfall, mit diesen deftigen Schuhen hier aufzukreuzen, ausgerechnet Sie, und in solcher Beharrlichkeit. Sind die Pumps aus Peking wenigstens mit im Koffer? Ich habe allerhand Unfreundliches über Zara gesagt, zu Anfang. Am schlimmsten vielleicht das mit den plumpen Fesseln. Hoffentlich sehen Sie es mir nach. Aber Ihre sind, tatsächlich, die Zaras. Eindeutiger Schwachpunkt. Und jetzt traue ich mich, es zu sagen:

Anfangs hatten Sie sogar dreckige Fingernägel. Kein Vergleich zu heute abend.

Ich spürte das angenehme Grausen einer Tabuverletzung, Übertreten einer Schicklichkeitsgrenze. Man stiert eine Landschaft nicht so ausgiebig an bei großer Kälte, weil man sich nämlich selbst ansieht, Blatt um Blatt aufblüht, um sich in unkeuscher Wonne von einem Sonnenauge darüber verbrennen zu lassen. Bis sich die nackte Gestalt zu krümmen beginnt unter den Blicken. Man schreit sich im stummen Starren gewissermaßen die Seele aus dem Leib, ein aufgerissener Mund, die Landschaft, das eigene Gemüt. Alles dasselbe, wörtlich. Felsenfeste Materie, konkreter Stoff, alles draußen, außerhalb die sich fortgesetzt erweiternde Welt, mit einem hallenden Summton umschlagend in etwas anderes, ich weiß nicht, in was. Ihr Aussehen änderte sich nicht im geringsten dabei.

Alles kalter Kaffee?

Ob man so stirbt? In einer Art eisigem Delirieren? Es ist ein vollkommen kühles Erröten gewesen, im Frost. Sie spielen indigniert an Ihrer Brille herum. Weil ich, Maria Fraulob, geborene Scholvin, so peinlich rückhaltlos rumfasele zu guter Letzt?

Haben Sie gerade die Lippen bewegt? Nein? Sollte ich übrigens die ganze Zeit über Ihr unverkennbares Parfüm nicht bemerkt haben? Oder benutzen Sie es heute zum ersten Mal wieder? Bisher absichtlich unterbundenes Signalisieren? Und ist Ihnen denn aufgefallen, wie der Kellner Sie inzwischen mit den Augen verschlingt?

Oft denke ich an Leos Zornrot an einem Waldweg im Ärger über meine Indifferenz der einen oder anderen Richtung gegenüber (meine Güte, die Hauptsache war eben, daß er, rechts oder links, dabei sein würde!). Mit dem Druck, ja, Herrgott, beinahe Kaprunscher Wasserkraft, schoß das Blut in sein Gesicht, blieb unter der Haut aber verschlossen. Auch die Umgebung, umgekehrt, schoß tosend in diesen Anblick, versank in ihm und quillt seitdem jederzeit, wenn ich will, wieder daraus hervor.

Eben habe ich – ich beobachte Sie ja, auch wenn ich schwafle und schwärme, ununterbrochen – gehofft oder gefürchtet, Sie würden endlich die verdammte Brille abnehmen. Rechnen Sie in einem solchen Fall mit meiner riesigen

Verlegenheit! Ich fühlte ja schon, wie nun mein eigenes Blut auf der Lauer lag, mir bis zu den Haarwurzeln hochzusteigen.

Hatte Leo etwa darauf reflektiert, damals, als er so abrupt die Decke von meinen armseligen Füßen riß, eine solche unvergängliche Einritzung in meinem Kopf zu erzeugen? Einen Moment, in den das Vogelgezwitscher, der Wohlgeruch der weißen Trugdolden vor dem Fenster, die Beklommenheit meines Wachliegens an seiner Seite eingeschmolzen ist und auf Pfiff bereitliegt. Gar nicht nötig! Schon beim ersten Mal, im EEZ, als wir voreinander in komischer Verklammerung knieten, zusammengeschossen, zwei Magnethündchen, gehorsam einer befehlenden Anziehungskraft, stempelte sich, zur Eröffnung einer langen Reihe, dieser erste unserer markanten Auftritte in mich ein. Wie könnte ich Sturz, Kacheln, Umarmung fremder Arme je vergessen, auch wenn Leo es vielleicht kaum registrierte!

In meinem abendlichen Bericht, in meinen Ausschmükkungen habe ich gespürt, wie das Leben pulsierte zwischen solchen Augenblicken, keine Geschichte, nur ein Ein- und Ausströmen in die Standbilder und von ihnen weg. Ein Erstarren und Auflösen. Stabile, melodisch geschwungene Lebenspfade? Ach was! Statt dessen Eiskristalle und Zwischenräume, Partikelschnee mit großen und kleinen Lücken.

Nur ein Versuch, hier oben, dahinterzukommen. Ihre Einflüsterungen sind auf fruchtbaren Boden gefallen. Sie selbst waren es ja, die mit ihren Bildern das Kommando übernommen hat. Glauben Sie denn, ich hätte es nicht irgendwann begriffen? Für Ihre dunklen und eigennützigen Zwecke haben Sie mir die unschuldigen Leuchtbilder der Tiere gezeigt, mich gezwungen, sie in Ihrem Kabinett übergangslos anzusehen, mich, das Lamm und Schaf, das parierte. Sie legen den Kopf schief. Legen den bis zu mir hin duftenden Kopf schräg, zwischen Bejahung und Verneinung? Was für eine sanft sich wellende und aufglänzende Satinbluse, jetzt, wo Sie die Jacke ausziehen, als könnten Sie noch immer mehr SIE werden, obschon Sie es doch sind, von Beginn an.

Wäre es nicht eine Frechheit, wenn ich Sie fragen würde: Ist Ihr Vermögen in guten Händen, gut angelegt, in Sicherheit nach Leos Tod?

Sie selbst haben mich gezwungen, die, fast hätte ich gesagt, sämige Liebesnacht mit dem brummenden Ingenieur zu verbringen, diese maschinelle, aber durchaus nicht unangenehme Paarung, mitten im Entflammtsein für Leo. Die beiden gigantischen Schildkröten bei der Kopulation hatten es mir prophezeit, nicht wahr? Es war Ihre Absicht, mir meine sexuelle Schwäche vorzuführen mit dieser unwiderstehlichen Reklametafel für eine unpersönliche Brünstigkeit. Ihre kleine, widersprüchliche, unlogische Rache dafür, daß ich Ihrer Anordnung, Leo zu lieben, Folge leistete, stehenden Fußes.

Dann, entschädigend, im Kontrast um so verzaubernder, der Liebesakt der beiden weißen, schwarzäugigen Seevögel. Leo und ich, in der Nacht, im Fluten und Träufeln, ja leisen Schluchzen des Holunderduftes, taten also nach Kräften, was Sie wollten, zumindest ich dabei mit vollem Herzen. Nur ich, leider, ich allein.

Wer weiß, ob Sie nicht Sophie den dämonischen Adler mit Hintergedanken gezeigt haben, den pupillenlos herannahenden, in Verhängnisinbrunst und Mordlust, das beschwörende Mordinbild?

Vielleicht will ich Ihnen nur beweisen, daß ich alles verstanden habe, Ihre Winke und Hinweise. Ihren frommen und frivolen Altar ebenfalls. Habe ich nicht der Reihe nach alle, in anderer Reihenfolge eventuell, alle Einzelszenen, die effektvollen biblischen Schlüsselszenen wiedererkannt auf Ihrem Fest, in der Festgesellschaft, Tetzelmann, Rüsselmann, Engelwurz usw., die Sie heimlich anleiteten, die Berührungen der Körper, Füße, Hände oder auch Zurückweisungen nachzuahmen? Warum aber? Um sich Ihrer eigenen Macht zu erfreuen, einer anderen als der vergleichsweise unerheblichen materiellen? Dafür waren weder die Evangelisten, noch die Heiligen, noch das Jüngste Gericht zu schade. Nach allem strecken Sie die Hände aus und kriegen es. Alles tanzt nach Ihrer Pfeife unter dem Deckmantel des Zufälligen.

Hier oben aber gibt es Landschaften, besonders dort, wo der Schnee Fels, Geröll, Erdboden freiläßt, die noch gar keine Anblicke geworden sind. Selbst Sie können die nicht gebrauchen für Ihre Intrigen oder obskuren Pläne. Sie bestehen aus Stoff, natürlich, aus Materialien, sind in ihrer Gestalt aber noch unschlüssig, vorweltlich, vorgeburtlich, noch jenseits jeder Organisation und Musterung. Soll man sagen: Entsetzlich? Unberührt? Jedenfalls prägen sie sich noch nicht ein, es sei denn unter der Formel »Figurenschlamm«. Jetzt aber ist wohl alles eingefärbt und gepolstert von der oberflächlichen Ordnungsmacht Weiß.

Ich bin glücklich, daß Sie hier sind. Ahnen konnte ich nicht, wie es sich entwickeln würde, obschon: das fast blinde Vertrauen, die unbegründete Sympathie, die von mir hingenommene Ähnlichkeit! Nie sonst in meinem Leben habe ich bisher so viel an einem Stück aus mir rausgespult. Ihre beflügelnde Physiognomie, sogar in halbverdecktem Zustand! Und selbst wenn man Sie eines Mordes anklagen müßte: Mir kann nichts wirklich Schlimmes passieren in Ihrer Gegenwart, unter Ihren Augen.

Beide Arten des Blicks allerdings gefallen mir, ob auf eine Gegend oder auf ein Gesicht. Der kühl-neugierige, sensationslüsterne Touristenblick des Durchreisenden, der nichts will als das möglichst erregende Mißverständnis, der unbedingt nicht und keinesfalls verstehen will, nur ausschließlich die abwechslungsreiche Oberfläche genießt, und dann das ganz und gar andere Betrachten – zum Teufel mit dem zwischen diesem und jenem liegenden Normalen –, der eindringende Entdeckerblick gegenüber dem sogar langjährig Vertrauten. Sie, ich gerate manchmal jetzt ins Trudeln, Sie fordern beide Blicksorten heraus, es nutzt sich nicht ab.

Würdigen Sie eigentlich meine Diskretion Ihr Alter betreffend? Ich habe Sie nie direkt oder versteckt danach gefragt. Das passiert unter Frauen selten. Ihr Alter, Ihre Jugend, Sie spielen damit wie keine Zweite, auch mich halten Sie damit zum Narren. Erst nun sehe ich aber die beiden verschiedenen Schuhe an Ihren Füßen. Sie machen das absichtlich, ich weiß. Im Alten Land haben Sie es ja auch so gehandhabt, um sich einem gewissen männlichen Geschmack zu widersetzen, um ihm zu schmeicheln?

Was ich Ihnen vorhin schon erklären wollte: Mich interessieren gar nicht die Schicksale, ich will sagen, die Menschen, die vielen Personen mit ihren Lebensgeschichten. Auch meine eigene Biographie ist mir rein gar nichts wert. Das ist neu für mich. Davon hatte ich bisher keinen Schimmer, dachte stets das Gegenteil, nahm über Jahre an, ich wollte die klobigen oder eleganten Bögen der Lebensgeschichten erfahren. Falsch!

Was tut man in den Opernhäusern anderes, als das gefühlvolle Einzelschicksal, koste es, was es wolle, hochzuhalten. Mäandernd die opportunistischen Chöre, Spechts blind wabernde Menschenmassen. Auf der Opernbühne wird das Hochgebirge errichtet, ein Gipfel neben dem anderen, hinauf und hinab. Man möchte am liebsten von Spitze zu Spitze federn.

Aber auch die Berge selbst, die massiven Klötze mit ihren Gipfelpyramiden! Sie stemmen aus dem Granit etwas hoch, halten es hoch mit aller Kraft, mit angespannten Stimmbändern, geschwollenen Halsadern um jeden Preis.

Sie bewegen doch Ihre Lippen! Sie müssen mir nur den kleinsten Hinweis geben, schon bin ich stumm und höre begierig auf jeden Laut von Ihnen. Nichts? Ich täusche mich? Kein Räuspern, Schnalzen, kein, pardon, Bäuerchen?

Was mich beschäftigt, in Wirklichkeit, nur wußte ich es nicht, was meine Aufmerksamkeit an sich reißt, das sind die herausragenden Augenblicke, die inselhaften Plateaus, natürlich nur von den Tälern ermöglicht, klar, man muß sie hinnehmen, die schattigen Trostlosigkeiten, aus denen die Höhepunkte alle Energie saugen und für sich aufbrauchen. Sie verstehen mich? Lachen Sie, lachen Sie, lachen Sie sich kaputt und mich aus, aber halten Sie still! Spotten Sie, aber springen Sie um Himmels willen nicht ungeduldig auf! Der Teufel hole Sie, wenn Sie auf und davonlaufen.

Ihre Heiligen, die Zusammenballungen in den einzelnen, vielsagenden Bildtafeln, die Trittsteine, die Schwellen, hochaufgestellte Momente der allgemeinen Menschenmenge: Christophorus, Petrus, Magdalena usw., von einem Augenblick zum nächsten geeilt über die schaurigen Finsternisse hinweg, durch sie hindurch. Nur so ist es denkbar: das Böse für Sekunden zu eliminieren, ihm in die Vertikale des Guten zu entkommen. War das gerade nicht doch ein Bäuerchen?

Nicht anders mit den strahlenden Bildern der Wirklichkeit, die Anblicke zu Inbildern geschnürt, geschürt, Aufblitzen des ins Blickfeld gerückten Staubkorns. Aber nur im Stakkato. Tschilp. Kein Legato, kein Zusammenhang, in kürzesten Zeitabschnitten glimmt es auf, das Schöne, in unbändiger Pracht. Die Dauer ist die falsche Erwartung, die fade Häßlichkeit der Ebene, das Verkehrte.

Nicht anders ein Drittes, das Wahre: auch das nur in winzigen Zeitabmessungen, wie die Bergmasse im Gipfelpunkt zusammenschießt, kein System, aber die aufzischende Sekunde der Klarsicht.

Ich lasse nun alle Scham fahren, da ich ja noch immer nicht in Ihre offenen Augen sehen muß, in die mir gnädig verborgenen Zaraaugen. Ein paar Tränen, die mir plötzlich ungerufen übers Gesicht laufen wegen des freudlosen Fehlens einer Grundsubstanz, von der ich vermute, daß es Leo war, personifiziert in dem, was wir Leo nannten.

Aber sehen Sie auch hier, zum Schreien im Grunde. Die sentimentalen Befeuchtungen sind auch auf einen Zeitungsausschnitt gefallen. Der hat's wahrlich nicht verdient. Die Sätze sind einfach zu gut, ich wollte sie keinesfalls vergessen. Hören Sie nur den Aufruf eines Alpenmanagers, im Schnee, in den Bergen bloß keine »Tristesse und Wehmut« aufkommen zu lassen, vielmehr einen »riesigen Tummelplatz«, eine »Hölle«, ein »großes Kino«, kurz, ein monströses Remmidemmi mit Entertainment von früh bis spät und zurück, hoch zu den Gipfeln und retour aus der etwas öden

Gebirgslandschaft mit gutem Willen und »rotzfrech, unbelastet« herauszupressen.

Was soll ich mich jetzt noch zieren und genieren, frank und frei will ich Ihnen gestehen, daß ich nachts manchmal vor Wut nicht atme und mit heißem Kopf aus dem Bett springe, wenn mir einfällt, wie sie optimistisch das Mühlendorfer, Mühlenkamper, wie hieß es noch, Loch, debil die Alpen, aktiv korrupt den großen Ozean kleinkriegen und uns lahmarschige Träumer fertigmachen. »Bewegung in die Herde«, sagte ein Fondsmanager, überreif für den Höllensturz, dem es schnurzegal ist, wie das Geld zustande kommt, nur fließen soll es, erwirtschaftet soll es sein. So schluchze ich kleine, ohnmächtige Schmuckverkäuferin nach der Apokalypse. Da kann man vor Lachen in Zuckungen fallen, besser kapier ich's eben nicht. Sie merken, Spechts Saat geht in mir, zu meiner Buße, auf.

Eigentlich wollte ich bloß sagen: Ich weiß schon ganz gut selbst, was mit den eben so gepriesenen Gipfeln los ist. Diese in Wildnis und Einsamkeit gestaffelte Höhe ist natürlich Affentheater. Tirili. Was? Dahinter, auf der anderen Seite ist sofort Zirkus, Kirmes, Täterätä. Illusionstheater alles, ein Entkommen ist allenfalls und bedingt in die Senkrechte gestattet, auch nicht sehr, selbst das auch nicht so sehr, die Seilbahnen gondeln unerschrocken wohin man will. Also von wegen eisig silbrige Menschenleere! Industriebauten, Touristik, schon gut, schön und gut.

Schön und gut, brülle ich ja, ohne daß Sie mich ermahnen müßten zur realistischen Sicht der Dinge. Sind ja selbst Schwerkapitalistin, jedenfalls für meine Verhältnisse. Nur, es hilft nichts, so sehr ich es mir ins Gedächtnis rufe, das zunehmend Täuschende der heroischen und lieblichen Landschaften, das uns so paradiesisch hintergeht. Ich möchte behaupten, es wird nur noch stärker durch das Wissen um die tatsächlichen Verhältnisse: das Wunder des Augenscheins nämlich! Das signalhafte Aufglühen weißer Felsensäume zum Beispiel. Es ist die andere Seite der Medaille, die zweite Hand, mit der gespielt wird und trompetet mit genauso kräftiger Stimme wie im pragmatischen Lager. Was war das? Tanderadei? Verhöre ich mich? Verspreche ich mich?

Wieso klopfen Sie ab und zu mit dem Fingernagel gegen das linke Sonnenbrillenglas? Ein neuer Tick? Soll ich die Augen dahinter nicht vergessen? Machen Sie mir ein heimliches Zeichen? Es bringt mich etwas aus dem Konzept. Das wollen Sie wohl. Oder meinen Sie in Wahrheit ein beleidigendes Tippen gegen die Stirn? Macht nichts. Ist schon recht.

Wer wüßte es denn letztlich besser als Sie selbst? Wir verteilen unsere tonnengewichtigen Gefühle, als da sind Gefühl A, B, C, Gier, Sehnsucht natürlich, ohne die geht's ja nie, auf irgendwelche Gegenstände, die uns über den Weg laufen, ein Sonnenuntergang, eine Gießkanne, auch natürlich unser Bedürfnis nach Zornentladung, nach haßerfülltem Toben. Alles findet irgendwo Unterschlupf, Landeplatz, um dann loszulegen, zu wuchern, zu prasseln, je nach seiner Art. Was gerade, wenn wir in Stimmung sind, in aller Unschuld vorbeischneit, alles muß herhalten, und sei es eine kurze oder krumme Nase. Aus dem gewaltigen Arsenal stoßen sie auf uns herab, die Empfindungen, Bedürfnisse, wie die Geier, und suchen sich eine Behausung, die Quälgeister.

Sie können doch nicht bestreiten, daß Sie, wenn auch unhörbar, kleine Wörter flüstern, ich bin nicht blind! Was denn? Was sagen Sie denn? Die Frauenschuhbrosche ist übrigens gar nicht so schlecht, wie ich dachte. Sieht ziselierter aus. Man könnte den Verdacht haben, Sie hätten das Ding bei einem Goldschmied als Vorlage in Arbeit gegeben und trügen nun das kostbarere Exemplar.

Litzirüti?

Ich kann Ihnen ohne weiteres Beispiele nennen. Erstens zum unvernünftigen Regiment der Anblicke im Schönen und Scheußlichen. Im Scheußlichen: Spechts Bärtchen! Niemals, nie ist es mir gelungen, da nur die harmlose kleine Fläche schwarzen Haars zu sehen, wie es viele tragen, nicht mein Geschmack, aber macht doch nichts, ist mir bei anderen doch gleich und vollkommen schnuppe. Nur bei Specht, in diesem flackernden Gesicht war es der unwiderstehliche Zauberkrakel für meinen Abscheu. Ich sah das Bärtchen, und es hatte sogleich die Herrschaft über mich, nämlich die, mich vor dem ganzen Specht zu grausen. Begründung? Keine. Im Schönen: Leos kriminelle Visage, die schräghängenden Lider, die gespannte bleiche Haut über den Backenknochen. Nicht sein Verdienst, aber noch jetzt, wenn ich daran denke, strecke ich sogleich die Waffen. Zweitens: Das Befrachten schlichter Gegenstände mit riesigen Gefühlen, die aus den Magazinen gekrochen sind und Rastplätze suchen. Sie werden sich sehr mokieren. Ich spreche etwa von Ihrem wunderschönen Morgenrock, dem goldbraunen, zweifach grün gefütterten. Mein Verlangen nach Leo, meine Eifersucht, Schwermut, Resignation vor Ihrem Glück – es überfiel mich in einer Sekunde alles zusammen – verbiß sich darin. Es war nichts Geeigneteres zur Stelle.

Am interessantesten natürlich, wenn sich zwei Gefühlsmächte um dasselbe Objekt streiten, etwas bombastisch Haß oder Liebe genannt, sei es gegenüber Ihrem Morgenmantel oder Leos Scheinflüstern. Ach, noch jetzt, beim Erinnern, schürft es an mir oder in mir drinnen, in Zuneigung und Widerwillen.

Übrigens, haben Sie das einmal erlebt, daß man nämlich weder mit noch ohne jemanden leben kann? Und Leo war eben der einzige, den ich lieben konnte. Was jetzt, nicht wahr? Aber ich klage nicht, Sie, Sie sind ja da, aromatisch und funkelnd, abgerückt und mir aufmerksam zugewandt. Zugewandt vor allem ich Ihnen! Freilich, wie lange noch? Ich erschrecke selbst über den bangen Ton. Aber nein, noch will ich unverzagt sein.

Auf alle Fälle bin ich froh über den starken Kaffee. Denn ich werde diesen Abend in die Länge ziehen, wie ich nur kann, und wenn Sie einschlafen sollten, flöte ich, oder werden Sie schließlich vor Müdigkeit endlich einmal entgleisen?

Irgendwann habe ich eine kleine Abbildung vom Piz Palü

gesehen, zehn mal zehn Zentimeter ungefähr, aber das lächerliche Foto hat mir kalte Füße gemacht, die weißen Tribünen aus Eis unter dem grauen Höhenhimmel. In der platten Verkleinerung hat er schon gereicht, mir den Kopf zu verdrehen, der hochfahrende Gletscher, aus dem die Bäche stürzten, wie künstlich angelegt zur Augenweide, zu den Seiten ansteigend Schnee- und Felswüsteneien. Es war – – einladend unwirtlich. Man begab sich sicher ins Grausen, ich meine: sicheren Fußes. Aber für den Augenblick schoß es tatsächlich hinter mir zusammen, das Grauen. Sehr angenehm. Ich zog dicke Fellschuhe an.

Auch in der Öffentlichkeit, hier im Restaurant, ist es Ihnen nicht im geringsten peinlich mit den verschiedenen Schuhen. Es kitzelt Sie, ein bißchen Anstoß zu erregen?

Unerhört im Grunde, daß so ein Bildfetzchen einen solchen Schwindel anrichten kann, wie auch das schiefe Schmucklächeln einer geliebten Person Sonnenaufgang und das Ausbleiben totale Verfinsterung bedeutet. Mein Gott, es funktioniert immer wieder. Ich weiß, wovon ich rede. Wußten Sie das eigentlich jemals auch? Aha, zum ersten Mal erscheint Ihre hochgezogene Zwillingsbraue, gehen die mondartigen Brauen über den schwarzen Gläsern auf. War wohl eine Zumutung, meine Frage.

Es ist eben die Verehrungslust, die bei uns allen zuschlägt, eh man sich versieht. Kaum ist etwas ein bißchen reicher, schöner, größer, schauriger, nicht wahr, einen Punkt besser, intelligenter als wir selbst, schon machen wir einen Heiligen, ein Genie, einen Milliardär daraus. Ein klein wenig Unterschied zu uns selbst reißt uns dazu hin, es für einen Sprung ins Unerklärliche zu halten, etwas Primadonnenhaftes, ja Göttliches darin zu feiern, ein Überbild, endgültig, überirdisch, kaum daß jemand eine Tonfolge hübsch singen kann, auf einem Seil laufen, ohne zu stürzen, Auge und Mund an der idealen Stelle sitzen hat.

Sie merken, es geht hier auch gegen Sie selbst und Leo! Demontage meines Hausaltars? Wenn ich nun nämlich daran zu zweifeln beginne, an Ihrer Exklusivität, Ihrem

Zauber, an Leos Laszivität? Sie verziehen keine Miene. Zu Recht. Keine Sorge, so dumm werde ich nicht sein. Ich weiß zu gut, was ich zum Leben benötige. Wasser, Brot, Schlaf, Wärme und dies eine, Gewisse. Und gute Butter, allerdings.

Das wunderbare Schäumen – Sie haben doch nichts in den Kaffee getan? – einer Flüssigkeit, ein einziges, stark vergrößertes Perlchen am blitzenden Rand eines Champagnerglases in der Nähe eines sofagroßen liebessatten Mundes: Man kann alles nehmen, egal was. Wir beugen unser Knie und den Verstand vor der berauschenden werbenden Aufbereitung. Witz wünscht. Licht kühlt. Sinn zürnt. Sünd winkt.

Was war das? War ich das? Bitte, ist das aus mir herausgekommen? Wir, die Menge, das Publikum, die Zuschauer und Konsumenten, was haben wir im Sinn? Wie ködert man uns am zuverlässigsten, leichtesten, wie schenken wir ganz freiwillig unsere Hingabe ans Angebotene? Alpen oder Eiskrem, wir verlangen das aufgedonnerte, scharf umrissene Bild. Jedoch, unerläßlich, Achtung: Die Konturen müssen grob sein, viel gröber als die Wirklichkeit, keine allzu feinfühligen Verästelungen, statt dessen wohltuende Vereinfachung. Schnittmuster müssen her, nicht deckungsgleich mit uns, denn wir wollen uns genießerisch begeben in die etwas falschen, fremden Umgrenzungen mit dem schmeichelnden Gefühl, diese malerische Figur selbst zu sein. Pittoresk unter Dach und Fach gebracht und insgeheim pittoresk abweichend. Dazu Musik.

Dazu ein Vogelzwitschern?

Durch die Scheiben erkennt man die Kälte draußen. Die Leute im Hotel werden annehmen, Sie hätten Bedenkliches zu verbergen, Ihre dubiose Identität oder eine Augenkrankheit. Was geht's Sie an! Man könnte auch meinen, Ihnen seien die Stimmbänder durchgeschnitten. Ich weiß es besser, die Typen an der Rezeption sicherlich auch. Sie murmeln kleine, unverständliche Kommentare mit dem schönen, wohlvertrauten Fischmaul. Aber allmählich steigt auch in mir ein Verdacht hoch, Sie könnten etwas mir noch Unbekanntes hinter dem schwarzen Visier verbergen, nicht bloß Ihre gewalttätigen Augen. Eine Mutation und zwar eine furchterregende? Sie nicken nicht? Sie schütteln nicht den Kopf? Sie verziehen die Lippen?

Wovon ich nicht loskomme, das sind die Anblicke, die Hexenzeichen. Haben Sie mir nicht selbst von Ihrer früheren Zugehfrau, der portugiesischen Filomena erzählt, wie sie eines Tages, nie gründlich im Staubwischen, aber stets zuverlässig im Eintreffen bei Ihnen, zu spät gekommen sei wegen der Verkehrsverhältnisse, etwas Unbedeutendes, aber mit einstündiger Verzögerung, und daß auf ihren stets weißen Wangen eine durchsichtige Träne erschienen sei, wie von einem alten Niederländer gemalt auf eine silbrige Muschel oder einen Weißweinpokal, so dezidiert einzeln, ein stummes perlmutternes Klagen der Nachtigall. Es habe Sie so sehr gerührt, am liebsten hätten Sie ihr für die Träne eine Perle geschenkt, so bewegte Sie der pure Anblick.

Und wenn die Träne nun aber nur ein Regentropfen war, den Frau Filomena in bisher verborgener Schläue einfach nicht weggewischt hatte als Mitargument bei der plausiblen Entschuldigung? Das haben Sie selbst erwogen und gesagt, es mache nichts aus. Sie hätten es genossen, so zart und empfindlich durch die Miniatur bestochen zu werden. Nichts anderes hat Sie dabei interessiert.

Wie es wohl der Puffotter im Ostberliner Zoo geht und den Seeottern bei Hagenbeck?

Vergöttlichende Aufbereitung von Keks, Pickeltinktur, Windeln, Hundefraß, sagte ich? Schlüpfrige Pontifikalämter der Werbung, gelesen für bifunktionales Klopapier und Fleckenfrei? Spechts Jargon! Es erschreckt mich, wie er unfreiwillig in mir nachwirkt, je ferner der arme, störende Prediger von mir lebt, desto heftiger. Aber Sie, Sie machen es ja ebenso! Ebenso mit allen Dingen in Ihrer Gegenwart. So war es von Anfang an, im EEZ, als das Vögelchen oder wer »Ziküth« rief und alles ins Rollen kam, nach Ihrem Wunsch, wenn auch nicht in der Reihenfolge. Alles in Ihrer Umgebung, die Schuhsammlung, die Vögel, das erste Essen, ja, wie Sie im Flur standen und mich so zweideutig verabschiedeten, mich anblitzten über einem großzügig lachenden Mund und freundlich anfunkelten über bösen, abwärts gebogenen Lippen, wie Sie die Paare des Festes gliederten und mich hier becircen zu Geständnissen, ohne das Geringste von sich preiszugeben: Alles wird durch Sie glimmend und gewichtig, übertrieben, wenn Sie nur wollen.

Sind Sie eigentlich extra damals, im EEZ, vor meinen Augen so demütigend gestürzt, in den albernen Stöckeldingern? Ah, Sie wiegen den Kopf zwischen Ja und Nein. Anders hatte ich es nicht erwartet. Ich glaube mittlerweile, Leo und ich, wir hingen deshalb so an Ihnen, jeder nach seiner Manier, weil alles in Ihrer Nähe einen, sagen wir mal, leichten, zumindest leisen Glöckchen- und Glockenklang bekommt.

Als die alte Frau, die ich manchmal besuchte, die mir dann auf einmal gestorben ist, die stundenlang kochte, schon in der Frühe begann zu kochen wegen des gutmütigen Essensgeruchs, und die dann drei Viertel der Mahlzeit wegschüttete, um Platz zu schaffen für das nächste Kochen, als diese alte Frau mit ihren kalten Greisinnenfingern, dürr und feucht, durch meine Locken fuhr, um mich zu trösten und zu beschützen mit diesen Händen, die nach Frikadellen und Rotkohl rochen, da wußte ich nicht gleich, daß ich es nie vergessen würde, immer weniger vergessen, ahnte es nicht im flüchtigen Augenblick, daß sie mit einem verbürgten Frauengnadenbild verschwamm, es tut, so oft ich sie mir ins Gedächtnis hole.

Ist es nicht, als würden, sehen Sie, als würden einzelne, bestimmte, schnell verflogene Handlungen in einen echogebenden Hintergrund fallen, fast scheint mir ja: goldenen? goldenen, mittelalterlichen Hintergrund, Apsis sozusagen, die sie prangend, ohne Verwittern aufbewahrt, manchmal kann man sie dort, plötzlich wuchtig, plötzlich erschreckend bedeutungsvoll nach Jahren wieder ablesen, besonders aber dann, wenn sie sich mit sehr alten Kindheitserinnerungen mischen? Zara?

Zara! Bitte, verstehen Sie mich, Sie verstehen doch, wovon ich rede? Sie folgen mir doch noch immer, meinem Stammeln? Da, zum Zeichen bewegen Sie die Brauen, jetzt wieder gut erkennbar über den Gläsern! Ich quaßle, Verzeihung und Entschuldigung, nicht nur so vor mich hin, pardon, ich bin ja einer Sache hier oben auf der Spur, die ich Ihnen verraten will. Was halten Sie davon?

Wie man selbst die Welt, wenigstens gelegentlich, als Abbild mit komprimierter, ja schon dröhnender Wichtigkeit erlebt, aus der Zeit tiefster kindlicher Einstempelungen gespeist – und nun Achtung, das geht auch Sie an! –, so müßte man, hören Sie, hören Sie, umgekehrt mit der Welt verfahren, sich in Freiheit und Frechheit über den banalsten Dreck hermachen und gerade den stolz präsentieren wie ein Baby, ein Kleinkind, wie das appetitliche, stinkende Dummerchen wohlweislich seine Exkremente. Das nenne ich Poesie!

Ah, ein Erfolg wieder. Sie lächeln!

Selbst ich, mit meinen sehr schlichten Metallblumenstücken, melde mich zur Stelle.

Sinn und Tusch, Wirt und Wut, Kies und Rum. Ich weiß sehr gut, das war ich jetzt. Gar nicht drauf achten! Es will mir bloß ab und zu aus dem Mund. Das Grauen – kühlt und killt, zürnt und rinnt – das Grauen der Bergschlünde – nicht ein Cognac im Kaffee, nicht ein Cognac in den Kaffee? Nein? Gut! – das Grauen der Bergschluchten und Bergeinöden, der blendend weißen Mulden hoch oben, die so beinern im Mondlicht schimmern, so bleich in der Gräue, die man ansieht, mit einem schnellen Blick hoch, und die Augen bleiben hängen an ihnen, schmachtend und entsetzt, weil man erkennt: Dort wohnt es, das Grauen, hat dort seine Unterkunft gefunden, das umherirrende Grauen, ein Nest, einen Topf, wo es sich angenehme Tage macht in der felsigen Kälte. Ja, da kann man es in seiner Wohnstatt erleben, ohne bei ihm zu sein. Man sieht sie aus der Sicherheit an, die Wildnis und Verlorenheit, man muß sich nicht weit entfernen vom Hotel oder einer Bushaltestelle, gar nicht nötig, schon taucht das Kürzel der Wildnis auf, nach ein, zwei

Kurven bereits. Mit aller bellenden Zerstörungskraft blökt es herab, das lauernde Inbild!

Unvorhersehbar überfällt es den Stärksten. Ich aber bin nicht einer von denen. Ich bin schwach. Ich muß mich früher hüten als die Tüchtigen. Ist mir bekannt. Ich verhalte mich danach, habe längst begriffen, in welchen Gestalten es den Schrecken gibt, auch in Form von Stimmungen natürlich, von denen man bisher nichts ahnte. Dann ist es wunderbar, sich sagen zu können: Da oben, in dieser Nische, mit dem bleckenden Schneefleck darin, da hockst du, du Gespenst!

Sobald Menschen in Sicht sind, wird es gefährlich. Da regen sie sich, die Wüteriche, prüfen ihre Flügelspannweite, ob sie sich wohl zum Spaß hinunterstürzen sollen, dem einsamen Wanderer ein bißchen ins Genick zu picken.

Was dagegen hilft? Ein uraltes Rezept, so alt wie die Schildkröten, nehme ich an. Du Troll, muß man sagen, du Geist und Dämon, vielleicht sogar einen Namen, einen Titel ihm zurufen. Dann ist das Grauen der Schneeeinöde darin eingesperrt, eingeweckt. Inzwischen habe ich den Verdacht, Zara, ja, wie soll ich sagen, ich mache mir Vorwürfe wegen meiner Taktlosigkeit, nicht wahr:

Sie verdecken mit den Brillengläsern etwas Häßliches!

Eine Verletzung? Ich hätte früher darauf kommen und es schweigend übergehen müssen. Ich Schaf! Immer auf der Suche nach größeren Geheimnissen, anstatt das Nächstliegende zu erwägen. Es ist mir ein furchtbarer Gedanke. Ich will es mir nicht ausmalen. Entschuldigen Sie, daß ich immer hinstarre. Sehen Sie bitte nicht aus Empörung weg! Lassen Sie mich bloß nicht allein, heute abend! Heute noch nicht.

Zara, hören Sie, ist Ihnen schon aufgefallen, wie prosaisch es auf den Gipfelhöhen ist? Plötzlich sind die anderen Bergspitzen nicht mehr hoch, alles trivial geworden, Lakonie weit und breit. Erinnern Sie sich an Leos Streich, mich auf den Hügel gegenüber dem Schloß zu locken? Trotzdem wird auf die Gipfel gestürmt, gefahren, geklettert wie verrückt, als residierte da werweißwas, das Glück oder das Entsetzen höchstpersönlich. Was aber wird in Wirklichkeit dort vorgefunden?

Die Bergsteiger sind oft sogar überrascht, endlich da zu sein, merken es gar nicht im ersten Moment, so unauffällig ist der Höhepunkt, sind vorher beinahe gestorben, aber nun: Nichts! Ich habe die Berichte gelesen über die Besteigungen der höchsten Berge, Himalaya, Karakorum, Sie wissen, die Reihe der vierzehn Achttausender, sage ich im Schlaf daher, keinen blassen Schimmer, warum, womöglich, weil ich von dem brausenden Triumph lesen möchte. Was für ein Reinfall! Gar nichts! Die Leute sind meist bloß verblüfft, erschöpft, verdutzt, angekommen zu sein, und stutzen über das Ausbleiben der Freude, bringen sich mit Mühe, falls zu zweit, durch Händedruck in Stimmung, nehmen schnell Reißaus. Nicht nur wegen Kälte und Sauerstoffmangel. Lassen Sie sich doch keinen Bären aufbinden!

Ich will Ihnen sagen, warum. Die Öde als Inbild ist großartig, aber die inbildlose Öde, die Sie dort oben antreffen, nichts als glotzende Masse, das ist der schiere und eigentliche Horror.

So ist es stets. Es gibt die eine, phantastische Öde und die andere, die wahre, menschenfressende Ödnis, der nichts standhält, gegen die sich keine Medizin, kein Beistand findet. Es passiert in den frühen Morgenstunden, wenn man im Dunkeln aufwacht oder auf einer kahlen Straße, schwirr, da ist sie, auch an einem harmlosen, stillen Nachmittag, bewölkt, still. Im Monat Januar die meisten Selbstmorde.

Aber das Tollste: Es kippt! Es gibt eine Kippe zwischen Himmel und Hölle, Himmel ist das satte Inbild, Hölle das Geröll, Schiefer, Kältewüste, Negation. Sie marschieren, stapfen da oben, ein Stück weiter oben in der Leere herum, das Licht geht weg, aber keine Dämmerung kommt, einfach so ein Weggesaugtwerden des Strahlens, und schon empfindet man, ohne Anmeldung und Erlaubniserteilung, das stoffliche Grauen. Aber dann, bevor man ganz im unpersönlichen Riesenrachen (eine Beschönigung) verschwindet, eine Wendung, ein Herzschlag, Atemzug und Flügelfächeln. Alles belebt sich, wird bildlich und malerisch, malerischer Schrecken, Pan in action. Gerettet!

Kennen Sie das, Zara? Aber sicher, Sie doch erst recht! Erst nachdem man auf eine wirkliche Liebe zurückblickt, erst dann, nicht mittendrin, steht sie als geschlossener Körper da. Man kann sie rezensieren, wie der doofe Rüsselmann ein Buch.

Warum ich das jetzt sage? Deshalb: Man geht hier durch eine Wirrnis, stolpert verworren voran und hin und her, und plötzlich – was murmeln Sie, was munkelten Sie gerade? – plötzlich schießt es, ich meine schließt es sich zur großen Form, zu Schlucht, Ebene, Mulde, Terrasse. Eine Befreiung aus dem Schutt der Einzelheiten, wie ein Resultat und der Sinn von allem.

So ist es mir hier auf den Wanderungen schon ergangen, und ist die Schrecken wert. Man schließt im Gehen, ergriffen, erlöst, die großen Landschaftsgesten ab, rundet sie ab, weiß es aber erst hinterher, wenn die Gefahr der Verirrung bestanden ist.

Murmelten Vögel? Nein? Mir war so, ein kleines Zupfgeräusch, klingkling, schnipsschnips, tirili, litzirü.

Natürlich fragte ich mich sofort, als mir zu dämmern begann, daß Sie selbst, Zara Johanna Zoern, mir zuhörten, und erschrak auch ordentlich, wenn auch nicht übertrieben stark, wie Sie wohl den Bericht über Zara auffassen würden. Nur, andererseits: Ich hatte seit einer Woche den Beweis vor Augen. Sie wandten nichts dagegen ein, kein direkter Einspruch, ein Lächeln gelegentlich, ein erwägendes, abwiegelndes Kopfschütteln, falls Sie nicht hier saßen und an ganz anderes dachten, gar nicht die einzelnen Informationen über meine Affäre mit Leo aufnahmen, viel eher eine Art Trillern, nichts weiter als Konsonanten- und Vokalgeräusche, Hebungen und Senkungen der Stimme, auch Risse, Korridore, Schweigen, alles nicht groß belästigend?

Vielleicht sind Sie auch jetzt, bei Ihrem Kaffee, zu allmählich später Stunde, konzentriert auf einen Schmerz oder, sagen wir, eine Beeinträchtigung? Denn, wenn schon so offen geredet wird, ich vermisse selbstverständlich Ihre Paladine. Wo haben Sie den neuen Lover und, genauso wichtig, die kleine Räuberin versteckt? Wurden Sie im Stich gelassen von den beiden oder haben Sie sie in die Wüste geschickt, ihrer überdrüssig? Ohne Ersatz? Soll ich etwa einspringen? Erklärt das Ihre ungewöhnliche Geduld mit mir? Ah, wieder das Klopfen gegen die Brillengläser, komisches Morsen.

Also gut, das gibt mir die Courage zu einer Vermutung. Die wahrscheinliche Verunstaltung Ihrer Augenpartie rührt von einem der beiden her. Die Räuberin, zur früheren Brutalität zurückkehrend und der Bewährungsartigkeit müde, ist über Sie hergefallen, ausgerechnet über Ihre unwiderstehlichen, keinen Widerspruch duldenden Augen, um ihre Freiheit wiederzugewinnen, die Freiheit zur jung begonnenen Bosheit, anderen ins Gesicht zu treten, als wär's ein Stück Holz. Der Liebhaber: hat die Schlappe nicht ertragen. Denn ohne Zweifel haben Sie ihn spüren lassen, daß er an seinen Vorgänger allenfalls in physischer Hinsicht heranreichte. Oder er wollte zusätzliche Protzarmbanduhren aus Ihnen herauspressen. Wären Sie nicht Zara, müßte man allerdings befürchten, die beiden hätten sich zusammengetan, ein ansehnlich ordinäres Pärchen, dessen Machtübernahme Sie nicht zustimmen wollten? Ein Eingriff in die strahlende Unwetterlandschaft Ihrer Augen! Ich will es nicht ansehen. Nochmals Dank für die gnädige Beschattung.

Keiner der Bergsteiger aber traut sich zu sagen, was er dort oben, mehr als 8000 m über dem Meeresspiegel, spürt: das Bedauern, die erfrorenen Zehen mitsamt den Restfüßen nicht einfach stehenlassen zu können und den Gipfel aus der Vogelschau mit eigener Flügelkraft zu befächeln! Lächelten Sie, schielen Sie?

Der Kellner läßt Sie nicht aus den Augen. Fühlt sich wohl als Ihr Bodyguard.

Ein Erlebnis, Zara, mit einer Schwalbe, oben, in einer Kirchenkuppel: Ich stand unten auf den gebohnerten Fliesen, im kühlen Mörtelgeruch und mußte die Schreie anhören, die sie verzweifelnd ausstieß, während sie von Kuppelfenster zu Kuppelfenster flatterte – dahinter in fremder Milchigkeit die bekannte Welt, verblaßte Fanalfiguren der Realität –, dagegenstieß, den Ausweg nicht fand in panischer Angst, und das sperrangelweit geöffnete, in die Sommerluft doppelt ragende Kirchenportal nicht wahrnahm. Schließlich stürzte der Vogel vor Erschöpfung, vielleicht verletzt von einem Aufprall an den Scheiben, in Stufen ab, hielt sich an Vorsprüngen der Wand, ruhte kurz auf dem Kanzelrand, schleppte sich nach draußen, um zu sterben, unter ein Gebüsch, sah noch einmal die wilde, originale Welt, sah sie jetzt noch einmal an, zusammengeschmolzen zu einem einzigen, ungeahnt machtvollen, ehern pulsierenden, hallenden Bild.

Trotzdem rechne ich heute abend mit einer effektvollen Entblößung Ihrerseits, gerade, nachdem ich Ihnen meine Angst davor gestanden habe, verlocke Sie möglicherweise dazu, als täte ich es mit Absicht. Sagen Sie, haben Sie es etwa die ganze Zeit darauf angelegt, den besten Moment zu nutzen und sich dann an meinem Entsetzen zu weiden? Dann machen Sie schnell! Ich phantasiere mir eine so furchtbare Entstellung zusammen, daß Sie Mühe haben werden, mich noch zu einem Aufschrei zu bringen. Aber von jetzt an lauere ich natürlich doppelt, Sie wissen es, bei jedem Antippen der Gläser wappne ich mich vor dem Anblick, fast fällt es mir schwer, mich zu konzentrieren auf das, was ich Ihnen heute abend noch unbedingt sagen will. Sie beschäftigen mich, das haben Sie, untätig dasitzend, ohne Anstrengung erreicht, in der Gegenwart genau wie damals, in der alten Zeit, ich meine, drüben, im Alten Land.

Ich kann mir denken, wie Sie es machen werden: mit einem einzigen Ruck, mit einem Satz und Schlag die Brille packen und abreißen, die Zwillingsgläser, wie es Leo mit meinen jämmerlichen Füßen machte auf einen Streich. Sie werden es so praktizieren wie das lange Model aus Brasilien auf Ihrem Fest, als es, Rüsselmann verhöhnend, ohne Schonung sich und den Zuschauern gegenüber, die zerschundenen nackten Füße präsentierte.

Aber Zara! Sie wollen doch nicht in solche doppelten Fußstapfen treten? Es sei denn – – es sei denn, Sie hätten beide als Herolde für Ihren eigenen Auftritt vorausgeschickt.

Wissen Sie noch – das habe ich doch richtig beobachtet? – wie geradezu todestrotzig und mordlustig Ihr Fan, die kleine Verbrecherin, als sie selbst an der Reihe war, sich uns in Schuhen vorzuführen, wie abgrundtief böse sie uns da angestarrt hat? Wieder ein Augenblick, in dem ich mühelos hin- und herschlüpfen konnte. Ich verstand die Kleine ja, als wäre ich es selbst, erbittert vom sentimental lüsternen Atem der Älteren, vom unsittlich blutsaugerischen Betasten. Dabei war es doch nur unsere Bewunderung, wenn nicht gar Demut und Wehmut angesichts ihrer.

Natürlich aber hatte die Räuberin trotzdem recht mit Wut und Nein! Wir meinten ja nicht sie, den schlauen Teufel, den eingeschüchtert vor uns hingekauerten. Unsere Verehrung galt der Jugend an sich, dem Bild, dem Über- oder Abbild. Das ahnt man, das ahnte auch ich früher, die Mißachtung der eigenen Nase, des Mundes, der Augen, die meine waren. Man wird zum Opfer dieser Generalisierenden, Erwachsenen. Umgekehrt ohne Frage genauso die nicht weniger schnöde Musterung.

Wie höflich Sie gähnen, zum Erröten beschämend für mich. Jaja, aber es wird Ihnen nichts helfen. Ich will es loswerden, es will heraus aus mir. Wie sich die Landschaften, die Lieben, die Lebensalter erschließen im Durchwandern und sich runden! Was erst Festes war, löst sich auf, und das bisher Lockere ballt sich zum Konturierten. Ich kann hineinschlüpfen per Willenskraft und wieder raus, nach Laune.

Zara, lassen Sie die verfluchte oder segensreiche Brille noch in Frieden. Es ist doch gar nicht spät.

Es wird eben immer in dieser Welt von einer anderen geredet. Wir merken es nur gelegentlich, denn die Gefühle sind zu groß für die erdnahen – erdnahen? Was habe ich mir um Himmels willen denn dabei gedacht? – Anlässe, und wir selbst, wir umgebenden Körper, haben oder sind manchmal etwas, das uns als Gewohnheitsexemplar übersteigt. Eine Art – – Schornsteinqualm? Schall und Rauch alles? Nicht einverstanden? Alles Unsinn?

Es liegt bestimmt an der Höhe. Aber für die Höhenkrankheit sind wir nicht hoch genug. Die wild gewordene Schmuckkleinbürgerin gibt noch nicht Ruhe, nutzt ihre letzte Chance, eine solche Zuhörerin wie Sie zu haben. Wie hätte ich Leo auffassen sollen? Als sinnlichen Kraftquell, undurchdringlich oder als schwitzendes und fröstelndes Wesen in Lebensfreude und Todesangst oder als Figur, mir von Ihnen zum Beispiel bestimmt, menschlich, aber mit den zaubrischen Signalen einer anderen Welt für mich ausgestattet?

Haben Sie sich die Lippen zwischendurch geschminkt? Sie leuchten ja so blutrünstig! Ich habe Sie nur an diesem Kaffee trinken sehen. Sollte es mir entgangen sein? So glühend und geschwollen, ausgestülpte, fleischige Blütenblätter, diese Lippen, aber dabei so streng. Man hört dazu einen Schuß oder Peitschenknall. Beziehungsweise, jetzt wieder lieblich, neckend: Litzirü, litzirü. Da! Da, wie schön! Die Waldergötzerlein!

Alles, was von mir kommt, ist unbeholfen, und doch bin ich Richtigem auf der Fährte. Zwei Welten drehen sich ineinander. Das ist keine Spekulation. Sie murmeln nicht. Sie kauen ja! Sie beißen schon den ganzen Abend auf einem Kaugummi rum! Sind deshalb Ihre Lippen so toll durchblutet?

Heute nacht, in der letzten Nacht, will ich sagen, habe ich lange wachgelegen. Wer stand übergroß vor mir? Nein, nicht Leo, auch Sie nicht, die Zara vom Alten Land. Es war eine riesige Figur, eine Art Spindel, peinlich fast zu sagen, es war eine gewaltige Eieruhr im dunklen Raum. Ich hätte auch denken können: Stundenglas. Dachte ich aber nicht. Eieruhr! durchschoß es mich. Ich wollte mir Leos Finanzgeniegesicht vorstellen, seine Hüften, seine Hüften unter der Jacke und seine Hüften nackt im Mondlicht. Es klappte nicht. Die Eieruhr verdrängte alles. Das Unverfrorenste:

Ohne daß sie eine Stimme gehabt hätte, dröhnte sie eitel in den Raum: Ich bin das Weltgesetz, die Lösung und Erklärung.

Sie lag horizontal, und ich sah in dem einen Glasbehälter die Einzeldinge sich drängend und dann verengend auf die Mitte zu und den zweiten Glaskörper abwartend und leer, bereit, das Gestauchte in seinen Raum aufzunehmen. Daraufhin stellte sich das blöde Ding hin, so, ganz korrekt, wie es sich gehört. Die Sandkörner, mit denen die Uhr nun oben gefüllt war, konnten in mäßigem Tempo nach unten rieseln. Schließlich hätte jemand das Ganze auf den Kopf drehen müssen, damit es weiterginge. So einer fehlte aber. Ich lag in meinem Bett und rührte mich nicht, paralysiert von Kopf bis Fuß, spürte aber die bebende Anstrengung der Sandkörner, wieder zurück, durch die Taille der monumentalen Eieruhr in das obere Gefäß zu gelangen. Unsinn natürlich, aber ich fühlte ihre Anspannung. Fast wollten sie explodieren, um nach oben zu dringen.

»Schluß jetzt!« Zara? Das waren ja wirklich Sie! Ich täusche mich nicht. Zara, ich bin sofort still. Ihr »Schluß jetzt!«, zum ersten Mal nach all der Zeit! Sie sind es wirklich. Schluß zurrt und singt und piept und schürft. Für und für. Stück für Stück.

Einzige Möglichkeit: Ich mußte sie Stück für Stück hochdenken. Gedankentransport. Zurückschleppen dahin, wo sie hergekommen sind. Zara, nur unter diesem absurden Traumeindruck ist entschuldbar, was ich hier rede.

Ein umfangreicherer Raum, ein Universum ist unter den festen Knochen, unter den Bildern verschlossen. Man stürzt durch sie hindurch in eine dämonische oder göttliche Welt. Auch in die eigene Seelenkammer? Ich vibriere mit beim Pulsieren zwischen starrem Bild und dem Schlund, den es versiegelt und zugleich beschwört. Hat der Kellner nicht eben dreist seine Hand über Ihre gleiten lassen? Es muß alles maskiert sein und zwischen den beiden Räumen aufsteigen und absinken, wie zwischen Gut und Böse. Immer hört man unten, im flacheren Land, vorm Regen die Vögel schreien und sieht sie nicht, nicht das schreiende Körperchen, ziküth, die kleine Gestalt, hört den lockenden, lachenden Waldvogelruf und sieht nicht den Sänger, Schreihals, aus dem alles kommt.

Zwitschern in meinem Kopf. Auch heute nacht war es schon so. Da hörte ich immer: »Nie Gips, wie Gips!« Der Warnruf. Ich hab's gleich kapiert.

Der Kellner, wie infam, hat mit seinen Lippen leicht von hinten Ihr Haar berührt!

Man muß durch die Bilder hindurch. Dann neu aus der wüsten Schwärze bescheiden zu ihnen zurück. Wie manchmal das Licht auf Leo fiel! Von der Sonne in meinem Rücken, vom Mond in meinem Rücken. Es quietscht und tiriliert in meinem Hirn, pfeift und tutet hinter der Stirn.

Zara? Wenn doch jemand, wie wir in der kleinen Welt, tideli und tanderadei, die großen Umrißzeichnungen ahnen, auch in unserem Tun und Machen den punktuellen Aufschwung wahrnehmen, überwachen, loben würde! In mir, tschilp und zirp, jetzt: strahlende Zerstörungslaune, ein Weg! mit Gestalt und Sinn, Verströmen, Sturz und Schrei in die leuchtende Leere. Schimmernde Schimmel die Berge, die Täler Rinnen, dunkel rußige Grüfte. Zara, Sie wollten doch bloß hören, wie ich mir alles zusammenreime, ob ich Ihnen auf die Schliche gekommen bin.

Meine Füße sind sehr kalt. Ich habe immer die Kälte gefürchtet, aber hier verfalle ich ihrer Anziehungskraft, poco a poco. Man muß sich ihr, wenig für wenig, wie sonst der Hitze, aber crescendo, öffnen, damit der Eiswind grell durch die Kammern und Blutbahnen fegt und sie, huiiih, erhellt bis in haarfeinste Verästelungen.

Ob Leos Stammeln mich noch zurückrufen könnte? Nur hin, nicht zurück, hin, nicht zurück! Viel Blut, viel Blüt.

Sie nehmen wahrhaftig die Brille ab?

Sie nehmen sie ab!

Langsam gehen die schimmernden Augen der Nacht auf.

Unversehrt! Unversehrt! Unversehrt!

Glanz, unversehrt.

Glänzendes Drohen.

Der Kellner ist Ihr Neuer, nicht wahr? Nicht die Gebirgsluft hat sie verschönt. Er war's! Glänzendes Drohen, unversehrt. Wie früh, wie früh!

Sie haben mir mit Ihren unwiderstehlichen Augen gegenübergesessen und sie nicht gezeigt, um mir deren – was morsen Sie da? – düsteren – wem, Zara, gelten die Winke? – Applaus, nein? Anlaß? Appell! zu verbergen, bis ich fertig war. Ich bin es noch nicht! Der halbe Abend ist erst um. Bewegen Sie den kaugummikauenden Mund?

Da fällt es mir endlich wieder ein, jetzt – –

Was höre ich? Die Kür, die Sünd. Sie küßt. Sie büßt. Hier gesessen, um den Dienstschluß des Kellners abzuwarten in seiner Gegenwart? Die Brille hat Ihr Desinteresse versteckt an dem, was Sie längst kannten. Dachten Sie nicht an ganz anderes, verständigten sich mit ihm, die runden Brauen über den kommandierenden Augen in straffen Zwillingsbögen gewölbt? Brauen, geformt wie an den weißen Hängen die freigetauten Flächen. Wußten Sie, daß man sie »Fischmäuler« und »Lawinenmäuler« nennt?

Sind alle Lektionen von mir gelernt? Ich bliebe wohl gern, Zara, ich sähe wohl sehr gern noch länger hin, jetzt, wo die Sicht frei ist. Aber Strich durch die Rechnung:

Aus weit geöffneten Augen Befehl zum Aufbruch in die offenstehende, eisige Nacht.

Schon jetzt? Ich will noch nicht. So früh? Zu früh! Entblößte Froschaugen ordnen es an, gelackt, kalt glühend, die Nachtschwärze spiegelnd.

Ich, hinaus in den kahlen Schnee? In die nackte Nacht?

Sie, Zara, verlassen? Wie Leo schon? Kein Händedruck und keine Berührung mehr. Mich rührt so viel, es rührt Sie nichts. Schöne Welt, ade. Leben, ade. Liebe, o weh. Hinaus auf den gefleckten Weg? Der streckt und schlängelt sich, weißer Leib, sein Mantel klafft. Dann gute Nacht, für immer ade.

Dorthin, ich, ganz allein, auf die frostigen Berge zu, so arm, so fremd, hoch hinaus, tirili?

Was tat ich am liebsten in letzter Zeit? In der Bahnhofshalle mit vielen Leuten zum großen Bildschirm gaffen, Lämmerblick, Schildkröten im Clinch, Kriegswirren frisch, Wirbelstürme aus weiter Welt, Unglück herausgepickt, verblichen herbeigefunkt, löschte uns Wissensdurst. Duft dazu ohne Unterlaß zu unser aller Zusammenschluß nach Croissants und gebratener Wurst. Schwirrschwirr.

Was ich sagen wollte –

Großmütterchen, was habt Ihr für große Augen? Arglistiges Mütterchen, was habt Ihr für einen großen Mund? Die Füß, wie müd. Wie leicht mir wird, ich selig verschollen, Füße ausgedient unterm Tisch, zurückgelassen, nicht vermißt. Ruckediku. Wie's piept und girrt, wie's gurrt und murrt, u – u – i – u, Blut ist im Schuh. Idudidu.

Hinaus, hinaus.

Nie zurück, nie vermißt. Wird mir trüb zumut?

Ich fürcht mich viel, ich fürcht mich tief.

Wie's schimmert, wie's blitzt!

Ich – schwirr.

Nie zurück, nie zurück, bin hingeschickt, nie wieder zurück.

Nicht schlimm. Nicht schlimm.

Litzirü, litzirü. Nur Mut! Viel Glück! Wie kühl. Wie gut. Wie güt, nur Müt! Wie's singt und ruft, ich fürcht mich nicht, wie süß mich's zieht: Zizirü, zuküth, ziküth, wie süß, wie süß, zirü – –

Klett Cotta
© J. G. Cotta'sche Buchhandlung Nachfolger GmbH, gegr. 1659,
Stuttgart 2000
Alle Rechte vorbehalten
Fotomechanische Wiedergabe nur mit Genehmigung
des Verlags
Printed in Germany
Schutzumschlag: Philippa Walz, Stuttgart
Gesetzt aus der 9,5 Punkt ITC Stone Informal
von Fotosatz Janß, Pfungstadt
Auf säure- und holzfreiem Werkdruckpapier gedruckt
und gebunden von Clausen & Bosse, Leck
ISBN 3-608-93070-1

Fünfte Auflage, 2000

Ulrike Kolb bei Klett-Cotta:

Frühstück mit Max
Roman
ca. 200 Seiten, gebunden, ISBN 3-608-93545-2

Sie treffen sich zufällig nach vielen Jahren in einer New Yorker
Frühstücksbar wieder: Max, vielleicht Anfang dreißig, und Nelly,
die Ältere, noch immer schön. Beide haben früher
zusammengewohnt, in Berlin: Er war damals ein kleiner Junge,
sie die Lebenspartnerin seines Vaters – aber eben nicht Maxens
leibliche Mutter.
Sie erzählen. Erzählen sich ihr Leben und ihre Erinnerungen an
die Berliner Zeit. Wie war das damals, in jenen aufregenden
siebziger Jahren? In der Altbau-Wohnung Mommsenstraße, einer
linken WG, Tür an Tür mit einem florierenden Bordell. Wie ist es
Max ergangen, dem antiautoritär erzogenen, der jetzt in einem
New Yorker Architekturbüro arbeitet? Und warum hat Nelly
damals die Wohnung bei Nacht und Nebel verlassen und ist nie
zurückgekehrt?

Roman ohne Held
262 Seiten, gebunden, ISBN 3-608-93405-7

Ein Mann erzählt sein Leben. Da war das schwierige Verhältnis
zur Mutter und das grausame Ende der ersten Liebe. Die frühe
Entdeckung der eigenen sexuellen Besonderheit und die
Nachkriegsjahre. Es entfaltet sich vor uns ein bürgerlicher
Lebenslauf, der in beträchtlichem Reichtum endet. Aber dieser
Mann ist tot, unter ungeklärten Umständen in einem
Swimmingpool ertrunken. Und der hier erzählt, ist das Produkt
der Fantasie seiner Tochter, die sich schreibend und erinnernd
dieses Lebens bemächtigt.

»...das macht ihr in der deutschsprachigen Gegenwartsliteratur so
leicht keiner nach. Sie ist kühn und zugleich höchst präzis, eine
sprachliche Hochseilakrobatin von großer Eleganz.«
Gunhild Kübler / Die Weltwoche

Klett-Cotta

**Brigitte Burmeister
bei Klett-Cotta**

Pollok und die Attentäterin
Roman. 306 Seiten, gebunden, ISBN 3-608-93525-8

»Mysteriöser Anschlag auf pensionierten Spitzenmanager.
Festgenommen wurde eine fünfundzwanzigjährige
Buchhändlerin ...«
Was läßt sich zuverlässig aussagen über die Vergangenheit eines
Menschen? Diese Frage umkreist Brigitte Burmeisters Roman mit
jeder neuen, überraschenden Wendung des Falls. Ein eminent
politischer Roman, figurenreich und brillant erzählt.

Unter dem Namen Norma
Roman. 286 Seiten, gebunden, ISBN 3-608-93216-X

»Ein gültiger Roman über die derzeitige Psychogeographie
gelernter DDR-Bürger... Diese anschauliche, gleichzeitig aber
distanzierte Liebe zum Detail birgt deutsch-deutschen
Lebensstoff auf eine Art, wie man sie klüger und spannender
bisher nicht gelesen hat. . .«
Wochenpost

Herbstfeste
Erzählungen. 159 Seiten, gebunden, ISBN 3-608-93307-7

Acht Erzählungen legt Brigitte Burmeister vor.
Die Lebensspuren eines alten Schwesternpaars aus Ostberlin und
ihre Verwerfungen durch die deutsche Geschichte; die Parabel
von einem Instituts-Kollektiv, dessen planmäßiger Optimismus
umschlägt in pure Realitätsblindheit; die banale und zugleich
alptraumhafte Situation eines Grenzübertritts im Bahnhof
Friedrichstraße – selten wird die Notwendigkeit präziser
Erinnerung so sinnlich einleuchtend wie in diesen Prosastücken.

Klett-Cotta